U0788301

# 脏腑机能调整按摩法

（下 册）

王英华 著

中医古籍出版社
Publishing House of Ancient Chinese Medical Books

# 目　　录

# 第六章　脏腑机能调整之分筋法

## 第一节　十二经筋

《说文·筋部》“筋，肉之力也，从力，从肉，从竹。竹，物之多筋也。”《素问·五藏生成论》“诸筋者，皆属于节。”这句话概括了经筋的结构特点。这一说法也与竹形态相似，首先竹性柔软，是我国古代生活中常用的材料，秦汉时就用竹子来织布，“竹，物之多筋者。”说明竹是富含纤维的物质；其次，肉，是指肉体、身体，竹、肉、力合起来就是能产生力量的纤维组织。今天我们知道人体产生力量靠的是神经冲动和肌肉收缩，所以，从现代医学的角度来看，《内经》中指的筋，就是神经和肌肉。

筋在人体是确实存在的，以手按摩则为细长圆滑之物，以手弹拨则有滑动胀麻的感觉。古人以十二经筋总括全身之“筋”，把人体的筋肉组织隶属于十二经脉，十二经脉分属五脏六腑，五脏六腑皆听命于“心”。杨上善说经筋“为阴阳气之所资，中无有空”，指出筋的形态当和脉管的中空有别，也指出经筋通过十二经脉营运渗灌的血气而得到濡养。《灵枢·经脉》，用“筋为刚，肉为墙”的比喻，形象地说明了筋、肉的生理作用。筋附着、连属于骨节，王冰说：“筋气之坚结者，皆络于骨节之间也”（《素问·五藏生成论》注）。筋力坚韧，能约束、连缀骨骼和肌肉，使整个躯体得以保持一定的位置和形态，全身关节之所以能保持运动滑利，主要是依靠筋的连属作用。《素问·生气通天论》中把筋区别为大筋、小筋，张景岳把筋分为刚筋、柔筋，他说：“筋有刚柔，刚者所以束骨，柔者所以相维，亦犹经之有略，纲之有纪，故手足项背直行附骨之筋皆坚大，而胸腹头面支别横络之筋皆柔细也。但手足十二经之筋又各有不同者，如手足三阳行于外，其筋多刚，手足三阴行于内，其筋多柔”。大筋与小筋，刚筋与柔筋，互相对立而统一，这是古人运用阴阳学说来说明经筋的分类及其功能上的不同。这与现代医学认为的任何一个活动关节，都有两组功能不同而又协调的拮抗肌，在神经系统的支配、调节下，使肢体活动的屈和伸，俯和仰，内收和外展，旋内与旋外等，维持着正常的活动，有共同之处。基于这种认识，而推论经筋相类似现代医学生理解剖上所指的肌肉（主要是肌腱和韧带）以及神经系统中的周围神经。这一推论，可以从下述两个方面得到佐证：

第一、十二经筋在循行途径中都分别或重复结、聚于四肢关节部和肌肉丰盛处，而这些地方也正是韧带和肌腱最集结分布的场所，而且多有神经相伴随，由神经支配着肌肉运动。例如手太阳之筋，“结于肘内锐骨之后，弹之应小指之上，”肘内锐骨之后，系指小海穴附近，在该处弹拨或切掐，会有胀麻感直向小指侧放散。此种感觉非肌腱或韧带所具有，所以此句似指神经在受到刺激后引起的反应。事实上，手太阳经筋循行于上肢的外侧后廉，而该部位与臂神经丛及其分支尺神经的分布有关，并由尺神经支配前臂部分肌肉、大部分掌肌和手掌尺侧一个半手指皮肤。所以，“肘内锐骨之后，弹之应小指之上”，系指尺神经而言，似无异议。虽然原文中像这样与神经明显有关的仅此一处，但是，它对于探讨经筋的实质提供了重要的线索。

第二、筋病多能影响肢体的正常活功。临床上常见的因闪挫伤而引起的肌腱或一韧带损伤等，中医直接称谓“伤筋”。其他诸如而神经炎，面神经麻痹，三叉神经痛，肋间神经痛，坐骨神经痛，腓肠肌痉挛，腰肌劳损，腱鞘炎等，在十二经筋病候里多有描述。由于古代科学水平所限，对人体具体的每块肌肉及每根神经的起止和作用，不可能阐述、分析得十分清楚，而是根据肌肉及神经方面反映的功能和病候，将它们笼统地联系在一起。从《灵枢·经筋》篇里可以看出，十二经筋不是孤立地讲某一条肌肉或某一根神经。例如，足太阳经筋在下肢和躯干部的循行，主要就是联合了该部位的肌肉和神经，共同起着后伸的作用，因此，其病候也多反映出该部位肌肉和神经方面的病证：“其病小指支跟肿痛，腘挛，脊反折”等。这是从总的方面做出的观察和概括。尽管是比较粗糙的，然而其临床意义却不容忽视。对于筋病的治疗方法，采用“以痛为输”的原则，针刺所病之肌肉或“筋上”，施以一种或适当的补泻手法或穴位封闭，或应用温熨、药治、按摩等法，多能收到除疼痛于目前，愈疾病于指下的良好效果。

经筋，又称十二经筋，是附属于十二经络的筋肉系统，也是十二经脉之外，位于浅表部位的筋肉间相互关联的循行体系，同时也是十二经脉之气结、聚、散，络与筋肉关节的体系。经筋是人体的重要组成部分，其生理功能和病理变化散见于《黄帝内经》各篇中，以《灵枢·经筋》篇最为详细和系统。经筋附着、连属于骨关节，对骨关节起到约束和连缀作用。正常生理情况下，筋、骨的关系可概括为“骨正筋柔”，筋与骨关节构成一个整体，协调配合，以维持人体的正常姿势和完成人体的运动功能。正如《素问·痿论》所兑：“宗筋主束骨而利机关也。”十二经筋的循行与分布，通十二经脉的体表通路基本上是一致的。十二经筋起于四肢末端的指爪部，沿四肢上行与头项，终结于头面，并不与内脏直接相连。

十二经筋的循行：

四肢部：是十二经筋循行的起点和主干部分。按照“阳在外”、“阴在内”的原则，可将四肢内、外侧分成上、中、下或前、中、后三行，手、足三阳经筋行于外侧，手、足三阴经筋行于内侧，其概况和十二经脉在四肢的循行一致，阳明、太阴在上（前），少阳、厥阴在中，太阳、少阴在下（后）。这里需要说明两点：其一，十二经筋皆起于四肢指、趾端，十二经筋的起点即同名经脉的起点或止点，其中手三阳、足三阴六条经筋的循行方向和同名经脉一致，手三阳经脉、经筋皆从手走头，足三阴经脉、经筋皆从足走腹；手三阴、足三阳六条经筋的循行方向和同名经脉相逆，手三阴经脉皆从胸走手，其经筋皆从手走胸，足三阳经脉皆从头走足，其经筋皆从足走头。因此，十二经筋没有十二经脉那样阴阳表里两经的以及同名经脉的交接程序。其二，十二经筋在循行途径中都结、聚于四肢关节部和肌肉丰盛之处，如踝、腨、膝、髀、臀、腕、肘、肩等，这与《素问·五脏生成篇》所说“诸筋者皆属于节”的理论是一致的。张景岳说：“盖经脉营行表里，故出入脏腑，以次相传，经筋连缀百骸，故维络周身，各有定位。虽经筋所行之部，多与经脉相同，然其所结所盛之处，则唯四肢溪谷之间为最，以筋会于节也。筋属木，其华在爪，故十二经筋皆起于四肢指爪之间，而后盛于辅骨，结于肘腕，系于膝关，联于肌肉，上与颈项，终于头面，此人身经筋之大略也。”

躯干、头面部：是十二经筋循行的继续和别支及终止部分。在躯干部，足三阳经筋和同名经脉的循行所过之处大体上差不离：足太阳之筋行于背部，“上夹脊上项”；足少阳之筋行于身侧，“系于膺乳，结于缺盆”；足阳明之筋行于身前，“聚于阴器，上腹而布，至缺盆而结”。但是，足三阴和手太阴经筋在胸腹部的循行和同名经脉稍有差异，如足太阴经筋“聚于阴器，上腹，结于脐，循腹里，结于肋，散于胸中，其内者，著于脊”；手太阴之筋“上结缺盆，下结胸里，散贯贲，合贲下抵季胁”。《难经·四十七难》说：“人头者，诸阳之会也，诸阴脉皆至颈胸中而还，独诸阳脉皆上至头耳。”十二经脉如此，十二经筋也是这样。手、足三阴经筋的循行止于项颈、胸腹，而手、足三阳经筋的循行皆上达头而耳目。从十二经筋的循行中可以看出，十二经筋的分布不仅是十二经脉的循行之处，而且还循行到十二经脉没有抵达的地方。例如，手太阴之筋“抵季胁”，手阳明之筋“上左角，络头”等等。也有个别的经筋循行分布不及于经脉，例如，足厥阴之筋的循行仅终止于“阴器”。所以在某种意义上可以认为，十二经筋补充和延伸了十二经脉在体表的循行分布。另外，十二经筋虽然也有长短的分支，内行胸腹廓中，但不入脏腑，因此，没有十二经脉那样与脏腑的“属”、“络”关系。原文中，除足少阴之筋“与足太阳之筋合”之外，其余经筋没有像“肾合膀胱”（《灵枢·本输》）这样阴阳表里两经之间的相合。但在阳筋和阳经之间，阴筋和阴经之间，有着相交、相合的内容，加强着彼此间的联系与协作，如足阳明之筋“合少阳”，“上合于太阳”；手少阳之筋“合手太阳”；手太阴之筋“合贲下”；手少阴之筋“交太阴”等。又如足三阳之筋合结于“頄”（颧部），足三阴之筋合结于“阴器”，手三阳之筋合结于“角”（头部），手三阴之筋合结于“贲”（胸部）。又足三阴、阳明之筋皆聚于“阴器”，这与《素问·厥论》所说“前阴者，宗筋之所聚”的理论是相吻合的。足厥阴之筋“络诸筋”，突出了“肝主筋”这一论点，与《素问·六节藏象论》中的“肝者罢极之本……其华在爪，其充在筋”，《素问·五藏生成论》中的“肝之合筋也，其荣爪也”，《素问·痿论》中的“肝主身之筋膜”等论述相互印证。

十二经筋的病候：十二经筋虽各有病候记载，但和《灵枢·经脉》记载的十二经脉病候对照一下，则不难看出，它们既包括在十二经脉病候中，又有经筋为病的特点。由于致病因素如寒、热等邪气的作用下，十二经筋的病候多表现为该经筋循行所过之处的筋肉或与动作有关的疾患，以运动障碍和疼痛为主，如弛纵、挛急、掣痛、转筋、强直、口噼及关节活动不利，肢体偏废不用等。

《素问·阴阳应象大论》说：“肝生筋”。《素问·经脉别论》说：“食气入胃，散精于肝，淫气于筋”。《素问·金匾真言论》说：“东方青色，入通于肝……是以知病之在筋也”。筋与肝的关系至为密切，“肝主筋”的理论提示经筋为病，应首先考虑与肝的关系，注意爪甲、关节、阴器等各部的异常。

### 一、足太阳经筋

循行路线：足太阳经筋起始于足小趾，上结于外踝；斜上结于膝部；下方沿足外侧结于足跟，向上沿跟腱结于腿腘部；其分支结于小腿肚，自小腿肚上腘内侧，与腘部一支并行上结于臀部；向上夹脊旁，上后项；分支入结于舌根。直行者结于枕骨，上头项，由头的前方下行到颜面，结于鼻部。背部的分支，从腋后外侧结于肩髃部；一支进入腋下，向上出缺盆，上方结于完骨（耳后乳突）；再有分支从缺盆出来，斜上结于鼻旁部。足太阳经筋区域内及其循行路线附近的主要穴位有睛明、攒竹、百会、风府、大抒、大椎、气海等。

主司病症：在足太阳经筋的筋肉分布范围内，常见的病症有足小趾僵滞不适和足根部掣引酸痛，腘窝、脊背、颈项区域内酸楚、疼痛、麻木，肩不能抬举，腋部僵滞不适，缺盆如扭掣样疼痛，不能左右活动。另外，遗尿、小便不利、小腹胀痛、神智失常等病症也属于足太阳经筋的主司病症。若出现以上所述的症状，是由于足太阳经筋的异常所引起的。

病变区域：小腿后侧筋结区、腘窝筋结区、大腿后侧筋结区、髀部筋结区、颈侧筋结区、腋部后侧筋结区、鼻旁及目上筋区的筋结点。

## 二、足少阳经筋

足少阳经筋起于第四、第五趾，向后行于足背，结于外踝，向上沿胫外侧结于膝外侧。其分支另起于腓骨部，上走大腿外侧，前边结于伏兔（股四头肌部），后边结于骶部。直行的上经侧腹季胁，上走腋前方，联系于胸侧和乳部，结于缺盆。直行的上出腋部，通过缺盆，走向足太阳经筋的前方，沿耳后到额角，交汇于头顶，向下走向下颌，上方结于鼻旁，分支结于眼角形成“外维”，足少阳经筋区域内及其循行路线附近的主要穴位有听会、天冲、光明、悬钟、丘墟、足窍阴等。

主司病症：足少阳经筋的主司病症，可见足第四趾强滞不适，掣引转筋，并牵连膝外侧转筋，膝部不能正常屈伸，腘部经筋拘急，前而牵连髀部，后面牵引尻部，向上牵及胁下空软处及胁部作痛，向上牵引缺盆、胸侧、颈部所维系的筋发生拘急从而引发偏头痛、目疾、耳鸣、耳聋等病症。足少阳经筋发生异常时会对足厥阴经筋有不良的影响，故身体出现上述症状时，应及早疏通经筋，以便谋求症状的改善。

病变区域：头部侧面筋结区、目及鼻旁筋区的筋结点、腋下及胁肋筋结区、臀部及骶骨筋结区、大腿外侧筋结区、膝部外侧筋结区、腓外侧筋结区、踝骨和脚掌外侧筋结区。

## 三、足阳明经筋

循行路线：足阳明经筋起于足次趾、中趾及无名趾，结于脚背，从脚背斜向上行，结于踝关节处。在踝关节分为内外两支，外侧支向上在膝外侧聚结，后经髀枢部上行至胁肋部再转向背部，联系于胸椎；内侧支，自踝关节起，上沿腓骨，结于膝关节前，再沿伏兔上行，结于大腿部而汇聚于阴器。上行腹部而分布开，至缺盆结集。上向颈部，夹口旁，会合于鼻旁颧部，向下结于鼻部，上方合于足太阳经筋。足阳明经筋区域内及其循行路线附近的主要穴位有承泣、四白、承满、伏兔、梁丘、足三里、厉兑等。

主司病症：在足阳明经筋区域内，可出现足中趾掣强，胫部筋肉痉挛，下肢外侧前缘沿经筋区域酸楚、麻木、疼痛，下肢酸软无力、活动受限、肌肉萎缩、瘫痪等症状。腹部也会出现筋肉拘紧，向上会牵制到缺盆和颊部，以至引发口角歪斜、眼睑不能正常睁开和闭合等症状。如果此经筋区域内的筋肉出现病变，也会引起胃脘胀痛、呕吐、腹痛、便秘、痢疾等病症。

病变区域：耳、舆、口、目筋区的筋结点、腰侧筋结区、肿部筋结区、大腿前侧及外侧筋结区、小腿胫腓骨筋结区、足背筋结区。

## 四、足太阴经筋

循行路线：足太阴经筋起始于足大趾端内侧，向后走向足背内侧，结于踝关节。在内踝沿小腿内侧直行向上，结于膝关节内侧辅骨（胫骨内踝部）；向上沿着大腿内侧，结于股前，会聚于会阴部耻骨。向上行至腹部，结于脐部。从脐上行腹内，再沿着腹内结于肋骨，散布到胸中，附着于脊柱。足太阴经筋区域内及其循行路线附近的主要穴位有隐白、太白、商丘、三阴交、漏谷、血海、箕门、府舍、大横、腹哀、食窦、天溪等。

主司病症：足太阴经筋的主司病症为脘腹胀满、腹泻、食欲减退、黄疸、水肿、身重乏力，女性可出现月经不调、崩漏等症状。在下肢的经筋区域之内还可能出现下肢内侧前沿酸楚、麻木、疼痛，足大趾强滞不适，内踝部疼痛、转筋，膝内侧骨痛，阴部扭转疼痛，并上引脐及两胁作痛，牵引胸中和脊内疼痛。出现以上所述的症状时，只要疏通经筋以疏通气血，就能迅速改善不适的症状。

病变区域：腰侧筋结区、上胸及胁部筋结区、肚脐下部筋结区、阴器周围筋结区、髀内侧筋结区、大腿内侧筋结区、膝部内侧筋结区、小腿内侧筋结区、踝骨内侧筋结区、拓骨前沿筋结区、拇趾外侧筋结区。

## 五、足少阴经筋

循行路线：足少阴经筋起于足小趾下部，入足心，与足太阴经筋并行，斜走内络下方，结于足跟，与足太阳经筋相交，向上结于内辅骨下，再与足太阴经筋一起向上行，沿大腿内侧，结于阴部，沿脊内上行至项部，结于枕骨，再与足太阳经筋会合。足少阴经筋区域内及其循行路线附近的主要穴位有涌泉、照海、中注、商曲、幽门、俞府等。

主司病症：在足少阴经筋所经过和所结聚的部位，常有疼痛和转筋的症候。当足少阴经筋范围内的筋肉产生病变，就会引发癫痫、拘挛、抽搐和项背反张等症候。同时也会出现遗尿、小便不利、遗精、阳痞、月经不调、不孕不育、咯血、失眠多梦、足心热、咽干喉燥等病症。

病变区域：枕骨筋结区、腰椎旁筋结区、阴部筋结区、大腿内侧肌筋结区、膝部内侧筋结区、小腿内侧筋结区、足踝后部及足跟筋结区、足踝前内侧筋结区、足底中部掌心筋结区。

### 六、足厥阴经筋

循行路线：足厥阴经筋起于大趾之上，沿第一跖骨循行于足背，结聚于内跺之前。在内踝之前沿胫骨内侧上行，结于胫骨内辅骨之下。再向上沿大腿内侧。结于会阴部耻骨，在此与其他个条经筋相互沟通连接。足厥阴经筋区域内及其循行路线附近的主要穴位有大敦、太冲、中封、中都、足五里、阴廉、急脉、章门等。

主司病症：在足厥阴经筋的循行范围内，常见足大趾强滞不适，内踝前部痛，膝内侧部痛，大腿内侧痛、转筋，阴器不能运入等病症。若房劳过度，则会耗伤阴精而导致阳痿不举。若伤于寒则阴器缩入，若伤于热邪则阴器挺长松弛。此外，胁肋胀痛、食欲不振、心烦易怒、夜盲、目赤肿痛等病症也属足厥阴经筋的主司病症。

病变区域：大趾内上侧筋结区、脚掌内上侧筋结区、踝骨内侧筋结区、小腿内上侧筋结、胫内踝筋结区、大腿内下侧筋结区、阴部筋结区。

### 七、手太阳经筋

循行路线：手太阳经筋起于手小指上，结于手腕背部，沿着前臂内缘向上，结于肘内锐骨（肱骨内上髁）的后面，挤压此部位有酸麻感，且可传导至手小指之上。沿肘内向上，进入并结聚于腋下。其分支向后经过腋后侧缘，向上绕肩胛部，沿颈侧循行于足太阳经筋的前方，再结聚于耳后乳突部分。分支进入耳中；直行部分出耳朵上侧，向下结于下颌，上方连接于眼角。手太阳经筋区域内及其循行路线附近的主要穴位有少泽、后溪、阳谷、肩贞、天宗、听宫等。

主司病症：手太阳经筋区域内的病症有手小指僵滞不适，肘内锐骨后缘疼痛；沿手臂内侧上至腋下，可出现腋下右侧作痛；绕肩胛牵引颈部作痛，有时可感觉到耳中鸣响，以至病痛牵引颌部，痛时需眼睛闭合一会才能看清物景。若颈筋拘急，可引发筋瘘、颈肿、颈部发寒发热等颈部病症。若手太阳经筋有异常时，可以揉按后背腰部的小肠俞穴位，会感觉到似乎有硬块。若真的发现此处有硬块时，可先疏通气血，减轻不愉快的症状。

病变区域：手太阳经筋范围内，常见的病变区域有：小手指和手腕外侧筋结区、肘部后侧筋结区、肩胛内上角区、冈上和冈下筋结区、后颈外侧筋区、额头和外眦、耳部周围筋区等。



### 八、手少阳经筋

循行路线：手少阳经筋起于无名指，向上结于腕关节背部，沿前臂外侧上行结于肘关节，在上行绕过上臂外侧到达肩部，从肩部走向颈部与手太阳经筋相交。其中一条筋从颌部进入，联系与舌根；另一条支筋行至下颌关节处，沿着耳郭前面联属于外眼角，再向上至颞颌部，最后结于额角。手少阳经筋区域内及其循行路线附近的主要穴位有关冲、液门、中渚、阳池、支沟、会宗、天井、清冷渊、角孙、丝竹空等。

主司病症：手少阳经筋发生异常时，身体会出现各种症状，如重听、眼角痛、喉咙或脸颊痛；脖子、下巴、肩膀、手臂疼痛。另外，心窝至肚脐的肌肉发硬则是生殖器、泌尿器异常的征兆，而肩、颈、耳后等部位的疼痛，耳鸣、耳聋、偏头痛、咽喉疼痛、腹胀、水肿、遗尿、小便不利等病也都属于手少阳经筋区域内的常发病症。当身体呈现以上所述症状时，只要运用经筋疏通法进行疏通，就能缓解病痛，维持身体机能的正常运转。

病变区域：额部外侧和外眦筋结区、面颊筋结区、颈侧筋结区、肩部筋结区、上臂外侧筋结区、肘部外侧筋结区、前臂外侧筋结区、手腕背部正中筋结区。

### 九、手阳明经筋

循行路线：手阳明经筋起于食指的背面尺侧，沿手背上行结于手腕背部。从腕关节向上沿前臂上行，结于肘关节外面桡侧。再从肘关节向上经过上臂外侧，结于肩锁关节。分支在此绕过肩胛部，分布于脊柱两旁。主干从肩峰部上颈。分支走至面部，结于鼻旁，直行的沿手太阳经筋前方上至额角，散络头部，下向对侧颌部。手阳明经筋分布区域内及其循行路线附近的主要穴位有迎香、扶突、天鼎、肩髃、下廉、温溜、偏历、阳谷等。

主司病症：食指、桡骨外侧、上臂外侧、颈侧、面颊部等部位的肌肉痉挛疼痛等病症都是手阳明经筋的主治病症。另外，在手阳明经筋循行范围之内，也经常出现肩部肿胀、麻木、疼痛、面瘫、面痛、鼻塞、流涕、痔疮、便秘痛、腹泻等病症。当身体呈现以上所述症状时，可以疏通经筋以疏通气血，症状便可以减轻。

病变区域：手阳明经筋范围内，常见的病变区域有：腕内侧筋区、前臂外侧筋区、肘部外侧筋区、上臂前侧筋区、肩前筋区、面颊部筋区、颞颌部筋区和前额筋区。

### 十、手太阴经筋

循行路线：手太阴经筋起始于大拇指上，沿指上行结于鱼际之后，经寸口动脉外侧，向上沿前臂行走，结于肘中；向上经上臂内侧进入腋下，出缺盆部，结于肩峰前方；其上方结于缺盆，自腋下内行，结于胸里，散布贯穿胃的上贲门部，再会合下行，到达季胁部。手太阴经筋区域内及其循行路线附近的主要穴位有中府、云门、侠白、尺泽、列缺、少商等。

主司病症：在手太阴经筋循行范围之内，经常出现关节屈伸障碍、肌肉疼痛、拘挛掣痛等病症，重者可成“息贲病”，胁肋拘急，上逆吐血。此外，手太阴经筋还主治咳嗽、气短、喘息、胸部胀闷、鼻塞、咽痛、恶寒发热、小便频数以及上肢酸楚疼痛、麻木等病症。当身体呈现以上所述症状时，可以疏通经筋以疏通气血，身体便能迅速恢复轻松健康。

常见病变区域：手太阴经筋范围内，常见的病变区域有：季胁筋区、胸前外侧区、锁骨筋区、肩前及上臂内侧筋区、肘部筋区、前臂上侧筋区、腕桡侧筋区和鱼际筋区。

### 十一、手厥阴经筋

循行路线：手厥阴经筋又名“手心主之筋”。手厥阴经筋起于手中指，与手太阴经筋相并而行，结于肘关节内侧。向上沿上臂内侧结于腋窝下部，向下分散成两片筋区分散分布于胸胁部的前后两侧；其分支经筋走入腋窝后，散布于胸壁之中，结于膈部。手厥阴经筋区域内及其循行路线附近的主要穴位有天池、天泉、曲泽、郄门、间使、内关、大陵、劳宫、中卫等。

主司病症：由于手厥阴经筋分布范围较小，循行路线简单，其主治病症相对来说也较少。其病症主要是沿上肢内侧正中酸楚、麻木、疼痛。此外，在手厥阴经筋循行范围内的某些局部也常常出现僵滞不适、转筋以及胸部肌肉紧张作痛或绞痛。手厥阴经筋有异常时，压迫胸部的膻中穴位，有痛感，背上第四胸椎旁的厥阴俞穴位感觉有硬块。此时，疏通经筋，症状就能得到改善。

病变区域：筋结区、腋下筋结区、上臂内侧筋结区、肘关节前侧筋结区、前臂和腕部前侧正中筋结区、掌中筋结区、中指各节筋结区。

### 十二、手少阴经筋

循行路线：手少阴经筋起始于小指内侧掌面，沿小指骨上行，结于腕部锐骨。上行沿尺骨内侧，结于肘关节尺侧。沿手臂内侧上行，至腋下聚结，与手太阴经筋相交，由腋部入胸分布在乳部，上下结聚于胸中，下行经过膈部联系于脐部。手少阴经筋区域内及其循行路线附近的主要穴位有极泉、青灵、少海、灵道、通里、阴郄、神门、少府、少冲等。

主司病症：手少阴经筋主司病症有胸痛、心悸、心痛、心烦、失眠、神志失常，心下积块如有压迫感，肘关节不能正常屈伸，上肢内侧酸楚、疼痛、麻木及手心热痛等。当身体出现以上所述症状时，可以疏通经筋法疏通气血，使气血流通顺畅，消除病痛。

病变区域：手少阴经筋范围内，常出现病变的区域有：小指指节筋结区、手掌内侧区域、腕部内侧以及前臂内侧筋结区域、肘部内侧筋结区域、腋下筋结区、前胸下部筋结区域和肚脐周围筋结区域。

十二经筋病候，原文中分别提出十二“痹”之名。张志聪说：“痹者，血气留闭而为痛也。”（《黄帝内经·灵枢集注·经筋第十三》）古人根据阴阳血气盛衰的道理，以一年十二月各分主十二经脉，原文中即是以春、夏、秋、冬十二月份名十二经筋病，如足少阳经筋，应正月之气，故病名“孟春痹”；足太阳经筋，应二月之气，故病名“仲春痹”；足阳明经筋，应三月之气，故病名“季春痹”，余可类推。其用意无非指出治病勿忘天时，注意血气盛衰的辨证。原文中总结十二经筋病候说：“经筋之病，寒则反折筋急，热则筋弛纵不收，阴痿不用，阳急则反折，阴急则俯不伸。”凡此，又当究其寒、热、虚、实，进行辨证施治。

## 第二节　局部操作手法

### 一、颈部操作手法

1. 头颈扭转法

作用：顺气理筋，活络止痛。

主治：落枕，颈部扭伤以及外感风寒所致之头痛，项强等症。

操作：患者直坐，医者站其侧。操作时，以一手托患者下颌部，另一手扶住头部，将其下颌微微向上抬起，先将头部轻轻向左右旋转数次后，再突然向左或右侧扭转，此时可听到“嗒”的响声。左旋转后，再以同样方法进行向右旋转。旋转前，应嘱患者不宜精神紧张，旋转时需待颈部肌肉松弛后始能进行。治疗时颈部出现“嗒”的响声后，即感颈项舒适及活动范围增大。年老及有颈椎疾患者，此法忌用。

2. 按肩旋颈法

作用：通经活络，理气解痉。

主治：颈部扭伤，落枕，头痛项强，肩颈综合征，颈椎病，肌性斜颈等症。

操作：患者直坐，医者站其侧。操作时，医者以一手掌扶患者侧头部，再以前臂环绕头部抱定，然后将头颈向一侧旋转，同时将头颈部微微向外上方拔伸，反复操作 2～3 分钟。此法之要领，为按肩及旋颈与拔伸头部须同时进行。旋颈动作应缓慢而有力，逐渐增加旋转幅度。治疗时，有颈微胀微酸感，治疗后有颈部舒适的感觉。

3. 颈部推扳法

作用：通经活络，理气解痉。

主治：落枕、前斜角肌综合征、肌性斜颈等。

操作：患者正坐，双手扶住额部，头部略前倾。医者站在患者背后，用大拇指将颈夹肌、头夹肌和颈部半棘肌自颈椎棘突边缘向外侧推扳，然后施以指揉法。

4. 颈牵引法

作用：理筋正骨，温通气血。

主治：颈椎病，颈项强痛等。

操作：患者直坐，两上肢自然下垂。牵引时，患者两肩应尽量下垂，必要时两侧肩上可各置一下沙袋。操作时，将颈牵引带戴于颈部，将颈前后布带固定，两上端悬挂于牵引架上，逐渐增加牵引重量，牵引二十分钟至一小时。牵引之重量，可根据患者耐受情况逐渐增加。牵引时，患者及上肢有轻松感觉，如有头晕或恶心感觉时，应停止进行。心脏病及年老体弱者此法应慎用。

5. 按完骨法

作用：疏风通络，止痛益聪。

主治：头枕部头痛，落枕，耳鸣，耳聋等症。

操作：患者俯卧或直坐，头微前倾，医者坐其后方。操作时，以两手拇指掌侧分置枕后侧完骨穴处进行点按后，再以拇指掌侧自完骨穴分推向耳后之翳风穴处，反复操作二至三分钟。在穴位点按时，可配合用力较轻之指揉法，用力大小以患者能耐受为度。此法治疗时枕部有酸胀感，治疗后颈项活动灵活，有耳部舒适及增益听力的感觉。

6. 揉风池法

作用：疏风清热，清头开窍。

主治：风寒感冒或风热感冒，头痛，头昏，颈肌拘急不能俯仰，失枕，颈部扭伤，颈椎病等症。

操作：患者直坐，医者坐其后方。操作时，以一手扶定其前额部，另一手拇指、食指分置颈项两侧之风池穴处，指揉一至三分钟后，再以手四指掌侧自枕部左或右侧置脑空穴起，自上向下经风池至肩部之肩井穴处止，两侧反复摩动一至三分钟。指揉风池穴时，患者头宜垂直而不宜倾斜，体弱患者可采用俯卧姿势。指揉用力的方向，应向前并微向上方揉动。此法治疗时有酸胀及头颈部温热感，治疗后有颈肩舒适及头脑清爽的感觉。

7. 枕后分推法

作用：疏风解热开窍，调和气血安神。

主治：主治头昏，头痛、落枕，以及开窍急救等。

操作：患者仰卧，两肘屈曲，两手握拳置其锁骨下方，头微前倾，颈微向上伸直。医者坐其头部前方。操作时，以两手拇指掌侧对置枕后风府穴处，向两侧分推经风池、完骨、翳风穴处，再转向耳后，由下向上沿耳后瘈脉、颅息、角孙至禾髎穴止，反复推动二至五分钟。沿经穴位推动时，可配合按法。此法治疗时有酸胀感，治疗后有颈项和耳后温热、舒适及头脑清爽的感觉。

8. 枕后斜推法

作用：温通气血，清眩宁神。

主治：血虚眩晕，脑供血不足，头昏，头痛，面红，心烦等症。

操作：患者俯卧或直坐，医者坐或站其侧。操作时，以一手扶定头前额部，另一手四指自左侧或右侧枕后率谷穴处开始，斜向外上方经风池、哑门至对侧肩井穴处止，斜摩三至五分钟。在斜摩沿经穴位处，可配合点按手法。此法治疗时有微胀、酸及温热感，治疗后有颈肩舒适及增益精神的感觉。患者肌肉瘦削或外感，应蘸酒摩动，以免擦伤皮肤。

9. 头顶推法

作用：清眩通络，镇肝熄风。

主治：高血压病引起之头昏，头痛及颈椎病之颈肩疼痛，眩晕，耳鸣等。

操作：患者侧卧，医者坐其侧。操作时，以一手拇指掌侧置左或右侧头维穴，其食指掌侧置耳后一侧之翳风穴进行揉法后，再以拇指掌侧自头维穴横向头顶部之通天穴推动，最后转向下经脑空穴至风池穴推动，反复操作二至五分钟。头维穴至通天穴之推动次数与自通天穴至风池穴推动次数之比为2∶1。进行推法时，可配合按法。此法在沿经穴位治疗时局部有酸胀感，治疗后有头脑清爽的感觉。

10. 捏颈肌法

作用：调和气血，解经止痛。

主治：外感风热引致恶寒风热，头昏头痛，或外感风热所致之咽喉红肿疼痛，以及高血压病引致之头昏头痛、颈项不适，或落枕、颈椎病等症。

操作：患者俯卧或直坐，头微前倾，医者坐或站其侧方。操作时，以两手并置一侧之枕后风池穴处，拇指在颈肌外侧，其余四指并置颈项肌内侧，将肌肉微向上提起后，再自上向下拿捏至肩中俞穴止三至五分钟。拿捏向下移动时宜缓慢，用力宜均匀有力，以局部微红为度。此法操作时有拉扯及肌肉酸胀感，治疗后有头脑清爽、颈项活动灵活的感觉。

## 二、腰部操作手法

1. 揉命门法

作用：培元补肾，强健腰脊，调理脾胃，通气缓痛。

主治：腰腹隐痛，腰骶部疼痛，腰胀，肠鸣，脐周作痛等症。

操作：患者俯卧，医者坐其侧。操作时，医者以食指背屈或拇指掌侧揉腰部之命门穴二至五分钟，再以命门穴为中心，以左或右手掌心置其上，作旋转团摩一至二分钟。指揉时，应轻揉而着力，揉动时应嘱患者腰背肌肉放松。此法操作时有局部微胀感，治疗后有局部温热及小腹舒适的感觉。

2. 腰横摩法

作用：调补肾阴，活血利腰。

主治：腰腿酸痛，腰部扭伤，骶部疼痛，头昏，头胀，腹胀，腹痛，泄泻等症。

操作：患者俯卧，腹部可稍垫高，医者坐其侧。操作时，以手掌部置于腰部一侧之肾俞、气海及大肠俞穴处，先向内摩动至带脉穴处，然后再向前摩动至对侧带脉穴止，反复横摩三至五分钟。施术之要领，为摩腰时手掌应密接腰部皮肤，用力宜均匀；摩动时，应随腰部形态而改变着力点，即向内摩动时手指宜用力，向前摩动时手掌宜用力。此法操作时局部有温热、沉重及舒适感，治疗后有腰部轻松感。

3. 叠拿按腰法

作用：补肾气法，强腰脊。

主治：腰椎间盘突出症，腰肌劳损，腰骶部疼痛，腹痛，腹泻，小儿消化不良等症。

操作：患者俯卧，屈肘，两手置于额前，医者站其侧。操作时，医者以左或右手掌置于腰部，再将另一手掌部放置手上重叠，以脊柱正中之命门穴为中点，做有节律的按压 3～5 分钟。施术之要领，为按压时应随患者呼吸，按压在呼气动作时进行；按压用力的大小，以患者能耐受为度。此法勿用蛮力，按压时局部有紧压及牵扯样感觉，治疗后有腰部舒适感。

4. 腰部直摩法

作用：温通气血，强健腰膝。

主治：腰部强痛，风湿性腰痛，腰肌劳损，腰椎间盘突出症，坐骨神经痛，腰腿麻木等症。

操作：患者俯卧，医者坐其侧。操作时，以一手或两手四指并置于胃俞、胃仓平高处，向下直摩经胃俞、志室穴至小肠俞穴止，反复操作三至十分钟。直摩时，主要为两手指端掌侧着力，以局部皮肤微红、微汗为度，治疗后则有温热及腰部轻松的感觉。

5. 指分腰法

作用：益肾补脾，行气缓痛。

主治：腰背部疼痛，类风湿性脊柱炎，倦怠无力，少气懒言，中气不足，气虚下陷等症。

操作：患者俯卧，医者以两手拇指分置于腰际，自内向外下方分推至带脉穴止，反复操作三至五分钟。施术之要领，指分推或掌根分推时，拇指或掌根部须着力，其余四指或掌心及手指仅起固定支撑作用；推动时，宜缓不宜急。此法操作时有沉重、微胀及皮肤摩擦之温热感，治疗后有腰部轻快及自然挺腹的感觉。腹胀患者，此法须慎用。

6. 掌分腰法

作用：温补脾肾，壮腰祛湿。

主治：风湿性腰背痛，腰部扭伤，腰肌劳损，精神萎靡，倦怠无力，胃下垂，肾下垂等。

操作：患者俯卧，两手握拳置于胸前，仰头挺胸，医者站其侧。操作时，医者以两手掌根部对置于脊柱正中，然后向两侧肾俞穴处分推，其余四指附于腰际，掌根自内向外推动三至五分钟。分推时，两手掌根部用力宜均匀，缓慢而着力。分推时及治疗后，患者有局部温热及腰部舒适感。腹部胀满者，此法慎用。

7. 揉腰眼法

作用：温补肾阳，强健腰背。

主治：腰背部寒冷，腰肌劳损，腰背扭伤、挫伤，腰骶部疼痛，尿频，尿闭，遗精，阳痿，早泄，耳鸣，眩晕等症。

操作：患者直坐，背部向前倾，两手握拳交叉置于胸前。操作时以手握拳，置左或右侧背腰部京门穴下方，拳揉五至十分钟。施术之要领，拳揉用力宜均匀，体质壮实者实拳揉，体质虚弱者用空拳揉；拳揉用力大小以局部微红为度。此法治疗时有腰部沉重及微酸、微胀感，治疗后有局部温热及轻松的感觉。

8. 腰部扳推法

作用：温补肾阳，疏风散寒。

主治：腰背酸痛，腰肌劳损

操作：患者俯卧，双臂屈曲枕在头下，下肢伸直，腰部放松。医者站在健侧，先找到压痛点，然后再压痛点以上两个脊椎的平面处开始，用双手拇指自椎体棘突边缘将腰部肌肉（竖脊肌和背长肌）向外侧推压，并逐渐向下移动至压痛点以下两个脊椎的平面处。如腰部两侧酸痛，则交替使用上述手法，必要时可重复二至三遍。施术后，让患者自行活动腰部片刻，

9. 垂直推腰补气法

作用：温肾壮腰，大补元气。

主治：中气不足，少气懒言，食欲减退，食入不化，内脏下垂，腰背酸痛，骶部疼痛，遗尿，遗精，虚性便秘等症。

操作：患者俯卧，医者站或坐其侧。操作时，以两手四指指端分置脊柱两侧肾俞及气海俞、大肠俞穴处。着力点按一至三分钟。此法之要领，为点按时两手四指应与腰部肌肉呈垂直方向；点按时，应迎随患者呼吸，点按时机在呼气时。此法操作时患者感有轻微胸腹胀满，治疗后有心胸舒畅及腹部微温与舒适感觉。

10. 腰部补泻兼施法

作用：活血祛瘀，攻补兼施。

主治：腰肌劳损，腰骶疼痛，下肢痿弱无力，坐骨神经痛，骶髂关节炎，下肢麻木瘫痪，腹痛，腹泻，小儿消化不良等症。

操作：患者侧卧，两下肢屈曲，医者坐其侧。操作时，以一手四指指端置一侧腰部肾俞穴处，自腰后向腹部推动一至二分钟，再以另一手四指掌侧置一侧腹外侧大横、府舍穴处，自上向下摩动沿髂骨内缘至水道、归来穴处止，反复操作三至五分钟。施术之要领，自腰向前推动应用力均匀有节律，宜缓不宜急；推腰摩腹之比例为 2∶3，如腰肌丰满者可少推多摩。此法治疗时及治疗后，腰及下腹均有轻松的感觉。下腹胀满者，此法慎用。

11. 揉骶髂法

作用：补肾壮腰，清眩醒神。

主治：腰扭伤，骶髂关节炎，腰椎间盘突出症，坐骨神经痛，类风湿性脊柱炎，头昏，颈部疼痛，颈项强痛等症。

操作：患者取低头弯腰姿势，两上肢下垂。操作时，以手握拳自骶部胞肓穴起，微斜向内下方至白环俞穴止，拳揉二至五分钟。拳揉的动作应自上而下，用力大小以局部微红为度。此法操作时有局部微胀及微痛感，治疗后有局部温热及腰腿舒适的感觉。贫血及体质虚弱者此法慎用。

12. 髋上围按法

作用：活血祛瘀，补肾壮腰。

主治：腰痛，髋关节损伤，梨状肌炎，腹胀，肠鸣，腹痛，腹泻等症。

操作：患者侧卧，左或右下肢屈曲，医者坐其侧。操作时，以右手拇指端或两手拇指掌侧对置于髂骨上方，自维道、五枢穴沿髂骨上方髂嵴向下至胞肓穴止，反复点按二至五分钟。施术之要领，为点按的拇指应贴近髂骨外缘之肌肉处，肌肉瘦削患者用力应较轻；点按向下移动时动作宜缓慢。此法按压维道、五枢穴时有下肢内侧微胀及温热感，至髂嵴时有腰部沉重感及下肢前侧温热感，按至胞肓穴处则臂部有沉重感及下肢后侧有温热感；治疗后有腰骶部及同侧下肢温热和舒适感觉。

13. 横摩骶法

作用：镇静安神，强腰壮肾。

主治：坐骨神经痛，腰椎间盘突出症，梨状肌炎，骶髂关节炎，腰肌劳损，头昏，头痛，心悸，怔忡，眩晕，失眠，小儿遗尿等症。

操作：患者俯卧，医者坐其侧。操作时，以手四指及掌置左或右侧臀部胞肓穴处，自一侧经八髎穴至对侧胞肓穴处止，反复摩动五至十分钟。施术之要领，为横摩时宜着力密接皮肤；掌摩时，应随臀部外形而改变力量，如向前推动时，指端应稍放松，掌部着力，向后摩动时则相反；摩动用力以局部皮肤微红为度。此法治疗时有紧压及舒适感，治疗后局部有轻快及温热感。

14. 过伸旋转法

作用：舒筋活血，调理经脉。

主治：坐骨神经痛，腰椎间盘突出症。

操作：患者坐位，屈膝九十度，腰部放松微屈，助手固定其两下肢。医者站于患者身后，左手自患者左腋下握住患者右手，牵拉患者右手使其腰部向后左侧旋转，同时医者右手将患者右肩向左侧推压，使旋转角度加大，至最大限度时停留片刻，再以同样方法于对侧施术。然后，医者一手托住患者项背部，令患者腰部后伸，同时用左或右膝顶于患者腰骶部，当后伸达到极限时，医者膝部行颤抖动作三至五遍。过伸旋转法的功用为活动腰部小关节，解除小关节的嵌顿。

15. 揉搓腰骶法

作用：壮腰补肾，温经散寒。

主治：腰痛，腰肌劳损及生殖泌尿系统病。

操作：患者俯卧或侧卧，术者站在患者右侧或适当体位，双手大拇指和手掌按压在骶部，用力缓缓上推搓至肾俞穴位止；或一手扶托，另一手的尺侧缘或手掌在骶尾部至肾俞穴部迅速揉搓，揉搓至皮肤发热为度，但注意不要损伤皮肤。此法的功用为调理脏腑。

16. 胸腰部扳法

此法在临床上有多种术式。

（1）扩胸牵引扳法　患者取坐位，两手交叉扣置于颈项部。医者站在患者身后，以两手托住患者两肘，用一侧膝关节顶住偏歪的棘突，在向前顶时两手向后上托至最大限度，此时嘱患者头部后伸，待患者放松后，瞬间用力，听到弹响即表明复位。

（2）胸椎对抗复位法　患者站立，两手交叉叩置于颈后，两肘置于胸前。医者站于患者身后，胸部顶住患者背部，两手置于患者两肘前下方并将患者抱紧，待患者放松后医者两手向后上方用力，听到弹响即表明复位。

（3）胸椎后伸扳肩法　患者取俯卧位，如其有棘突向左偏时，医者站在患者的左侧，以右手掌根顶住偏歪棘突的左侧，左手置于右侧前，两手相对用力以使背部后伸并且旋转至最大限度时，两手瞬间用力，听到弹响即表明复位。

（4）腰部侧扳法　患者取健侧卧位，健侧下肢伸直在下，健侧上肢置于胸前，患者下肢屈曲在上，患侧上肢置于身后。医者站在患者腹侧，一手置于患侧肩前，另一上肢的前臂尺侧置于患者臀后。医者两手相对用力并逐渐加大患者腰部旋转角度，至最大限度时瞬间用力，加大旋转的角度，听到弹响即表明复位。

（5）直腰旋转扳法　患者取坐位。如其腰部有旋转受限，则医者站在患者的右前方，以右腿的外侧顶住患者有大腿外侧，左手置于患者右肩前，右手置于左肩后，两手相对用力，使患者腰部向右旋转至最大限度后，瞬间用力，听到弹响即表明复位。

17. 腰椎后伸扳法

作用：疏通经络，通经活络。

主治：腰部僵硬、腰椎生理前凸消失或腰椎侧突畸形等症。

操作：患者俯卧，屈肘，两手放于颌下或头前。医者站于侧，用一手按压其腰部，另一手将其下肢托起并用力向后扳伸，如此两手协同动作，使腰椎向后过伸；另一种术式为医者用膝部顶压患者腰椎，两手分别握住患者两踝慢慢向上提拉，使腰椎过伸。如此一拉一放，可重复五至十次。临床上常与腰椎斜扳法或腰椎旋转复位法配合应用。

18. 揉长强法

作用：温补脾肾，涩肠止泻。

主治：肠鸣，腹泻，腰骶部疼痛，尾椎挫伤，尾椎骨折后遗症，骶神经损伤等症。

操作：患者侧卧，两下肢屈曲，使双膝尽量抵至腹部，医者坐其侧。操作时，以食指背屈指揉或拇指顶掌侧指揉尾椎末节之长强穴，反复指揉一至五分钟。指揉时，用力应均匀有力。此法治疗时局部及肛门内有温热感觉，治疗后直肠及下腹部有舒适与温热感。

## 三、上肢操作手法

1. 肩周围按法

作用：温通经脉，活血止痛。

主治：肩关节周围炎，外伤性肩关节炎，肩部扭伤，颈椎病引致之肩背部疼痛等症。

操作：患者侧卧，左或右上肢平置于侧胸部，肘部微屈曲，医者坐其侧。操作时，医者以两手拇指对置于肩下三角肌下缘之臂臑穴处按压，再逐步移动至臑会穴，次移至肩部后方之肩贞穴，腋窝下之极泉穴及肩内侧下方之中府穴、云门穴处长按，反复操作三至五分钟。施术之要领，为按压时两手拇指用力应均匀；按压穴位时，均待上肢有麻胀感时，在向左或右侧移动。此法治疗后有上肢温热及轻松感。按压时，注意勿压伤肱骨。

2. 肩周拿提法

作用：通经活络，活血止痛。

主治：肩关节僵硬，肩周炎，肩臂肌肉萎缩，上肢串麻疼痛。

操作：患者侧卧，左或右上肢平置于侧胸部，肘部微屈曲，医者坐其侧。操作时，以手拿定肩关节上方，另一手四指置肩关节内侧，拇指置其外侧，自肩内下方沿肩关节向上经肩髃、肩髎再向下方沿三角肌下缘经臂臑至臑会穴止，逐步移动并向上拿提二至五分钟。施术之要领，拿提时应固定肩关节，并嘱患者全身肌肉放松；拿提应缓慢而有力，用力大小以皮肤微红及患者能耐受为度。此法操作时有沉重及牵扯的感觉，治疗后局部有发热及轻松感。

3. 摩按肩周法

作用：温通经络，行气止痛。

主治：肩周炎，外伤性肩关节炎，肩臂扭伤、挫伤，颈肩综合征等症。

操作：患者直坐，医者坐其侧。操作时，医者双手自病侧颈项部沿肩峰与肩胛区反复摩按五至十分钟；然后自患侧肩峰、三角肌处，向肘部、腕部顺序向下，反复摩按五至十分钟。施术之要领，为摩按肩部时应摩动肌肉，不应限于摩擦皮肤；摩按用力应均匀而有节律，用力大小以皮肤微红为度。此法治疗时局部有微酸、胀及沉重牵拉的感觉，治疗后有肩臂温热与轻松有力感。

4. 肩部推板法

作用：疏风散寒，活血化瘀。

主治：肩关节酸痛、肩周炎。

操作：患者坐位，上肢前屈，肌肉放松，上臂与躯干呈四十五角，前臂与上臂呈九十度角。助手站在患者对面，一手握住患肢肘弯，另一手使患臂的肱二头肌呈外旋位。医者站在患者背后，双手抓紧肩部肌肉，以指尖用力将肱二头肌腱、三角肌向后向外紧扳，同时用两大指紧压肩胛下肌、大圆肌、小圆肌，并向前紧推；然后再将腋窝前壁的胸大肌向上提。手法治疗后，让患者自行活动肩部片刻。

5. 肩部牵引法

作用：活血舒筋，滑利关节。

主治：肩周炎，肩关节外伤性功能障碍，肩关节手术后关节僵硬等症。

操作：患者直立，医者站其后。操作时，术者以一前臂插于患者腋下，向上向外提拉。另一手握住患者手腕向下牵引六至十次；然后，术者左手掌置于右肩峰上，右手握持患者前臂，协助其肩部作前屈、后伸、内收、外展及旋转活动。施术之要领，医者以手掌置其患肩上，主要为使患者在治疗时不致因牵引动作而高耸肩部；治疗左侧肩关节时，医者以右手掌置患肩上，左手握持患肢前臂；牵引应逐渐扩大活动范围，以患者能耐受为度。此法治疗时有牵拉和微酸胀及微痛感，治疗后肩部活动有增大范围的感觉。牵引时，注意勿用蛮力。

6. 双手揉球法

作用：疏通经络，通利气血

主治：肩周炎，肩部疼痛。

操作：患者上肢自然放松下垂。医者以双手指略屈曲，双掌心对合置于肩关节前后，一前一后。一上一下相对旋转揉动肩部，如球在手中揉动，持续三至五分钟，然后揉捏三角肌，最后以两手大鱼际对置肩窝前后，施力挤合肩关节。揉动时，双手动作要协调，着力均匀，不可摩揉皮肤，以局部温热，皮肤微红为宜。

7. 摇肩法

作用：理气宽胸，滑利关节。

主治：肩关节僵硬，肩关节周围炎，外伤性肩关节炎，胸闷，胸痛等症。

操作：患者直立或侧卧，医者坐其侧。操作时，以一手稳定患者肩部，另一手紧握患肢手指，作顺时针或逆时针方向旋转摇动二至三分钟。施术之要领，摇动的幅度应根据患肩恢复情况逐渐增加；摇动时，应嘱患者肌肉放松。此法治疗时有轻微疼痛及牵拉感，治疗后有肩关节活动范围增加及局部轻松的感觉。忌用暴力，以防止关节脱位及肌肉撕伤。

8. 按极泉法

作用：行气通经，宽胸正痛。

主治：肩臂不举，肘、腕冷痛，颈椎病，胁下满痛，胃痛干呕等症。

操作：患者仰卧，左或右上肢上举，屈肘，医者坐其侧。操作时，以手四指自腋下渊腋穴处向上摩动至腋部极泉穴处止，再自上臂青灵穴处向上摩动至极泉穴止，反复操作一至二分钟。然后，以拇指置极泉穴处长按，其余四指置肩关节后方扶定，按压二至三分钟。施术时应掌握摩动宜从轻，按法应逐渐加重压力，以患者能耐受为度。此法按压时有放射性酸、胀、麻的感觉，治疗后有上肢轻松及有力感。

9. 捏腋前法

作用：理气宽胸，舒筋活络。

主治：胸闷，胸痛，心悸，怔忡，心绞痛，肩臂疼痛，肩关节功能障碍，上肢神经性疼痛等症。

操作：患者侧卧，两上肢上举抱头，医者坐其侧。操作时，以一手四指置于患者左或右侧胸大肌外缘，沿肋间隙自内向腋前呈梳状摩动一至二分钟。梳摩胸部时，手法宜轻柔而有节律，使其胸部有舒适的感觉。此法揉捏时有局部及向周围或上肢放射的微酸胀感觉，治疗后有胸部轻松及上肢有力感。

10. 捏腋后法

作用：调和气血，通利关节。

主治：肩臂疼痛不能后伸，胸胁疼痛，头枕部痛，眩晕等症。

操作：患者侧卧，左或右上肢上举，肘屈曲，医者坐其侧。操作时，以手小鱼际自腋下大包穴向上至渊腋穴止，反复摩动一至二分钟；再以左手拿定患者前臂，另一手拇指置腋后方肩贞穴处，其余四指置腋内下方极泉穴处，拿捏腋下肌肉，反复操作三至五分钟。施术之要领，为摩动用力应从轻从缓，拿捏腋下肌肉用力应从重，用力大小以能耐受为度。此法治疗时有酸胀感，治疗后有局部温热及上肢轻松的感觉。

11. 按肩髃法

作用：疏风活络，调气活血。

主治：肩背肿痛，臂痛不能举，肩臂肌肉萎缩，中风半身不遂，颈部扭伤，颈椎病等症。

操作：患者侧卧，医者坐其侧。操作时，以手拇指掌侧置肩关节上方肩髃穴处，自上向下掌推至三焦肌下缘臂臑穴止一至二分钟。按压时，着力应缓而有力，掌推时应密切接触皮肤，以皮肤微红为度。此法按压局部有麻胀感并放射至手指，操作后有局部发热及上肢轻松感。年老体弱者，掌推可改用抚摩法。

12. 按巨骨法

作用：舒筋活络，活血止痛。

主治：风湿性肩关节炎，肱骨外上髁炎，颈椎病，颈部扭伤等症。

操作：患者侧卧，左或右上肢屈肘置于胸前，医者坐其侧。操作时，以手四指置于侧头部，然后沿耳后摩动经完骨至肩上部巨骨穴止，反复操作一至二分钟；再以拇指掌侧置巨骨穴处，长按一至二分钟。施术之要领，为摩动至枕后完骨穴处，应配合按法；拇指按巨骨穴时，方向应向下侧处着力。此法按压穴位时，上肢及小指有放射性麻胀感；治疗后有温热及轻松的感觉。

13. 推按阳明三穴法

作用：调和气血，通络止痛。

主治：上肢麻木疼痛，颈肩疼痛，肩周炎，中风后偏瘫等症。

操作：患者坐或侧卧，医者坐或站其侧。操作时，用拇指掌侧或两拇指对置，自肩髃穴起，依手阳明大肠经各穴顺序推至合谷穴止三至四分钟。在缓推的过程中，重点用拇指按压肩髃、曲池、合谷三穴。按压穴位时，可有酸胀或麻的感觉，治疗后有颈、肩轻松感。

14. 推上臂三阳法

作用：行气通阳，活络镇痛。

主治：肩周炎，外伤性肩关节炎，风湿性关节炎，肩部扭伤，头枕部痛，颈椎病等症。

操作：患者侧卧，左或右上肢平放于侧胸部，手掌向下置于大腿外侧。操作时，以两手拇指对置于肩关节上方肩髃穴处，其余两手四指扶定上肢，自上向下沿上肢伸侧经臑会穴至肘尖上方天井穴止，反复操作二至三分钟；再使患者肩部微向内收，前臂微向内侧旋转，以两手拇指对置，自腋后由上向下沿上臂侧推进至肘尖后方小海穴止二至三分钟。然后，使患者肩部微向外展，前臂微向外旋动，以两手拇指对置，自肩关节上方肩髃穴起，自上向下经臂臑穴、五里穴至曲池穴止，反复推动二至三分钟。施术之要领，为推上臂背侧三阳经时用力较推三阴经为重。此法操作时局部有微胀及压迫感，推压穴位时有麻胀感，治疗后有局部温热及上肢轻松的感觉。

15. 推上臂三阴法

作用：通经活血，化瘀止痛。

主治：胸闷，胸痛，气急，恶心，呕吐，肱二头肌腱炎，肘关节痛，腕关节僵硬等症。

操作：患者仰卧，左或右上肢平放于床上，手掌向上，医者坐其侧。操作时，以两手拇指掌侧对置于腋前天泉穴处，两手其余四指扶定上肢，自上向下推动至曲泽穴止二至三分钟；再以两拇指对置于天府穴处，自上向下经侠白穴至尺泽穴处止二至三分钟；然后，以两拇指对置于极泉穴下，自上向下经青灵穴至少海穴止二至三分钟。推上臂掌侧三阴经时，用力应较推三阳经为轻，推动沿经穴位时应配合按法。此法操作时有局部微胀及压迫感，按压穴位时有麻胀感，治疗后有局部温热及上肢轻松而有力的感觉。

16. 捏上臂法

作用：疏调经脉，理气宽胸。

主治：肩关节痛，肱骨外髁炎，颈椎病，头昏，目眩，胸闷，胸痛等症。

操作：患者仰卧，左或右上肢稍外展，医者坐其侧。操作时，以手拇指掌侧置其上臂外侧，其余四指置上臂内侧青灵穴处着力捏压，反复操作一至二分钟；再以拇指置上臂外侧，其余四指掌侧置极泉下方，自上向下沿肱骨内缘逐步下移经青灵穴至少海穴止二至三分钟。捏压下移时，应缓慢而着力。捏压沿经穴位时，上肢有麻胀及温热感，治疗后有上肢轻松而有力的感觉。

17. 揉天井法

作用：活血散瘀，通络止痛。

主治：落枕，颈椎病，肩臂疼痛，胸背疼痛，偏头痛，耳鸣，耳聋等症。

操作：患者侧卧，屈肘，医者坐其侧。操作时，以拇指指尖肩后下方肩贞穴处按压一至二分钟；再自臑会穴以拇指侧推动经消烁至肘尖上方天井穴止一至二分钟。最后，以拇指尖置天井穴处按揉三至五分钟。施术之要领，按压肩贞穴后，可使患者作肩关节后伸活动；自上向下推动时用力应从轻从缓；按揉天井穴处用力可稍重，但以患者能耐受为度。此法治疗时有酸、胀、麻感，治疗后有上肢温热与轻松感觉。揉时注意勿用蛮力，防止损伤神经。

18. 推前臂三阳法

作用：理筋通络，疏风解表。

主治：颈椎病，肱骨外上髁炎，腕关节僵硬，手指不能屈伸，头痛，头晕，偏头痛等症。

操作：患者仰卧或直坐，前臂平放于床上或桌上，医者坐其侧。操作时，以两手拇指对置于肘尖下方，其余两手四指扶定前臂，自上向下沿前臂伸侧正中线推动经外关穴至阳池穴止一至二分钟；在使患者前臂微向桡侧倾斜，医者以两拇指对置肘部桡侧曲池穴处，自上向下推动经温溜穴至阳溪穴止一至二分钟；最后，使患者前臂微向尺侧倾斜，医者以两拇指对置肘尖尺侧小海穴处，自上向下推动经支正穴至阳谷穴止一至二分钟。推动时，两手拇指用力应均匀。此法操作时局部有微胀及压迫感，操作后感局部温热及有力，沿经穴位时有酸胀的感觉。

19. 推前臂三阴法

作用：理气和胃，镇静安神。

主治：胸闷气急，胸中懊恼，心悸失眠，肘、腕关节及掌指关节疼痛与活动障碍等症。

操作：患者直坐或仰卧，左或右前臂平放于床上，手掌向上，医者坐其侧。操作时，以两手拇指掌侧对置于肘内曲泽穴处，其余四指扶定前臂，自上向下沿经前臂伸侧正中线经内关穴至大陵穴推动二至三分钟；再使患者前臂微向桡侧倾斜，以两拇指掌侧对置肘内尺泽穴处，由上向下推动沿桡侧外缘经孔最穴至太渊穴止二至三分钟。最后，使患者前臂微向尺侧倾斜，以两拇指掌侧对置肘尺侧少海穴处，由上向下推动沿尺侧缘至神门穴止二至三分钟。施术之要领，操作时患者上臂与前臂均应平放成一直线，推动时两拇指应用力均匀，用力大小以皮肤微红为度，此法操作时局部有微胀及紧压感，治疗后感觉局部温热与轻松，沿经穴位有微酸胀感。

20. 内、外关按法

作用：和胃理气，安神镇痛。

主治：肩、肘、腕关节疾患，胃痛，恶心，呕吐，胸闷，气急，心悸，怔忡，心绞痛，失眠，多梦等症。

操作：患者直坐或仰卧床上，前臂伸直，医者坐其侧。操作时，以手拇指掌侧置腕掌侧大陵穴处，其余四指置腕背侧阳池穴处，自上向下逐渐揉动，经内、外劳宫穴至中指端止，反复操作一至二分钟；再以拇、食指分别置于前臂屈侧内关穴及伸侧外关穴处，合按三至五分钟。摩动自腕至指端时，动作应轻柔，合按后可配合指揉法，以消除按后之不适。此法摩动时有局部温热及轻松感，合按穴位时有酸胀感，治疗后有胸及上腹舒适的感觉。

21. 按神门法

作用：镇静安神，宁心通络。

主治：怔忡，健忘，失眠，多梦，心绞痛，心律不齐，上腹疼痛等症。

操作：患者直坐或仰卧，前臂平伸，手掌向上，医者坐其侧。操作时，以手拇指置肘窝正中曲泽穴处起，自上向下推动经内关至掌心劳宫穴止，反复操作一至二分钟；再以一手拇指掌侧置前臂下端内关穴处，另一手拇指按神门穴，反复按揉三至五分钟。施术之要领，前臂推动时手法从轻从缓；按揉穴位用力大小以能耐受为度，神门穴可适当配合指掐法。此法操作时有酸麻胀的感觉，治疗后有心胸舒畅及安静感。

22. 分掌法

作用：宁心安神，宽胸理气。

主治：心悸，健忘，失眠，多梦，胸胁疼痛，饮食不下，腕关节损伤，手指麻木冷痛等症。

操作：患者直坐，手掌向上，医者坐其侧。操作时，以手拇指置腕掌关节掌侧大陵穴处轻轻指揉后，再以拇指掌侧自上向下经劳宫推动至中指端止一至二分钟。然后，以两手拇指对置大陵穴处，其余四指置患者手背之两侧扶定，用两手拇指掌侧沿大、小鱼际分摩至拇指少商穴及小指少泽穴处止，反复分摩三至五分钟，推动或分摩时，着力应轻缓有节律。此法操作中及治疗后有头脑安静的感觉。

23. 梳手背法

作用：疏调经络，通阳止痛。

主治：腕与指关节功能障碍，颈项僵硬，颈椎病所致之手指麻木等。

操作：患者直坐或仰卧，前臂放于桌上或床上，手掌向下，手指直伸，医者坐其侧。操作时，以手四指掌侧置腕关节阳池穴处，摩动时再将四指分置于一二指、二三指、三四指、四五指之间掌关节间隙，自上向下呈梳状摩动至液门穴平高处止，反复操作二至五分钟。施术之要领，梳摩时患者掌心应尽量放平，梳摩动作应缓慢而着力。此法治疗时有牵拉及舒适感，治疗后有局部温热的感觉。

24. 揉劳宫法

作用：镇静安神，疏通心络。

主治：头昏，头痛，心悸，失眠，胸中懊恼，恶心，呕吐，胃痛，小儿高热，抽搐，四肢厥冷，外感风寒等症。

操作：患者直坐或仰卧，左或右前臂放于桌上或床上，手掌向上，手指微屈，医者坐其侧。操作时，以拇指掌侧置患者腕部掌侧大陵穴处，自上向下经劳宫穴至指关节第一节止，指推一至二分钟；再以拇指掌侧置掌心劳宫穴处，食指置于与手心相对之外劳宫穴处，作顺时针及逆时针揉二至三分钟。施术之要领，掌心揉动用力应较外劳宫为重；对恶寒发热有外感症状者，揉动时宜蘸酒。此法操作时有微酸胀感，治疗后有局部温热的感觉。

25. 捏合谷法

作用：疏风解表，开窍复苏。

主治：头痛，头晕，口眼㖞斜，外感风寒，鼻塞流涕以及用于昏迷急救等。

操作：患者直坐，手指微屈曲，医者坐其侧。操作时，以手拇指置腕部桡侧至阳溪穴处，其余四指置其外侧，自阳溪穴起向下沿一至二掌关节间隙经合谷穴，再沿食指桡侧缘向下指摩至商阳穴止，反复摩动二至三分钟。最后，以手拇指端置合谷穴处捏掐二至三分钟。指揉时，以局部微发热为度，用力宜轻柔。此法操作时有酸胀放射感，治疗后有局部短暂的微胀与温热的感觉。

26. 腕屈伸法

作用：舒筋活络，滑利关节。

主治：肩周炎，颈椎病，腕关节功能障碍，指关节损伤等症。

操作：患者仰卧，上肢伸直，医者坐其侧。操作时，患者手掌向上，医者以两手拇指掌侧对置于肘窝至曲泽穴处，自上向下推动经大陵穴至劳宫穴止一至二分钟；在使患者屈肘，医者以一手拇指置肘部小海穴处，其余四指置曲池穴处按压，再以手握住患者手指后按压手掌，使腕部背屈数次后，继以背伸，反复操作三至五分钟。施术之要领，推前臂屈侧时，以皮肤微红为度；腕部作屈伸动作时，应逐渐增加屈伸之幅度。此法在按压穴位时有酸胀感，治疗后有温热及腕关节灵活的感觉。

27. 摩指法

作用：舒筋活血，疏通心络。

主治：指关节扭伤，指关节僵硬，手指不能屈伸，小儿高热，烦躁不安，手足厥冷等症。

操作：患者直坐，左或右手平伸，医者坐其侧。操作时，使患者左或右手掌心向下，医者以拇指掌侧置外关穴处，自上向下指推至阳池穴止一至二分钟；再使左或右手掌向上，医者以拇指掌侧置内关穴处，自上向下经大陵穴指推至劳宫穴止一至二分钟。最后，再以两手拇指、食指掐定患者手指两侧，逐步自上向下摩动，自指掌关节其摩动至指端止，反复摩动二至三分钟。施术之要领，摩动手指两侧是边摩动边弯曲指关节；自前臂下端向手掌或手背部推动，沿经穴位时可配合按法；屈指时，应逐渐增加屈伸幅度。此法在按压穴位时，局部有酸胀麻的感觉，治疗后有指关节轻松及温暖感。

28. 揉指法

作用：温通经脉，行气止痛。

主治：胸闷，心悸，失眠，多梦，指关节扭伤，指关节僵硬等症。

操作：患者直坐或直立，两手平伸，医者站其前。操作时，以两手四指分置于患者两手腕伸侧扶定，拇指置于腕部大陵穴处，自上向下逐指摩动至各指掌侧末节，反复操作二至三分钟；再以两手拇指、食指掐定患者手指，逐指掐揉，自指掌关节下端起，掐揉至指端少商穴止。最后，再揉指至食指末端、中指末段、无名指末端、小指末端止，反复操作三至五分钟。施术之要领，为揉指时用力应均匀而有节律，揉动宜缓慢；在揉指至指端时，可用拇、食指搓三至五次，以加强作用。此法操作时及操作后局部有轻松、温热及舒适感觉。

29. 肩关节拔伸法

作用：松解粘连，滑利关节。

主治：肩关节粘连、活动功能障碍等症。

操作：肩关节拔伸法的基本动作为上举、内收、后伸、外展，此法四种基本动作常配合应用，结合摸法、推法、摇法等其他手法。

（1）上举　患者坐位，医者半蹲站于其前侧，嘱患手搭在医者肩后，使其肘部搁在医者上臂部，医者两手抱住患者肩部，然后慢慢站起并同时伸展手臂将患肢抬起。

（2）内收　患者坐位，将手置于胸前，医者紧靠其背后稳住其身体，用一手扶住患肩，另一手握住其肘部作内收扳动。

（3）后伸　患者坐位，手自然下垂。医者站于患侧，用一手扶住其肩部，另一手握住其腕部向后扳动并作屈肘动作。屈肘时要使掌背沿脊柱上移。

（4）外展　患者仰卧。医者一手按住患肩部，另一手握住其肘部作向外牵拉扳动，同时作旋内及旋外动作。

## 四、下肢操作手法

1. 环跳按法

作用：祛风散寒，强健腰肌。

主治：坐骨神经痛，梨状肌炎，髋关节扭伤，股外侧神经痛，腰椎间盘突出症等。

操作：患者侧卧，左或右下肢屈曲，医者坐其侧。操作时，以两手拇指掌侧对置于臀部环跳穴处，其余四指分置臀部的两侧处，两拇指长按三至五分钟。按压时，应均匀一致，勿用蛮力。应逐渐增加按压力量，用力大小以能耐受为度。按压时，有酸、胀、麻及电流样热感自臀部放射至小腿及足趾，治疗后下肢有温热及有力的感觉。

2. 臀部直摩法

作用：舒经活络，宁心安神。

主治：坐骨神经痛，腰椎间盘突出症，腰椎滑脱，隐性骶裂，梨状肌炎等病症。

操作：患者侧卧，左或右下肢屈曲，医者坐其侧。操作时，以两手四指并置于臀部上方关元俞穴平高处，向下直摩经白环俞穴，在自关元俞平高处向外下方摩动至环跳穴止，反复摩动三至十分钟。摩动时，主要以指端用力，必要时可配合摩按手法。此法操作时有沉重及温热感，治疗后有腰骶部轻快的感觉。

3. 推臀法

作用：理筋通络，活血止痛。

主治：腰椎间盘突出症，腰椎滑脱症，坐骨神经痛，梨状肌炎，骶髂关节炎，骶部疼痛等症。

操作：患者侧卧，左或右下肢屈起，医者坐或站其侧。操作时，以一手拇指掌侧自左或右侧臀部上方脊柱旁之小肠俞穴开始，向下经胞肓穴斜推至环跳穴，并停留在环跳穴处按压；另一手拇指掌侧置小肠俞处，经胞肓穴斜推至臀下外侧。待推至环跳穴并进行按压时，原按该穴之拇指即行离开，如此反复交互推动二至五分钟。施术之要领，每次指推均须着力；交叉推动经过臀部时，以可见皮肤微红为度。此法操作时有酸胀及沉重感，治疗后有局部温热及轻快的感觉。

4. 揉臀法

作用：强健腰膝，宁心安神。

主治：头昏目眩，心悸怔忡，失眠多梦，颈椎病，骶髂关节炎、坐骨神经痛等症。

操作：患者侧卧，左或右下肢屈起，医者坐或站其侧，或直立，腰向前弯，两手撑于木椅上，医者站其后。操作时，以手握拳，以左或右侧臀部秩边穴为中点，拳揉一至二分钟后，再沿骶髂关节上缘向下经臀部至承扶穴用空拳揉二至五分钟。体弱者用空拳揉，体壮或实证者用实拳揉。此法操作时局部有酸胀及沉重感，治疗后有腰背轻松及温热感觉。

5. 臀部重压法

作用：袪风胜湿、宣通壅塞。

主治：腰背疼痛，坐骨神经痛，腓肠肌痉挛，头昏，头痛，颈项强痛等症。

操作：患者俯卧，医者站其侧。操作时，医者手执特制竹竿或紧拉扶手，左或右足底部压于患者臀部八髎穴处，另一足置左或右臀下承扶穴处，作颤动点按一至五分钟。施术之要领，重心应掌握在竹竿或扶手上，用力之大小应酌情而定；重压时间稍久时，应配合重揉法。此法治疗时有重、胀感，治疗后下肢有轻松感。

6. 肩臀重压法

作用：宽胸理气，强健腰腿。

主治：胸闷，气急，头昏，胸胁疼痛，风湿性关节炎，半身麻木等症。

操作：患者侧卧，两肘屈曲，两手握拳置于胸前，医者站于床上。操作时，医者手执特制竹竿或手拉床上之扶手固定身躯后，再以一足底部置患者左或右侧肩髃穴处，另一足底部置臀部环跳穴处，作颤动按压二至五分钟。施术之要领，重按用力主要在臀部，用力大小以患者能耐受为度，重心掌握应放在扶手上。此法治疗时肩、臀及上、下肢有放射性温热感，治疗后觉上、下肢轻松有力并感胸部舒畅。年老体弱者，此法慎用。

7. 股内侧揉捏法

作用：温通经脉，活血化瘀。

主治：腹痛，腹胀，股神经痛，腰腿痛，下肢麻木瘫痪，痛经，月经不调，小腹疼痛等症。

操作：患者仰卧，两下肢伸直，医者坐其侧。操作时，以两手四指置于股内侧上方阴廉、五里穴处，自上向下逐步下移，经阴包穴至膝下阴陵泉穴处止，反复揉捏三至五分钟。施术之要领，自上向下揉捏时，移动应缓慢而着力；在沿经之阴廉、五里、阴包、血海等穴位处，应配合按法。操作时有下肢酸胀及放射性的温热感，治疗后有胸腹舒适及头脑清爽的感觉。

8. 按股内法

作用：行气通络，散瘀止痛。

主治：腰痛，下肢瘫痪，骶髂关节炎，髋关节韧带损伤等症。

操作：患者侧卧，左或右下肢屈曲，另一下肢伸直，医者坐其侧。操作时，以拇指置股上方内侧阴廉穴处，其余四指置股外侧固定，再着力反复长按二至三分钟；然后嘱患者仰卧，再以拇指置股上方气冲穴处按压一至二分钟。按压开始时，用力应缓，逐渐加重压力，以患者能耐受为度。此法操作时有酸胀及沉重感，治疗后有下肢温热感觉。

9. 拿股内肌法

作用：活血散瘀，理气健脾。

主治：膝关节炎，股内侧神经痛，髋关节韧带损伤，坐骨神经痛，痛经，腹痛，胃肠功能紊乱等症。

操作：患者仰卧或直立，两下肢伸直，医者坐或站其侧。操作时，以左或右手拇指及四肢分别置于股内侧上方之阴廉、五里穴前后。另一手扶定患肢，再将股内肌肉捏紧，并向上反复拿提二至四分钟。然后，以手扶定足踝部，另一手食指背屈按揉三阴交穴一至二分钟。施术之要领，拿提动作应有节律，用力由轻逐渐加重，以患者能耐受为度。此法治疗时局部有酸胀与牵拉感。治疗后有下肢内侧温热及轻松的感觉。

10. 股内抚摩法

作用：调和气血，活络止痛。

主治：腹痛，腹胀，痛经，遗尿，中风偏瘫，颈椎病，腹股沟韧带损伤等症。

操作：患者仰卧，两下肢伸直，医者坐其侧。操作时，以拇指置股上部外侧，其余四指置股内侧，自股内上方阴廉、五里穴处向上抚摩经阴包、血海穴至阴陵泉穴止二至四分钟。施术之要领，抚摩时宜四指及掌心着力，置股外之拇指仅起固定作用；手指及掌心抚摩至膝关节处着力，应随骨骼及肌肉外形而改变。此法治疗时与治疗后下肢均有温热及轻松感。

11. 下肢重压法

作用：清利头目，理气宽胸。

主治：头昏目眩，视物不明，失眠多梦，胸胁疼痛，腹胀腹痛，咳喘气急，风湿性关节炎，腰背酸痛下肢关节痛与肌肉损伤疼痛等。

操作：患者左或右下肢屈曲，另一下肢伸直，医者站于床上。操作时，医者手执特制竹竿，有右足底部置患者大腿内侧上方之阴廉、五里穴处，另一足底部斜置于足踝内侧之大钟、水泉穴处，做颤动重压二至五分钟。施术之要领，重压时医者足底先置股内侧上部后，再斜置足踝之内侧；颤动重压作用力之大小，以患者能耐受为度。重心可通过竹竿调节。此法操作时有下肢酸胀及压迫感，治疗后有下肢轻松、头脑清爽及腹部舒适的感觉。年老体弱及下肢肌肉瘦削者，此法应慎用。

12. 股内侧重压法

作用：疏肝理气，活血止血。

主治：头昏，头痛，眩晕，视物模糊，咳嗽气喘，胸闷胸痛，咯血，下肢麻木等症。

操作：患者侧卧，左或右下肢屈起，另一下肢伸直，医者站于床上。操作时，医者手执特制竹竿后手拉扶手固定身躯后，再以左或右足底部置患者下肢内侧上方之阴廉、五里穴处，另一足底部之膝内侧上方之血海穴处，做颤动重压二至五分钟。施术之要领，为颤动重压用于股内侧上方，前后搓动用于膝上部，重按与搓动时应有节律；重压用力应以患者能耐受为度。此法治疗时局部有酸胀及紧压感，治疗后有下肢温热及轻松的感觉。年老体弱者，此法慎用。

13. 股内侧重搓法

作用：活血通络，清化湿热。

主治：风湿性关节炎，髋关节扭伤，下肢肌肉萎缩，头昏，腹痛，痛经，月经不调，胸闷等症。

操作：患者侧卧，左或右下肢伸直，另一下肢屈起，医者站于床上。操作时，医者一足站于床上，一手紧拉扶手，固定身躯后，用一足之足底部置于股内侧上方之阴廉、五里穴处，自上向下经血海、阴陵泉穴至三阴交穴止，反复重搓一至三分钟。施术之要领，为股内上方阴廉、五里穴处搓动用力应稍重，其余部位应从轻。此法在重挫之部位有压迫及微胀感，治疗后有下肢温热、轻松及腹部舒适的感觉。

14. 推股外侧法

作用：疏散风邪，通络止痛。

主治：腰背疼痛，股外侧神经痛，椎间盘突出症，腰椎滑脱症等。

操作：患者侧卧，左或右下肢微屈曲，另一下肢伸直，医者坐其侧。操作时，以两手拇指掌侧对置臀部环跳穴处，自上向下经风市、阳关、阳陵泉、外丘、光明、悬钟至丘墟穴止，反复推动三至五分钟。沿经穴位时，应配合点按法，其中风市、阳陵泉、悬钟穴应施用长按法。此法治疗时有酸麻胀及放射性温热感，治疗后有下肢温热及有力的感觉。

15. 股外刨推法

作用：舒筋活络，散瘀止痛。

主治：腰腿痛，坐骨神经痛，股外侧神经痛，偏瘫，胸胁疼痛，膝关节肿痛，下肢浮肿等症。

操作：患者侧卧，左或右下肢屈起，另一下肢伸直，医者坐其侧。操作时，以拇指置股上方前侧，余四指置股后方，自臀部环跳穴平高处起向下经风市、阳关、阳陵泉穴之悬钟穴止二至四分钟。施术之要领，刨推时指掌侧及掌根均需着力，体弱者可用掌心着力；同时，在大腿部用力应较小腿为重。此法治疗时下肢局部有温热感，治疗后下肢有轻松及有力感。

16. 股上、下刨推法

作用：逐痹除痛，通气行血。

主治：瘫痪，痿证，痹证，筋脉拘挛，坐骨神经痛，腰腿疼痛，胸闷，胸痛，胃痛等症。

操作：患者侧卧，左或右下肢屈起，另一下肢伸直，医者坐其侧。操作时，以一手拇指置股上方后侧，余四指置前侧，自髀关穴平高处向下刨推；另一手拇指置股骨下方前侧，余四指置其后方，自梁丘穴平高处向上刨推。待两手刨推接近时，再以两手并置，两手拇指置股后侧，两手四指置股前侧，将大腿部肌肉向上拿提，操作三至五分钟。施术之要领，刨推时，主要为拇、食指关节合成之“虎口”处掌侧着力，拿提时以各指端之掌侧着力；上下刨推法，可适用于股前、后、内、外侧，以病情需要而定；刨推用力大小，以能耐受或局部皮肤微红为度。此法治疗时有局部沉重及酸胀感觉，治疗后有下肢温热及轻松感。

17. 股外侧重推法

作用：祛风散寒，通经镇痛。

主治：坐骨神经痛，腰腿痛，偏头痛，胸胁疼痛，风湿麻木等症。

操作：患者左或右下肢屈曲，另一下肢伸直，医者站于床上。操作时，医者手执特制竹竿，左或右足底部置股外侧臀上之环跳穴处，另一足底部自环跳穴下，自上向下经风市、中渎穴之膝上之阳关穴止，反复推动 3～5 分钟。施术之要领，重推时以医者之足底部着力，股上部较股下部用力为重，接近膝关节外侧时着力宜从轻；用力大小，以患者能耐受为度。此法重推时有局部沉重及温热感，治疗后有下肢轻松和有力的感觉。年老体弱及肌肉瘦削者，此法慎用。

18. 按股前法

作用：通经活络，健脾和胃。

主治：胸闷，腹痛腹胀，腹股沟淋巴结炎，头昏目眩，面红耳赤，下肢软弱等症。

操作：患者仰卧，两下肢伸直，医者坐其侧。操作时，以两手拇指对置于股前上方之髀关穴处，其余四指分置大腿两侧，经伏兔、梁丘、足三里、下巨虚穴，自上向下逐步长按至解溪穴止三至五分钟。施术之要领，股前长按每一穴位时，均待下肢有酸胀感或放射性温热感时，再向下移动；患者的腘窝下可用棉布衬垫，以避免按压膝上时之不适感；按压穴位之间，应配合轻推法。此法治疗后，下肢有温热及有力感。

19. 股前重揉法

作用：温经活络，疏风散寒。

主治：头昏，头痛，视物不明，胸腹胀满，风湿性关节炎，膝关节疼痛，下肢痿弱无力，髋关节扭伤等症。

操作：患者平卧，两下肢伸直，医者站于床上。操作时，医者左或右足站于床上，另一足底部置股上方髀关穴处，自上向下揉动，经伏兔、阳市穴至膝上梁丘穴止二至三分钟。在髀关穴及梁丘穴处，揉动应稍重，其余部位揉动用力应从轻。揉动时，患者有轻松及舒适感，治疗后有下肢温热的感觉。临床上，本法常用于下肢重压法治疗之后，以消除重压后之沉重感。年老及体弱者，此法慎用。

20. 股前抚摩法

作用：散寒通络，消肿止痛。

主治：腹胀，腹痛，下肢麻木，股内筋急不得屈伸等症。

操作：患者仰卧，两下肢伸直，医者坐其侧。操作时，以手指置股前髀关穴平高处，以手指及掌心自上而下经伏兔、梁丘、上巨虚穴至解溪穴止，反复抚摩二至四分钟。施术之要领，手指及掌心应密切接触皮肤，抚摩动作宜缓而轻柔；抚摩至膝关节处，应用掌根及小鱼际着力。此法治疗时及治疗后，下肢均有轻松的感觉。

21. 推股后法

作用：舒筋活络，强健腰腿。

主治：腰背疼痛，髋、膝关节疼痛，下肢瘫痪，股后侧肌及肌腱损伤，腓肠肌急性损伤与慢性劳损等症。

操作：患者俯卧，两下肢伸直，医者坐其侧。操作时，以两手拇指掌侧对置臀下承扶穴处，其余四指分置大腿两侧，自上向下沿股后正中线，经股门、委中、承山穴至足跟止，反复推动三至五分钟。施术之要领，推动时两拇指应同时着力；推动沿经穴位时，用力应稍重，用力大小以患者能耐受为度。在沿经穴位操作时，有酸、胀、麻及放射性温热感，治疗后下肢有轻松及有力的感觉。

22. 股后抚摩法

作用：温通经脉，行气止痛。

主治：腰腿痛，下肢痿痹不仁，腓肠肌痉挛，小腿酸痛不能久立，偏头痛，颈项强痛，胸胁疼痛等症。

操作：患者俯卧，两下肢伸直，医者坐其侧。操作时，以手四指置股上部的后侧，自臀肌下之承扶穴处向下抚摩经殷门、委中穴至合阳穴止二至三分钟。按摩到委中穴，着力宜较轻，大腿上段较大腿下段用力稍重。抚摩后，下肢有轻松有力的感觉。

23. 股后揉捏法

作用：强健腰膝，活血通经。

主治：腰腿痛，下肢痿痹不仁，腓肠肌痉挛，小腿酸痛不能久立，偏头痛，颈项强痛，胸胁疼痛等症。

操作：患者俯卧位，两下肢伸直，医者坐其侧。操作时，以两手四指并置于股上方内侧，两手拇指置其股外侧，做钳形揉捏，自上向下，自承扶穴起，经委中、承山穴至足跟部昆仑穴止，反复操作三至五分钟。施术之要领，揉捏时，医者手之大小鱼际部位紧贴股后之皮肤，四指及拇指掌侧应着力，作缓慢而有节律之移动；自上向下移动时，揉捏之手势，应随患者下肢解剖上的形态而改变着力点；在大腿后部肌肉揉捏时，用力应较小腿后部为重。此法治疗时有局部舒适及微酸胀感，治疗后下肢有温热及轻松有力的感觉。

24. 拿承扶法

作用：调整经脉，化瘀定痛。

主治：腰背疼痛，骶髂关节炎，腰椎间盘突出症，坐骨神经痛，股后侧肌及肌腱损伤等症。

操作：患者直立，腰向前弯曲，医者站其侧。操作时，以一手拇指置患者臀肌下方承扶穴处，其余四指置其外侧，拿定肌肉后，向上拿提二至五分钟。施术之要领，操作时患者应尽力向前弯腰，两下肢应用力伸直；拿提时用力的大小，以患者能耐受为度。此法治疗时有局部酸胀沉重感，治疗后下肢有温热及腰腿轻松的感觉。年老体弱或下肢肌肉萎缩者，此法慎用。

25. 股后重压法

作用：活血化瘀，通阳逐痹。

主治：下肢麻木瘫痪，膝关节活动障碍，腰痛不可俯卧，腰腿疼，腓肠肌痉挛，足跟酸痛等症。

操作：患者俯卧，两肘弯曲，两手握拳置于锁骨下，头微向上抬起，医者站于床上。操作时，医者手执特制竹竿或紧握床上之扶手，固定身躯后，再以一足底部置患者臀下之承扶穴处，另一足轻置殷门穴处。在承扶穴之足底部可连续做颤动按压，另一足可逐渐下移，在委中、合阳、承筋、承山穴处做移动按压三至五分钟。施术之要领，臀下承扶穴处用力可稍重，其余穴位处用力应从轻；颤动按压之用力大小，以患者能耐受为度。此法操作时有局部压迫及下肢放射性温热感，治疗后下肢及腰部有轻松的感觉。年老体弱者，此法慎用。

26. 股后重揉法

作用：活血通络，散寒祛湿。

主治：腰腿疼痛，腰背拘急，腰骶部疼痛，下肢麻木瘫痪，头痛，肩背拘急、颈项强痛等症。

操作：患者俯卧，医者站于床上。操作时，医者手执特制竹竿或紧拉扶手，以左或右足置于患者承扶穴处，另一足站于床上，自上向下经殷门、委中、承山穴至足跟止，反复揉动二至四分钟。施术之要领，为在股后的大腿上部重揉，应较小腿用力较大；大腿后侧与小腿后侧重揉次数的比例为2∶1；在承扶、殷门穴位处宜重揉，在委中、承山穴位及腓肠肌处用力应从轻。年老体弱者，此法慎用。

27. 下肢牵拽法

作用：疏导经气，壮骨理筋。

主治：头昏，目眩，腹胀，肠鸣，腰椎间盘突出症，腰肌拘急，慢性腰痛，髋关节扭伤，膝关节半月板损伤等症。

操作：患者仰卧，两下肢伸直，两手紧握床架上，医者站其足部方向。操作时，以一手握住患者左或右足趾，另一手紧握其足跟部，使其尽力背屈。术者再将左或右下肢抬起，术者将足踝部压于患者膝关节部位，先摇动患者踝关节三至五次后，再向外下方牵拽二至五次。施术之要领，被牵拽的下肢宜固定牢靠，牵拽时要一鼓作气。牵拽后，将下肢平放床上，休息二至三分钟再起床行走。此法操作时有下肢牵拉及关节微响声，治疗停止后有下肢微胀感，但稍休息片刻，即有腰腿舒适及困重消失的感觉。

28. 下肢外伸法

作用：活络通经，滑利关节。

主治：腰腿疼痛，髋关节活动障碍，骶髂关节炎，胸闷，胁痛等症。

操作：患者仰卧，两下肢伸直，医者坐其侧。操作时，以左或右手掌置患者左或右下肢髂嵴处按压固定髋关节，另一手置膝关节内侧曲泉穴处，手指扶定膝关节，自内向外上引伸，反复操作三至五分钟。施术之要领，髋关节应着力固定，向外上方牵伸时，应缓慢有力；牵伸时，应逐渐增加角度，以患者能耐受为度。此法操作时髋、膝关节有微酸胀感，治疗后腰腿有轻松的感觉。牵伸时，注意勿用蛮力。

29. 揉膝上法

作用：和胃理气，消肿散瘀。

主治：胸闷，心烦，胃痛，恶心，呕吐，膝关节肿痛，下肢麻木瘫痪等症。

操作：患者仰卧，两下肢伸直，医者坐其侧。操作时，以一手拇指及四指分置股部上方伏兔穴平高处，自上向下至髋关节上方做钳形揉捏一至二分钟；再以手握拳置膝上阴市、梁丘穴平高处，反复拳揉三至五分钟。施术之要领，拳揉时，患者腘窝下可衬沙袋或棉垫；拳揉用力大小以能耐受为度，体弱虚证可用空拳揉，揉后可配伍股前抚摩法，而体壮或实证，则可用实拳揉。此法治疗时有局部温热感，治疗后下肢有轻松有力的感觉。

30. 揉血海法

作用：调和气血，祛瘀止痛。

主治：腹痛，痛经，腹胀，肠鸣，下肢痿软无力，膝关节酸痛等症。

操作：患者侧卧，左或右下肢屈起，医者站其侧。操作时，握拳置于膝内侧血海穴，做旋转揉动二至三分钟。再以手掌自股内侧箕门穴处经膝关节向下至阴陵泉穴止，抚摩一至二分钟。施术之要领，拳揉的旋转动作应有节律，用力应由轻而逐渐加重，并以患者能耐受为度；抚摩的动作应缓慢而轻快，以消除拳揉后之不适。此法治疗时有紧胀及酸胀感，治疗后下肢有温热轻松及下腹部舒适感觉。

31. 腘上内拿法

作用：调和气血，通络健膝。

主治：腰椎间盘突出症，坐骨神经痛，下肢麻木不仁，膝关节肿痛，膝手术后关节活动障碍，大腿肌肉痉挛等症。

操作：患者仰卧，膝关节微屈曲，医者坐其侧。操作时，医者一手拇指置股内血海穴，其余四指分置其相应部位股内侧，自上向下至阴陵泉平高处止，做钳形揉捏一至二分钟；再以一手四指置腘上内侧之阴谷穴处，拇指置其相对部位，向上拿提三至五分钟。拿提时，应将肌肉扣紧，用力大小以能耐受为度。此法治疗时，局部有酸胀及牵扯样感，治疗后有局部温热及膝关节轻松感觉。年老体弱及肌肉瘦削者，此法慎用。

32. 腘上外拿法

作用：通络和血，强健腰膝。

主治：髋关节疼痛，股内肌撕裂伤，膝关节活动障碍，胸胁满胀，腰背部疼痛等症。

操作：患者俯卧，膝关节微屈曲，医者坐其侧。操作时，以一手四指置股后殷门穴处，拇指置股外侧风市穴，自上向下至阳陵泉穴平高处止，做钳形揉捏一至二分钟；再以一手拇指置膝上外侧阳关穴处，其四指置膝上内侧处，向上拿提三至五分钟。拿提时，应将肌肉扣紧，用力大小以能耐受为度。此法治疗时，局部有酸胀及牵扯样感，治疗后有局部温热及膝关节轻松的感觉。

33. 膝周揉法

作用：清化湿热，健脾和胃。

主治：风湿性关节炎，半月板损伤，膝关节扭、搓伤，髋关节手术后关节僵硬，胃痛，腹胀肠鸣，食欲减退等症。

操作：患者直坐，两下肢屈曲，医者坐其侧。操作时，以拇指掌侧指揉血海、阴陵泉、阳陵泉穴及内外膝眼穴处二至三分钟后，再以掌心置膝关节上，手指分置膝关节周围揉捏五至六分钟。揉动时，手指应一齐用力，频率应均匀一致。指揉穴位时，患者有酸胀及放射性温热感，治疗后有膝关节活动轻松的感觉。

34. 膝引伸法

作用：行气通络，伸筋利膝。

主治：腰腿疼痛，下肢肌肉萎缩，膝关节活动障碍，胸闷腹胀，小腹疼痛等症。

操作：患者仰卧，两下肢伸直，医者坐其侧。操作时，以左手拇指置膝关节外侧上方，其余四指置膝上内侧血海穴处着力按压固定，右手拇指置足外踝上方悬钟穴处，其余四指置内踝关节上方三阴交按压固定后，做膝关节屈曲引伸活动一至五分钟。引伸膝关节的活动，应缓慢而有节律，并逐渐增加活动幅度。此法按压穴位时局部有酸胀感，膝关节被动活动后，下肢有轻松的感觉。

35. 单屈膝旋髋法

作用：行气通络，屈伸腰腿。

主治：髋、膝关节活动功能障碍，股内收肌群损伤，腰椎间盘突出症，下肢痿软无力等症。

操作：患者仰卧，左或右下肢屈起，另一下肢伸直，医者坐其侧。操作时，以一手握患者左或右下肢的足内、外踝上方之三阴交、悬钟穴处；另一手掌心置膝上，再以手指固定膝关节，然后将其下肢尽量屈曲下压至腹部相接后，再向左或右做环形旋转五至十五次。施术之要领，屈曲下压至腹时动作应缓慢，逐渐增加弯曲度；旋转时，应缓慢而有节律，旋转幅度应以患者能耐受为度。操作时忌用蛮力，防止髋关节脱位及扭伤，髋关节畸形者忌用。

36. 双屈膝旋髋法

作用：行气通络，强健腰腿。

主治：腰背疼痛，髋关节功能障碍，腰椎间盘突出症，坐骨神经痛，髋关节病变，腹部胀满，小腹胀满，下腹疼痛，胸闷不舒等症。

操作：患者仰卧，双下肢并拢屈起，医者站其侧。操作时，两手紧握两足踝外侧悬钟穴处使患者尽量将膝关节屈曲，医者以肘部将患者双膝下压，尽可能于腹部相接后，在向左或右做环形旋转五至十五次。施术之要领，屈曲双膝下压至腹时动作应缓慢，逐渐增加弯曲度；旋转双膝及扭动腰部时，躯干上部应固定，旋转幅度以患者能耐受为度。操作时忌用蛮力；髋关节及脊柱畸形者忌用。

37. 小腿内侧揉捏法

作用：清化湿热，通利三焦。

主治：头昏，头痛、胸痛，腹胀，腹痛，痛经，下肢麻木瘫痪，踝关节损伤，足跟肿痛等症。

操作：患者仰卧，两下肢伸直，医者坐其侧。操作时，以两手四指并置于小腿内侧阴陵泉穴处，自上向下逐渐下移，经地机、漏谷、三阴交穴至踝下照海穴处，再以四指摩动经然谷穴至隐白穴止，并将足大趾向下按压，反复操作三至十分钟。施术之要领，捏揉向下移动时应缓慢；在阴陵泉、地机、漏谷、三阴交穴位处应配合按法。此法操作时有下肢酸胀及放射性的温热感、治疗后有下肢轻快，胸腹舒适及头脑清爽的感觉。

38. 小腿内侧重按法

作用：通利三焦，清化湿热。

主治：头昏，头痛、胸闷，腹胀，腹痛，痛经，下肢麻木瘫痪，踝关节损伤，足跟肿痛等症。

操作：患者侧卧，左或右下肢伸直，另一下肢屈起，医者站于床上。操作时，医者手握特制竹竿或握紧床上之扶手，再以一足底部置足内踝之水泉穴处，另一足底部纵置小腿胫骨后方之腓肠肌处，反复做颤动重压二至三分钟。施术之要领，重按时医者足跟部置于患者之阴陵泉穴处下方，足心置地机穴后方，医者足内缘应紧贴在胫骨后缘之肌肉处（勿压在胫骨上）；重按用力时，应以患者能耐受为度，用力应轻柔而有力。此法治疗后有下肢轻松、温热及腹部舒适感。年老体弱者，此法慎用。

39. 小腿内侧按法

作用：调和气血，清利湿热。

主治：小腹痛，痛经，腹胀，下肢及踝关节疾病等。

操作：患者仰卧，两下肢伸直，医者坐其侧。操作时，用一手四指置膝内侧阴陵泉处，沿胫骨内缘按压并逐步下移至足踝，另一手拇指置踝外侧丘墟穴处，余四指并置太溪、水泉穴处固定，反复操作三至五分钟。施术之要领，按压时宜着力，移动时宜缓慢；操作后，可配合抚摩法，以消除按压后之不适。此法治疗时有酸、胀、麻的感觉，治疗后小腿有温热及轻松感。

40. 小腿按法

作用：调和气血，通气缓痛。

主治：腿软无力，足及小腿肿痛，腓肠肌痉挛，头昏，心悸，失眠，腹胀，腹痛等症。

操作：患者侧卧，左或右下肢屈起，另一下肢伸直，医者坐其侧。操作时，以两手拇指对置患者小腿内侧阴陵泉穴处，两手其余四指置小腿外侧，沿胫骨内缘自上向下经地机、漏谷、三阴交至交信穴止，反复按压三至五分钟。施术之要领，按压时两拇指应逐步向下移动；按压移动时应贴近胫骨内缘，用力大小以患者能耐受为度。此法按压时小腿有酸胀及沉重感，治疗后小腿有温热及有力的感觉。

41. 按阴陵法

作用：清化湿热，通利三焦。

主治：腹满，小腹疼痛，痛经，腿膝肿痛，风湿性关节炎，腰腿痛等症。

操作：患者仰卧，下肢伸直，医者坐其侧。操作时，以拇指置患者小腿内上方阴陵泉穴处，沿胫骨内缘向下推动至内踝上方三阴交穴处止，反复操作一至二分钟；再以两手拇指并置阴陵泉穴处，按压三至五分钟。在按压穴位时，可配合揉法。此法治疗时有酸胀感，治疗后有小腿温热及小腹舒适的感觉。注意，推动及按压时勿按伤胫骨。

42. 揉三阴交法

作用：活血祛瘀，痛经止痛。

主治：痛经，小腹痛，遗尿，心悸，怔忡，健忘，失眠等症。

操作：患者侧卧，两下肢屈曲，医者坐其侧。操作时，以左或右手四指置患者踝关节下方，自照海穴经然谷穴至足大趾端置隐白穴止揉动一至二分钟，再以一手拇指掌侧点按足大趾顶端三至五次；然后，以左或右手四指置足内踝上方之三阴交穴处长按，拇指置足外踝上方悬钟穴长按二至五分钟。施术之要领，按压三阴交穴着力应较按压悬钟穴为重；长按时，用力大小应以患者能耐受为度；长按后，可继以抚摩法，以消除按压后之不适。

43. 揉足三里法

作用：调和气血，补脾和胃。

主治：胃痛，腹胀，肠鸣，食欲减退，偏瘫，下肢麻木疼痛等症。

操作：患者仰卧或直坐，卧位时下肢伸直，医者坐其侧。操作时，以食指背屈揉按足三里穴二至三分钟；再以手四指置小腿外侧自阳陵泉处向下至悬钟穴止，抚摩一至二分钟。施术之要领，按揉穴位用力不可过大，以能耐受为度；抚摩小腿外侧时，用力宜轻而缓，主要为消除揉按后之不适。此法治疗时有局部酸胀及向下放射感，治疗后有下肢温热、轻松及腹部舒适感觉。此法下肢肌肉萎缩者慎用。

44. 揉悬钟法

作用：调和经脉，疏肝理气。

主治：颈项疼痛，颈项强硬，头痛，失枕，半身不遂，腰椎间盘突出症，坐骨神经痛等症。

操作：患者直坐或仰卧，仰卧时下肢伸直，医者坐其侧。操作时，以食指背屈曲，以指关节凸出部揉悬钟穴二至三分钟；再以拇指置于小腿外侧条口穴处，食指置于小腿后侧承山穴处，着力对按三至五分钟。施术之要领，穴位按揉用力应以患者能耐受为度；治疗颈部疾患时，在悬钟穴着力，而治疗下肢疾患时，则在条口穴及承山穴按压应着力。此法治疗时局部有酸胀感，治疗后下肢有温热及轻松感。身体瘦削者，此法慎用。

45. 揉委中法

作用：舒筋活络，强健腰腿。

主治：头痛，眩晕，颈项强痛，腰背部疼痛，坐骨神经痛，小儿麻痹后遗症，下肢瘫痪，膝痛不得屈伸等症。

操作：患者俯卧，两下肢伸直，医者坐其侧。操作时，以食指或中指屈曲，以其背屈关节之突出部分置于患者腘窝处揉动一至三分钟。施术之要领，屈指揉动用力大小以患者能耐受为度；体弱者，可改用力较轻之拇指掌侧揉动；揉动后，再以掌心置于腘窝处缓慢轻抹，以消除屈指揉后之不适。此法治疗时有酸胀感，治疗后下肢有温热的感觉。

46. 揉承山法

作用：舒筋活络，调理和胃。

主治：膝下肿痛，足跟痛，腰背痛，坐骨神经痛，下肢瘫痪、腓肠肌痉挛，腹泻，痔疾，脱肛等症。

操作：患者俯卧，下肢伸直，医者坐其侧。操作时，以手拇指顶或食指背屈置患者小腿后正中线中部之承山穴处，指揉 2～3 分钟。指揉时，应以拇指顶端着力揉动。此法操作时有酸、麻、胀及酸痛感，治疗后小腿后侧至足踝部均有温热的感觉。

临床上，揉承山法作用有五：

（1）治疗腓肠肌痉挛有较好效果。

（2）有制止吐泻、舒筋祛寒、缓解胃肠痉挛的功效。

（3）可以治疗腰背疼痛，主要指外感寒湿，或者是挫、闪、外伤所起的腰部剧烈疼痛。对上述疾病，一般偏重于循经远端刺激的原则。这和治疗肾虚腰痛，适宜于局部的治法不同。根据足太阳膀胱经分布于腰背的循行通路，指揉承山穴和拿捏跟腱两侧，可以从经络所通的作用上产生镇痛的疗效。

（4）揉承山法可以治疗痔疾和脱肛。因足太阳膀胱经有一条别行的经，自小腿后侧上行，入于肛门之处。揉承山法可以通过这条别经，不但起到清热、凉血、通气的作用，还可以通过肛门部，降低直肠瘀血，促进静脉收缩，获得消炎镇痛的疗效。

（5）对下肢疾患如坐骨神经痛、下肢瘫痪、膝下肿痛、足跟痛等有辅助治疗作用。由于这些疾病多是由于气弱血虚，又为湿邪乘虚侵入，使经络与气血壅滞不通所引起的。“揉以和之”，借助于揉的手法，可以疏泄经络的壅闭，宣导气血的阻滞，使下肢经脉得到气血的濡养，从而达到治疗的目的。

47. 按跟腱法

作用：行气通络，强健腰腿。

主治：腰背拘急，下肢瘫痪，足肿不能着地，头昏，头痛，眩晕等症。

操作：患者俯卧，两下肢伸直，医者坐其侧。操作时，以两手拇指分置患者小腿下后方跟腱两侧，左手拇指置于小腿合阳穴处向下按压经昆仑穴至仆参穴止，右手拇指之小腿内侧按压经复溜穴、太溪穴至水泉穴止一至二分钟；然后，以两手拇指并置于承中穴外，自上向下经足踝转向足底部推动至涌泉穴止一至三分钟。施术之要领，两拇指置于跟腱两侧推动时两侧用力应均匀；推动沿经穴位及跟腱处均应着力。但承山穴着力应稍轻。此法治疗时有温热及酸胀感，治疗后有下肢有力及腰部轻松的感觉。

48. 拿昆仑法

作用：通经活络，消肿止痛。

主治：肩背拘急，腰骶部疼痛，坐骨神经痛，下肢瘫痪，足肿不能着地，腓肠肌痉挛，头昏，头痛，胸痛，心悸，虚脱等症。

操作：患者俯卧，下肢伸直，医者坐其侧。操作时，以手四指置于患者小腿下部内侧，拇指置其相对之外侧，自三阴交穴处向下至水泉穴处止，做钳形揉捏一至二分钟；再以拇指、食指对置跟腱两侧之内、外昆仑穴处拿提二至四分钟。施术之要领，操作时患者足底部宜用力背屈，使足踝部与小腿呈 90°；拿提开始宜用力轻而后逐渐加重。此法治疗时局部有酸胀感，治疗后有局部温热及腰部轻松感。

49. 踝背屈法

作用：疏通经脉，活血祛瘀。

主治：腰背急痛不能俯仰，膝痛不可屈伸，踝关节活动障碍，踝关节扭伤，头痛，颈项强痛等症。

操作：患者仰卧，两下肢伸直，医者坐其侧。操作时，以一手四指置患者左或右足上，拇指置足趾下，另一手拇、食指分别置于踝关节内下方水泉穴处及踝关节之外下方仆参穴处，待将左或右足拿定后，再行背屈及左右摇动三至十分钟。操作前，患者双足宜用热水浸泡 5 ~ 10 分钟或外搽药酒后再行背屈活动。此法治疗时感局部酸胀及微痛，治疗后可有关节活动功能增加。

50. 推足外侧法

作用：疏导经气，活络止痛。

主治：腰背部痛，股外侧神经痛，足痛，踝关节扭伤，落枕，项痛等症。

操作：患者侧卧，左或右下肢屈曲，医者坐其侧。操作时以拇指置患者踝关节外下方之仆参穴处，其余四指置足背上以扶定左或右足，沿足外侧经金门、京骨、束骨、通谷穴推动至至阴穴处后，再用拇指将足小指末节向下方按压，反复推动并按压穴位时有酸胀感，治疗后足背及足底外半部有温热微胀的感觉。

51. 内外旋踝法

作用：疏导经脉，化瘀活血。

主治：髋、膝、踝关节活动障碍，胫寒痛屈伸困难，背拘急不可俯仰，腰骶疼痛等症。

操作：患者俯卧，左或右下肢屈曲，医者坐其侧。操作时，以一手置患者跟骨处，拇指按水泉穴，食指按仆参穴处，另一手握足趾，固定后分别向内或向外旋转踝关节，并牵动膝关节旋动，反复操作二至五分钟。施术之要领，旋转时应将跟骨及足趾握紧固定；旋动时，动作和缓，并逐渐增加旋转角度，忌用蛮力。此法治疗时有微酸胀感，治疗后有踝、膝关节轻松的感觉。急性踝、膝关节损伤者，此法慎用。

52. 解溪掐法

作用：清利湿热，滑利关节。

主治：头痛，目眩，胃痛，踝关节扭伤，踝关节术后肿痛及活动障碍等症。

操作：患者仰卧，下肢伸直，医者坐其侧。操作时，以拇指置于小腿下端内侧，其余四指置其外侧，自上向下刨推经解溪穴至足背止一至二分钟；再以拇指甲先后按压解溪、冲阳、陷谷、内庭穴二至四分钟。按压穴位时，应逐渐增加压力，按法后可配合指揉法，以消除按后之不适。此法治疗时有局部酸胀感，治疗后有头脑及腹部舒适感。

53. 按水泉法

作用：调理下焦，补肾宁心。

主治：踝痛，足跟及足底部痛，心悸，失眠，小便淋漓，妇科疾病等。

操作：患者侧卧，左或右下肢屈曲，医者坐其侧。操作时，以手四指自患者三阴交穴起向下抚摩经水泉穴至然谷穴止，反复操作一至二分钟；再用拇指置足内踝下之水泉穴处点按二至三分钟。施术之要领，患者足外踝处应衬以软垫；每次点接着力时，应逐渐加重压力，按压后可配合指揉法。此法治疗时局部及足心有热胀感，治疗后足部有轻松的感觉。

54. 掐太冲法

作用：疏通经络，清理头目。

主治：头痛，头昏，眩晕，失眠，胸痛，气急，胃痛，腹胀，踝前痛，脚软弱，五趾拘挛等症。

操作：患者直坐或仰卧屈膝，足底部平放于床上。操作时，以手掌部置于患者小腿前侧上部下巨虚穴处，向下经解溪穴抚摩至内庭穴处之一至二分钟；再以指甲掐足背部太冲穴处二至三分钟，继以指揉法。施术之要领，为足背部抚摩时应使足背部有温热及舒适感时止；掐时应时作间歇，掐后继以揉法，以消除掐后引起的皮肤不适。此法治疗时有酸、麻、胀的感觉，治疗后有足部温热及腹部舒适感。此法操作勿用蛮力，以防掐伤皮肤。

55. 梳足背法

作用：疏导经气、清利湿热。

主治：足扭伤，下肢水肿，痉挛性瘫痪，消化不良，胃痛等症。

操作：患者仰卧，左或右下肢屈曲，足底部平放于床上，医者坐其侧。操作时，一手四指掌侧并置于患者解溪穴处，由上向下四指逐渐分开，沿足背至趾关节呈梳状摩动二至三分钟；再以拇指置解溪穴处，其余四指置掌指关节处按揉一至二分钟。梳摩时，用力应从轻，按揉时用力应稍重。此法在梳摩时有温热及舒适感，按揉时有局部酸、胀感，治疗后有足部轻松及有力的感觉。

56. 摇大趾法

作用：理气健脾，消肿止痛。

主治：头昏，目眩，胸闷，气急，腹胀，腹痛，下肢无力，足踝肿不能着地等症。

操作：患者仰卧，下肢伸直，医者坐其侧。操作时，以左手拇指掌侧置患者足外踝下方昆仑穴处，其余四指置太溪、水泉穴处按压并固定踝关节，再以右手拇、食指紧握其足大趾末节，向外下方牵拉，反复操作二至五分钟。施术之要领，牵拉足大趾时应有节律，缓慢而有力；牵拉足大趾后，可继以揉捏法。此法治疗时，踝关节处有酸胀及足大趾牵扯感，治疗后有小腹舒适及足底轻松的感觉。摇动忌用蛮力，防止足大趾关节脱位及扭伤。

## 第三节　组合操作手法

### 一、通三关

三关是道家在修炼过程中，必须要经过的三个环节，三关是指督脉路线有三处气行不易通过的地方。《金丹大成集》上说：问背后三关。答曰：脑后曰玉枕关，夹脊曰辘轳关，水火之际曰尾闾关。尾闾关位于脊椎骨的最下段，上连骶骨，下端游离，在肛门的后上方，一名骶端、橛骨、穷骨、俗名尾椿，该处有长强穴。夹脊关在背部，仰卧时正常两肘尖连线的正中处。玉枕关在后头部、正当仰卧后脑着枕处，在玉枕穴之下，两侧风池穴之间，为最不易通过之处，故又名铁壁。

《尹真人寥阳殿问答篇》："人之尾闾，在尻背上第三节……丹书名曰尾闾关是也。人之背脊二十四节……有关在二十四节头尾之中……此即夹脊关也。人之后脑骨，一名风池，其窍最小而难开……此关名玉枕，又曰铁壁也。"其位置大致尾闾关在脊椎骨最下段长强穴处，夹脊关在心后背中，玉枕关在脑后两侧风池穴之间。精气在通过此三关时，多会遇到障碍，炁足方能过关，称“一撞三关”。此三关一般叫“后三关”。

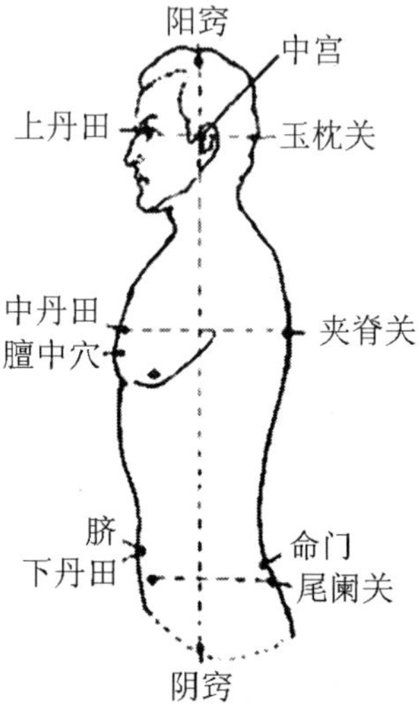


玉枕关：即玉京关，为上关，位在枕骨粗隆上缘。《金丹大成集》：“脑后曰玉枕关”。由此上行则可汇于泥丸宫，完成任督二脉通，达到任督二脉循环周流，当然也至关重要。

主要调节部位：头上斜肌、头后小直肌、头最长肌、头后大直肌、头下斜肌、颈半棘肌、颈回旋肌、多裂肌、后斜方肌。

相应穴位：完骨、风池、天柱、风府、哑门。

相关手法：拨、推、按。

夹脊关，即辘轳关，为中关，按《金丹大成集》命名为辘轳关，似有提升上行之喻义。位于脊柱二十四节正中，与中医针灸之“中脘穴”前后对应。它上通百会、下彻尾闾、中透心骨；外可拈摄天地灵阳之气，内能救护一身立命之宝。对于祛病健身乃至激发潜能都有着立竿见影的奇效，有“夹脊一通，百病不生”之美誉。

主要调节部位：上后锯肌、斜方肌、背阔肌、竖脊肌。

相应穴位：华佗夹脊、风门、肺俞、厥阴俞、心俞、督俞、膈俞、肝俞、胆俞、脾俞、胃俞、三焦俞、肾俞。

相关手法：拨、推、按、揉。

尾闾关：为下关，又名九窍，在人体尾骶骨之末节，或指长强穴之所在，为任脉向督脉过渡之处，亦为任脉之阴与督脉之阳交会之所，《金丹大成集》：“水火之际曰尾闾关。”亦叫虚危穴、尾闾穴，尾闾关在脊背的尽头之处，有七个骨节，七个穴位。其内关通内肾，一男一女。内肾为藏精孵卵之地。上行一条髓道，髓道过去叫河车、黄河，也叫漕溪，上通到泥丸，此阳气上升之路。直到第七节与内肾相对之处，谓之夹脊关。

主要调节部位：腹外斜肌、臀中肌、臀大肌、阔筋膜张肌、大收肌、括约肌。

相应穴位：腰阳关、八髎穴、环跳穴、轶边穴、白环俞、会阳穴。

相关手法：拨、推、按、按、揉。

### 二、面部分筋法

1. 开天门，四指自然置于头部两侧，两拇指从印堂交替滑捋至囟会，并在神庭略停稍用力按压一两秒钟，重复三到五次。

2. 接上式，两拇指分别移位至眉毛中间的鱼腰穴，然后从鱼腰穴滑捋至头临泣穴，并稍用力点压一两秒钟，重复三至五次。

3. 接上式，两拇指分别移位至丝竹空穴，由丝竹空滑捋至头维穴。

4. 两拇指移位至印堂，与两眉分别形成两个直角，然后稍用力呈圆弧形走向分推至发际。

5. 接上式，两拇指移位至印堂至神庭之间的连线上的下三分之一处，然后稍用力分别推至两侧发际。

6. 接上式，两拇指移位至印堂至神庭之间连线的上三分之一处，然后稍用力分别推至两侧发际，三指滑提太阳穴数秒钟。

7. 五指自然伸直分开，两手中指同时置于鼻根两侧的睛明穴，稍用力揉动数秒钟，然后顺势滑动至攒竹内扣，然后中指换拇指把上眼眶分别分为三段分别压攒竹、鱼腰、丝竹空，拇指不停滑至发际。

8. 用一手中指从鼻梁中段开始，沿着鼻梁骨缝揉至迎香，反复数次，做完一侧再做一侧。

9. 曲起食指作为辅助点，用一手拇指沿鼻梁骨缝揉至迎香，反复数次，做完一侧再做一侧。

10. 接上式，拇指和食指保持钳形不变，同时用力揉动鼻梁至鼻翼。

11. 中指点压人中穴数秒钟，然后沿鼻中隔滑至素髎反复数次，然后从素髎滑至神庭。以上动作反复数次。

12. 把下眼眶分为三段，两手食、中、无名指分别按压揉动数秒钟，然后向外移动半寸，继续揉动数秒，一直点揉至眼角后滑入发际。

13. 两手四指按压在双眼上面稍用力揉动数秒。眼压高的会发出吱的响声，无妨。

14. 双手四指交叉在双眼上面，掌根置于两侧太阳穴上，稍用力揉动数秒钟后，顺势向发际滑动，交叉的四指松开，顺势捂在双眼上数秒钟。

15. 用两中指分别揉两迎香穴，然后食、中、无名指分别置于颧骨下沿稍用力揉动，并以寸为单位依次，依次移动三指，经巨髎、颧髎至听会、听宫、耳门三穴按揉数秒钟。

16. 用中指按揉兑端。

17. 用食、中、无名三指分别置于地仓穴，稍用力揉动，顺咬肌依次移动三指，缓缓移动之听会、听宫、耳门三穴，揉动数秒钟。

18. 用一手中指点按承浆穴数秒钟，继用无名指中指点揉廉泉穴，然后三指顺次揉至翳风，并揉动数秒钟。

### 三、颈椎分筋法

颈椎除了是中枢神经和颈动脉的交通要道所在，还是通向大脑和面部五官神经的主要枢纽。另外，它与腰椎紧密相连。倘若颈椎出现病变，可牵一发而动全身。

颈椎主要操作部位：头上斜肌、头后小直肌、头后大直肌和头下斜肌、头最长肌、桥弓、颈半棘肌、颈回旋肌、胸锁乳突肌、中斜角肌、后斜角肌、斜方肌。

相关穴位：哑门、风府、风池、大椎、大杼、肺俞、膏肓、天宗、肩井。

相关手法：推、拨、按、揉、提、拉。

辅助手法歌诀：

颈椎开关一把锁，拇指上推腕方缓。
二锁手腕阳面寻，水火既济臂头运。
三锁外关上下定，按揉痛点指下痛。
四把颈后竖分三，三指捏皮轻揉捻。
五锁耳下四指排，拨动结节心静观。
六六大顺颈连肩，拇指指腹送隔关。
七锁痛在手三里，左右十秒拇指取。
八锁脚面丘墟连，三指一触即回弹。
半把锁颈大椎边，按住转头双头连。
只要手下做到位，手法七次痛不言。

### 四、头部分筋法

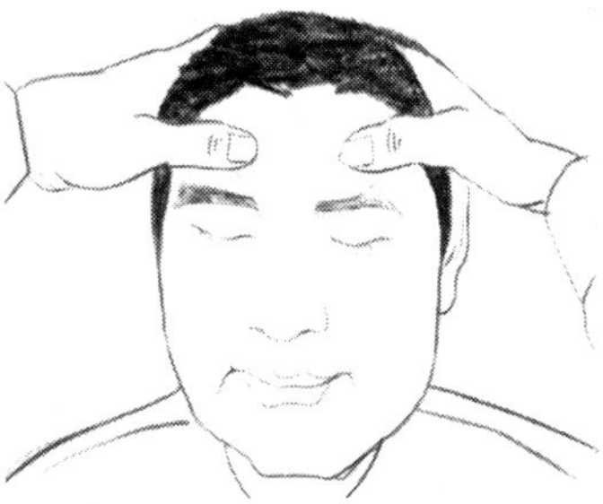

第一式：医师面向病人站立，以两拇指尖分别点在病人的双侧阳白穴，其余左右四指均匀点落在病人前额阳白至风池的线路上，数秒钟后，双拇指尖同时往后滑动，当拇指经过四指时，四指依次自然抬起，拇指尖与中指捏实滑至风池穴。

第二式：以两拇指分别落在左、右头维穴，小指点风池穴，其余三指皆自然分点于头侧部，双拇指在头维处稍停后即迅速上推，滑捋至风池。

第三式：左拇指点在上星穴，食指不分穴位点于百会穴前二寸处，余三指自然点落于头侧。右拇指点在囟门穴，食指点于百会穴，余三指自然点落于头侧。左右拇指与食指等距分布在一条直线上稍停，左拇指顺线向后滑捋，至右拇指处，双拇指尖并行向后滑至左食指，食指稍抬，继续前行至右食指时，食指稍抬，双拇指并捋中指时，捏实后，经后枕上区，则再分别向风池穴继续滑动，在风池停留数秒。

第四式：双拇指尖分别点在左右攒竹穴上，小指落于耳后点，余三指均匀排列在小指前边，稍停数秒后，左、右拇指微用力，顺眉棱骨往左右开行，滑捋至丝竹空穴，稍点停，同时将余四指抬起点落后脑枕部；稍停，继拇指向上向后向下滑捋至风池穴止，余四指则依次抬起。

第五式：双拇指分别点在左右下龙宫穴，稍加压力，余四指分别于头侧点置；稍停，以掌带双拇指内翻，用指肚内侧顺上眼眶下缘，向外侧滑捋，至肝弦穴，上下稍压动；继向两太阳穴滑行稍停；同时余四指抬起，复点于脑后枕区适当位置；再将拇指滑捋至风池穴止。

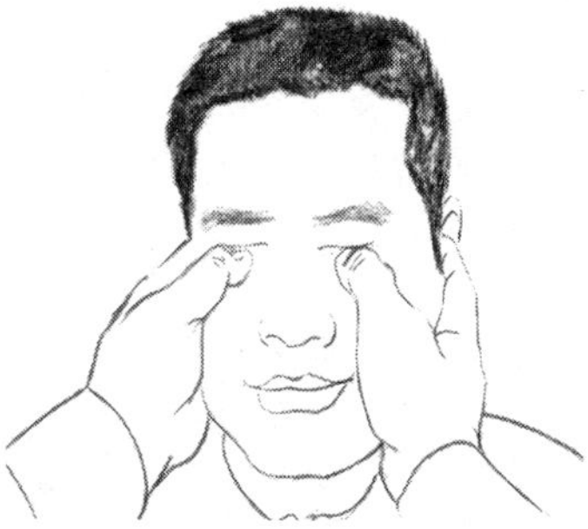

第六式：双拇指分别点左右上月窟穴，稍压力，余四指分别于头侧点置，稍停。然后拇指顺下眼眶上缘向外滑捋，至太阳穴稍停；同时其余手指

再抬起复顺序点于脑后枕区；拇指随即向风池方向滑至风池穴或后项止。

第七式：右手五指自然扶于患者头侧，左手五指则屈如虎爪状，指尖平行向风池穴推行直至颠顶；继动变为小指下，食指上竖向后至风池穴或项后止。

第八式：先用双手的小鱼际部，贴于病者之左右风池穴，稍用力内合，手心朝上，然后以腕带掌向内翻转，小鱼际外分下行，大鱼际部继接压落在风池穴，且一齐往里合劲。鱼际翻动时手掌下行须用力柔和，不能用蛮力。

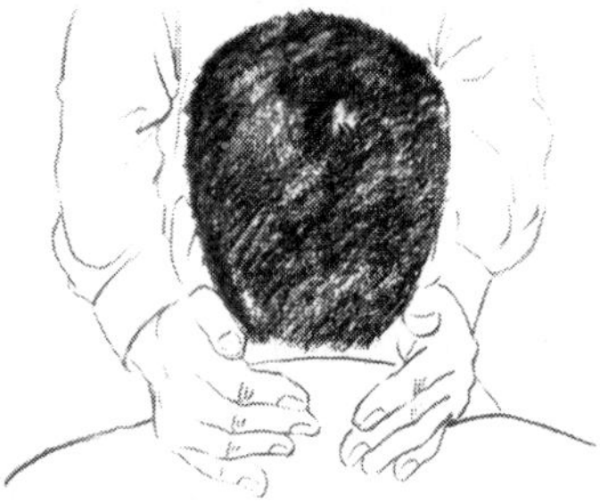

上月窟：属经外奇穴，为肝开窍于目之根，位于目内眦角上缘，上眼睑星孔处。左右计 2 穴。

下龙宫：属经外奇穴。位于目内眦角下缘下眼睑一窍处，左右计 2 穴。

肝弦：属经外奇穴，位于眉弓下缘偏内凹陷处，即眼窝内侧之眉弓最大凹陷处，左右计 2 穴。

**五、臂部分筋法**

1. 以右臂分筋为例：受术者坐起。施术者站在受术者的左外侧，握起受术者的手腕，按以下各式施治

第一式：医者用左手捏住受术者右腕，大指扣住受术者手腕背面，食、中指扣于手腕正面，用右手将受术者的右手食指、中指、无名指和小指握住，向里往复合转数次；同时用捏受术者手腕的右手大指，分拨受术者左腕骨背面的筋。此部的筋，上通于肘、臂，下达于五指，将此部的筋拨动，则全臂的筋均动。

第二式：受术者右臂曲起，手向上扬，医者用左手将受术者右臂肘扣

住，以大指扣曲池部位的筋，食、中指扣住肘后的筋，用右手大指合住病人右手腕背面，食指和中指合住受术者右手腕，向里往下合拨，用大指向下压，食指和中指同时趁势向上挑，使受术者手掌向上仰。

第三式：医者左手位置不变，随即往外仰拨，用右手仍捏住受术者腕骨，大指顶住受术者手背的中指掌骨往里压，食、中指扣住脉门，使受术者的手勾起往外仰拨。照此二、三两式，仰、合、里、外、上、下分拨三至五次。

第四式：受术者右臂成曲平伸，医者用右手握住受术者右手腕，手心对受术者腕背，大指扣住病人的虎口，食指和中指扣住受术者的脉门，用左手食、中指按住受术者右肩头，用左手大指扣住腋下前面的筋，分拨三至五次。此部的筋，上通肩胸，下达于肘内侧，拨动此部的筋，使胸、肩、臂部的筋均动。

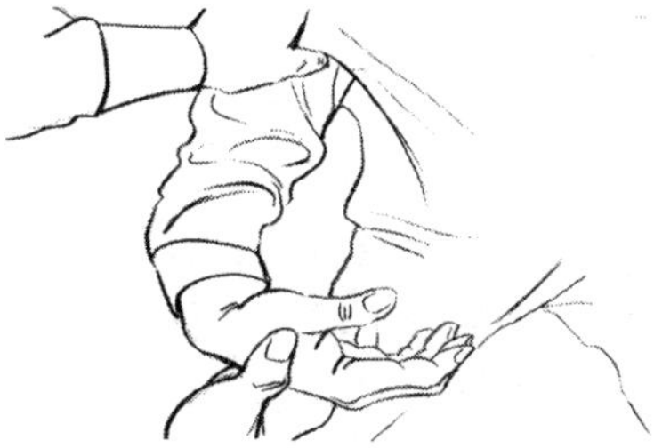

第五式：医者右手仍握住受术者的右手腕，左手大指扣住受术者右肩头，食指和中指将腋下后面的筋扣住分拨，循肱骨外侧面的筋，依次往下分拨至肘端止，如是三至五次，一手仍握腕，一手拨动腋部后面的筋，顺其筋势，循臂外侧拨至肘端。此部的筋，上通于肩、背，下达于臂、肘，拨动此部的筋，则肩、背、臂、肘的筋均动。

第六式：医者右手仍握住受术者右手腕，用左手大指扣住受术者右肘下外侧面的筋，同时食指和中指扣住肘下面与大指相对处，大指向下扣拨，食指和中指向上仰拨，顺其筋脉，向前仰合分拨，大指至列缺部位止。分拨时，受术者五指均有感觉摇动。因所拨的筋，均与五指相通。一手握腕，一手用大指分拨下外侧部位的筋。此部的筋，上通于臂，下达于指，分拨此部的筋，则各指均动。

第七式：受术者右臂反仰平伸，医者用右手大指顶住受术者右手掌背面中指的骨节，食指和中指合住受术者手掌及腕骨右侧面。用左手大指推住受术者右肩部大筋，食指和中指扣住背后肩胛骨处。同时用右手将受术者的右手往外抻，左手扣住受术者右肩的筋往后推，使受术者右臂反仰，将其手臂筋抻开。一手合腕，以大指顶手背，一手按肩部的大筋，使其臂反仰、平伸，而扰挍之。此式为扰挍其臂全部的筋。

第八式：医者右手将受术者的右手翻过，使胳膊下垂，用右手食指和中指按住受术者右肩头，以大指按住肩头骨节处的筋，用左手将受术者的右臂向前后往来摆动。同时左手大指分拨受术者肩头骨节处的筋。扰挍肩部，游动其筋，易于分拨。

第九式：医者左手仍扣住受术者右手腕，用右手大指扣住受术者左腋下前面的筋，食、中指扣住肩井部位，用左手仍扣住受术者手腕，向后反背二三次，但不可勉强，如遇臂有病不能屈伸，或半身不遂者，以能反背到何处，即到何处止。左手仍握腕如前式，右手大指插于腋下，食、中指扣肩井部位，将其前面的筋扣住，握腕之手，将其臂向后反背一至三次，以扰挍其臂部，与腋前通胸部之筋。

第十式：受术者的右臂成直平抻，再照四、五、六式重作一遍，医者用左手捏住受术者右腕，用右手的食指及大指，将病人的大指、食指、中指、无名指和小指顺次拈拨；用双手大指，亦顺次拨弄右手腕背面与指相连的筋。

第十一式：医者用左手握住受术者的右手无名指和小指，右手握住受术者的食指和中指，以两手大指扣住受术者的右手掌背面，颠抖受术者的右臂，舒其筋络。两手分握其四指颤抖之，以活动其全臂及胸、肩、背的筋。

第十二式：用左手反捏住受术者右手腕，用右手大指、食指和中指托住右腋下全部及后面的筋。左手将受术者右臂向后反背过腰，如是三至五次。但切不可勉强，遇手臂不能屈伸，或半身不遂，以能反背到何处，即止于何处。一手反握其腕，一手叉开托住其腋下全部的筋，握腕之手，将其手反背，以扰挍其臂、肩及胸、背等部的筋。

第十三式：医者右手握住病人右腕，用左手大指扣住受术者的右肩井部位通项的大筋，食、中指拨按住受术者的肩胛骨。同时右手握住受术者右腕，将受术者右臂卷起使手掌微仰，拎起，从胸前循左上方、前方、向外绕转，循右下方徐徐转至肋下间，如是二三次。将其臂绕转，以扰挍其臂、肩及胸、背等部的筋。

第十四式：医者仍用右手握住受术者右腕，向右上方扬起，用左手掌按住受术者脊骨第一椎旁右边的大筋，慢慢往下推按，至第十四椎旁右肾俞为止，一次或三次均可。仍用一手握腕，将其臂向上方扬起，此系将臂全部的筋挍起，再用一手手掌，按住脊骨第一椎旁的大筋，向下缓缓推按，至肾俞部位止。

第十五式：医者用左手扣住受术者右肩头，右手托捏腋际的筋，让受术者将右臂扬起，由头顶摸左耳（如右臂上举不能正常者，加用此法，否则不必用）一手叉开，合扣住肩部的筋，一手叉开，托捏其腋下的筋，命其扬臂，由头顶往下，用手自摸其耳。此式必须将其臂根合住，方能上扬，以扰挍臂部的筋。此为手臂不能上举者必需之治法。

以上为臂部分筋法全部手势及其说明。因其部位较小，筋络较细，故施治时，合转其手腕，则全臂之筋均动。再按式分拨，拨筋则筋动，筋动则气通，气通则血活。血活则筋得养，再扰挍之，以舒其筋络，筋络舒开，气血和畅，筋得气血保养，其筋即渐渐舒长，弹力即能回复。其施治手法，宜按其手势之次序用之。如其臂作痛，不能上举，而其筋不拘者，可用第十五式。在用力时不宜过大，也不宜过小，力过大则摧筋，力过小，不能见效。临症时，须视病势，灵活运用，方能奏效。

**六、腿部分筋法**

凡治腿部时，病人仰卧，必须将其腿戳起，足趾里合，其腿部的筋，自然挍劲。方能施治。

第一式：医者用两手大指，扣住受术者右腿膝盖上两膝眼，两手食、中指及无名指，扣入右膝后两边的筋，向左侧面缓缓扳下，缓按三五次。此部的筋，上通腰背，下达于足，用此式以扰挍其腿的全部及腰间的筋。

第二式：仍将受术者右腿戳起，医者右手大指按拿膝盖上，中指和无名指扣阴陵泉部位。用左手大指扣住膝后，食指和中指拨膝上面的大筋，缓缓向前拨动至腹股沟止。此部的筋，上穿绕骨盆，通于腰部，下达于膝部。

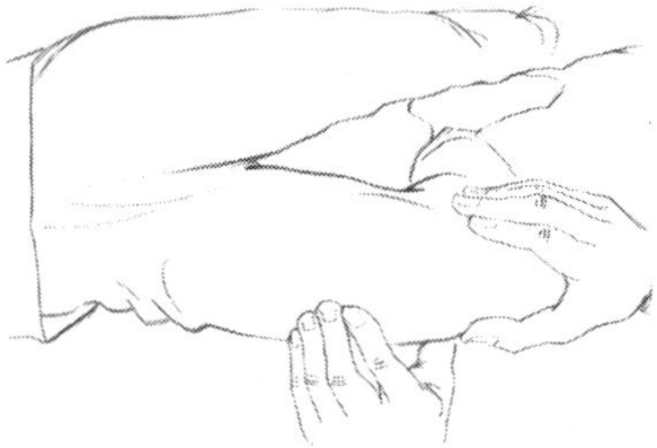

第三式：医者右手掌仍按膝上，用右手中指和无名指扣住膝面，左手大指扣住右膝后外侧大筋，缓缓向前拨动，至环跳部位止。此部的筋，上通于腰间，下达于足部。

第四式：医者左手掌按于受术者膝上，用右手中指和无名指扣住膝面，大指扣住右膝后内侧大筋，缓缓向前拨动三五次。此部的筋，上通腰部，下达足部。

第五式：医者用右手食指和中指扣住右腿弯里侧阴陵泉部位的大筋，大指扣住膝上，用左手大指扣住右膝下迎面骨上端，食指和中指扣委中部位的筋，向下缓缓拨动，揉送至承山部位止，如是三五次。此部的筋，上通于腰，下达足跟。

第六式：医者左手扣住受术者脚腕，用右手食指和中指按右膝下内侧，大指扣住右足三里部位的筋，顺其筋势，向下缓缓拨送，至悬钟部位止

（即外踝上 2 寸）。病人的足趾及腿背，均有感觉，如是三五次。此部的筋，下通足趾，拨动时，其足趾必有感应。

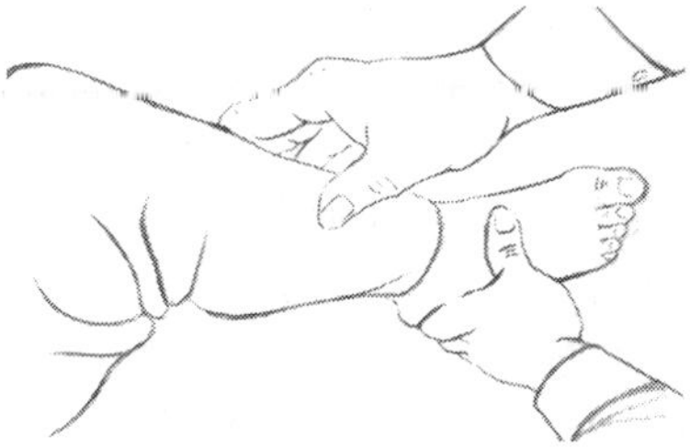

第七式：医者用右手大指扣住受术者右足三里部位的筋，食指和中指扣住后面；同时左手食指和中指扣住受术者右足跟腱，大指分拨脚腕的筋。自右足内踝起，经解溪部位至外踝止，将其筋络往后拨动，如是三五次。此式系活动其各足趾的筋。

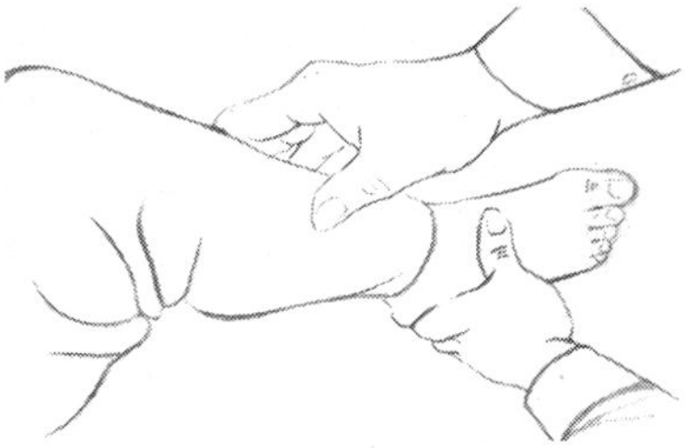

第八式：医者右手仍如前式，位置不变，用左手大指拨动脚背前面的筋，自右足大趾起，至小趾跟止，往复拨动，如是三五次。一手大指，将足大趾跟至小趾跟的筋，往复按拨，以动各足趾的筋。

第九式：医者用大指从受术者的足跟部向脚心部搓、掐直到足趾尖端。接着再用大指指甲切菜式掐患者脚掌部，连续掐数遍。然后用大指甲掐患者脚趾及脚尖部数遍。最后用手指或手掌弹拨、揉搓患者脚面。并用手指掐其脚趾四缝处数遍。

第十式：受术者右腿戳起，右脚外侧压在左膝上，医者用左手中指和无名指扣住右膝后内侧阴陵泉部位的筋，左手大指扣住膝上，用右手大指指端，分拨左三阴交穴的筋。以通任督二脉之气。

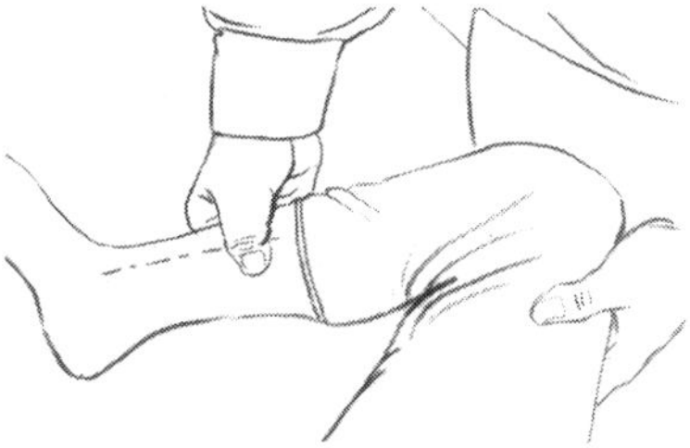

第十一式：左手中指和无名指仍扣住右阴陵泉的筋（与上式同），右手握住右足内外踝，屈伸扰挍三五次。以活动其腿的全部筋络。

第十二式：再将右腿戳起，足跟靠住股间，足趾微往里合。用右手大指扣住右膝外侧大筋，食指和中指按住膝上，用左手大指按住右解溪部位，食指和中指按住足外踝及足跟。用右手掌按右膝上，向左侧面缓缓下按三五次，以扰挍腰间及全腿的筋。

第十三式：右手仍不动，位置不变，向左侧压按至左腿上。用左手叉开，在右环跳部位揉推三五次后，即顺胯后推至肾俞穴，左手即改成钳形，将两肾俞穴扣住，拨一两次为止，以活其气血。治右腿时，揉推环跳，即顺其筋势，推到肾俞部位，即扣按肾俞穴两旁的大筋，以升其肾气。此部位为两腿的筋络发源之所在，扣按此部的筋，则两腿的气血均活，一次即可。因治右腿手势较顺，故用之。如治左腿，推按至环跳即止。

以上为腿部分筋法的说明。因腿的部位比较大，筋亦较粗，故施治时，必须将其腿戳起，使筋挍起，以便拨动。入手时，先将膝部上面的筋拨动，此为腿部之总筋。拨此部的筋，气血能活动。再将膝下部位的筋，按式分别拨动，使其膝部及足部的筋均动，然后再将腿蜷起下压，以扰挍其筋。分拨其三阴交穴，以通其任督两脉之气，活其气血。再屈伸扰挍其腿，使其全部之筋活动。再将其腿部之筋压捺，以扰挍之，揉推其环跳部位的筋，以活其气血，扣按肾俞，以升其肾气，肾气足，则腿部的血液循环，即可恢复正常。筋能得其保养，痛即可止。拘挛枯萎者，即能行动，弹力回复，行动即可灵活。且人之行动，皆靠两腿之力分担，若一腿发生障碍，其好腿必增加负担，久之必过力，即气血亦因之不足，渐渐好腿亦动作不灵。故施治时，两腿均治，以为预防之计。

# 第七章　专病论治

## 第一节　内　　科

内科杂病的病因，大部分以内伤为主，既有情志、劳倦、起居、饮食等不同因素，又有彼此夹杂情况，也有内伤兼外感的。内科杂病就是在多种病因作用下，脏腑功能失调的结果。任何疾病的发生、发展，总是通过若干症状显示出来的，但这些症状只是疾病的现象，并不都反应疾病的本质，有的甚至是假象，只有在充分地了解疾病的各个方面，包括症状表现在内的全部情况的前提下，通过综合分析，才能透过现象看到本质，找出病之所在，确定相应的治疗方法。如腰痛，可由风寒湿邪、肾精亏损或跌扑闪挫等多种原因引起，治疗时就不能简单地采取对症止痛的方法，而应透过前面地综合分析，找出最基本的病理变化，分别用祛邪通络、补肾益精、活血化瘀等方法进行治疗，才能取得满意的疗效。这就是脏腑机能调整按摩法倡导“治病必求于本”的意义所在。

### 一、抑郁症

随着现在生活节奏的加快和科技进步而导致社会的竞争日趋激烈，越来越多的人经常出现情绪低落，心情沮丧、失眠、焦虑、胃肠不适、头痛、手脚酸麻、心情抑郁、多疑善怒，神经过敏，神经痛等现象，这就有可能患上了抑郁症。

中医把精神的抑郁或忧郁分为五类情况：

心气虚——心气虚的人。男人多数不愿意讲话，即使讲话声音也是低沉，女人多是长吁短叹或长出气，感觉活着太累，太艰难，更甚的就会厌世，认为——死是一种解脱，有的心里害怕，紧张时全身冒冷汗，这就是中医认为心神相通，气虚则神衰的原因。

肺气虚——肺气虚的人神疲体倦，呼吸短促，说话声音低怯，整天忧心忡忡，多愁善感，这是中医的肺主忧，多忧伤肺的道理。

脾气虚——脾气虚的人多为肌肉酸懒，不愿活动，面色萎黄，月经不调，人没有真正的活力，情绪抑郁，表情夸张，疑心过重，这是因为脾主思，思虑过度就会伤脾。

肝气虚——肝气虚的人容易情志低落，易惊，胆小，目倦神疲，腰膝酸软，这因为肝主志。

肾阳虚——肾主恐，肾阳不足的人不敢见生人，担惊、害怕的心理很重，总怀疑会有人要伤害自己，其实只要对这类的病人针对性地调理内脏，当脏腑平衡后，其他的忧郁等精神状态也很快找到平衡了，症状很快也就消失了。

郁在我国古代是指积结、滞而不通的意思，《丹溪心法·六郁》曰："气血冲和，万病不生，一有怫郁，诸病生焉，故人身诸病，多生于郁。"《证治汇补·郁证》中说："郁病虽多，皆因气不周流，法当顺气为先。"人若气血流通，自然健康无病，一有怫郁，当升不升，当降不降，则百病皆生。气本无形，郁则气聚，聚则似有形而实无质，如胸膈似阻，心下虚痞，胁胀背胀脘闷不食，气痞攻冲，筋脉不舒。

郁就是肝气郁结，也就是老百姓平常所讲的不开心。中医认为："肝主疏泄，为风木之脏，其性刚暴，喜条达而恶抑郁。"如果说不开心会得肝炎，大家肯定会说没道理。没错，不开心是不会得肝炎的，但得了肝炎肯定会不开心。因为邪气侵犯肝脏，首先会抑制肝气的疏泄，造成肝病患者心情抑郁。

目前医学上，大多将郁症限定于有明显神志症状的一类病症，即俗称的忧郁症，或肝郁病，常兼有烦躁失眠，体痛呕逆，甚则手颤抽搐，即现代所说的神经官能症，其多疑善怒，为神经过敏，其痛为神经痛，病因皆属气滞血瘀，内脏郁结失于流通成病。

中医治疗情志病着重气机的调理，而调气又首重调肝。肝主疏泄，具有调节人体气机，保持情志条达的作用，肝气以调畅为顺，中医认为："肝为万病元贼，肝和则其气升发，诸脏生化，若肝失疏泄就会导致气机紊乱，脏腑功能失调"。故有"万病不离于郁，诸郁皆属于肝"之说。

临床上气、血、痰、火、湿、食六郁均是精神疾患的重要致病因素，诸郁之生也多先始于气郁，而气郁归于肝，根据肝的生理病理特点，肝具有郁结、上扰、下迫、横乘、流窜之性，可演变为肝郁、肝火、肝阳、肝风等证。而且肝易犯它脏，有克脾、乘胃、冲心、侮肺、耗肾之变，故治疗情志病时强调治肝的重要，通过治肝而和五脏。对肝病的治疗，气升当降，气逆当调，气郁当行，气盛当平。故前人云："见肝之病，知肝传脾，应当治脾。"

"脏腑机能调整"按摩法多施术于身体的左边，通过调节脾胃，疏通胃肠的瘀阻，达到气机调和的目的。中医认为，左为阳，为升，主肝；右为阴，为降，主肺与大肠，脾胃为升降之枢纽，脾胃健旺，升降平衡、气机通畅、肝气平复，抑郁自解。

病例1　张某，男，50岁。

2000年9月的一天下午，一位同学来找我，说他叔叔张某失眠很严重，问我能不能治？张某是事业单位的一名干部，上学的时候去同学家玩，我遇见过他，对人很好。我让同学详细介绍一下情况以及得病时间。同学说："听我婶子讲，我叔可能是因为单位工作压力太大，两年多来一直失眠，几乎每天晚上都吃安眠药，饭吃的也少，近四、五个月，经常头痛、烦躁，有时候为了一点小事就发火，整天疑神疑鬼的。一个月前到医院去检查了一下，医生说是自主神经紊乱，开了些西药，吃了一段时间也没有什么效果。"

据张某自述："现在最困扰他的就是失眠，厉害的时候一夜都睡不着觉，头整天昏昏沉沉，心里烦躁，看到什么都不顺眼，胸闷腹胀，不想吃东西，便秘，四五天才排便一次。"我看了一下他的舌苔，舌红、口干，苔黄，判断他的情况应该是忧愁思虑，气郁不舒，导致失眠、心里烦躁，继而肺气宣降失常，脾气转输失职，肝气郁而不疏，少阳枢机不利，三焦之气当升不升，应降不降而成胀满、便秘。"脏腑机能调整"按摩法的作用就是通过调治三焦达到气机升降平衡，所以此病是本法的适应证。

我让张某侧卧在床，用手叩击腹部，无浊音，腹压大，背后太阳膀胱经有很多结节。肝气郁结，肝主木，树木要有生机和活力，就需要有充足的阳光和水分，十二经脉之中的太阳膀胱经有调节阴阳的作用，太阳经一通，问题就迎刃而解了。治疗时，我先重点调治其太阳膀胱经，背部做完，让他仰卧，再取其调整任脉法和疏肝理气法的部分手法为他调整气机，疏通瘀阻，手法上重点用泻法，治疗结束后。张某起来后说："真舒服，呼吸特别的轻松，吸气的时候，气好像能到达小腹，很通畅。"我对他说，如果你今天觉得睡眠和排便有改善的话，明天我们再继续治。

第二天，张某反馈说："昨天调理过以后，出汗很多，而且感到饥饿，晚饭吃了两个馒头，这相当于平时一天的饭量，吃过饭后，看了一会电视，想等一下再吃安眠药，没想到，靠在沙发上睡着了，家里人把我叫起来躺到床上，一觉睡到四点半，醒来后头脑很清醒。"古人云："正邪相争则烦热，正胜邪祛则汗出而解""天地郁蒸而雨作，人身烦闷而汗解"。效不更方，我继续按昨天的方法给他操作，治疗中，他的肚子里面咕咕的响，气通的表现非常明显。第三天他过来时反映说，昨天晚上睡了五个多小时，今天早上排便很多。治疗七次，所有症状消失。

病例 2　曹某，女，23 岁。

1999 年冬，小曹的母亲经人介绍，带着她来找我，其母说："这孩子从小就胆小，不爱说话，上学的时候，由于功课压力，夜里睡眠少，患上了神经衰弱，吃了一段时间的中药，夜里睡觉好多了，去年立秋以前，她晚上和朋友出去玩，见到一场车祸，受到了惊吓，从那以后，夜里又开始出现失眠，而且整天见她唉声叹气、情绪低弱，遇事很容易烦躁，腹胀，饭也不爱吃，到医院去检查，说是抑郁症，建议到精神病医院，我和她父亲都不同意，就到处打听能治这个病的大夫，药吃了不少，病就是不见轻，为了治病，她已经从单位停薪留职半年多了。"我见小曹身体瘦弱，表情默然，就问她还有哪些不舒服的地方，她说："经常头昏、胸闷，不想活动，容易出汗，来例假的时候疼痛、量少，大便干燥。"

我听病人诉说完病情，我观其舌苔，湿润、微紫，体内有瘀滞。我先取推背升阳法，疏通太阳经，然后再调整任脉，重点施治上脘、中脘、建里、阑门、气海、调理脾胃，恢复胃气，提高大、小肠运化功能，然后引气归元，使乱气归经。调理结束后，她说感觉很舒服，我和她们约好以后上午过来治疗。

第二天，小曹的母亲对我说："昨天回去的时候，这孩子不停地排气，持续了很长时间。她今天早上起来没说头晕、头痛，早饭吃了一个馒头和一碗稀饭，平时一般早上她都不吃饭，奇怪的是，从昨天治疗后，到现在她唉声叹气的现象没有再发生。"我继续按昨天的方法为她施治，第三天，小曹反馈说："胸不闷了，夜里睡了七个多小时，全身都感到很轻松。"调理五次后，她说例假来了，但没有任何不适，排便正常。治疗十次后，小曹的母亲说："这两天，她变得爱说话了。"继续治疗五天，巩固疗效。

在为小曹治疗期间，有一次她的母亲问我："听医院的大夫说，抑郁症应该属于脑神经和自主神经出了问题所致，我看您主要按摩腹部，为什么按摩腹部能治疗抑郁症呢？"

我告诉她说："腹部的主要器官是脾胃和大、小肠，它们和大脑关系非常密切，英国伦敦大学的戴维·温格特教授经过长期的研究发现，神经元细胞除了主要聚集在大脑，构成中枢神经系统外，还大量地聚集在肠胃，人类的许多感觉和直觉都是从肠胃里传出来的，肠胃里有一个非常复杂的神经网络。于是他提出了胃肠有可能成为人体的第二大脑。'第二大脑'拥有大约 1000 亿个神经细胞，比骨髓里的细胞还多，通过研究人的肠胃能够从另一个方面了解人的思想。《地球》杂志也曾报道说：人体的神经传递物质 95%

都产生于‘第二大脑’。这套神经系统能下意识地贮存对所有心理过程的反应，而且每当需要时就能将这些信息调出并向大脑传输，甚至影响一个人的理性决定。”

这个在腹部的大脑（有人称它为腹脑），它分布在消化道内壁、胃部、大小肠中的组织细胞皮层中，由负责信息交换的神经元和众多的辅助细胞组成，结构与“真正的大脑”完全相同。两个脑子在节奏上存在相似之处，一个出了毛病，另一个就受到影响，也跟着出问题，成相互因果。

哥伦比亚大学的迈克·格尔松博士（纽约哥伦比亚长老会医学中心解剖学和分子生物教授）也经过深入研究确定，在人体胃肠道组织的褶皱中有一个“组织机构”，即神经细胞综合体。在专门的物质——神经传感器的帮助下，该综合体能独立于大脑工作并进行信号交换，它甚至能像大脑一样参加学习等智力活动。从这一点上更能看出腹部与大脑的密切关系，所以治疗与脑有关的疾病的时候，要首先想到调理腹部。

## 二、失眠

《黄帝内经·灵枢·大惑论》中记载：“黄帝曰：病有不得卧者，何气使然？岐伯曰：卫气不得入阴，长流于阳。留于阳则阳气满，阳气满则阳跻盛不得入阴则阴气虚，故目不冥矣。”这是对失眠最早的记载。

《经》云：“百病皆生于气”。朱丹溪谓：“气血冲和，百病不生，一有郁，诸病生焉，故人身诸病，多生于郁”。如精神抑郁，情志失调，致使气机郁滞，郁久不愈，由气及血，变生多端，可引起多种病症，其中失眠一症便是。宋·许叔微《普济本事方》论述不寐的病因所说：“平人肝不受邪，故卧则魂归于肝，神静而得寐。今肝有邪，魂不得归，是以卧则魂扬若离体也”。此说肝有邪，魂不守舍，影响心神不安而发生不寐。又脾主运化，藏意，主思，若肝郁乘脾，脾失健运，或思虑过度，气机不畅，以致气血化源不足，不能养心安神，亦致不寐。

病例 1　蔡某，女，60 岁。

几年前，患者老伴因脑中风后遗症卧病在床，并出现失眠。随着时间的推移和病情的发展，药量也在逐渐地增加，原来服一片安眠药即可入睡，现在服六片安眠药仍不见效。在病魔的折磨下，母亲的身体日渐衰弱，出现了头痛、恶心、呕吐、全身乏力、便秘等多种并发症，老赵焦急万分，带着母亲去医院检查，但各项指标正常，找中医给母亲看病，但吃了几十副中药，病情依然没有起色，为了给其母治病，老赵带着母亲到精神病医院开出了强力安眠药，吃一片夜间能睡几个小时，但稍有响动立即就醒，吃饭也没胃口，小便较多。

我为其调理过头部和任脉后，她说头脑清醒多了，腹部也感到很舒服。第二天她反馈，昨天晚上没服强力安眠药，夜里睡了两小时，感觉饿，想吃东西，小便少了。我按调理任脉和背部给她调理后，叮嘱她回去后多活动活动。第三天反馈，昨天夜里睡了六个多小时。治疗至第五天时，她晚上能睡八个小时，白天中午还能睡一个多小时，头痛、恶心、呕吐、便秘的症状全部消失，多年顽疾霍然而愈。

病例 2　郑某，女，40 岁。

自述，患失眠已经三年有余，每晚靠服四五片安眠药可睡四个小时左右，而且多梦易醒，饮食少，没胃口，身体消瘦，眼睛整天无精打采，稍一活动便觉得全身乏力。

我选用推背升阳法、调补肾阳法和调整任脉的部分手法给她调理后，她说感觉腹中很饥饿。第二天反馈，昨天回去饥饿难忍，吃了两个馒头，晚上没吃安眠药竟睡了四个小时。今天早上起来，又感觉肚子饿。第三天她反馈说，昨天夜里睡了八个多小时，早上起来还想睡觉。我告诉她说，这是身体在积累能量的表现。第四天她说，夜里睡眠时间将近十个多小时，身体不适的感觉全部消失，感觉全身轻松。我继续给她治疗四天，以巩固疗效。

病例 3　程某，男，45 岁。

程某由于长期工作繁忙劳累，导致顽固性失眠，每天只能睡一两个小时，用中西药治疗两年多，病情没多大改善。调理前的症状是烦躁易怒而且健忘，吃饭没有食欲，特别容易疲劳。我与他说话的时候，发现他的注意力也不集中。给他腹部诊断的时候，发现他的腹压非常大，随用头部调理法，调整颅压、腹压为他操作。第二天，他反馈昨天晚上睡了近六个小时。第二次在调理时，他的腹压明显减轻，调理过程中，他竟然睡着了。第三天，他反馈，昨天回去后又睡了两三个小时，晚上吃过饭一直睡到今天早上六点才被闹钟叫醒。第五天他反馈，夜里都能睡八个多小时，吃饭也觉得有胃口。

### 三、头痛

头为“诸阳之会”“清阳之府”，又为髓海所在。凡五脏精华之血，六腑清阳之气，皆可上注于头。若六淫之邪外袭，上犯巅顶，邪气稽留，阻抑清阳，或内伤诸疾，导致气血逆乱，瘀阻经络，脑失所养，均可发生头痛。诚如《医碥·头痛》曰：“头为清阳之分，外而六淫之邪气相侵，内而六腑经脉之邪气上逆，皆能乱其清气，相搏击致痛……”中医认为头颅居身体之首位。人体五脏六腑之清阳之气，皆循经由此而上流注于头部，故中医称之头为诸阳之会。究其头痛原因可以分为感受外风和肝脾肾三脏功能紊乱致气血失调两大类。前者多为生活起居未避风邪，以致诸邪自表侵袭于经络，上犯头部，使人体清阳之气升之不畅，浊阴之气不降，化为头痛。后者，多因情志不合，肝失条达，郁而化火，上扰清窍，或肾气虚弱髓脑空虚，清阳不展而致头痛。也可因脾胃不和，气血生化之不足，或产后及月经期间，有失调理，造成气血瘀滞，气血不能上荣头部而发生头痛。

多数外感头痛，病程短，病势较剧，均属实证，治疗以疏散为主。以合谷、头维、风池为主穴。若治疗方法得当，很快便可治愈。而因肝肾脾三脏病变而气血失调者，病程较久，时作时止，或在某些特定的情况下易发生并兼有其他脏腑症状，证情虚实难定，应根据具体情况分别对待。

病例　卢某，35 岁。

一次外出，在路上，我无意中看到去年到我工作的地方，请其他老师调理过身体的一位顾客卢某匆匆忙忙地迎面走了过来，我跟她打招呼说："什么事这么急啊？"

她停下脚步说："啊！王老师，我的头疼病又犯了！我买点药去。"

我见她眉头紧皱，估计头痛的正厉害，就说："你到我那里让他们帮您调一下多好啊！尽量不要吃药。"

"去年调理过了，你们的方法对其他的病效果很好，但对我的病，效果不是很明显。"

听了她的话，我愣了一下，就问道："我记得去年您到店里来过几次，调理过之后没有效果吗？"

"你们的技术挺好的，除了头痛以外，我身上其他的症状让你的助手都调理得差不多了，我看到和我一起去的人的病也都治好了，他们也很满意，所以开始我很有信心，但做了几次之后，效果不是很明显，我这头痛太顽固，很多年了，天热、心情烦躁或不知道什么情况就犯了，吃中药、按摩、针灸，找了很多人，用了很多方法，就是没有效果，要说是一个人的技术不好吧？名气大的中医大夫我就找过好几位，吃了不知多少付中药，一点效果也没有，病一旦犯起来，我实在坚持不住的时候，就去买几片止痛片，吃上就好一些，虽然知道总用止痛片不好，但根本没有其他的选择。去年在您那里，不但您的助手给我调理，有些过来跟你学习的、以前就在家开店面、已经治好过很多病人的学员，他们用正骨、拨筋等等自己的方法，给我做治疗，但还是效果不明显……"她说的虽然很随意，但我听着还是有些不好意思。

我说："真对不起，您的情况，我真的不知道。每一种病，受得病时间、体质、工作环境、生活起居等情况的制约，调理起来有的快、有的慢，你也别灰心，我觉得你这个病，治愈应该没有问题，可能是一个时间上的问题吧！这样吧，反正到店里也没有一百米，您过来我给你调一下吧！”

“谢谢你了，王老师！”她说，“不麻烦您了，我这个头痛的确很麻烦，我还是去买点药吃吧！”边说她边转身要走。

听她这样说，我就知道，她已经不相信不吃药能治好她的病了，但我还是感觉有十足的把握给她调好，一看她要走，就连忙说：“耽误不了多长时间，治疗起来很快的，如果我给你治一次没有效果的话，你再去买止痛片吃。”

她听了以后说：“算了，还是别麻烦了，王老师您忙吧，我先走了。”

说完她转身就走，正在这时，突然听到有人叫她，我们同时转身一看，是去年她带到店里做治疗的一位大姐从我身后走了过来，大姐客气的跟我打了个招呼，然后就问她是不是在向我咨询自己的病呢？她说是，我也接话，把刚才想让她到店里去，亲自给她治疗的想法跟那位大姐说了一下，大姐对她说：“人家王老师也是为了你好，并不是为了赚那几个治疗费，我这几天轮休，正准备抽个时间到王老师的店里调调身体，真好在这里遇到你了，你就陪我去吧，顺便叫王老师给你治一下。”大姐边说边拉着她向店面的方向走去，我看她眉头皱得很紧，脸色发白，一脸痛苦的样子，我想可能这会她头痛得很厉害，而且这里到药店还有一段距离，有可能只是想到店里去休息一下，未必真的相信我能帮她把病治好。

三分钟左右，到了店里，我让她坐在凳子上，准备给她治疗，随我学习的学员围了上来，问她怎么了？我摆手意识他们别说话，然后洗了一下手，先选用点通头部法第四式的手法，给她点按了十几秒钟，然后再调治她的风府穴十几秒钟，最后给她调了一下肩井，然后问她现在什么感觉，她惊奇地说轻松多了，基本上没有头痛的感觉了。我说：“先别高兴，还没好，要分两次治疗，现在你先休息一下，有什么事的话可以先去忙，三个小时以后会再痛，你一定要回来一趟，我再给你治疗一次，这样调了以后，在很长一段时间内头痛都不容易犯了！”

她说：“正好，我有点事要办，先出去一下，等下再过来！”

三个小时刚过，她急匆匆的走了进来说：“王老师，真让您说着了，头又痛了，感觉几乎和您没治疗以前一样！”

我说：“我知道，你坐好！”

我开始还是按上午用的两个手法给她做了一分多钟时间，问她感觉怎么样？她说：“您给我按的时候，我感觉头上的气，一会到这里，一会到那里，现在感觉气好像都聚到额头来了，基本上不疼了，但头两侧还有点不舒服。”接着我又给她点了一下足三里和合谷穴，然后又使用摇头撸颈的手法为她调了一下颈椎，再问她的感觉，她说：“很轻松，一点都不痛了！”我让她自己用手轻轻拍头部，自己去忙别的事，几分钟过后，我过来问她的感觉，她说，感觉头上满是凉气，我又让她继续拍一会，她告诉我凉气没有了。我说：“好了，没事了，从理论上来说，近段时间不会再犯了！”

她说：“谢谢王老师了，问您一个问题，为什么，王老师要分两次给我治疗呢？”我说：“你的头疼是风邪侵袭所致，中医上讲，‘高巅之上，唯风可到。’风邪从上犯，头部是风邪首窜的部位，故头部症状为风病的最先披露。风无定所，第一次治疗，深层次的风邪不能显露出来，根据你的情况，我估计要三四个小时以后，风邪又会显现出来，就让你过来，再次治疗，由于针对的是深层次的风邪，所以治疗以后，没有特殊原因，短期内再次复发的可能性比较小。”旁边随我学习的朋友得知她得病和治疗的详细情况以后，一名学员惊奇地说：“老师，为什么这么难治疗的头痛，在此之前，又用了那么多的方法，都没有治好，而您只用咱们脏腑机能调整按摩法的手法，也没有按照程序操作，但没有想到调理效果这么好。”

我说：“治病关键在于变通，把理弄明白了，治病就简单多了！技术没有实质上好与坏、高与低之分，从古代流传下来的无论是点穴、按摩、推拿、针灸，还是其他的方法，每一种技术，都有着很深层次的内涵，我们如果只重视技术的形，而忽视了技术内在的神，是很难做好、做精的，这是很多人都容易犯的错误。一个人的精力有限，如果想把很多的技术都做好，是不可能的，只要把一项技术研究透彻了，就已经很不错了！《庄子·内篇·人间世》有这么一句话，‘仲尼曰，嘻，若殆往而刑耳！夫道不欲杂，杂则多，多则扰，扰则忧，忧而不救。’这句话的意思就是说，天地间不管做哪一行，做任何一种事都一样，处于人世之间做人的道理，不能乱，要精神专一，有始有终。要一门深入，方法不要学多了。技术不在多而贵在于精，学的多了，不能融会贯通，为己所用，反而博而不专，总认为自己没有学得更好的，困扰了自己，也困扰了别人；思想复杂了，烦恼太多了痛苦太大了，连自己都救不了，还能够救人家吗？”

### 四、肥胖

肥胖是众多疾病的诱发之源，并不是“福相”，中医认为是由心、肾虚弱引起的。现在很多人 50 岁以后满面红光，腰宽体大，外表看好像非常健壮，其实大都有高血压、脂肪肝、高脂血等暗证，若长期下去必会引起心脑血管疾病：心肌梗死（猝死），脑血栓、脑出血而成偏瘫、痴呆之症。阴阳不调，阳气上窜，上的多而降的少，就是所谓的虚阳不泄，高血压、虚胖的人，一般夏怕热、冬怕冷，就是这个道理。

肥胖的病理原因，在中医文献中均没有详细记载，主要认为肥胖病病机总属阳气虚衰，痰湿偏盛。脾气虚弱，则运化转输无力，水谷精微失于布散，化为高脂和水湿，留滞体内而成肥胖。肾阳虚衰，则血液鼓动无力，水液失于蒸腾气化，致血行迟缓，水湿内停，而成肥胖。而人体是一个有若干组织器官和脏器所组成的以五脏为中心的统一的有机整体。各脏器组织和器官在生理上相互联系，在病理上相互影响。任何一脏器的损伤，均可导致气机不畅，津液输布的异常，使痰湿内停而致肥胖。中医认为，胃主受纳、腐熟水谷，为“水谷之海”。脾主运化，将水谷转化为精微，并将精微物质转输至全身。饮食入胃后，对饮食物的消化吸收在胃和小肠进行，但必须依赖脾的运化及转输功能将水谷化为精微，并将其“灌溉四旁”，布散全身。如《黄帝内经·素问·经脉别论》所述“饮入于胃，游溢精气，上输于脾，脾气散精，上归于肺。”脾主运化，除了能运化水谷精微外，也可运化水液，将被吸收的水谷精微中多余的水分，及时转输至肺和肾，并通过肺肾的气化功能化为汗和尿排出体外。脾的运化功能对于整个人体的生命活动至关重要，为“后天之本”。脾的运化功能正常，则体内水谷精微津液得以正常化生输布；若脾胃功能失调，则运化失司，水谷精微失于输布，积聚而化为膏脂痰浊，聚于肌肤、脏腑、经络而致肥胖。另外，胃热偏盛，食欲亢进，食量过大，致营养偏盛，膏脂堆积而成肥胖。

虽然现在各种减肥药琳琅满目，但不可能适应百分之百的人群，而且药物减肥必须和饮食、睡眠、运动整体结合起来才能达到最佳的减肥效果。

虽然脏腑机能调整按摩法从脾胃入手，能从根本上做到调理肥胖的效果，根据临床经验，一般来说符合以下条件的肥胖者减肥效果较好！

①生过孩子后大腹便便的女性。

②归属虚症范围的。

③腹部温热而且肚脐中不觉凉的人。

④由疾病引起，伴随着吃、喝、拉、撒、睡失常的人。

⑤腹部松弛，但躺下时，腹部的脂肪不会滑向两侧的人。

⑥腹部成长形，稍有些隆起的人。

病例 1　黄某，34 岁，陕西人

1995 年，我在陕西工作时，认识了一位早我十年入伍，现在已是上尉军官的战友，一天，他约我到他家吃饭，我无意中对他讲脏腑点穴按摩法对减肥的效果很好，这时，他家属过来对我说：“我正为自己变胖发愁呢，你这个方法能减肥的话，能不能给我做一做？”我看舌苔胖大，舌边有齿痕，推断她只是有些虚胖，就问她身高和体重是多少？她说身高160厘米，体重是130斤。我告诉她说，我给你做几天看看效果吧。于是，我选用推背升阳部法、摩腹和脏法和点通任脉法的几个手法为她调理。

第二天早上，我上完操回来，正巧遇到战友，他说：“我正想去找你呢，你的方法效果真好，我老婆晚上睡眠质量并不是很好，一般夜里只睡五六个小时，而且容易醒，昨天经你治疗以后，从晚上七点她就困得受不了了，一直睡到今天早上六点，我才把她叫醒。以前早上起来，她只喝一小碗稀饭，再吃小半碗米饭，或者不吃。今天早上，她起来就说饿，喝了一大碗稀饭，又吃了一个馒头，你说这样她能减肥吗？”我说：“你是在夸我，还是讽刺我。肥胖的根本原因是因为气血减弱，垃圾在体内堆积，出现淤滞。要想减肥，就要首先想办法使气血充足，这样才能消除多余的水分，清理体内的垃圾。脾胃是气血生化之源，能吃就说明胃气在恢复，心与小肠相表里，能睡说明大小肠的机能在提高，过两天你就看效果吧。”下午我又去给她做第二次治疗，一见面，她就对我说，整整一天了，还是觉得困，不过感觉腹部没有像以前那样撑胀了。我按昨天的方法又给她治疗一遍，第三天我过去治疗的时候，她说以前一天就吃两碗多米饭，现在一天能吃四碗米饭，排便也多。治疗到第七天的时候，她高兴地对我说：“体重减了八斤。”星期天，我去买东西，恰巧碰到她两口子，说去买衣服，她以前穿的衣服都太肥了。

病例2　耿某，女，27岁，企业职工。

2003年，耿某经人介绍来找我调理痛经，我问她病情和症状的时候，她说结婚以前例假正常，结婚以后，经期提前，例假来的前几天都是小腹刺痛，现在估计还有八天来例假，此外还经常腹胀，便秘，排便两三天才一次，体重由原来的110斤增加到了135斤。观其舌苔，两边有紫色瘀点，此为气滞血瘀，于是我选用调整任脉法和推背升阳法的几个手法给她调理，做完后，她立即就感到腹胀减轻了很多。第二天她反馈说，昨天夜里排气很多，腹胀减轻。第三天治疗前她说，排便轻松了。第六天，她告诉我，例假来了，没有丝毫疼痛的感觉，无意中去称了一下体重，发现减了五斤多，她说想继续请我调理一段时间减减肥。治疗至十五天的时候，她说体重已经减了十二斤。我告诉她，减肥不是减体重，而是减体积。

### 五、帕金森病

1996年的亚特兰大奥运会开幕式上，拳王阿里出现在火炬台上，那擎住火炬的手臂不住地抖颤着，头也不由自主地微颤，但他依然紧握着火炬，用他全部的意志和力气。这一幕，全世界都看到了，人们在赞叹英雄不倒的同时，也让很多人知道了一个把英雄击败的疾病的名字——帕金森。

帕金森的病因，现代医学尚未明了，一般认为是椎体外系退行性变化所致的功能障碍，其与黑质及黑质与纹状体通路的神经变性有关。中医认为帕金森病属“肝风”“掉眩”“痉病”等范畴，其病因病机多是肝肾不足，风、火、痰、瘀所犯。其病机乃筋脉失养，风气内动所致。五行学说认为，肝属木，五气属风。风性动摇无定，所以祖国的传统医学把一些动摇无定的病，都称为风病。

病例 1　路某，男，60 岁。

患者自述：左侧上肢抖动，生气时加重，易怒，腰膝酸软，走路不稳，便秘，口中异味大，夜间睡眠多梦。

两年前，路某无明显原因出现左手手指颤动，继而逐渐发展到左手肌肉紧张、抖动，关节活动尚可，经医院诊断为“帕金森综合征”。经过药物治疗，病情在一定范围内得到控制，但自感药物副作用大，身体难以接受，在一次偶然的机会，在朋友的引荐下，找我调理，患者面部缺乏表情，面色无华，舌质红，属肝肾阴虚。在调理时，先点通任脉，然后通玉枕关，疏通督脉。

第二天路某过来调理时反馈，回去后，晚上感到非常困倦，九点刚过就进入睡眠，一直睡到早上五点方醒，第二次调理时，除继续沿用调理任脉和疏通玉枕关的手法，同时加拨上肢的筋。第三天，路某过来时，兴冲冲地反馈说，口中的异味没有了，手抖的现象减轻，但脸上总感觉有虫子爬行的感觉，不知道是怎么回事？我告诉他这是气机运行的表现，不用担心，几天以后就会消失了。调理至十天的时候，患者走路有力，步履稳健。每天根据患者的身体变化，辨证取穴调理至二十天的时候，患者左手肌肉紧张、抖动的现象消失，继续调理二十天结束，随访半年，病情未复发。

病例 2　曹某，男，62 岁。

患者自述：得病已经五年多了，到过很多地方治疗，曾去国外治疗过一个月，病情没有明显改善。现在病情虽然发展缓慢，但却很严重，吃饭的时候，由于右手抖动厉害，无法正常进食，说话不清。

前段时间，一位朋友来找我，我刚为患者做完调理，他就随口问我患者的身体怎么了？我就简单给他说了一下。

他问我说：“经过您调理以后，现在情况如何？”

“经过四天的调整，效果非常明显，手抖动的症状明显减轻，吃饭已经没有问题，说话也清楚多了，现在已经调理到第十天了，手抖的症状已经消失。”我回答说。

“帕金森这个病可是世界性的难题，在随老师学习以前，我就听说，老师的学生曾经治好过帕金森，很幸运的是，这次过来亲眼见到了，没想到效果真的这么好。但脏腑机能调整治疗帕金森的原理是什么呢?”

我回答说：“帕金森病是西医的病名，在 1817 年，英国医生詹姆士·帕金森发现一些老年人，经常有手足震颤、发僵、行动迟缓等症状，便以‘震颤麻痹’的名字登载在医学杂志上，以后其他医生就用‘帕金森病’来描述这种病人。我们要想治疗这种疾病，首先要了解这种疾病，其实根据帕金森这个病所显示的症状，在我国古代中医典籍早有记载，《黄帝内经·素问·至真要大论》曰，‘诸风掉眩，皆属于肝。’‘掉’字，即含震颤之义。《黄帝内经·素问·五常政大论》有‘其病摇动’‘掉眩巅疾’‘掉振鼓栗’等描述，阐述了本病以肢体摇动为其主要症状，属风象，与肝、肾有关，为后世对颤证的认知奠定了基础。明代《医学纲目·颤振》中提到，‘颤，摇也；振，动也。风火相乘，动摇之象，比之瘛疭，其势为缓。’同时本书还指出，‘风颤者，以风人于肝脏经络，上气不守正位，故使头招面摇，手足颤掉也’，‘此证多由风热相合，亦有风寒所中者，亦有风夹湿痰者，治各不同也。’肯定了《黄帝内经》肝风内动的观点，扩充了病因病机内容，阐明了风寒、热邪、湿痰均可作为病因而生风致颤，并指出本病与瘛疭有别。”

从以上所述可以看出，此病因多出于肝，中医认为，“见肝之病，知肝传脾，当先实脾。”因为脾主运化，饮食入胃以后，精微之气在小肠得以吸收以后，糟粕归入到大肠，如果脾虚则运化不利，精微之气摄入不足，影响肝血的生成，糟粕传导不利，毒素就会集结于内，增加肝脏的负担，所以影响了肝脏的功能。

脾胃在五行中属土，《黄帝内经》中提到“万物土中生，万物土中消”，在这个理论的基础上，李东垣提出了“人以胃气为本”的学说。他在《脾胃论》中论述到，若脾胃升降失常，内则而五脏六腑，外而四肢九窍，都会发生种种病症。所以在为帕金森的患者调身体的时候，我们把调脏腑、通三关放在第一位，通过调治脾胃的手段，补益气血，调理肝脾之虚，舒达肝气，以畅升降之机，使气血日复，营卫流通，则肝气自得恢复，其病可愈。

头部分筋也是必不可缺的手法，在头部操作中，重点刺激百会、印堂、风府三个区域组成的这个三角形，三角形的中点是能量最强的地方，这三个区域中点正好是依托人脑百会穴之下、双眉之间、印堂之后深处、被西医称为人体的第三只眼睛的“松果体”，道家言“天眼”，佛家称其为“识海”。

这个区域也是中脑所处的位置。从西医的角度来讲，帕金森病的病变部位在中脑的部位。该处有一群神经细胞，叫作黑质神经元，它们合成一种叫作“多巴胺”的神经递质，其神经纤维投射到大脑的其他一些区域，如纹状体，对大脑的运动功能进行调控。当这些黑质神经元变性死亡至80%以上时，大脑内的神经递质多巴胺便减少到不能维持调节神经系统的正常功能，便出现帕金森病的症状。

头部操作以后，还要在玉枕关、夹脊关、尾闾关等关、锁、窍部位施以手法，以促进任督两脉的交通，调气的目的就是为了达到气机顺畅和促进气化，这与和练气功打通小周天的原理类似。《圣济总录》云：“人之五脏六腑百骸九窍，皆一气所通”“长生之道，在乎行气”。

帕金森的患者还有一个显著的特点，就是中、老年人居多，明代王肯堂在《证治准绳·颤振》就曾指出，“此病壮年鲜有，中年以后乃有之，老年尤多。夫老年阴血不足，少水不能制盛火，极为难治。”中老年人体质的特点是脏腑痿瘁，所以老年性疾病究其根源还是由脏腑气虚，不能运行气血，以致气虚而滞，血行缓慢出现瘀阻所致。

所以在施以手法的时候，要明白阴阳互根的原则，根据患者的体质，再施以脏腑机能调整激活先天能量的手法，调治其脾胃，恢复胃气，通达三焦，疏筋柔骨，活动周身的气血。《黄帝内经》云：“有胃气则生，无胃气则死。”人靠饮食以滋养全身，但饮食入胃，须赖脾胃的运化才能化生精血，供脏腑之需。所以脾胃功能失调的危害性，对老年人来说，尤为重大。脾胃有病，上可波及心肺，下可涉及肝肾。若脾胃虚衰，元气不足，心火独盛，营血大亏，则发生心病；胃气虚弱，不能散精于肝，或造成胃胀、肝气不疏，可以导致肝病；脾胃虚弱，脾胃不能输精于肺，造成土不生金，肺气失养，则可致肺病；脾胃虚弱，脾土不能制约肾水，造成水气泛滥，最终导致肾病的出现。这都是因脾胃功能失调，引起其他脏腑的病变。脾胃乃一身之气机的枢纽，二者一纳一化，一升一降，敷布精微于全身，脾升则健，胃降则和。若脾胃功能失常，则升降之机紊乱。清阳之气机不输布，水谷精微无从纳化。浊邪上逆，中气下陷，气血逆乱，清窍失养，上可见眩晕、胸胀、脘痞、呕吐、呃逆、面目浮肿，下可见泄泻、便秘、腹满、气坠、身重、脱肛。故脾胃健和则五脏六腑运化正常，而不易成病，已得疾病，只要调其脾胃则病就容易痊愈。倘若胃气受戕，必然涉及中焦，疾病就很难恢复了，所以说治病，尤其是针对老年人的疾病，应时刻勿忘胃气这个根本。只要脾胃调和，气血滋生有源，中气斡旋得复，即使重病也有治愈的可能……

共为曹某调理一个月，症状基本消失，手抖动现象消失，说话清晰。

## 六、自主神经紊乱症

自主神经功能紊乱症是一种常见病，遍及世界各地，居各种神经官能症的首位。因为该病的主要特点是大脑高级神经中枢和自主神经的功能失调，所以患者不仅有头痛、头昏、头憋胀、头紧张、头麻木、失眠及记忆力减退等大脑功能紊乱的症状，而且还会出现循环、消化、内分泌代谢，生殖系统等功能失调的症状。

高某，男，42 岁。

自三年前开始，无规律、不定期出现四肢僵硬，不受大脑控制。两年前，这种症状频繁出现，有时一天一次，经医院脑电图、心电图、超声心动等检查，均未发现异常，医生告之，这是自主神经功能紊乱，经过一段时间的药物治疗，症状没有明显好转，因不能正常工作，一直在家休息。

老高是由妻子陪伴着，过来找我调理。我问老高还有没有其他不适的症状？他说："便秘很多年了，平均三四天一次，平时经常头痛、不清醒、失眠、健忘，每晚睡眠不过三四个小时，晚饭后有腹胀的现象。"

我看他舌苔薄白，舌边有齿痕，说明他中焦虚弱，运化较差，则易导致腹胀且无力排出大便。健忘而失眠的原因则是阳气泄而不藏所致。在调理的时候，重点调理三焦和玉枕关，做完后，他马上觉得头脑清醒了很多。第二天老高过来调理时反馈，昨晚睡眠好多了，继续沿用昨天的方案为他调理。第三天反馈，腹胀的症状没有了，且排便异常通畅。调理至第五天的时候，老高的妻子对我说："差点忘了，他这几天一直没有出现四肢僵硬的现象。"继续调理十天，老高的症状一直没有出现，调理结束，三个月后，老高来电话说，状态一直挺好。

## 七、重症肌无力

重症肌无力是神经系统肌病中比较常见的难治病。中医虽无重症肌无力病名，但是根据其临床特点及中医的理论认识，将其归属为"脾胃虚损"之范围是比较恰当的。从重症肌无力最具特征性的八大主症上睑下垂（睑废、睢目）、复视（视歧）、言语低嘶（声暗）、舌软弱（舌萎）、抬头困难（头苦倾）、咽嗌不利、呼吸困难（大气下陷）和四肢不用（痿证）可以看出，临床症状虽然部位有别，所司各殊，但其共同点都由疲怠无力而起，病在肌肉，与脾所主的生理病理范畴相吻合。

祖国医学对虚损证早在公元一二世纪就已有所认识。《难经·十四难》就有"一损损于皮毛，皮聚而毛落；二损损于血脉，血脉虚少，不能荣于五脏六腑也；三损损于肌肉，肌肉消瘦，饮食不能为肌肤；四损损于筋，筋缓不能自收持；五损损于骨，骨康不能起于床”的记载。历代医家对于虚损的认识也十分详尽。脾胃为后天之本，气血化生之源，居于中焦，为气机升降出入之枢机。脾主升主运，脾虚气陷，则升举无力，上睑属脾。故提睑无力而下垂；脾主肌肉四肢、脾虚生化濡养不足，故四肢痿软不能随用；胃主降主纳，与脾相表里，脾虚胃亦弱，则升降之枢机不利，受纳无权，故纳呆溏泄，吞咽困难；脾气主升，上充于肺，积于胸中而为宗气（大气），司呼吸，贯百脉，中气下陷，胸中之大气难以接续，肺之包举无力，故气短不足以息，若胸中大气亦下陷，则气息将停，危在顷刻。

病例：朱某，男，33 岁。

四年前，因婚姻问题，情绪低弱、萎靡不振，身体每况愈下，逐渐出现身体倦怠、腰腿酸软、胸闷气短、四肢麻木、讲话不清、行走不稳的症状，经医院诊断为重症肌无力。通过服用中药，病情得以控制，未继续发展。

患者得病起因是由婚姻问题导致情绪低弱所致，所以在调理的时候，需要一边运用心性调节的方法，打开他的心结，一边用手法调节恢复他体内气机正常运转。手法调理三焦，偏重于中焦，通三关。脾通过运化水谷精微而产生“中气”，它通联于体表的“在体为（肌）肉”而将其功能突显出来，故称“脾主运化”。脾的功能的正常发挥，有赖“脾气”作为动力，气虚则必然无力。景岳曰：“非水谷无以成形体之壮……水谷之司在脾胃。”《古今医统大全》称：“脾为五脏之源。”《脾胃论》言简而意赅：“脾主五脏之气。”因此补益真气，从调理脾脏入手培补脾气，以强肌腱力，调理三次，患者胸闷气短、行走不稳的症状明显减轻，我们经过几天的交谈，他的脸上也有了笑容，调理至十天，小朱感觉身体有力气，轻松很多，说话已经完全没有问题。继续调理时，手法上除了继续调理脾胃的功能，同时侧重于肾气的恢复，肾藏五脏六腑之精，为一身精气之根本。当重症肌无力脾虚及肾，进入肾损阶段，临床易导致逆证危候，以及肾损则五脏衰，此时治当脾肾双调，以达到“脾肾交济”。连续调理一个半月，症状消除，身体恢复正常。

重症肌无力的病机主要为脾胃虚损，然而与它脏关系密切，脾病可以影响它脏，而它脏有病也可影响脾脏，从而形成多脏同病的局面，即五脏相关。脾胃虚损则气血生化乏源。肝乃藏血之脏，开窍于目，肝受血而能视；肾主藏精，“五脏六腑之精，皆上注于目而为之精”，肝血不足，肝窍失养，肾精不足，精明失养，“精脱则视歧，视歧见两物。”故见复视、斜视或视物模糊、易倦。脾胃为气机升降之枢纽，气出于肺而根于肾，需脾于中间斡旋转运，使宗气充足以司呼吸。脾胃虚损则枢机不运，聚湿生痰，壅阻于肺，故见胸闷、疼痛、气促等。脾病及肾，肾不纳气，气难归根，甚或大气下陷，而出现肌无力危象。声音嘶哑、构音不清、吞咽困难等，亦与脾胃肺肾的病理变化关系密切。有些患者尚有心悸、失眠等症，则是由于脾胃虚损、心血不足所致。

## 八、半侧颜面出汗

病例　徐某，男，23岁。

一天，曾找我调理过身体的老徐带着儿子来找我，他说：“王老师，我这孩子，今年23岁了，自前年夏天感冒痊愈后，发现左半边脸，白天汗出不止，到医院检查，各项化验指标正常，没有发现病变。看中医大夫，说是气虚，吃了两个月的中药，不见明显效果。前几天我跟您说起过孩子的情况，您说要见见人，今天特意带孩子过来让您看看，像这样的情况在您这还有没有希望调好。”我看孩子的面部，发现出汗的一边，颜色潮红湿润，另侧苍白干燥。舌淡，舌边有齿痕，无苔。我对老徐说：“在中医上讲，这种情况应该属于荣卫失和，一边有汗一边无汗，右侧不出汗是因为邪腠束闭经脉，左边出汗是腠里不密而导致的。”

“怎么会出现这样的情况呢？能调好吗？”

《黄帝内经》，里面有一句话是这样说的，“圣人南面而立。”“左右者，阴阳之道路也。”意思是说，圣人南面而立，左东右西，左阳右阴，左右是阴阳之道路也。左为升为肝，右为降为肺，所以左右也是肝与肺升降的道路，升降是否平衡，关键还是在于中间的枢纽，枢纽就是脾胃，只要孩子的中气，也就是脾胃恢复斡旋的能力，升降恢复平衡，身体才能恢复。

在为孩子做调理的时候，我首先调理三关，三关通畅，督脉之气自然畅通无阻，然后调理任脉，任脉气通，则气机在体内正常运行，升降得复。首次调理完以后，老徐和我聊了一会儿天，孩子这时候突然对老徐说：“感觉左边出汗少多了。”第二天，老徐和孩子过来的时候反馈说，从昨天调完到现在，孩子感觉左边出汗少了，右半边脸感觉有些发热。继续调理，第三天，老徐带孩子过来反馈：“孩子的整个面部恢复正常，与我们常人无异。”又巩固调理三天结束。

## 九、胃病

中医认为脾胃为后天之本，气血生化之源，一切饮食和药物都要通过人体的吸收运送才能发挥作用，和西医所指的脾脏的功能不一样。中医脏腑的功能是一个生理病理学概念，而西医的脏器是一个解剖学概念，应该区分开来。中医认为食物的消化吸收全靠脾胃的功能活动，胃将血传于肝，将气传于肺，而将消化后的食物传到小肠。所以《黄帝内经》曰：人以胃气为本，有胃气则生，无胃气则死。因此凡人体脾胃运化有力，纳谷如常，则病虽重尚可治。若脾胃受伤，纳谷不馨，运化失司，则病虽轻亦难治。所以在治疗时，先保护人体的胃气，加强营养，才能巩固疗效，达到理想的治疗效果。胃病包括现代医学的胃炎、胃溃疡病、胃神经官能症、胃下垂、胃切除术后综合征等，属常见疾病。临床中主要是根据它所呈现的主症如脘痛、嘈杂、呕吐、泛酸等。

中医认为胃病的发生，与人体各种内外因素和人体整体情况有关。一般胃病初起，先有胃腑气化失调，产生运化无力，升降失司；继则功能受损，气血阻滞；更进一步可发生器质性病变，使人体气血阴阳受损，如果器质性病变损伤胃络，则发生消化道出血；如果器质性病变阻塞胃肠道，则发生反胃、呕吐或食物阻隔不下。三者之间互相影响、互相传变，所以应早期治疗，防微杜渐。

胃、十二指肠疾病的腹诊：胃病发作部位在上腹部或心窝部。触到局部有触痛，胃病与进食有密切关系，一般在食后即出现上腹痛，2 小时以上出现疼痛是十二指肠的病变；小肠病变的疼痛在右下腹，与阑尾炎容易混淆，一般由于小肠病变形成狭窄后引起，通过障碍时，肠蠕动增强，或肠管过度膨胀所致疼痛。

胃病必须仔细察看舌质、舌苔。凡舌质红润有液苔滑者，为肝气犯胃；若舌质青暗，为阳气虚弱；若舌中间先剥，脱液或舌红碎裂如刀割是胃器质性病变，为胃阴枯竭；若舌苔黄厚腻，常为标本同病；若舌四边白厚苔中间光剥脱液，为胃阴受伤，气化失司，运化无力，若治疗时出现喘、泻则危。

病例 1　徐某，女，20 岁。

2000 年冬，我为一位七十多岁的老人治疗风湿性关节炎，治疗两天，症状就减轻了很多。一天，在治疗结束后，患者的孙女小徐对我说："我从前年开始，心口窝这里就经常没有规律的疼痛，吃饭一点胃口也没有，吃过饭后胃胀，往上嗳气，夜里睡觉老爱做梦，一年来就这样时重时轻的，总的来说，冬天比夏天病情要重一些。"我问她到医院检查过没有？她说："到医院检查后，诊断是慢性胃炎、十二指肠球炎和胃下垂，吃了一年多的中西药了，吃着药的时候，感觉还有效，但停药后不久就复发，不知道这样的病能不能治疗？"我观其舌淡、苔白滑，有部分舌苔剥脱。此为寒饮之邪阻滞于胃，造成中阳虚衰，运化失职，气机受阻，所以胃脘时时作痛。小徐说的心口窝痛其实就是胃脘痛，因为心脏没有专门的痛觉神经纤维，所以我们不能感到心脏疼痛。我告诉她，这是常见病，并不难治。

治疗时，我为她重点调整任督两脉，在治疗过程中，小徐竟睡着了。她醒后说感觉心口窝那里不胀了，而且很饥饿。第二天我去的时候，小徐反馈，胃脘没有感到痛，昨晚睡得很好，继续按前法为其治疗。第三天，小徐的舌苔剥脱部分已生出新苔，面色也变得光泽红润，小徐开玩笑说："想不到这种点穴方法还有那么好的美容效果，比用化妆品的效果还好。"共治五天痊愈。治疗结束后，我告诉她说："要想做到不复发，一定要保持心情舒畅，慢性胃炎、十二指肠球炎、胃下垂、十二指肠溃疡、胃溃疡、胃出血等慢性病你不要认为是肠胃的问题，其实与肝脏的关系密不可分。胃病多是由郁闷、生闷气引起的，得这类病的人凡事都喜欢闷在心里，压力慢慢郁积。长期抑郁寡欢，就会消耗精血，造成入不敷出、气坠力衰，抑郁之气一直充塞胸间，造成肝气郁结，肝气受伤脾土得不到疏泄，百病由此而生，所以在日常生活中，要保持平和的心态。"2003 年的时候偶遇小徐，她说一直挺好，没有复发。

病例 2　赵某，男，49 岁。

患者是我一同学的姑父，由同学陪同来找我调理，患者面色萎黄，说话有气无力，他在介绍病情况时说："我得这个病有 4 年了，开始的时候，觉得总是胃胀，后来病情加重，到医院做了个钡餐透视，诊断为慢性胃炎，从那时起就一直断断续续的吃药，几年下来，胃胀痛不但没有减轻，反而觉得吃饭没有胃口，整天也不觉得饿，还时常拉肚子，稍微有冷空气吹到肚子上就觉得胃部发凉，腰腿也经常痛……"这时同学插嘴告诉我说；"我姑父这人也真让人生气，胃病都这么严重了，还是戒不了酒。"听同学这么说，我想，患者既然是名建筑工人，那他肯定经常坐卧湿地，加上又嗜酒，必然造成中阳被困，积湿生痰、耗气损阴。治疗时我先选用调补肾阳法、推背升阳法的部分手法，扶持一身之阳气，后再将任督两脉放通，第一次做完后，患者有饥饿难忍的感觉，我嘱其回家后立即进食。第二天来治疗时患者告诉我，昨天回家后吃了三个馒头，是平日一天的饭量。共治 10 次痊愈。两年后偶遇患者，他说胃病一直未犯。

病例 3　陆某，女，43 岁。

1996 年我从部队回家探亲时，为某企业徐厂长的父亲治疗过偏瘫，后来经常联系，成为好友。1998 年我转业回来，徐厂长请我为该厂会计陆某治疗胃病。陆会计对我说："我患胃病十几年了，整日不觉得饿，胃中乱糟糟，也不怎么痛，就是感觉很不舒服，口干，不想吃东西，一活动就喘，全身没有力气，手脚发凉，每天下午腹胀的难受，大便干燥，到医院检查是萎缩性胃炎，吃了很多药也没什么效果。”我观其舌淡红，中间舌苔剥脱，光滑如镜，此为胃阴受伤，气化失司，运化无力之象。病情发展到这样，治疗起来恐怕非常困难。本想推辞不治，无奈徐厂长一再相邀，只好试一试，我先推背升阳法扶持阳气，再调任脉至引气归元。第二天，陆会计告诉我，昨天做完后一直到现在，胃中未觉得难受，手脚有温热感。效不更方，我继续按照昨天的方法为她治疗，上午、下午各一次。第三天，我发现，她舌苔剥脱的地方长出了一层薄薄的舌苔，这是胃气渐复的表现，她自己也说吃饭有胃口了。我继续为她治疗时，重点用调理任、督两脉法和推背升阳法，每日为其治疗两次，共计治疗四十多天所有症状方才消失。

在治疗胃病时，应嘱其保持一个乐观的心态，因为异常的情志变化，都可以引起和诱发疾病。尤其是肝胃之间存在着的克制关系。如果忧思气滞，肝郁犯胃则可以产生脘痛泛酸、呕恶诸症，中焦气滞、运化失司则产生宿食伤胃的病症，所以保持心情舒畅，夜寐安宁，对预防胃病的发生具有十分重要的意义。同时适当的活动和劳动，特别是饭后百步，能使气血畅流，食谷易化，对脾胃的消化吸收很有帮助。反之，如果缺少劳动和运动，就会导致气滞血瘀，食停不化，即使长期服食具有丰富的营养或补益的物品，也得不到消化吸收和运送，甚至引起呆胃的后果。

病例 4　钱某，男，54 岁，电厂职工。

去年秋季开始，他经常感到吃过晚饭后，上腹部疼痛，而且有烧灼的感觉，到医院检查，确定为，胃溃疡。服用中、西药物一段时间，有缓解，但还是经常感到上腹部隐隐作痛。为了治愈自己的疾病，他也经常阅读中医书籍，希望能找到一些治愈疾病的自然疗法。一次偶然你的机会，听朋友介绍起我，便打电话约时间请我为他调理身体。

到了约定时间，老钱来到我工作的地方，我为他先做检查，然后用腹部手法调理，做完后，老钱说感觉腹部有胀满的感觉。第二天，老钱过来反馈，昨天回去后，排气较多，腹部胀满的现象在不知不觉中消失了。我随即为老钱做第二次调理，第三天，老钱反馈，容易饥饿……共调理十四次，老钱的症状不但完全消失，而且感到身轻体健，皮肤细腻，状态就像恢复到三十岁左右的样子。调理结束后，老钱问我：“经过您这段时间的调理，以后还会不会复发呢?”

“呵呵！症状消除以后，能否复发，关键是看自己能否去除和改正导致疾病复发的不良嗜好及行为。”我笑了笑说，“一般来说，防止胃溃疡复发，在日常生活中要注意以下几点：①保持精神愉快。过度的精神刺激，如长期紧张、恐惧、悲伤、忧郁等都会引起大脑皮层的功能失调，促进迷走神经功能紊乱，导致胃壁血管痉挛性收缩，进而诱发胃炎、胃溃疡。②不能过度劳累。不然会引起胃肠供血不足，胃黏膜分泌失调，也会导致种种胃病发生。③不可饮食不均。饮食饥饱不均，饥饿时胃中空空，胃黏膜分泌的胃酸和胃蛋白酶对胃壁是一种不良刺激；暴饮暴食又使胃壁过度扩张，食物在胃中停留时间过长，这都会对胃造成很大的伤害。④不能酗酒无度。酒精会使胃黏膜发生充血水肿，甚至糜烂出血和形成溃疡。长期饮酒还损害肝脏、胰脏，引起酒精性肝硬化、胰腺炎，这些损害反过来又会加重对胃的损害。⑤戒除嗜烟成癖的嗜好。吸烟会引起胃黏膜血管收缩，使胃黏膜中的前列腺素合成减少，前列腺素是一种胃黏膜保护因子，它的减少会使胃黏膜受到伤害。吸烟又会刺激胃酸和胃蛋白酶分泌，所以嗜烟是引起各种胃病的重要原因。⑥不喝浓茶咖啡。浓茶和咖啡都是中枢兴奋剂，能通过神经反射以及直接的影响，使胃黏膜出血，分泌功能失调，黏膜屏障破坏，促成溃疡发生。⑦吃饭的时候做到细嚼慢咽不能狼吞虎咽。细嚼慢咽有利于食物的消化，细嚼慢咽时唾液也分泌增多，又有保护胃黏膜的作用。进食时狼吞虎咽，食物未经充分咀嚼，势必增加胃肠的负担。⑧不可睡前进食。睡前进食不仅影响睡眠，而且会刺激胃酸分泌，容易诱发溃疡。⑨要讲卫生。现已查明，幽门螺杆菌感染是导致胃炎、溃疡和胃癌发病的元凶，它可以通过餐具、牙具、接吻等相互传染。因此，讲究卫生，不混用他人的餐具、牙具，预防幽门螺杆菌感染，可以预防各种胃病。⑩不要滥用药物。不少药物对胃都有较大刺激，久服会损伤胃黏膜，导致糜烂性胃炎、出血性胃炎以及溃疡的发生。解热镇痛药如阿司匹林、保泰松、吲哚美辛（消炎痛）等，激素类药如泼尼松（强的松）、地塞米松等，抗菌药如红霉素等，如果确实要用到这类药物的时候，要严格遵医嘱，谨慎使用。”

“如果严格按照这些注意事项来做，疾病就不会复发吗？”

“中医认为，人体生病是由于人体的阴阳失衡，治病的根本是帮助病人调节阴阳使其达到阴阳平衡的过程，如果一个人阴阳平衡了，身体自然会健康。刚才我给你讲的十种注意事项，除第一项以外，其余九种情况都是讲日常生活中看得见、摸得着的实物对疾病的影响，《黄帝内经·素问·阴阳应象大论》曰，‘阴阳者，天地之道也，万物之纲纪，变化之父母，生杀之本始’。在中医上，有形的实物属‘阴’，‘阴’的方面做到了，‘阳’的一面也要考虑到，比如，我们知道，胃溃疡就是胃黏膜被胃消化液自身消化，而造成穿过黏膜肌层的组织损伤，用老百姓的话来说就是胃体上面出现溃疡，这像不像是‘火’烧出来的呢？还有，中医认为胃属土，这也是值得我们思考的问题……只有把可能导致疾病发展和引起疾病的各种因素都清理掉，才能使疾病不会复发。”

## 十、呕吐

有声有物谓之吐，即胃中食物随声上涌外出；有声无物而叫呕，即吐不出什么东西或仅吐出水液及酸苦胃液，俗称干呕。干呕出声重浊而长者称哕。吐后胃逆仍不下降，但胃空无物，势必出现干呕，所以并称为呕吐。呕吐是由胃气上逆，失其和降而出现的症状，可见于很多疾病中。胃主受纳和腐熟水谷，与脾共司升清降浊，其气主降，以和降为顺，若邪气犯胃，或胃虚失和，气逆而上，则发生呕吐。金代李东垣认为“声物兼出谓之呕”，“物出而无声谓之吐”，“声出而无物谓之干呕”。其实呕与吐多同时发生很难分开，后世一般并称为“呕吐”。

姜某，女，50岁，二十多年前，一次饭后突然呕吐，自此，出现数日必吐一次，短短半年时间，逐渐发展为饭后必吐，而且吐后食道及口腔内不留残渣。一般来说，呕吐日久，大量津液精微丧失，精微不能化生为气，气力必弱，但实际情况，患者虽已五十，但面色红润，肌肤紧致，两眼有神，精力充沛、头发乌黑。二十年来，为治疗呕吐，先后吃过中药、西药、针灸、推拿、艾灸、正骨等种种未见效果方法，未见明显效果。

我观其舌苔，舌体瘦小，舌红，且患者喜食冷饮，正如《黄帝内经·素问·至真要大论》云：“诸呕吐酸，暴注下迫，皆属于热”，“诸逆冲上，皆属于火”，患者应是火、热之邪上逆导致呕吐。由于患者远道而来，且一个月后出国，请我安排时间为其一天调理两次。

在调理的时候，先通三关，然后调理三焦，引气下行，调理两天后，患者反馈前一天晚饭后未呕吐，调理五天后，反馈呕吐每天减少至一次，调理七天，呕吐消失，共调理八天十六次，患者因急事离开，半年后，途经我地，过来看我，反馈说，从上次调理以后，一直未曾呕吐。

## 十一、梅核气

梅咳气，是以咽喉中如有梅核阻塞，咽之不下，咯之不出的咽喉疾患，中年妇女比较容易患上此病。《黄帝内经》“喉中介介如梗”可能是梅核气病症的最早记载，“梅核气”一名则首见于宋代《南阳活人书》。宋代杨士瀛在《仁斋直指方》中说：“七情气郁，结成痰涎，随气积聚，坚如块，在心腹间，或塞咽喉如梅核，粉絮样，咯不出咽不下，每发欲绝，逆害饮食。”唐代孙思邈在《千金要方》中描述说：“胸满心下坚，咽中粘贴，如有炙肉，吐之不出，吞之不下。”中医认为此病主要因情志不畅，肝气郁结，循经上逆，结于咽喉；或肝郁脾滞，乘脾犯胃，运化失司，津液不得输布，凝结成痰，痰气结于咽喉引起。到隋唐以后，开始认识到本病与“七情”（怒、喜、思、悲、恐、惊、忧）有关，如《黄帝内经·灵枢》有“胆病者，善太息……恐人将捕之，嗌中介介然，数唾”。《宋·仁斋直指方》指出，“七情气郁，结成痰涎，随气积聚……咯不下，吐不出”，并首次以“梅核气”命名，并沿用至今。

西医按咽炎治疗，认为是由咽喉部炎症造成的，其实咽炎与咽喉无关，病在十二指肠，胃内容物应在规定时间通过十二指肠，由于十二指肠的炎症，反流至咽部。

病例　黄某，女，44 岁。

2001 年冬，患者近一年来颈椎僵硬，经常感到头痛头晕，后背胀痛，我先给她检查了一下，然后施以消除黏滞，摇头捋颈法，推背升阳法等手法给她治疗一遍，做完后，她说立即感到颈椎轻松，大病若失。她问我，需要几天来治疗一次？我告诉她，如果只是想消除颈椎不舒服的感觉，不用每天都来，感到颈椎不舒服了的时候再过来就行。

第二天下午，黄某又过来找我，她说：“不但颈椎没有不舒服，而且慢性咽炎的症状都减轻了。从五年前开始，咽喉里面就像塞了一个杏仁一样，吐不出来，咽不下去，痰也比较多，吃饭、喝水都觉得不舒服，心情不好的时候，症状加重。到医院检查，说是慢性咽炎。五年来中、西药吃了不少，就是治不好，单治疗这个病就花了一万五千多块，有时候自己都觉得没有治好的希望了，没想到，昨天您给我调理了一次颈椎以后，咽喉的异物感明显减轻了，今天过来麻烦您再给我治咽炎。”我告诉她说种症状在中医上称为梅核气，第二次调理时，我不用前法，而改用调理任、督脉法，加用利咽止痛法。第三天她过来的时候说，咽喉通利了很多，痰明显的少了。连续治疗六次，痊愈。

### 十二、慢性肝炎

本病属中医“黄疸”“湿阻”“胁痛”“虚证”等范畴。其病因病机多由湿热之邪缠绵，日久正气损伤，由实致虚，形成肝郁脾虚、肝肾不足、脉络瘀阻等虚实夹杂的病理表现，由于气滞是肝炎整个病程中常有的病理现象，故不管是何种治法，都离不开调气。

张景岳谓：“此症由内伤虚损而成，凡房劳过度，肾虚、虚弱之人，多有胸胁间隐隐作痛。此肝肾精虚，不能化气，气虚不能生血而致。又或由忧思过度，耗伤心脾，或劳力过度，内伤肝脾气血，皆为此病之主因。”凡人之气血，泉源也，盛者流畅，少则壅滞，故气血不虚则不滞，虚则无有不滞者。倘于此症，不知培养气血，而单知行滞通经，则愈行愈虚，鲜有不殆者。盖此病之肝脾肿大，乃由气虚血滞而肿胀，血虚络阻而疼痛，但予补其气血，助其流通，复其营卫循环之常，则肿胀自然消失；最忌克伐破削，转以增其肿痛，而延为肝硬化，则益难治矣。

病例　李某，男，44 岁。

2005 年春，患者来找我，我见他面色萎黄，目光暗淡，说话有气无力。就问他感觉身体不舒服有多长时间了，都有什么感觉？他说：“记不清哪年得的病？开始经常感到右胁疼痛，腹胀，吃过饭后，好像不消化，容易疲劳，到医院检查是乙肝。曾服多种中西药，病情时轻时重。这几个月来，不但右胁胀痛得厉害，左胁也有痛感。嗳气、腹胀，尤其是吃过饭以后，胀得根本坐不下，大便干，整天觉得全身没有力量，口干、烦躁、头昏脑胀，没有精神，不愿吃油腻的食物。前几天到医院检查，医生让住院，考虑住院花钱太多，就过来找您，看能不能治疗？”我说：“我给你调理一下试试吧！看效果如何？”

我分别选用推背升阳法、疏肝理气法、调整任脉法中的几个手法，扶持阳气、疏肝解郁，恢复脾胃功能，调和五脏，通达六腑，使乱气归经，气血归原。做完后，他说腹胀和右胁疼痛减轻，四肢轻松，有饥饿的感觉。我叮嘱他回去以后先不要吃药，多休息，饿了就吃，不必忌讳，但是不能饮酒，因为酒性属热，能热迫血行，导致气血逆乱。

第二天他反馈说：“昨天治疗以后到现在头晕的现象一直没有出现，排气多，嗳气的现象少了，今天早上起来排便很多，这种现象以前从来没有过，腹部明显变得松软，左胁没再感到疼痛。”我继续按前法进行治疗，并加点合谷、太冲。第三天，他说：“以前梦多，这两天夜里睡觉很好，没有做梦。”第四天，他脸色红润多了，走路说话很精神。他自己也说除了腹部有点胀以外，几乎没有什么不舒服的感觉了。眼睛明显能比以前明亮，以前看电视很模糊，现在隔五六米远就看得很清楚。我告诉他，肝主目，肝功能恢复了，视力当然要提高。

调理至第七天的时候，他告诉我说：“现在腰围比以前要减少五六厘米，看来这个方法还有减肥的作用。”我说：“这个方法虽然有很好的减肥效果，但对你来说，并不是减肥，以前你主要是虚胖，虚胖的原因是由于胃和肠内的食物没有完全消化好，而且肠道蠕动能力差，传送的力量减弱，甚至停留在某处。这样就导致肠胃内堆积的过量的食物，气体或液体出现了膨胀。在调理的时候，肠胃功能开始恢复，人体的能量逐渐提高，气血功能处于旺盛的状态，肠道内的垃圾被快速地清理出去，所以有排便多和腰围减小的现象。”

继续调理至第九天的时候，老李问我说：“现在腹胀的感觉完全没有了，还要不要继续治疗。”我告诉他说：“这种病彻底治愈是很困难的，它会随着你年龄的衰老，体质的下降，脏腑功能的衰退，饮食结构的变化，出现反复。所以你要经常做好日常保养。”他反问我说：“你说这些情况都是不可避免的，我怎么做才能预防不复发呢?”我说：“除了要做到禁止饮酒以外，日常工作生活要做到心情平和，尽量少生气。饮食上少吃油腻，早上可以吃饱一点，但晚上要少食一些。最好第二天早上起来能感到腹部有很饥饿的感觉。你只要这样做了，就能最大限度避免病情的复发。”

脾主运化，饮食入胃，精微之气在小肠吸收，糟粕归入大肠，脾阳虚则运化不利，精微之气摄入不足，影响肝血的生成，糟粕传导不利则毒素集结于内，增加肝脏的负担，影响了肝脏的功能，故曰：“见肝之病，知肝传脾，当先实脾。”“脏腑机能调整”按摩法就是以调治脾胃为手段，调气为目的，通过补益气血，调理肝脾之虚，舒达肝气，以畅升降之机，使气血日复，营卫流通，则肝功能自得恢复，其病可愈。

## 十三、急性黄疸型肝炎

急性黄疸型肝炎，即中医古籍中之黄疸病，现代医学称此病系滤过性病毒所致的肝细胞变质病。临床上以胃肠系癌状及黄疸为主，有慢性肝功能减退的倾向，成为散发性或小流行性发生。其病毒存在于患者的血液中。凡患者的粪便污染饮水、食物而进入人体，在卫生欠缺的情况下易有流行。此病或因感染或因嗜酒、疲劳、饥饿等皆足以促其发生。一般症状有发热达38到39度或稍高的温度，伴以食欲减退、倦怠头痛、寒热、恶心呕吐、上腹部不适或微痛及便秘或腹泻等症。黄疸加深之时，皮肤发黄，粪便呈灰白色，小便黄浓而少、含有胆红素。以上所论与祖国医学的外感性黄疸病大致相同。

病例　范某，男，24岁。

一天下午，战友老范带着孩子急匆匆的来找我，他告诉我说：“前两天，孩子总说腹胀恶心，不想吃饭，我以为他上班太累了，也没当回事。昨天晚上他下班回来以后，一点精神都没有，我发现他面部皮肤和眼睛发黄，他自己说身上的皮肤也是如此，今天一早我就急忙带他到医院检查，医生说是黄疸型肝炎，属于重症肝病，要立即住院隔离治疗三个月左右，不然会有生命危险。一听这话，我心里没底，就过来找你，记得以前在部队的时候，好像听说你调过类似的病号，这是化验单，你看看。”

我看到小范神情倦怠，巩膜皮肤皆黄，就问他还有什么其他的症状，小范有气无力地说：“总觉得恶心，不愿吃油腻的东西，身体沉重，浑身上下没有力气，右侧腹部有时候觉得胀痛，小便发黄、很浓，这两天都没有排大便。”

听小范说完，我再看化验单，化验单上谷丙转氨酶和谷草转氨酶都在3000U/L以上，比正常值的上线高出七十多倍（谷丙转氨酶的正常参考值为0~45U/L之间，谷草转氨酶正常值为0~40U/L之间），这说明肝脏受到了严重的损害，应该立即进行降酶、保肝利胆的治疗，我转头对战友说：“我是调理过这种情况的病号，但每个人的体质是不一样的，就目前的情况而言，我建议最好到医院治疗。”

“一点把握都没有吗?”战友满脸忧虑地问我说。

我低头稍稍沉思了一下说：“我调理两天试试，如果有效果，就继续调，如果没效果，马上去医院。”

“行，那我就把儿子托付给你了。”

急性黄疸型肝炎的症状，在古代已有记载，《诸病源候论》谓：“凡人先患风湿，复遇冷气相搏，则全身疼痛，发烧而体黄也。”《千金》亦谓：“凡遇时行热病，必多内瘀发黄。”《圣济总录》谓：“其因伤寒时气，后变成黄者，缘阳明病无汗，小便不利，瘀热在里，心中懊恼，身必发黄。”上面的论述皆认为此病由外感时气，内蕴湿热，无汗则表邪不能外达，小便不利则里邪不能下泄，湿热遏郁，三焦不利。郁极而发黄，此为黄疸主要原因之一，即现代所称的急性黄疸型肝炎。

小范皮肤四肢皆黄，身体沉重，小便黄少，大便秘结，为体内湿热所致，湿本阴浊，易困脾阳，主在通小便，于是，在为他调理的时候，重点调理三焦，中医认为：“治黄疸不利小便，非其治也。”三焦主调通水道，小便通畅则导湿浊从下窍而出，黄疸自退。

《黄帝内经》上讲，中央生湿，湿生土，土生甘，甘生脾，在色为黄。黄是脾的本色，这就是告诉我们，黄疸型肝炎与脾有直接关系，隋代巢元方在《诸病源候论》说，脾胃有热谷气熏蒸，因为热毒所加，故卒然发黄。指出了黄疸型肝炎与脾胃的关系。明代医学家戴思恭在《证治要诀》中更是补充说，黄脾土色也。脾脏受伤故病见于外，通身面目悉黄。所以，治疗黄疸型肝炎的根本也是在脾。

第二天，战友送孩子过来调理的时候对我说：“昨天回去以后，他就觉得饿了，吃了一大碗饭，今天早上起来，他告诉我感觉身体轻松多了。”第二次调理，加拨四肢的筋，肝主筋，利于肝气的条达。调理结束以后，战友又问我说："凭你的经验，现在感觉怎么样？"

"应该问题不大，在中医上讲，黄疸分为阳黄和阴黄，阳黄由湿热所化，瘀热在里，与胃之浊气共并，熏蒸遏郁，外浸皮肤，所以身目俱黄，黄色鲜明，如橘子色；下流膀胱，则溺色为变。阳主明，治在胃。阴黄由寒湿所化，其伤在脾，脾阳不能运化，积于脾，浸淫肌肉，溢于皮肤，色如熏黄。阴主晦，治在脾。临床这些年来，我个人观点认为，总体来说，阳黄易治，效果快；阴黄难治，效果慢。但是无论阳黄还是阴黄，只要周身黑黄如烟熏，摇头直视，鼻出冷汗，环中黧黑，油汗发黄，或腹胀腹水，都是最严重的问题，即使治好以后，也容易留下后遗症。你孩子的情况就属于阳黄，好治而且见效快。况且这些严重的症状都没有，你就放心吧！"

第三天调理结束以后，虽然孩子的症状减轻了很多，战友还是有些不放心，提出到医院检查一下，看看化验指标有没有变化？第四天一早，我陪同他们一起到了医院，等化验单出来以后，谷丙转氨酶和谷草转氨酶已降至800u/L多一点，最初接诊小范的那位医生在看了化验单以后，问小范说："你这几天打过什么针，吃过什么药了？"

"什么针药也没用过，就是找人点穴按摩了几天。"小范回答说。

听小范这样讲，医生站起来边用手拍拍小范的肩膀边说："小伙子，二十一世纪了，还有人相信这个吗？要是点穴按摩的能把你这样的病治好，还要我们医院干吗？你要想治，就留下住院，不想治，就回去继续用你的方法治。"听了这话，我和战友相视一笑，对医生说了句谢谢，拉着小范转身离开了。

共为小范调理十五天，所有症状消失，化验指标正常。

急性黄疸型肝炎常见的症状主要恶心、呕吐、食欲不振、腹痛腹泻、皮肤黄、尿黄、巩膜黄等，对于急性重型肝炎（急性肝坏死）患者的调理，首先需要做全面检查，找出病因，再做调理，千万不能盲目操作，以免错过治疗的最佳时机，延误病情。

### 十四、水肿

肿病，都是由脾胃虚弱所导致的，男肿足，女肿面，都是比较难以医治的。肿是由水液积聚而成，阳气虚衰是导致水肿的主要原因。古人在阐述阳气盛衰与水肿形成的关系时指出："阳旺则气化，水即为精；阳衰则气不化，而精即为水。"肾为水脏，又有命门相火，以资化气行水，若肾中真阳衰微，则气不化水，必见恶寒而小便不利，水湿内停，水溢于表，则四肢沉痛，下肢浮肿，甚至肿过肘、膝，出现腹水鼓症。此病皆因阳虚不能化水所致。治水必先治肾，所以以温阳利水为主。水虽然在肾，而制水则在于脾，土虚不能制水，水反克土而出现阴盛阳衰。因此消腹水的方法只宜恢复脾胃的功能，温煦脾肾阳气，使阳气充沛，自然蒸化寒水，腹水逐渐自行消退。若采用放水的方法，虽然一时使病情减轻，但半月或一月，肿胀仍然发作。这是因为病时腹中的水清浊不分，气血皆变为水，采用放水的方法把水除去，也就等于损耗了气血。

人体内，水听命于气，气腾水溢，气弱水涸，气奔水驰，气滞水涩，所以善于治水者必先治气。水在人体即指血，血不能自己流动，靠气才能流动。气不顺畅就有错经妄行的隐患，而血就会在耳、目、口、鼻等九窍之间充满，庸医不治气，而治被堵塞的窍，哪里堵治哪里，导致这一窍被塞而那一窍又溢了，现在治水的人，犹如塞窍的人一样。现代的很多治疗的方法不是去研究脾胃，只是用反治的方法，攻击疾病，以治其标，只知用寒治热，用热治寒，用塞治通，用通治塞，而不是找到病因才进行施治。

病例 1　赵某，女，50 岁。

2000 年四月的一天晚上，我下班刚回家，一个同事就过来找我，说他有个朋友得了腹水，想请我治病。一会工夫，患者过来了，她全身浮肿，腹部膨大。我让病人先介绍一下情况，她说几个月前，得了一场重感冒，病好了以后，没过几天就开始出现全身浮肿，尿量减少，血压也偏高，基本保持在 95/160 左右，饮食还可以，经常失眠。我选用强心安神法和调理任脉法中的几个手法为其调理。第二天早上，患者对我讲，昨晚腹胀减轻、小便量增多。第二天，我仍为其将任脉的诸穴放通，并加用水分和关元穴。下午患者打电话告诉我说，发现浮肿明显减轻，晚上我又为她调理一次。第三天加用调治督脉法，共治疗八天痊愈。

“脏腑机能调整按摩法”通过调整任、督两脉诸穴恢复三焦气化的功能，达到人体水液正常代谢的目的。人体内部水液调节，有赖于肺、脾、肾和三焦、膀胱等脏器的正常活动、相互协调，气化得以运行，体内水液方可调节平衡。肺主通调水道，脾主转输运化，肾主调节开阖，而三焦司决渎之权，脏腑各司其职、协同作业，则能使膀胱气化畅行，小便通利；若肺、脾、肾等诸脏功能失调，气化障碍，均能影响水液排泄而发生水肿。三焦功能是五脏系统全部功能的概括，三焦的气化则相当于人体水液代谢的调节，所以三焦膀胱的气化失调，是导致水肿发生的基本因素。

病例 2　董某，男，26 岁，事业单位职员。

小董是我战友的兄弟，同上例一样也是因感冒发热后引起高度浮肿，同时伴随的症状是全身乏力，腹胀，小便短赤，大便泄溏。曾用泼尼松（强的松）、利尿药治疗，无任何的效果。利水之药，必然伤阴。我先为其调理任脉，迫使乱气归经，再调理督脉，重点施术于膏肓、脾俞、肾俞、命门诸穴。膏肓能开通胸部的气分，使肺脏得到调养，因肺主一身之气，肺为水之上源，肺气通调则三焦决渎有权，水道通利。肺与大肠互为表里，上宣肺气即能下通大肠。脾俞恢复脾阳之能，肾俞是治水肿之主穴。肾之作用，是存储和蒸发水的机关，若肾气错乱，则不能蒸发水分，渗入膀胱。造成肾中之水失去控制，流于皮肤及四肢，导致周身浮肿，所以必须将肾气调顺，使机能恢复，小便通畅。再按命门，命门属相火，命门气足，肾脏温暖，则肾脏之机能自复，其肿自消。再按大肠俞，使大肠之气下降。一次治疗下来，小董觉得腹胀减轻了很多。下午又治疗一遍，做完后他感到非常的饥饿，特别想吃咸的食物，问我要不要忌口，我说："这个病的根源是气机逆乱所致，不是由饮食所伤而得，你现在的情况本来就是胃气减弱，若再忌口不食，更能损伤胃气，除了过于辛辣的食物，不用忌口。"第二天，小董的浮肿明显减轻，他告诉我，排便比原来多，腹胀也减轻了。我说治疗后，排便多，腹部宽畅，即为肺气通畅，水湿挟便而出之象。再次治疗时加用清胃健脾法。根据时间的推移和病情的变化，需用适当的手法，共治十五天，肿全消。

中医对水肿的治疗主张"治水先治气，行气水自利"，水肿之疾，确与肺、脾、肾相关。"其本在肾，其标在肺，其制在脾"。

## 十五、腹水

人体水液运行代谢，有赖于肺气的通调，脾气的转输，肾气的蒸腾。如果脏腑功能失调，脏气亏损，使三焦决渎失职，膀胱气化不利，就要发生水肿、腹水。所涉脏腑虽多，但主要在脾。因为脾为后天之本，气血生化之源，脾气损伤，则整个机体功能难以为继。从临床上看，腹水是重症，若再出现大便稀薄，本身是脾败的表现，此时若不及时维护，其他败象将相继出现。病至此时，若再用攻逐，腹水不仅不减，而且会加剧，直至死亡。

病例　史某，女，63 岁，农民。

2001 年初冬的一天，我一个亲戚带着几个人开车到家里来找我，说有一个病人让我帮忙看一下，我问是什么病，他说是腹水，说着话就去车上把病人扶了下来，我一看，病人肚子隆起，面色苍白，一个劲地流汗，虽说那天比较暖和，但还不至于热到那个程度，面色苍白又汗流不止肯定心脏有问题。

病人告诉说："八年前，一次意外的事故受了惊吓，当时并没有感到有什么不适，几个月后，开始出现胸闷，腹胀，小便越来越困难，到医院检查，说是心肌病引起的腹水，住院治疗了五六个月后，病情有所好转，但出院不久又复发了。就这样，病情时好时坏，多次住院治疗，医疗费花了近十万元。前年开始，病情日渐严重，时常觉得胸闷，腹胀痛，夜里睡觉不能平卧，吃东西没有胃口，两腿浮肿呈紫红色，因为夜间总有液体渗出来，所以每晚睡觉时要用布在腿上裹几层防止渗出的液体打湿褥子和被子，夜里顶多睡两个多小时，几天前，医院下了病危通知书。”

听完病人的诉说，我看了一下舌苔，舌苔白腻，中间有裂痕，病情发展到现在这个样子，病人又不能平卧，的确有一定的难度，就随口说，反正医院也不给你治了，我就只给你治一次，如果有效果，我就继续治，如果没效果，就不要来找我了。病人倒很开朗，笑着对我说：“以前有种说法叫，‘水臌、气臌，一百天入土。’在以前要得了这个病，我早就死了，现在医疗条件好，多活了几年已经是赚了。”

我为她检查了一下，肚脐没有突出，但她胸闷的厉害，无法躺下，就先让她坐在凳子上，用左手中指和拇指点住她的膏肓穴，右手依次放通水分、阑门、建里、气海、梁门、石关诸穴放通，她顿觉胸闷减轻了许多，可以平卧了。我凝神悬指用20分钟时间为其将任脉点了一遍，患者起来后连连感叹地说，这两年来第一次能平躺这么长时间。第二天一大早，患者就和老伴坐车过来了，见到我就说：“昨夜睡了四个多小时，两腿没有液体再渗出来，以前晨起没有食欲，今早起床后觉得有些饥饿，吃了八个饺子。”在第二次治疗时，我发现患者腿部的浮肿和颜色都减轻了许多，我仍然只为她做调理任脉法。第三天她又早早前来，一进门就伸着脚，笑着说：“由于脚肿两年多都不能穿皮鞋，今天早上看到脚肿消了，就拿出两年前的皮鞋试了试，不想能穿了，就是样式有些老了，本以为这辈子再也穿不上了，儿女们看到这个效果都非常高兴。”这时跟随我学习的一个朋友问患者，小便是不是多了，患者回答说没有，那个朋友想不通，就问我为什么小便没增多，肿消了这么多呢？我说：“阳气渐复，水化为气，无形外泻。”治疗至八天时，病人胸闷和腿部浮肿消失，颜色恢复正常。她跟我讲，一天偶遇以前为她治病的医生，那个医生听了他这两天的调理的情况后，盯着她看了半天说：“不可思议，如果不是亲眼所见，无论如何我都不会相信，不打针、不吃药，就能治这么严重的病！”

史某这个病古称水臌，是气虚不化水所致。水臌有两种情况：一种是先由两脚肿起，渐往上肿至腹部，腹即臌起，遂成水臌。再渐渐上肿至胸部，串及四肢及头面均浮肿。如肚脐突起，亦为不治。还有一种情况的臌症是，先腹胀，继而四肢面部均浮肿，谓之双臌胀。如肚脐翻突，亦不易治。

## 十六、肝硬化腹水

肝硬化是一种常见的慢性肝病，属难治症之一，中医没有肝硬化之名。传统中医所记载的膨胀、虫臌、水臌等均系肝硬化的病变，中医认为腹胀是气滞所致；腹大是水停留腹腔所致；脾肿大是血瘀所致。腹水的形成，病在水，而根在血，是血瘀所致。肝属木，主疏泄，肝气郁结，则导致脾土运化失常，而致水停。脾虚水停反郁侮肝木，肝的疏泄功能受影响而致气滞。因此，肝硬化腹水的治疗应遵循健脾行气的原则。气行则血行，气滞则血瘀。肝硬化患者的主要表现是阳气虚，阳气是生命活动的动力，治疗的同时勿忘扶阳。

病例 1　司某，男，21 岁。

患者自述："三个月前总觉腹胀，后来发现慢慢地肚子鼓了起来，有 102 厘米，下午感觉胀得厉害，就像孕妇一样，同时也越来越觉得不舒服，口不渴，小便短黄，大便溏泻，面容消瘦，下肢有轻度浮肿，舌光无苔，到医院诊断为肝硬化腹水，花了两万多块钱的治疗费了，效果不明显。"

我先用调整任脉法，把任脉的诸穴放通并加用水分和关元穴，治疗过程中，小司腹中水声哗哗作响。任脉做完，又为其放通督脉和手足三阴三阳，小司觉得腹胀减轻了很多。我跟他说，先不要让他吃药，饮食也暂时不要吃很硬的食物，因为现在这个情况，食道内可能出现了静脉曲张，很硬的食物会使曲张的静脉出血，那就会造成危险，如果第二天觉得有效果就继续治疗。第二天，小司的父母带着他直接来找我，他们说，腹水消了很多。我为其共治 13 次痊愈，至今没有复发迹象。

在给小司调理期间，小司问我说："经过治疗以后，肝脏硬化的部分会不会复原呢?"听了这话，我反问他说："假如企业的一个员工辞职了，这个企业会不会因为这个员工的离去而倒闭呢?""那肯定不会，因为领导会安排别的员工继续在那个岗位上工作。"小司回答说。"对，肝脏中硬化的部分就像企业里面那个离去的工人一样，只要生命还没有受到损害的情况下，正常的肝组织会代替硬化的部分继续工作。"我说。"如果是那样的话，我应该没有任何的症状，因为我身体内正常的肝组织随时代替硬化的部分，不应该感到不舒服。"

"人体内的器官，正常的只有三分之一在工作，三分之二处于备战状态，一旦这三分之一的部分出现问题，后备部分会随时而出，人体内每天都有大量的细胞进行着新陈代谢，但是这个前提必须是建立在新陈代谢正常的情况下，也就是人体能量充足的情况下才能进行，企业中一个工人离开了，可以进行调配，假如企业的效益本来就不好，人员紧张，辞职的工人又多，这个企业可真的就要倒闭了，这个道理和肝硬化一样，肝脏一旦出现硬化，就说明脏腑的机能已经严重失调，新陈代谢不能正常进行，这时候要及时补充能量，从中医角度来说就是要扶持人体的阳气，扶持阳气的根本方法就是首先要恢复喝拉撒睡的正常，只有这样人体才能产生足够的能量，调动后备的肝细胞代替硬化的部分工作，这个工作在中医里叫再生。所以得了肝硬化以后，不要把所有的精力放在如何恢复硬化的部分，应该尽快想办法恢复人体新陈代谢的能力，也就是使吃喝拉撒睡恢复正常，我所用的方法就是通过增强胃气来使你的脏腑机能恢复平衡，吃喝拉撒睡正常了，全身的机能都会有改善。”

病例 2　朱某，男，49 岁。

朱某自 2001 年患慢性肝炎，2003 年出现腹水，服药后腹水时消时胀，反复发作，口苦，吃饭没有胃口，失眠，全身无力，经常觉得口中干渴又不想喝水，每天下午有发低烧的感觉，小便多而且频繁，呼吸短促，大便稀薄，脐下部水肿明显，经医院确诊为脾大性肝硬化。一段时间病情稳定，精神也旺盛，一段时间病情又突然加重，高热、腹满尿闭，病情恶化，如此反复进行，病情时好时坏。于 2003 年 10 月找我调理，我见他面色没光泽、神态憔悴，身体非常瘦弱，腹胀如鼓，舌质淡、苔灰白而且厚腻，虽然病情严重，但肚脐未突出。

我告诉病人在调理期间，绝对要做到不吸烟、酗酒、打麻将、玩牌，强体力劳动，户外长跑等，不要饱食，夫妻要分床而睡。他同意后，我先用调整任脉法给他调理一遍。第二天他反馈说，口渴口苦现象明显减少，夜里睡眠挺好，昨天下午和今天早上都觉得很饿，吃饭也香，全身有劲了，腹水明显减少。我用调整任、督两脉法给他操作，治督脉时重点调治肾俞、命门。肾主水，肾阳为调节水液的枢机，肾阳不足，不能化水，则出现小便不利，导致水肿，如果不能固摄水液，则小便反多，或失禁。水为至阴，其本在肾，肾阳虚，则水不能化，溢而为肿。肾阳者命门火，是人身热能的源泉，一切生理活动的动力。肾阳虚即人身热能不足，各脏腑正常生理活动低下，同时，肾阳可温煦水液而化为气，对水液的排出起调节作用，肾阳虚也就是对水液的代谢将会失常。治疗结束后，他觉得神清气爽，全身非常轻松。连续治疗十天，病人精神状态良好，食欲大增，腹水全消。

肝硬化腹水，一般中医大夫多开利水药。但利水伤阴，即使西药也不例外，尤其是肝硬化腹水，只有疏肝理气、理脾行气、化气利水，腹水自然减轻。因人体水液运行代谢，有赖于肺气的通调，脾气的转输，肾气的蒸腾。如果脏腑功能失调，脏气亏损，使三焦决渎失职，膀胱气化不利，就要发生水肿、腹水。所涉脏腑虽多，但主要在脾。因为脾为后天之本，气血生化之源，脾气损伤，则整个机体功能难以为继。从临床上看，腹水是重症，若再出现大便稀薄，本身是脾败的表现，此时若不及时维护，其他败象将相继出现。病至此时，若再用攻逐，腹水不仅不减，而且会加剧，直至死亡。

肿胀之病服利下之药，肿消后又即刻复发，这是正不胜邪的原因，遇到这种情况，就不要再用利水的药治疗了。腹筋青涨高起，胀肿苍黑，脐肿突出，阴囊肿腐，缺盆脊背肿平，足心肿平，这几种情况属于五脏受伤，不可再治，先肿胀腹，后散四肢者易治，先肿四肢，后归入腹者不易治。

## 十七、哮喘

喘多由忧思郁闷日久，气分错乱，大肠逆气冲入小肠，再由小肠上攻于胃，胃中逆气攻入肺部，肺叶鼓张，气不能下而作喘。很多人只知其肺作喘，而不知其病之由系大肠逆气上冲，清浊不分，呼吸不调，肺被气冲而作喘。

哮喘病人多爱生气，此类患者痰多的原因很多，但如果不存在生气的因素都只是痰多，而不会喘；只有在既痰多又有气往上冲的时候，才会哮喘。中医认为，哮喘之实多归于肺，以痰气交阻，肺失宣降，或肝郁气逆为主；哮喘之虚，多归于肺肾，以气虚为主。虚喘是指正气虚，肺为气之主，肾为气之根，如肺虚不能主气，或肾虚不能纳气，则气逆于上而发为喘急。肾阳衰微，不能化水时，则水气上凌心肺，形成喘咳。所以治疗以调气为主。

哮喘多发于冬令天气寒暖不正的时候，风寒侵入肺脏，支气管痉挛，痰涎窒塞，气息急促，两胁煽动，鼻窍煽张，初感风寒，若迁延失治，外邪内伏，一交寒冬，发作就更厉害，呼吸困难，肺活量缩小，是喘症的起始。肺窍痰壅，是肺脏支气管的平滑肌骤遇低温的刺激，不能抵抗，忽然引起痉挛和紧缩，痰涎不能排出，空气不能很快地通过，突然发生暴喘，神昏闷乱，甚至肩耸头仰，目直口张。应先做头部推拿，除去寒气的闭塞，抑止肺气的上逆。然后施以背部手法，特别注意脊柱两旁的太阳膀胱经，刺激交感神经，使气管扩张，舒展肺气，使痰涎移动，顺序排出。再调整任脉引气归元，使肺叶不被逆气冲动，喘即平定。

实喘为实邪所致，虚喘为元气虚所致。实喘者气长而有余，虚喘者气短而不续；实喘者，胸胀气粗，声高息涌，膨膨然者不能容，唯呼出为快；虚喘者，慌张气怯，声低息短，惶然者气欲断，劳动则甚，而唯急促似喘，吸长气后暂时缓解。

哮喘患者，若冬天调理，可以从冬至开始，不吃晚饭一百天，效果加倍，类似于佛家提倡的过午不食。若春夏调理，同时配合艾灸，效果加倍。

哮喘也最忌肚脐翻突，因肚脐正对大腹的荷包肠头，大肠逆气贯满，无处发泄，遂由荷包头攻挤肚脐，故脐眼翻突，即不治。

病例 1　李某，男，47 岁。

李某坐了几个小时的火车赶到我这里，进门的时候，面色微紫，呼吸沉重，还没坐下，边说胸闷的厉害，边从包内掏出一个鼓鼓囊囊的塑料袋，打开以后，里面都是药，他取出七八粒药服下，好大一会儿，面色和呼吸声才趋于正常。他自述："几年前，开始觉得胸闷、气短、咳嗽，有痰又吐不出来，后来这种感觉越来越厉害，到医院检查说是哮喘，在单位上班的时候，有好几次疾病发作被送到医院抢救。到处治病，中西药吃了不少，现在吃着药症状基本控制住了，就是总觉得胸闷、痰多、便秘，闻到异味，疾病就复发，平时在单位的时候一看到同事抽烟就要远远地躲开……"当时天色已经晚了，就让他先住下。

第二天，李某告诉我说："昨夜由于不停地咳嗽、吐痰，就用拳头捶胸、砸背，折腾了一夜都没睡几个小时，现在胸闷的厉害。"我让助手把任脉给他调一下，做了不到三分钟，助手说："肚子太硬，做不动。"我过去用手一摸，腹压的确太大，于是我先用调腹压法给李某做了几分钟，然后再让助手继续给他治疗，助手过去一试，说腹部软了很多，就用调整任脉和推背升阳法做一遍。做完后，李某感到前胸、后背轻松了很多，呼吸也觉得舒畅了。

下午，李某反馈说，从上午做完后，明显感到痰少了。于是我又让助手按上午的方法给他调理。第三天，他反馈说："我晚上有盘腿看书的习惯，以前坐半个小时就觉得胸闷、要吐痰，但昨天晚上看了三个小时的书以后，才感觉有点胸闷，这个方法的确是很神奇。"我安排助手根据病情的需要，变换这手法，每天给他调理两次。又过了三天，他说痰很少了，呼吸很轻松，脸色也红润了。第七天的时候，因家里有事，需要回去处理，他走的时候，我叮嘱他说，为防止复发，最好能做到远荤腥、薄滋味、忌房事。半年后，我打电话问他的身体，他说很好，一直没有吃过药。

病例 2　杨某，女，38 岁。

2001 年杨某因感冒引起哮喘，当时症状：腹胀、胸闷、背胀、咳喘、吐痰。犯病严重时，送医院输氧，喘息之声整个楼层都听得到，平时吃药控制，怕生气，不能闻到任何刺激性的气味。由于经常背胀肩痛，她常去做按摩。2004 年冬，杨某从家里乘车五个多小时，到我地看望她的一个朋友，没想到刚到朋友家就犯病了，腹胀、胸闷、咳喘得很厉害，最后没办法，吃了两片药病情才得到了缓解。在谈话中，朋友对她提起我的按摩方法很独特，对她的病应该有很好的效果，建议找我看看，并打电话和我预约时间。

第一次治疗，我取清肺宽胸法、推背升阳法、推腹清脏法、调整任脉法各套路中的几个手法，用了二十分钟，给她调了一下，做完后，她说："您的手法和其他的按摩方法完全不一样，做完后无论内脏还是后背，感觉都很轻松。"第二天，她反馈说，昨晚睡眠比以前好多了，吃饭也有胃口。我继续按昨天的方法给她调理，第三天，她反馈说："原来排便很困难，今天早上感觉很通利。但从昨天开始总犯困，睡了一夜，今天白天又睡三四个小时，但还是有困意。"我告诉她这是人体气血在恢复的表现，过两天就好了。第五天的时候，她说感觉脸上的皮肤变得细腻、光滑了。第七天，她来的时候，我觉得她面色不如前几天，也有点喘。她说昨天晚上生了点气，病又犯了，但只是觉得有点胸闷、咳嗽，症状很轻，比起以前犯病，不知轻了多少倍。治疗到第十五天，她为请假的事又与单位的领导发生争吵，由于生闷气又犯了一次，只觉得有点胸闷，没有其他症状，治疗二十三天，诸症悉除，她返回单位上班。一年后，我有事到她地，和她偶遇，她说，自从您调过以后，再没有犯过。

## 十八、结肠炎

结肠炎的症状就是腹泻，大多发生在黎明，古书叫五更泻。为什么五更（黎明）要泄泻呢？黎明之时，阳（热）气始隆，与原有脾胃之寒浊相激，水火相射，化水而下，因此泻下稀溏。在中医辨证为阴证，脾肾阳虚，六经辨证属太阴证，太阴湿土宜温宜化。五更泻的主要症状是，每至黎明前，脐腹作痛，肠鸣即泻，泻后则安。这类泄泻往往积年累月，久治不愈，故病人甚为烦恼。祖国医学认为，这种慢性腹泻多属肾虚所致，故以有"肾泻"之称。人至老年，肾阳虚衰，命门之火不能温煦脾土，即不能帮助脾胃腐熟水谷，消化吸收，运化失常就会出现泄泻。而黎明之前，阳气未振，阴寒较盛，故尤易发作。这类病人除黎明前迫不及待地去厕所排便外，平素还常伴见形寒怕冷、腰膝酸软、舌淡苔白、脉沉细等一系列肾阳虚衰的表现。

病例 1　陈某，男，58 岁。

患五更泄十年了，天未亮前，必腹泻一两次或多次，其余的时间不泻，多年来一直如此，一般刚过半夜，必腹痛，痛而不泻，泻后痛暂减，一会儿又痛，就急不可待，马上要腹泻。大便清稀像鸭粪一样，全身懒倦，腰酸，四肢发凉，不思饮食，多处求医问药都无多大改善，首次治疗，我点通任脉法为他调理，第二天患者反应今天腹泻推迟到九时，大便比以前稍干，泻时仍腹痛，我用推背升阳法和调整任脉法为他治疗第二次，第三天患者反应腹泻推迟到下午五时左右，腹泻量少，没有腹痛，大便已成形，共调理五天痊愈。

病例 2　林某，男，34 岁。

几年前，林某不明症状的引起腹泻，开始只是一天腹泻两次，吃中西药当时还能见效，但过一段时间，又开始腹泻。后来腹泻逐渐严重，最后发展到一天四到五次，经中医多次诊断，都说是脾胃虚弱所致。一次偶然的机会，与我认识，他请我为他做治疗。我按调整任脉法为其操作一次，因为当时已是晚上，我给他治疗结束后就回宿舍去了，第二天一见面，他告诉我说，从昨天晚上治疗以后，虽然腹泻，但睡眠却好多了，今天早上感到很饿，特别想吃饭。为什么这边拉肚子，那边睡眠和饮食却得到很大改善呢?我仔细观察林教导员的面容，见他鼻子两侧有很明显的肝胆病的征兆。用手触摸他的肝胆部位有明显的病理反映。突然想到这是疾病在恢复的一种现象，虽然他长期腹泻，但是肠胃功能低下，吸收能力必然很差，大肠的褶皱内积聚了大量的宿便，大肠的蠕动能力又太差，无法将宿便排除，宿便长期停留在体内，这些毒素积累越来越多，影响了肝脏的解毒能力。昨天晚上治疗以后，肠胃蠕动能力加强，褶皱内的宿便在往外排出的时候，必然会使排便增多，这就是他虽然腹泻，但睡眠和饮食却有很大改善的原因，于是我让他继续接受治疗。第三天，他告诉我现在每天可以排泄到六次，排泄物臭气熏天，但人却变得越来越精神，饭量增大，睡眠加深，要是像以前这样拉下去，人早就脱水了。但现在他觉得很有精神。治到第六天时，腹泻消失，排便一天一次，口干口苦、全身乏力的情况全部消失，又巩固治疗四天结束。

### 十九、高血压

血管内的血液，犹如自来水管里的水一样，水对水管的压力，犹如血液对血管壁的压力。水的压力取决于水塔里水的容量和水管的粗细，水塔里的水越多，水管越细，水对水管壁的压力就越大，反之亦然。血压也是如此，当血管扩张时，血压下降；血管收缩时，血压升高。影响血压的因素即动脉调节系统，主要通过增减血容量，或扩缩血管，当心脏加强收缩射血时，动脉内的压力最高，此时压力称为收缩压，也称“高压”，心脏舒张回血时，动脉弹性回缩产生的压力称为舒张压，又叫“低压”。

血管是“管”，肠道也是“管”，胃是消化道膨大的部分是“粗管”，胃肠道这些管畅通了（大便通畅），血管自然就通了，血管通了，血压不就正常了吗？西医只知道利水、降压、补水结果无济于事。大肠与肺相表里，肺经病变，太阳寒水（外感风寒束肺）封闭皮毛，导致微血管急剧收缩，久而久之微血管会硬化（寒入络脉），寒气再深入营血（大血管）则导致深部静脉堵塞，再深入骨髓，则下寒上热，里寒外热，格阳于上于外，因此在临床上高血压病人小便黄的很少，一般都是清长的。因此，开腠理、洁肠胃，温下元是调理高血压的主要方法。大便通畅，说明胃肠道清洁了，胃肠道清洁了，血管里的血液就纯净了，高血脂还存在吗？

气为血之帅，要想从根本上消除血压高的症状，首先就要通过调整脾胃，使气机畅通，净化血液，血管恢复原有的弹性。脾统血，主肌肉，血管也是肉组成的，脾胃功能恢复，人体内部气机通畅，就等于消除阻滞，疏通障碍，就解决了高血压的关键问题。血流通畅了，心肌就不必使劲收缩，血压恢复正常。但是老年人，血管毕竟已经老化，再怎么恢复，脏腑机能也不可能完全恢复到年轻人那样，所以血压会相对偏高一些，如果老年人强求所谓的正常值，就会发生心律失常，甚至心肌缺血。

病例 1　周某，男，56 岁。

2002 年秋，在外省工作的周某陪妻子回山东看望岳父、岳母，周某妻子的哥哥老王在几年前得过一个怪病，总觉得有痰堵在喉咙里，正常活动没什么感觉；无论白天还是晚上，只要躺下，就觉得痰涌到嗓子里面，呼吸很困难，一夜顶多睡两三个小时，附近稍有点名望的医生全部去看过了，药吃了不少就是没有效果，女儿、女婿都在医院工作，女婿还是某医院的研究生，为了给他治病，带他到几个大医院去检查，就是检查不出是什么病。慢慢地老王的身体变得越来越差，吃饭没有胃口，走路无力，面色黑，眼球浑浊，视力模糊。2001 年春节过后，王师傅到我家去玩，我对他说，我能治好他的病，他满脸的不相信，说按摩也能治病吗？我说那就给你治治试试，没效果就算了。当时我只用调整任脉和督脉法为他做了一遍，刚做完他就嚷肚子饿。第二天一大早，他过来的时候，一见到我就说："昨天回去吃了两个馒头，夜里睡了四个多小时，没想到按摩比吃药效果还好。"我按推背升阳法、调整任脉法给他继续治疗，第三天，他来的时候，我发现他的面色白皙了很多，眼睛也明亮了。他自己也讲，看东西比以前清楚，全身觉得有劲，夜里已经能睡到五个小时，躺下后痰涌咽喉的现象没有了。治疗至第八天，所有症状全部消失，而且面有光泽，颜色红润、眼睛明亮、走路矫健，全身轻松。自此他对脏腑按摩的治疗效果深信不疑，一天我下班后坐车回家，刚下车，就看见他在和一个老头在路边争吵，见到我来了，把那个人边往我跟前拽边说："你自己问问，我的病是不是按摩治好的……"

一天，周某夫妇去我工作的地方找我，周某见了我只点了点头，没说话，周某妻子跟我客气了两句后就说："我丈夫血压高好多年了，一般持续在180/120mmHg。去年10月份突发左半身手足不遂、不能说话而住院治疗半个多月。出院后，仍觉得全身没有力量，一说话，嘴就往左歪，所以他平时很少说话。找中医大夫开中药吃，药吃了不少，症状没减轻多少，现在行动虽然正常，但仍然经常觉得头重头胀，少吃点东西也觉得肚子胀，活动量稍大就气喘，口臭严重，夜里睡觉的时候，口水不由自主的就从口角往外流，为了预防中风，每天都服用复方罗布麻、降压片等药物。也曾到好几个地方做过按摩，没有效果，刚到家就听哥哥说这种按摩效果很神奇，所以就让他带我们过来看看。"我跟她说："你丈夫这个病的根源就是在脾胃上面，因为他一个显著的症状就是流口水，口水在中医里称为脾涎，口水不自觉得流出来，就说明脾的功能出现了问题。只要脾胃功能恢复了，所有的症状都会减轻甚至消失。"她对我的说法表示赞同，然后她又对我说："我患颈椎病好多年了，整天都感觉头晕、头痛、眼睛无精打采的不想睁开，能不能也帮我治一治？"我用了三分钟时间，给她先用头颈部推拿治疗一次，然后我再用整体操作为周某做治疗，治疗结束后，周某说除了感到轻松一些，其他没有什么变化。第二天，夫妇两人又来找我做治疗时，王师傅的妹妹对我说："昨天到博山去玩了一天，我丈夫没吃降压药，但觉得全身有劲，也没有出现头重头胀的症状，回家量了一下血压为190/130mmHg，血压高了，却没有任何症状，让人觉得奇怪。昨晚睡觉也挺好，口水只流了一点点。"效不更法，治疗时我继续沿用昨天的方法。做至第五天，周某夫妇俩反馈，口臭及口角流涎现象消失，腹胀嗳气和上楼气喘症状减轻很多，血压目前在160/110mmHg。共治疗十天，诸症消除，血压降至130/110mmHg，王师傅妹妹的眼睛不但明亮，颈椎也轻松了，夫妇两人非常满意。

病例2　王某，女，55岁。

接上例，老王请我给他妹妹和妹夫调理好身体以后，又带了一位高血压患者来找我，患者一进门，就坐在凳子上，半闭着眼，有气无力得说，先休息一下喘口气再说。我给她倒了一杯水，水还有点烫，她就喝了一大口，等了一会儿，她跟我说，就是不能活动，稍微干点活就感到胸闷、腰酸腿软。我问她睡眠、饮食、大小便的情况如何？她说，整天觉得没胃口，吃也可，不吃也行，一夜也就睡两三个小时，还老做梦，一天到晚地心里不安稳，头脑不清醒，小便多，大便不成形，到医院去检查，说是高血压和心肌供血不足。我给她量了一下血压，是190/120mmHg。

患者的情况属于阳虚，为心脾之阳不振，阴寒之气上乘，气血运行不畅，经络失养所致。首次治疗的时候，我重点给她疏通任督两脉，调理结束，她起来就说，头感到很清亮，全身很轻松。第二天她反馈说，今天早上起床后，没有胸闷，觉得饿，想吃东西。第三天她反馈说，小便比以前少了，夜里能睡五个多小时，梦也少了。第四天，她过来后，显得很慌张，我问她怎么了？她说坏了，昨天单位义务检查身体，去量了量血压，高压升到200了。我问她现在感觉怎么样？她说，饭想吃、觉想睡、大小便也基本正常，就是血压高有些害怕，为了让她明白什么是高血压，我就把高血压的成因，详细跟她讲了一下，西医认为，高血压就是各种原因引起小动脉紧张度增强，致使微血管的管壁增厚，造成外周血管阻力增大，血管出现了阻塞，心脏为了保证血液能及时供应到各个器官和组织，心肌就加大收缩力，推动血液通过血管，因此测量血压就升高了。

在生活中，很多血压高的人没有什么症状，但一服用降压药，身体就出现了种种不适，这就像一个水泵，它的职责就是将水通过水管打入到水塔中，但随着水管使用次数的增加，水管中的附着物也越来越多，原来的压力已不足以把水通过水管注入水塔，但水泵的工作就是保证水塔中不能缺水，于是它只有升高压力，但有人怕水泵的压力升高以后，水管承受不住出现破裂，就人为地把压力降下来，这样矛盾就出现了，这边水泵升高压力，把水打入到水塔中，那边就人为的不让它升高压力，过不了多久，泵就坏了。在现实生活中，这种情况可能不会发生，因为发现水泵不能正常的把水打入水塔中，在确定水泵正常工作的前提下，就检查水管，这样水管中的阻塞马上就会被发现，管道疏通了以后，供水就正常了。

在我们人体，水泵就是心脏，水管就是血管，血管出现了阻塞，这边心脏为了保证身体各部位的正常用血，升高压力，那边在人为的服药降压，时间一长，心脏病出来了。同时，服用降压药后，血流缓慢，供血不足，往往造成脑血栓和心肌梗死，很多人一发现自己血压高了，就开始服降压药，造成血管栓塞，最后发展到偏瘫、老年痴呆、心脏移植的地步。

由此可见，高血压就是人体自我保护和调节的一种反应和发出的一种信号，目的就是告诉我们血管出现阻塞，应该及时疏通，但这时候很多人选择不是疏通血管，而是服降压药，不让心肌使劲收缩，这时测量血压可能不高了，可是血流却缓慢，血液中的杂质在血管中阻塞的地方一点点的沉积，就出现了各种各样的血栓。

当然任其血压升高，置之不理，也会出大乱子。既然高血压是血管阻塞而发出的信号，所以有时候，病人本身常常没有什么自觉症状，是无声的杀手，它是隐蔽发展的，有的人不头疼、不头晕、不难受，就这样无声无息地发展，以后突然某天暴发、死亡，所以它不像有些病，先感到痛苦，反而警觉了，没有症状的病特别危险，所以我们要时常关注血压的高低。发现血压高了，就要想到血管出现了阻塞，要及时进行疏导。但前提是要考虑到血管的承受能力，血管的韧性和弹性。血管其实就是"肉"，脾主肉，统血，所以治疗高血压首先要调脾胃，"卫气独卫其外"，通过调节和恢复脾胃的功能，来达到调气的目的，才能从根本上治愈高血压。经过我的解释，她才明白了高血压是怎么回事。继续治疗至第七天的时候，她告诉我，昨天下午又去量血压，血压已经降至 170/110mmHg。治疗到第十天，她的血压降至 135/85mmHg，继续又巩固治疗三天结束。

病例 3　毕某，女，63 岁。

毕某，脸色苍白，身体虚弱，舌苔厚，黄腻。自述："血压高有 10 多年了，最近的几个月以来，总觉得头上向戴着顶很重的帽子一样，又胀又痛，眼睛看东西模糊，胸口像闷着一团气，一干活就气喘，消化也不好。"

证属痰浊内蕴当先健脾和胃患者体太胖，肚皮坚硬，我用搜骨洗髓的手法为其调理，做完后，老人觉得舒服，说头胀痛和胸闷减轻了很多。第二天反馈，昨天治疗过一次后，饮食有胃口，治疗至第三天时，患者告诉我，头胀痛的感觉没有了，而且一早起来就觉得饿，眼睛看东西也觉得很清楚。第五天使用调整任脉法和推背升阳法，共治十五天，所有症状全部消失。

## 二十、冠心病

冠心病在中医上来讲属"胸痹""真心痛"的范畴。心主神志、主阳气、主血脉，任何一方面发生病变，都会直接或间接的造成疾病。临床常见心前区疼痛，向肩背部放射，胸闷气短，心悸怔忡，或心烦易怒，乏力多汗等，舌质红，苔多薄等现象。尤其是左胸部出现发作性憋闷、疼痛为主要表现，轻者仅偶以短暂轻微胸部沉闷，或隐痛及不适感，重者疼痛剧烈，呈压榨样绞痛，甚至胸痛彻背，常伴有心悸气短，呼吸不畅，面色苍白，冷汗自出，或惊恐不安。其根源多由正气本虚，心之气血不足，痰浊，瘀血，寒凝，气滞内闭心络，致胸中大气不畅，血脉闭阻所致。劳累、饱餐、寒冷、情绪激动常为本病发作之诱因。

《黄帝内经·灵枢·厥病》说："真心痛，手足青至节，心痛甚，旦发夕死，夕发旦死。"这段话的意思是讲，心肌梗死时，心前区剧痛，手脚青冷过肘膝，会很快死亡。尤其是中、老年人脏腑功能衰退，自身调节功能减弱，阳气已衰，各种外邪乘虚而入，导致气血损伤，所以冠心病是一种有

"损"及"虚"的疾病。既是虚症，亦不忘调气血，脾胃是为气血化生之源，脾胃健和则五脏六腑、整个机体强健，而不易生病。病即成就要先调和脾胃，即使病重也容易痊愈，倘若胃气受伤，则疾病难以治愈。《黄帝内经》云："有胃气则生，无胃气则死。"五脏六腑无论何证，都要时刻不忘胃气这个根本。胃气通畅，则五脏调和，气血充盛，百病不生。

西医认为，冠心病通常是冠状动脉粥样硬化性心脏病的简称。本病是由于冠状动脉粥样硬化，使血管腔狭窄或堵塞，导致心肌缺血缺氧而引起。冠状动脉是环绕心脏的血管，负责给心肌供应血液，使心脏得到日常所需的氧气及营养。若冠状动脉狭窄，甚至闭塞，致使冠状动脉循环发生功能或器质性的改变，引起冠状动脉血流和心肌需求之间的不平衡，则导致心肌缺血性损害，随之产生一系列的症状，即冠心病、高脂血症、糖尿病、高血压病常与本病的发生有关。冠心病的临床类型包括心绞痛、心肌梗死和猝死。心绞痛又可分为劳力性心绞痛和自发性心绞痛。

病例1　赵某，女，71岁。

1998年的冬天的一个晚上，一朋友请我到家中吃饭，其岳母头痛，我给她点了几个穴位，疼痛即止。正在这时，外面有哭声传来，我问是怎么回事。同学告诉我说："隔壁一老太太膝关节骨质增生，在医院里住了一个月，也没见好转，本来医院要给她安排手术，但她还患有严重的冠心病，怕出危险，所以只能出院回家。上半年听说打封闭可以治好，就去打了一次，结果只三天没疼，第四天照旧，给她打封闭的大夫跟她讲她的病太严重了，要多打两针才能好，这样反复打了三十多针，一条腿也变得一瘸一拐的了，但始终隔两天就疼，最后只能放弃，现在每天夜里她都因为腿疼得受不了，啼哭好长时间。"

我对朋友说："这么大年纪了，还要遭受这样的折磨，太痛苦了。你去跟她说一声，她的病我能治，她若相信的话，我给她治一治。"没多大工夫，同学带着一位老人一起回来了，他说这是病人的老伴，老人请我随他去家里去看看病人。同时，老人问我治疗的时候疼不疼，前段时间去找了个按摩的，人家刚一接触到她，她就喊疼，她有冠心病，怕受不了。我说，一点都不疼，放心吧！

跟老人到家以后，看到一位老太太面色苍白地坐在床边，两手放在膝盖上面，眉头紧皱，面部表情非常痛苦。我问她都有什么感觉，她说："右腿膝盖整天疼得厉害，也没有时间性，饭也不想吃，夜里因为腿疼睡不了几个小时，心里老觉得发慌、胸闷、肩背疼痛，出汗多，躺在床上像坐船一样，感觉床晃动不停，自从腿疼以来，已经半年多不出家门了。"我说："我先给你调理一次，你只要觉得症状减轻了，我再继续给你治。”老太太可能看我年轻，不大相信，就笑笑说：“我这个病时间长了，治疗一次可能不会有效果，一个月能让我这个病见轻，我就很感谢你了。”我没吭声，就让她先躺下，准备给他做治疗。她没动，问我疼不疼？这时他老伴答话说：“人家大夫说了，一点都不疼，你就别管了。”

老人躺好后，我用了大约半个小时的时间，选用清肺宽胸法、强心安神法、调理任脉法、腿部分筋法等方法中的几个手法，给她调了一下。老人起来后，跟她老伴说：“真是一点都不疼，心里觉得亮堂堂的，感觉腿疼也差了。”

第二天患者反馈说：“昨天调理完以后，觉得肚子饿，吃了一个大馒头，喝了一碗稀饭，夜里腿疼比以前轻多了，那种像坐船一样的感觉再没出现。”她老伴在旁边说：“昨夜她一夜没喊疼，我总算睡了个安稳觉。”仍用前法调理。第三天患者反馈说：“昨天觉得胸口不闷了，就到街上走了走，双腿感到很轻松，也没疼。”这时，他老伴接过话来说：“总算夜里你不哭了，好歹把我给解放了，看你的脸色多红润，这效果不是花钱能买来的！”治疗到六天的时候，所有症状消失。病人怕复发，又请我给她调理了六天。

记得在调理的时候，赵某的老伴问我：“原来她肩背痛，开始我还以为是肩周炎，到医院检查才知道是心脏病引起的。”我告诉他说：“判断是否得了心脏病，最简单的方法就是看清晨有没有胸闷的现象。心脑血管病的发病率在清晨的时候最高，比其他的时间要高出50%左右。早上，由于交感神经兴奋，心跳加快，血压上升，心肌耗氧量增多。我们一夜没有喝水，但夜间呼吸、出汗、和泌尿都在丢失水分，因此血液黏度在夜里越来越高，在天亮的时候达到最高的程度，所以清晨一旦发现有胸闷的现象，一定要重视。许多人总认为自己的身体好，早上起来，有时觉得很难受，就没把它当回事。所以不少人在疾病暴发之前，根本不知道自己有心脏病，任何疾病越早越好治，等病重了再治就麻烦了，平时发现自己的身体有任何不适，一定要及时找有经验的大夫进行咨询，以免延误病情。”

病例2　张某，男，55岁。

1999年秋，我给陆某调理好类风湿以后，一天他带着一位女士到我工作的地方找我，他介绍说：“这是我的邻居，他见我现在能吃能睡，腿也不疼了。就要求跟我一起来，想请教一下您，冠心病能不能治疗？”我回答说具体情况要见到病号以后才好判断。

过了两天，陆某的邻居领着一个人来了，对我说：“这是我家那口子，姓张，从去年下半年开始老是觉得胸闷、心慌、气短、胸痛。到今年春天，觉得严重了，到医院一检查是冠心病，就赶紧吃药，几个月过去了，病情反而越来越严重。胸部疼痛的时候，牵涉到颈肩也疼痛。心慌、气短、爱出汗、失眠，一夜也就睡两三个小时，头晕，吃饭没胃口，大便干燥。”听她介绍完病情，我说这个病我可以治，不过今天有些晚了，明天你不要吃药，中午的时候喝点绿豆汤，下午我给你做治疗。

第二天下午他们来的时候，老张正胸闷和心慌的厉害，我先扣拨他的心俞、膈俞和膏肓数秒钟，再一手点内关，一手点中冲。待他症状缓解后，再用选用调理任脉、督脉法的几个手法给他调理，同时我叮嘱他如果不难受，就不要吃药，明天继续喝绿豆汤。次日，他告诉我，胸痛现象减轻了，排气多，晨起觉得饥饿，吃了一个半馒头，喝了一碗稀饭，接近以前两顿饭的量，夜里睡了四个多小时，继续按调整任、督两脉给他治疗。第三次给他治疗的时候，他反馈说胸部一直没再痛，头不晕了，呼吸觉得轻松，汗出得明显少了，排便较多。继续治疗至第八次时，症状全部消失。

在我给张某调理至第五天的时候，他的一个亲戚跟他一起过来，问我：“我的颈椎和肩膀也经常感到疼痛，是不是也是冠心病呢?”

我问他：“你有没有胸闷、气短的现象?”

“没有，就是视力有时有些模糊。”

“那不是冠心病，冠心病多突然发病，常在劳动、激动、饮食后发生。肩痛多缓慢起病，有或无肩部外伤、受凉、长期固定或过度劳损等病史。冠心病疼痛位于胸骨上段或中段之后，放射至肩、上肢、颈、咽、背等部位，性质为压榨性或窒息性，休息疼痛缓解消失，无肩部活动受限及明显压痛。肩部疼痛多位于肩关节周围，向患侧前胸、肩胛区、前臂及双手放射，性质多为钝痛或刀割样，呈持续性，夜里较重，休息无明显效果，肩部活动受限，肩周压痛明显，像你这样肩膀疼痛的情况多数是由颈椎病引起的。”

听了这话，也请我为他调理一下。我先给他检查了一下，发现在颈椎的三、四、五椎之间，有异常反应，再结合他说的症状，我判断是神经根型颈椎病。做到心中有数后，我运用头、颈椎部的分筋治疗方法，用三分钟时间给他把颈椎的筋为他拨了一遍。做完后，他长出了一口气，说：“真舒服，就像从后背搬走了一座大山。”

### 二十一、甲亢

甲状腺（包括甲状旁腺）是人体重要的内分泌器官，它具有调节人体生长，智力发育，物质代谢等极为重要的生理功能，对人体多种系统和腺体都有着重大的影响。随着生态环境的改变及人体免疫功能的差异等因素，近年来，甲状腺疾病的发病率直线上升。尤其，多见而危害严重的是甲状腺功能亢进症，简称为“甲亢”。它是由免疫功能紊乱而引起的自身免疫性疾病，主要病理改变是由自身免疫球蛋白抗体刺激甲状腺细胞分泌功能亢进，产生过多的甲状腺激素，临床上多出现代谢增强，交感神经兴奋，眼病，肌病等典型症状，如心慌无力，心烦，易激动，失眠，出汗，怕热，能食善饥，体重下降，突眼，脖子肿大，手抖舌颤，消瘦，心率增快，女性患者可引起月经不调，闭经不孕；男性患者可引起性功能障碍。甲亢患者如无及时治疗或治疗不当，可诱发糖尿病，高血压，心脏病等多种并发症，甚至导致“甲亢”危象而造成昏迷死亡。所以又有人把甲亢称为“坟墓病”。

甲状腺功能亢进症的临床表现：

患者可表现为怕热多汗，皮肤、手掌、面、颈、腋下皮肤红润多汗。常有低热，严重时可出现高热。患者常有心动过速、心悸、胃纳明显亢进，但体重下降，疲乏无力。

甲状腺肿：不少患者以甲状腺肿大为主诉，呈弥漫性对称性肿大，质软，吞咽时上下移动。少数患者的甲状腺肿大不对称，或肿大不明显。

眼征：眼征有以下几种：

①眼睑裂隙增宽，少眨眼睛和凝视。

②眼球内侧聚合困难或欠佳。

③眼向下看时，上眼睑因后缩而不能跟随眼球下落。

④眼向上看时，前额皮肤不能皱起。

神经系统：神经过敏，易于激动，烦躁多虑，失眠紧张，多言多动，有时思想不集中，但偶有神情淡漠、寡言抑郁者。

心血管系统：由于代谢亢进，使心率增速，心血搏出量增多，血循环加快，脉压差加大，多数患者述说心悸、胸闷、气促，活动后加重，可出现各种早搏及房颤等。

消化系统：食欲亢进，但体重明显减轻为本病特征。二者的伴随，常提示本病或糖尿病的可能。本病引起腹泻的原因是，由于进食多而易饥，加之过多的甲状腺素分泌，兴奋胃肠平滑肌使蠕动增快，引起消化不良，大便频繁。一般大便呈糊状，含较多不消化食物，有时伴有脂肪消化吸收不良呈脂肪粒。由于营养吸收障碍与激素的直接作用，肝脏可稍大，肝功能可不正常，少数可有黄疸及维生素 B 族缺乏的症状。

甲状腺功能亢进症引起的轻度腹泻比较常见，但通常不伴有痉挛性腹痛，食物消化也无明显障碍，仅个别病例以较严重的腹泻为主诉，这时，甲状腺功能亢进的常见症状与体征可不明显，病人可表现为感觉迟钝型甲状腺功能亢进症，高度疲乏与衰弱，偶尔无明显甲状腺肿大，可致漏诊。病人极似晚期癌症或其他原因所致的恶病质，如不及时确诊与治疗，预后不良。

病例 1　李某，女，37 岁。

2005 年初，李某因经常心慌、食欲亢进，到医院检查，被确诊为甲亢，此后的一年多时间里便整日与药为伍，病情时好时坏，2006 年底，由她丈夫陪伴来找我治疗，我见她身体偏瘦、眼球突出、手舌颤抖，脖子粗大，外在特征极为明显。她丈夫对我说："我家属原来在一家企业做会计工作，自从得病以后就下岗了，加上治病又花了很多钱，所以情绪很不好，整天看什么都不顺眼，性格变的容易激动、多疑、恐惧、焦虑，每天失眠、头痛，经期也不正常。"我说："在西医上甲亢全称为甲状腺功能亢进症，该病原体对中医的足阳明胃经上的组织有特异的侵袭力，故临床上甲亢病人的不适多有突眼、甲状腺肿大、乳腺小叶增生所引起的乳房内包块疼痛等。中医认为这个病发展过程是气虚一气滞一痰凝一血瘀一肝火一阴虚，最后出现气血两亏，并涉及肝、脾、心、肾等脏器，所以治疗时要综合调理，整体治疗。

甲亢产生的根源是气虚，气虚就是人体能量的降低，人体的能量来自先天和后天，先天就是中医上讲的'阳'，它是生命得以延续的根本，由于它是生来俱有的，我们没法直接改变，只有通过增强后天的能量来对它进行补益，后天的能量来自饮食，也就是我们常说的'胃气'，中医认为只要吃得下，吸收的好，排的出，任何疾病才有恢复的可能。脏腑机能调整按摩法首先改善的就是吃、喝、拉、撒、睡，能量提高了，气血充足了，气机通畅了，甲亢的症状才能随之消失。当然这个过程需要的时间是因人而异，根据你的病情，我估计要一个月的治疗时间才能使种种不适消失，当然肿大的甲状腺和突出的眼球等体征也在同期内消失，而且愈后很少复发。"

首次治疗我先选用调理任脉法、推背升阳法和头部调理法中的几个手法，给李某调理。她当时最大的感觉就是头很轻松，像是摘下一顶帽子。每天调理两次，第五天的时候，从表面看李某突眼、手舌颤抖和脖子粗大现象恢复了很多，李某自己说，心慌的症状没有了。调理半个月以后，症状全部消失，我让她到医院做化验检查，结果各项指标趋于正常。

此类患者如果经过打针、吃药等治疗，病情持续不见好转或者是因为治疗不当而反复发作，它是可以转变成甲状腺癌、甚至合并肝坏死、心脏病、糖尿病和重症肌无力。甲亢疾病发展到后期是不容乐观的，所以要早期采取正确治疗的方法，就可以避免恶变以及并发症的发生。

病例 2　胡某，女，44 岁。

因心情急躁、多食易饥、消瘦乏力、月经不调、失眠、便秘等症状困扰日久，且两眼球突出、颈部出现肿块，随到医院检查，诊断为甲状腺功能亢进。服用一段时间药物，效果不明显。

“瘿者，由忧恚气结所生”。情志抑郁，肝失疏泄，气郁化火，若原来体质就肝肾阴亏，则更易炼液成痰，壅滞经络，结于项下而成瘿。中医认为，由于七情不遂，肝气郁结，气郁化火，上攻于头，故甲亢患者急躁易怒，面红目赤，口苦咽干，头晕目眩；肝郁化火，灼伤胃阴，胃火炽盛，故消谷善饥；脾气虚弱，运化无权，则消瘦乏力；肝郁气滞，影响冲脉，故月经不调，经少，经闭；肾阴不足，相火妄动，则男子遗精；肾阴不足，水不涵木，则肝阳上亢，手舌震颤；心肾阴虚，则心慌、心悸，多梦，多汗；阴虚内热，则怕热，舌质红，脉细数。患者素体阴虚，遇有气郁，则易化火，灼伤阴血。总之，患者气郁化火，炼液为痰，痰气交阻于颈前，则发于瘿肿；痰气凝聚于目，则眼球突出。调病当找根源，既然此症是由“忧恚气结所生。”所以我边为其调理边与之交流，调节她的心性。手法结合心性调理七次以后，心情急躁、多食易饥及消瘦乏力等症状，明显改善，但便秘反而愈加严重，不过，患者没有任何不适的感觉。我告诉她，一定不要担心，这是正常的瞑眩反应，过几天就好了。继续调理十三次，排便一天一次，晚上十点左右，倒头便睡，一觉到天亮，两眼球突出及颈部的肿块也明显好转，继续调理十次，诸症悉除。

病例 3　李某，女，30 岁。

患者的外在表现是，两眼球略突出、颈部肿大。自述，食欲亢进，吃得多，但极为容易饥饿。她的症状符合甲亢最主要的三个症状表现：首先，眼部改变是甲亢的症状表现。由于交感神经过度兴奋，可表现眼裂变大、眼睑后缩、眨眼减少，呈现凝视状态或惊吓表情。有的病人由于眼部肌肉受侵犯，眼球活动受限制，产生视物成双的复视现象或眼结膜、角膜水肿，也可破溃。病人常有眼球突出。眼部病变严重的可有视神经乳头和（或）视网膜水肿、出血，视神经受到损害可引起视力减退，甚至失明。其次，甲状腺为程度不等的弥漫性对称肿大。患者的肿大程度与病情不一定平行，由于腺体中血管扩张和血流加快，在肿大的甲状腺上可听到杂音，或者可以摸到如猫喘一样的颤动。第三，代谢增加及交感神经高度兴奋的表现。甲亢病人常有多食、易饿、消瘦、无力、怕热、多汗、皮肤潮湿，也可有发热、腹泻、容易激动、好动、失眠、心跳增快，严重时心律不规则，心脏增大，甚至心功能衰竭。

她问我说：“王老师，我的病好治吗？”

我笑了笑说：“什么病好治呢？我只能帮你调调试试，你这是跟谁生气引起的呢?”

她愣了一下说:“我没和别人生气啊?”

“我没说现在,是指以前,你是不是跟谁生了一场很大的气以后才得的病啊?而且到现在你还怨恨他呢?”

她低头略微沉思了一下,然后对我说:“是跟我以前的男朋友,几年前,我们一起创业,赚到钱以后,他却跟其他的女人结婚了,为了这件事,差点把我气死。我的病都是因为他而起,是他害了我。”

“这件事毕竟已经过去了,但现在受惩罚的却是你。”

“我怎么受惩罚了呢?”

“你现在生病不就是正在受惩罚呢吗?本来错是在他,但受惩罚的是你,而且多次受伤,你跟他创业,他离开你,你痛苦万分,这是第一次受伤;你若尽快地走出来,这件事就过去了,你却陷在里面,迟迟走不出来,导致身体生病,这是第二次受伤,再从这件事里走不出来,就会影响到你的婚姻,这是第三次受伤……”

说着说着,她哭了,哭得非常伤心。哭过之后,她对我说:“王老师,我现在只想请您帮我把身体调好,别的不再想了。”

我点了一下头,开始为她做调理。六天时间,她的各种症状明显减轻,继续调理十次,饮食如常、颈部肿大消失。

## 二十二、中风

传统医学认为,太阳的经脉,综结在头部,根植于脑。发出去的经脉为白色,大的如同麦秆一样粗细,小的如同丝线,围绕全身,统一身的气、血、水液,并吸收五脏六腑的精气,归于脑海而化为三十六液,分布四肢百骸、五脏六腑,调节全身各部的阴阳,升降出入,各得其所,没有偏重,昼夜循环,没有间歇,与天地之气相融合,只要不违背气的运行,就能益寿延年,如果违背气运行的原则,就会生病。

人受七情六欲、饮食五味、过寒、过热、过劳的影响,都能损伤到经脉。经脉刚刚受到损伤的时候,表现为头昏体倦、睡眠不安,经脉损伤的时间长了,经脉之气就会不调和,造成脑精不化,壅阻经脉不通,就会出现经脉破损的危险,严重的瞬间就会死亡。经脉损伤轻微的,虽然有危险但不会死亡。各人发病的情况都不一样。有的人卒然觉得有物击打头部,黯然有声;也有没有先兆,即“昏倒不知人事,有现口眼㖞僻者,有眼泪鼻涕口涎痰壅者,有睛不正、唇缩眼胞陷者。有二便失禁、其白睛虽暗而无红晕等状者”。出现以上情况,千万不要惊慌,必须根据病人情况依法治疗。但要以养为主。千万不要用发汗、催吐、攻下的方法治疗。如果治疗不当，就发展成为偏瘫。如果再误治的话，那就很难恢复了。

凡属于经脉损伤的病人，都是由体虚造成的，所以在治疗上必须遵循脾胃为基、调气为本的治疗原则。

络脉生于心，根在肝，分为阴阳两种经络，出去的是阳络为红色，回来的是阴络为青紫色，一出一入，相互为用。心脏主热，吸收肝血，贯输全身各部，昼夜循环，调节新陈代谢，络脉全部依赖血的养护，血的化生，依赖于阳明经，阳明能运化水谷化生精气，资生血液。络脉破损的病情，与经脉受伤的状况有不一样的地方。脑脉破损，则“目之白睛必现红晕，目珠突出，神光必散露，唇必厚，面必微赤暗黄，人虽昏迷，时发躁乱，大便必涩，小便必短”，出现以上症状，则判断为脑脉破损。救治的方法也是不要呼叫摇动病人、发汗、催吐，应先治人中、合谷、涌泉等穴，等其苏醒以后，再依症治疗。

凡属于络脉破损的，不仅在头，五脏六腑、四肢百骸均能出现。如果大络破损立即死亡，小络破损则不会出现生命危险。络破血流出者，为溢血，切忌冷涩；血不外流，蓄于内部的，为瘀血，切忌滋补。上部溢血，其色赤；中部溢血，其色紫暗；下部溢血，其色乌紫。

病例　刘某，女，50 岁。

2004 年冬，广东一对夫妻过来找我，那天我正好有点事，他们就先在宾馆住下，第二天早上六点左右，刘某的丈夫给我打电话说：“王老师，你快来看看，我老婆走不了路了。”我急忙赶到宾馆，看到刘某坐在床边，歪着嘴，右臂屈着，一见到我就语言不清地说，刚才起床后，觉得右半边身子不听使唤。我说这是中风，先用三棱针刺十宣放血，然后再把枕头垫高让刘某半靠在上面，给她用调整任脉法治疗一遍，大部分穴位都能放通，做完后，我让她起来走一走，她慢慢地站起来，下地走动，腿正常了，胳膊不仔细看也看不出什么问题来了。她说这效果真是神奇，听她说话发音也恢复正常，就是嘴还有点歪。于是我又给她按调整任、督两脉，加用放通手、足三阴、三阳，再让她起来走走试试，所有症状全部消失。

本病的病机虽然比较复杂，归纳起来不外虚（气虚、阴虚）、火（肝火、心火）、风（肝风、外风）、痰（风痰、湿痰）、气（气逆）、血（血瘀）六端，其中以“气”最为根本，六者之中，气虚、气逆为气之病变无疑，痰、血为有形之实邪，可阻滞气机而为气滞之变；肝风之本质是肝气之变；火（肝火、心火）为气之有余，表现为气火或火气；外风即风气，风气侵犯人体，使气血运行失调。故“气”在本病之变，实为根本之病变，不论是何种病因，何种病机，治疗上都应以调气为本。

附：如何分清脑出血、脑血栓、脑梗死？

许多人得了脑血管病，分不清是哪一种，常把脑血栓说成脑梗死，脑出血说成脑血栓等。虽然这都是脑血管疾病，但发病机理和临床表现不同，治疗也各异。

脑出血是脑血管破裂后，血液渗入脑实质引起的临床症状，病情较急，一般较脑血栓、脑梗死严重。常见的原因是高血压、脑动脉硬化等，其次是脑血管畸形、先天性动脉瘤等。脑出血常在活动或情绪激动时发病，一般有跌倒、昏迷、偏瘫、呕吐等症状，不同程度的意识障碍，还可有面肌瘫痪、嘴歪及流口水等。出血部位不同表现不同。

脑血栓是由于动脉粥样硬化、动脉内膜炎以及血液黏稠度高，导致脑血管局部形成血栓，堵塞血管引起的症状。脑血栓形成起病较缓慢，往往在睡眠或休息时发病。部分病人症状起初较轻，以后逐渐加重，甚至有病后 2 ~ 3 天达到高峰的。患者昏迷较少见，一般症状较轻，可有偏瘫及单侧肢体瘫痪，也可能有失语症，有的病人有头或肢体麻木等症状。

脑梗死是血管其他部位的栓子如心脏病的附壁血栓，主动脉、颈动脉等的血栓呈动脉硬化斑块脱落，盆腔及下肢静脉血栓脱落，骨折时脂肪栓子等运行到脑部引起血栓塞时出现的症状，多发生于心脏病病人。该病发病急，常引起失语症及右上肢为主的偏瘫感觉障碍，但很少有昏迷出现。

## 二十三、偏瘫

偏瘫的症状在肢体，但根源在脑，由于支配人体感觉和运动的神经纤维在中枢内是相互交叉循行，因此病变部位在中枢的左侧，则肢体瘫痪表现于右侧，反之亦然。一般情况下，偏瘫早期患侧属虚，健侧属实，根据虚则补之，实则泻之的原则，重泻健侧，调补患侧，以达到泻实补虚的目的。偏瘫后期，病久体虚，阳气不达，血脉失养，气血流通不畅，应以调补为主。但由于后期筋膜、韧带、关节功能退化，故治疗进展较慢，应嘱患者坚持长时间的治疗，方能奏效。中风偏瘫并非单纯肝经受病，而是人体一个侧面的手、足三阴三阳机能失调而一时共虚所引起的突然发病。

偏瘫由于外中风邪而引起的属于外因，内因则分虚实两种。虚型多由元气亏损所致，因人身四肢百骸，无不赖气血以护养，倘半身之气血虚弱，则成偏瘫。犹之树木一枝生气全无，则一枝枯槁。所有肢体有痛者易治，因神经尚有痛觉而起反应；如不痛者，则该部神经知觉全无，如树木已枯，纵勤灌溉，终不能使之复荣。此属虚型。实型多由饮酒所致。因为酒性热而质则湿，能酿痰涎，痰多则内风易动。当少壮时，血气壮盛不觉其害；中年后，血气渐衰，不能运化痰湿，痰湿乘虚而窜，入经络阻塞脉道，遂成偏瘫。无论内因或外因，根本原因是气血损伤，脾胃是气血生化之源，所以治疗此症调脾胃是根本。

病例 1　高某，男，66 岁。

1994 年我从部队回家探亲时，给我同学的朋友小高治疗过风湿性关节炎，1997 年底我转业回家，小高听说我回来了，就专门到家中找到我，请我给他的父亲调理偏瘫。他父亲既往有高血压病史，1995 年底，因与人生气，突感口眼歪斜、口角流涎、面部眼及口角歪向右侧、上下肢瘫痪，送医院治疗三个月后出院。当时，不能独立行走，肢体右侧偏瘫，生活及行动均不能自理。曾找人针灸半年有余，又服中药多剂，无明显好转。现在症状：烦躁易怒、胸胁胀满、痰多色白、大便秘结、肢体右侧强直。为了治疗方便，小高特意把父母从农村接到自己住的楼上一起住。

我给小高的父亲治疗的时候，第一天选用四肢分筋、调整督脉、任脉的部分手法为其治疗，还未做完，病人已睡着。第二天，患者竟能自己站立。继续调理，第三天患者不用拐杖，自己能小步挪动。第四天时，胸胁胀满、痰多现象消失，大便自治疗以来，一天一次。第八天，除正常治疗外，我让他抓住楼栏杆上下楼。第十天，可以自行外出行走。

病例 2　孙某，男，53 岁。

患者体形胖大，右臂半弯曲着，手指紧紧地扣在一起，走起路来，右腿画圈，不灵活。

我问患者，得病多长时间？现在都有什么症状？

患者回答说：“四年前因脑血栓，住院治疗，病情控制住了，但出现了口歪眼斜，右侧半身不遂等后遗症，经过中药、针灸治疗一年后，自己可以行走，但右侧肢体无力，伸展不灵活，现在这种情况不知道还能不能治？”

我说：“你患病时间太长，我的方法对治疗两年内的偏瘫效果最好，你年纪已大，气血已弱，恐怕在短期内很难完全恢复。”

“无论如何请你给我调理几次，有效果最好，没有效果就算了。”病人急切地说。对没有把握的病我本来不想接，但朋友这么一说，我不好过于推辞，就给患者用点通任脉加四肢分筋调理一遍，做完以后，患者当时手臂的活动范围就比治疗前大了很多，腿也觉得轻松了。但手指还是像握拳似的扣在一起，我用两手的大拇指指甲，稍微使劲按压患者的患侧中指和拇指甲根，患者的手指当时自己就伸开了，再压食指和无名指甲根，最后重复压中指甲根配合小指甲根，反复三次。

调整三天以后，病人反馈：“吃饭和睡眠有了很大的改善，腿和胳膊比以前灵活一些，手指可以自己控制伸展了。”继续治疗三十天，患者才完全恢复正常。

## 二十四、慢性肾炎

慢性肾炎一般是脾肾两虚引起，容易出现水肿、虚劳、腰痛等症。水肿多见于踝部，严重者可有胸水和腹水。脾胃之生化是由肾之元阳所鼓舞，元阳以固密而贵，又赖脾胃生化阴精以涵育。

病例　陶某，男，52岁。

患者颜面浮肿，面色晄白，舌苔白腻。自述：“二年前，晨起发现眼睑浮肿，活动或工作以后浮肿消失，当时也没在意，但逐渐发展到整个面部浮肿，而且，腰酸，全身无力，啥活也干不了，吃饭没有胃口，吃了以后就觉得肚胀，有时还感到恶心，大便稀，晚上脚肿，口干，小便少，特别容易感冒，晚上睡眠也不好，要不就睡不着，要不睡着了就梦多，全身上下，几乎没有一个舒服的地方，中药、西药常年的吃。”

“人吃五谷杂粮，没有不生病的，病了就想办法治，你不要压力太大，病本来没多大问题，思想负担重，小病也变成大病了。无论什么病，心情是关键，一发愁，能吃饭也吃不下去了，饭不能吃，病就会加重，这样就形成了一个恶性循环，本来能治好，最后也变得治不了了。一个人只要吃喝拉撒睡正常，什么病都有希望治愈。其实你得的病，也不是大病，我先给你调调试试，有效果你就每天过来，大约需要二十天左右。在调理的时候，把现在吃的西药停了，里面可能有利水药，利水伤阴，因为肾精宜藏不宜泄，宜固不宜升，宜敛不宜散，若伤及阴精，肾精不藏，精血亏损，就得不偿失了。”

“行，只要能治，别说二十天，就是一两个月，我都坚持。”他回答说。

我先用背部和任脉为他调理，并加用水分穴，做完后，他觉得全身轻松多了，呼吸也感到顺畅。第二天，他过来的时候，看起来很高兴，说：“从调理完以后没有出现口干和恶心，晚上睡眠好了很多，身上觉得明显轻松，效果真好。”第二次我继续使用昨天的治疗方法。第三天，患者脸部浮肿现象基本消失，他自己也说：“身体感到明显的瘦了，排便增多，但没有以前那么稀，小便量也比以前多，脚肿的现象减轻了。”第四天患者反馈说：“夜里睡觉已经很好了，腰多少还有点酸。”第五天，患者讲：“前几天排便很好，但昨天一直没有排便，是不是病情要反复。”我说：“恰恰相反，这是你身体中的能量在恢复的表现。”第六天，患者说：“今天排便正常了，昨天夜里脚没肿，但睡眠不是很好。”我告诉他说：“治疗期间，会出现各种反应，很多是正常的，没有必要整天担心。”在治疗时加治厥阴、阳明经。治疗至第十一天的时候，症状都没有了，问我还要不要继续治疗，我告诉他说：“现在你的感觉虽然很好了，但并不代表完全恢复，还要继续巩固治疗一段时间。”

肾病或心脏病在清晨醒后，有可能头面部都会明显浮肿，特别是眼睑浮肿，或伴有全身浮肿。一般来说，肾病引起的浮肿以面部为主，清晨起床活动后，浮肿可能逐渐减轻。而心脏病引起的浮肿以全身及下肢浮肿为主，清晨起床后浮肿不会马上消失，并伴有胸闷、心慌、气短等心脏病症状，贫血患者也会发生清晨浮肿，但浮肿度相对较轻。

## 二十五、胆结石

一般来说，小的胆结石是用不着开刀的，只要胆汁疏泄通道畅通，胆结石就自己排出了，胆结石虽然是石头，但本身是不会痛的，因结石外有胆汁充斥着，结石不致碰触胆囊壁，故无疼痛，不易发现。只有肺热或肝脏有积水的，压迫到胆结石时，才会有痛感。

胆结石病往往发作突然，痛如刀绞，疼痛难忍。西医主要是手术取出结石，或摘除胆囊，说这样就可以杜绝复发。其实胆囊只是储藏胆汁的一个容器，它本身并不能分泌胆汁，当然也不会生产结石。这就如同我们在往杯子里倒水的时候，发现倒水的同时一块石头也放入到杯子里，我们是将杯子摔掉，还是取出石头呢？估计所有人的回答都是保留杯子取出石头。

胆结石是由谁生产的呢？是肝脏。中医认为胆结石发生的原因，是由肝气不舒，情志不遂，心气不宣，诸气一郁，则肝胆失去了疏泄的功能，肝胆产生的废汁积而不流，升降之机失其规律，胆中沉淀凝聚不散，积久而成为泥、沙，有的像石头那么坚硬。所以胆中结石，是肝胆气郁所致，调气是治疗胆结石的根本原则。

病例　陈某，男，43 岁。

2002 年夏天，患者经人介绍来找我，我见患者身体瘦弱，鼻梁两侧和下巴有不少斑点。我问他说：“你的胆和肾脏的功能不太好吧。”他告诉我说：“我患肾结石和胆结石好多年了，经常腹胀、腹泻、腰痛、胃里往上泛酸。”我问他结石有多大？他说：“胆里面的结石直径是 3 厘米，左肾有小结石 3 块，右肾有结石 4 块。原来在医院检查的时候，医生建议我动手术取出结石，我不想做，就到处找中医大夫，吃了不少中药，效果不是很理想。找您调了以后，是不是结石会就排出来了呢？”我说：“不一定，有的可能会排出来，有的小结石可能会随着肝胆功能的恢复被化掉了。”为他治疗的时候，我先用推背升阳法和调整任脉法给他治疗，做完一遍后，他觉得胃部舒适了很多。第二天，他告诉我说：“腹胀和腹泻消失了，昨天我回去的时候，一个生意上的朋友去找我，他的胆囊也不好，好像是胆囊炎，他说过两天来找你，也想请你给治一治。”我继续沿用昨天的方法，每天给他治疗一次，连续治疗了五天。第六天他到医院检查，过来跟我讲胆结石变小，肾结石减少了。又继续治疗十三天后复查，结石全部消失。

## 二十六、胆囊炎

中医里虽无此病名，但对其证治疗经验已有较丰富的认识，如《黄帝内经·灵枢·胀论》曰：“胆胀者，胁下痛胀，口中苦，善太息。”《伤寒论·辨太阳病脉论证并治下》描述“结胸”时指出：心下部坚硬胀满，疼痛，拒按，气短等。在《证治汇补·胁痛》对此病因又提出：“因暴怒伤触、悲哀气结、饮食过度、过食生冷辛辣、风冷外侵、跌扑伤形或痰积流注或瘀血相搏，皆能为疼”，这样又使胆囊炎的病因认识更趋完善。

胆囊炎，属中医里“胁痛”的范畴，中医辨证病变主要在肝胆，是以右侧上腹胁肋胀痛为主要临床表现的常见病之一，好发于 40 岁以上患者，女性较男性多见，除有右上腹疼痛表现外，常伴有食欲不振、心情烦躁、口苦咽干、黄疸等症状。临床上以肝气郁结、肝胆湿热、瘀血停滞、肝阴不足等证型多见，治疗以调治气血为主。

胆囊炎有急性与慢性之分，急性胆囊炎可由细菌侵袭和胆管阻塞而引起，可能是第一次发作，也可能是在慢性胆囊炎的基础上屡次发作，其症状主要表现为：腹痛，常发生于饱餐后的晚上，发作剧烈，往往反复发作，呈持续性，有时呈阵发性的加剧，开始时主要在上腹部，逐渐转移至右上腹，部分病例可放射至右肩背部；发热，体温升高，同时伴有食欲不振、恶心、呕吐、腹胀及大量嗳气，女性较多于男性。

慢性胆囊炎一般缺少典型症状，或没有症状，若无急性发作，往往不易确诊，症状常表现为轻重不一的腹胀，上腹部或右上腹部不适，呈持续性钝痛或右肩胛区疼痛，胃部灼热，嗳气，泛酸，在进食油脂类食物后，症状可加重。若见低热，右上腹痛，厌油，往往是胆囊炎的前奏。饱餐及进食油腻饮食后右胁不适，或右肩胛部隐痛，为慢性胆囊疾患及胆石症的信号。

病例　李某，男，40 岁，业务员。

接上例，2002 年夏，一位姓李的人来找我，说是朋友老陈介绍他来的。我让他介绍一下情况，他说：“三年前，觉得右上腹胀痛，到医院去检查，医生说是胆囊炎。”我问他：“现在都有什么感觉？”他说：“这几年来，时好时坏，犯病的时候就吃药，病情严重了就打针，这两天气温下降，病又犯了，腹胀得厉害，饮食没有胃口，睡眠也不好，多梦。”我让他俯卧在床上，先用推背升阳法，并重点治肝俞、胆俞和脾俞。然后再让他仰卧，先调治阳陵泉，接着用调整任脉法为他操作一遍。做完后，他起来就说：“没想到效果比吃药还快，腹部胀痛明显减轻了。”第二天他过来治疗的时候说：“晚上吃饭觉得有胃口了，睡眠质量改善了很多。”一天治疗一次，四天症状消失。而且饭量也比以前大了很多。我教他经常自己揉揉腹部，从上至下搓搓两胁，长期坚持可以有效地避免复发。

## 二十七、呃逆

呃逆，即打嗝。古代中医称作“哕”。早在两千多年前，《黄帝内经》首先提出本病病位在胃，并与肺有关；病机为气逆，与寒气有关。“胃为气逆为哕。谷入于胃，胃气上注于肺。今有故寒气与新谷气，俱还人于胃，新故相乱，真邪相攻，气并相逆，复出于胃，故为哕。”“病深者，其声哕。”“哕，以草刺鼻，嚏，嚏而已；无息，而疾迎引之，立已；大惊之，亦可已。”《金匮要略·呕吐哕下利病脉证治》将其分为属寒，属虚热，属实三证论治，为后世按寒热虚实辨证论治奠定了基础。可见当时中医已经认识到，受寒与食积可致肺胃气机逆乱、胃气上逆而发生呃逆；呃逆也可能是病情较重的一种表现。其实，简单来说，不过是阳衰土湿，下脘不开所致。

病例 1　赵某，女，60 岁。

1994 年 10 月，我在部队时，应朱医生的邀请到家中为其母治病，其母在数月前因与人吵架，生气后引起顽固性呃逆不止，约数秒钟一次，呃声甚大，不能进食，夜间睡眠不足两个小时，痛苦不已。胃镜显示，“反流性食道炎，食道裂环疝”。住院治疗十几天没有改善，出院后，多方求医未效。此类病我以前虽治疗过，但如此顽固之症，倒也少见，能不能治好，我也没有把握，就试着把调整任、督两脉法为其操作一遍，没想到，患者呃逆次数明显减轻，说感到饿，我让患者喝稀饭一碗，吃完后患者未吐。稍休息后，我又为患者调点了一遍，治疗结束后患者竟好长一段时间未呃逆，自我感觉呼吸非常轻松，腹中发热。第二天我又为其治疗时，患者讲呃逆减轻了好多，昨晚睡了 5 个多小时，共治十天痊愈。

病例 2　女，47 岁

患呃逆十余年，时止时发，昼重夜轻，便秘，身体无消瘦及其他症状，经过中药、针灸、按摩等多种疗法无效，自己也经常查找医学资料，观看电视上的养生节目，自行按摩攒竹、太白、足三里等穴位及第二掌骨全息部位，收效甚微。在朋友介绍下，来到我处，我看她双眼隐含郁气，知她此病是由情志不舒，导致木气横逆、胃失通降所致。问题原因，她说："十几年前，与人争吵生闷气后出现打嗝，开始的时候，只是白天有打嗝现象，而且很少。当时还不知道这叫呃逆，周围的朋友有的说嗳气，有的说是干呕……"

"嗳气、干呕和呃逆是有区别的。"我插话说，"从医学的角度来说，嗳气与呃逆虽然同属胃气上逆，有声无物之证，然而呃逆的特点为声短而频，令人不能自制；嗳气的特点则是声长而沉缓，多可自控。干呕与呃逆同有胃气上逆的病机，同有有声无物的临床表现，但呃逆的特点是气从膈间上逆，气冲喉间，其声短促而频；干呕的特点为胃气上逆，冲咽而出，其声长而浊，多伴恶心，属于呕吐病，不难鉴别。"

"是的，后来打嗝频率增多，现在夜间也出现，经常影响到睡眠，非常痛苦。"

既然气郁是导致该病的主要原因，那首先要疏肝理气，清除瘀阻，活血降逆。中医认为，上病下治。我让她把裤脚挽至膝盖以上，观察她双腿两侧肝经、脾经、胃经的部位，她的小腿两侧静脉曲张严重，大腿两侧很多细小的血管凸显于皮肤之外，左腿尤甚于右腿，我取注射器针头，先刺小腿怒张的血管，血喷似箭，血流较多。血污清理干净后，再调脏腑，做完后，即觉呃逆明显减轻。第二天反馈。病情改善很多，夜里睡眠好多了，我用后调三关、前通三焦的方法为其操作。第三天反馈，夜间已无呃逆现象，但这两天一直未排便。我继续沿用昨天的手法为其操作，第四天反馈，早上起来腹中疼痛，排便较多，白天呃逆的现象也很轻了。调至第六天的时候，除手法外，又刺血一次，第七天，呃逆现象完全消失。

情志不遂恼怒伤肝，气机不利，横逆犯胃，胃失和降，胃气上逆动膈；或肝郁克脾，或忧思伤脾，脾失健运，滋生痰浊，或素有痰饮内停，复因恼怒气逆，胃气上逆挟痰动膈，皆可发为呃逆。正如《古今医统大全·咳逆》所说："凡有忍气郁结积怒之人，并不得行其志者，多有咳逆之证。"

### 二十八、便秘

便秘是指大便排出困难，或排便间隔时间延长的一种病症，便秘也称为大便难、大便不通、大便秘涩。其主要原因是肠道的传导功能失常。病机为虚实两个方面。实者病机在于邪滞胃肠，壅塞不通；虚者病机在于肠失濡润，推动无力；虚实之间又可相互转化，可由实转虚，又可由虚转实，虚实夹杂。便秘主要属于肠道病变，但与脾胃肝肾功能失调关系密切。脾胃失健，气血生化乏源，气虚则大肠传导无力，血虚则津枯不能濡润大肠，阴亏则大肠干涩；肝失疏泄，气不条达，推动无力；肾阳不足，不能蒸化津液温煦肠道；肠道不畅或阻塞，皆可致便秘。

现代医学认为，食物残渣在肠腔内过久停留，易发酵腐败，产生大量气体，同时肠内食物异常发酵腐败还能产生大量毒性物质，便秘者若不能及时排便，毒性物质就被吸入血，将引起一系列中毒症状，有时还会引起贫血和营养不良。这种长期的自体中毒会促使人未老先衰，影响人的健康长寿。

临床上便秘的性质一般分为虚实。年轻患者以实证为多；年老、产妇、久病患者以虚证为多或虚实夹杂。

病例 1　孙某，男，43 岁。

2002 年 6 月去参加一位同事的婚礼，因为是喜事，在一张桌子上的朋友无论以前认不认识，都相互敬一下酒，大家或多或少的都喝一点，只有一位腹部较大的姓孙的朋友滴酒不沾，我以为他从不喝酒，就说：“不喝酒是好事，毕竟多饮无益。”

老孙说：“以前也爱喝酒，八年前，不知什么原因造成便秘，一般三、五日，有时候七、八日才排便一次，大多数时候须服三黄片方可痛快排泄一次，时间久了，造成腹胀，嗳气，饭吃得很少，心里烦闷，夜里也睡不安稳。为了这个病，不要说喝酒，就是一点辛辣的东西都不敢吃，但即便这样，病也不见好转。”

我说：“便秘的主要原因是脾胃失调，气机不运所致，应该从恢复脾胃的功能入手，吸收正常，气血就恢复了，这样体内才能产生足够的能量把垃圾排泄出去。”

“那应该吃些啥药呢?”

“不用吃药，抽时间我给你把脏腑调整一下就行了。”

第二天下午，老孙来找我调理，我给他在腹部做了一下检查，发现在胃、小肠、大肠部位有很多条索状硬块，腹压很大，于是我给他先调腹压，然后用调整任脉，重点在阑门、幽门，彧中与阴陵泉齐放法。做完后，他觉得腹部非常轻松、柔软。第二天，老孙讲今天早上大便一次，与上次大便时间间隔六天，腹胀明显减轻。第三天他来时讲，未排便，但睡眠比以前好多了，微觉胃脘饱胀，不嗳气。第四天来之前排便一次，从第六日起排便一天一次，共治疗十天痊愈。教其经常咽津，用掌揉腹，巩固疗效，以免复发。

消化吸收功能，离不开肝胆脾胃的正常运化，大便闭结病在胃肠，这是现象。本质是气机不运，升降失调。则腑气不通，复其气机升降之能，方是治本。

病例2　张某，男，73岁。

患者是我一同事的爷爷，1999年冬的一天，我下班后，在宿舍与刚分配来的小苏聊天，小苏是学西医的，他问我按摩真的能治病吗？

“我给你点几个穴位你试试。”说完，我就选用任脉几个手法给他简单调了一下，不到十分钟他竟睡着了。

第二天小苏问我，这样给人做了以后，想达到的目的是什么呢？小苏不懂中医，很难给他解释得清楚，我就告诉他，主要是升清降浊，平衡阴阳。小苏说：“怪不得昨天你给我做完以后，我不停地排气，但事后腹部觉得很轻松，我爷爷便秘很厉害，经常腹胀，不知道能不能调？”我回答说，见到患者以后才知道。

几天后，小苏的爷爷找我，他讲：“四年前，开始觉得排便困难，以后慢慢地发展到五至七天才排便一次。找个大夫看了看，让我吃六味地黄丸，吃了一段时间觉得没效果，我就不吃了。现在就是嗳气、头晕、全身没有力量、肚胀，小腹有下坠的感觉。”

老人的这种情况在中医上讲为腑气不降、肠失润下所致，是老人气虚便秘常见情况，大便秘结，腑浊不得排泄造成清阳不升，所以头晕乏力，清阳不升反而下降，则气滞，故小腹有重坠感，继而浊气上逆，所以嗳气。胃肠的蠕动能力降低也是造成便秘的主要原因，胃肠的蠕动能源来自肾和脾，治疗时，应该扶阳健脾。“脏腑机能调整”按摩法通过调整任脉，疏通脏腑的淤滞，增强胃气，来达到补肾健脾的目的，督脉主一身之阳，调治督脉法能扶持阳气。只要点通任督两脉扶阳健脾，胃肠的蠕动自然恢复，则便自下。在给老人治疗时，我先用推腹清脏法，然后调整任、督两脉，以放通为原则。第一次治疗二十多分钟，穴位大多未放通。第二天治疗时，患者说，昨天排便一次，量少，与上次大便时间相隔三天，但头不晕了。至第四天治疗时，患者讲，今晨起排便一次，很通畅，头晕、全身没有力量、腹胀和下坠的感觉消失了。治疗中的第五、六天，患者每天排便一次，嗳气消失，第七、八天未排便，第九天恢复正常，虽然有间隔，但无任何不适，治疗十天后，每天排便一次，共治十三日。一月后，我问小苏他爷爷的情况，小苏说排便很通畅，有时偶尔间隔一天。

便秘一症，单纯用通便降泻药，大便固然亦能通，但容易伤阴，甚至使人感疲乏无力。而用本按摩法，不但便下轻松，且人不疲劳，腹中舒畅，尤其适合老人体弱者。

## 二十九、阳痿

阳痿一词最早见于在春秋战国至汉代以前的中医学著作“马王堆汉墓医书”，书中以“不起”名阳痿，形象通俗，并另列有“老不起”一病，即老年性阳痿，说明当时已从年龄上对阳痿的成因及治疗有所区别。

《黄帝内经·灵枢·邪气脏腑病形篇》中有“肾脉……大甚为阴痿”名。“阴痿”即今日之阳痿。古人以外生殖器有衣服遮蔽，不示于人而泛称为“阴器”。中医理论认为“肾藏精”主人的生殖功能，开窍于前阴，故阳痿当与肾的病变关系密切。《黄帝内经·素问·厥论》：有“思想无穷，所愿不得，意淫于外，入房太甚，宗筋弛纵，发为筋痿，及为白淫”的论述。这里说的宗筋指男子前阴。

《黄帝内经·素问·阴阳别论》：“二阳之病发心脾，有不得隐曲，女子不月。”“二阳”为阳明胃与大肠，但主要指胃。胃和脾相表里，属土，与属火的心在五行中为母子关系。人的情欲变化可以伤及心脏，心脏受伤，又可病及于脾胃，这叫母病及子。胃与脾属表里关系，劳倦伤脾。脾伤则病连于胃。而胃为水谷气血之海，主化营卫而润宗筋，前阴为宗筋之所聚，若胃病则气血生化受阻，宗筋失润，故“阳道外衰”即阳痿。

本病的发生与肾关系最为密切，因为肾藏精气，主生殖，阳事之举最直接的动力就在于肾阳，肾阳充盛，才可以正常阴阳交合。与肾阳关系最为密切是脾胃，脾胃为气血生化之源，脾胃功能旺盛，则气血精的生化有序，使肾得到滋养。所以本病的治疗关键是恢复脾胃功能和调节气机，气血生化有源，运行有序，才能保证肾阳的鼓动。

病例　吴某，男，30 岁

1995 年在部队的时候，政治部张主任介绍吴干事找我治病，吴干事跟我讲，两年前由于工作繁忙，造成阳痿，药吃了不少，但收效甚微。我见他身体消瘦、精神疲乏，我就问他，除了身体消瘦和精神疲乏以外，还有没有其他的感觉？他说吃饭还行，睡眠不太好，经常失眠，还有便秘，头晕。我告诉他治疗期间，除了多休息以外，不可同房。第一次治疗，我先给他调整任、督两脉。第二天他跟我讲，今天早上起来觉得排便很多，全身觉得非常轻松。第二次治疗时我加用推背升阳法。第三天，他说头晕的现象消失了，精神觉得很好。每天治疗一次，共治疗六天，功能恢复。

## 三十、慢性前列腺炎

前列腺炎在中医里应属“淋”“浊”“白淫”等范畴，症状是小便短涩频数，欲出未尽而疼痛，少腹拘急或痛引腰腹。腹诊见腹部肌肉绷急，腹部久按灼手，下腹部不耐重按，按则满胀不舒，甚者有尿意，可见脐周围硬满，按之疼痛，并向全腹部蔓延的趋势。此病的病机是由湿热下注膀胱，阻碍气机，肾气亏虚所致，气血瘀滞贯穿病程的始末，所以治疗时，应以调气为主。

病例　侯某，男，44 岁。

1999 年秋，一个星期天的早上，单位的老侯问我慢性前列腺炎都有哪些症状？我告诉他说："慢性前列腺炎的表现很多，虽然很少有突发严重的症状，但会给人，带来严重的精神压力。通常前列腺炎症状表现主要有三点，首先是排尿不适，可出现尿频、尿道灼痛，晨起可见尿道口有黏液、黏丝及脓液分泌，尿液混浊或大便后流白，严重时可出现终末血尿及排尿困难；其次是局部症状，后尿道、会阴和肛门部不适、重压或饱胀感、下蹲或大便时为甚；还有就是放射痛，前列腺或精囊有丰富的交感神经支配，炎症发生时腺体内部张力增大，可刺激交感神经引起转移性腰痛，疼痛可放射到阴茎、睾丸、阴囊、腹股沟、会阴等部位。"老侯说："我从三年前开始，出现尿频、尿痛、排尿不尽，排尿完毕还带有白色的分泌物。经医院检查，诊断为慢性前列腺炎。三年来，药吃了不少，也没有什么效果"。我跟说："你怎么不早找我，你这个病我能治得了。"老侯说；"按摩怎么能治这个病呢？"我说："中医认为前列腺炎是由于肾气不足、脾气不健、肝郁气滞、气血不畅，导致阴阳失调、瘀浊成积而致，点穴按摩是中医的一部分，怎么就不能治疗呢？"

老侯来到我工作的科室，我先为他调整任脉，任脉经过的路线正好是三焦的位置，三焦主调通水道，主一切水液的运化。然后再用扶阳法，鼓舞阳气。做完后，老侯上了一趟厕所，回来说："你做完以后，感到很舒服，小便时，尿道疼痛减轻了。"第二天早上，老侯对我说我，从昨天治疗以后，小便的时候疼痛明显减弱，小便混浊程度也减轻了，就是吃饭增多，而且特别想睡觉。我告诉他吃睡增加，是机体恢复能量的一种好现象，不用担心，两三天以后就正常了。我仍按昨天的方法给他治疗，第三天早上老侯反馈，尿道疼痛的现象没有了。继续治疗至第九天的时候，所有症状消失。

### 三十一、前列腺肥大

此病属中医"癃""闭"范畴，排尿点滴而短少者为"癃"，小便闭塞不通、小腹胀满为"闭"。正常人小便通畅，依赖于三焦气化正常，而三焦功能的正常发挥又与肺、脾、肾三脏有密切关系。

现代医学认为前列腺位于膀胱的后下方，刚好在人体盆腔的底部，前列腺增生就是由于增生的前列腺向尿道发展，造成尿道梗阻而致。此病应以小便点滴而出，或闭塞不通为诊断要点，一般无尿痛。腹诊可见脐上相对于中脘穴处有条索状结节，或按之满胀，或腹部左侧平脐处可触及小结节。

此病的发病机理与三焦气化功能有关，脾胃损伤，脾失健运，不能升清降浊，湿热下注膀胱；肺为水之上源，主通调水道，下输膀胱，中气虚弱，清阳不升，浊阴不降，土虚不能生金，肺气不足，则失其气化及肃降之能，不能通调水道，下输膀胱；必下窍不启，尿道不通，小腹坠胀膨隆；肾阳虚衰，下焦气化失司致开阖不利。故此病是肺脾肾三脏气化失司所致，治疗的关键就是助气行水，"脏腑机能调整"按摩法，从调脾胃入手，以调气为目的，气行则水行，气机一通，小便即下。

病例　吕某，男，68 岁。

2001 年春，我下班刚到家，一位以前曾找我治过病的朋友打电话来说，他老父亲已经一星期不小便了，到医院隔日导尿一次，但过后还是尿不下来，医院建议手术，家里考虑老人年纪大了，不同意。现在刚从医院导尿回来，问我能不能治疗这种病？我告诉他说，要见了病人才知道。

患者来了以后，口中呻吟之声不停。我问他都有什么感觉。他有气无力地说："口苦，嗓子干燥，口渴又不想喝水，吃饭没有食欲，大便稀，腰经常觉得酸痛。去医院导尿以前，小腹胀痛地受不了，现在导过尿以后，虽然还是尿不出来，但肚胀痛缓解了很多，长期这样也不是办法，医院让我动手术，我年纪大了，不想再挨一刀，你看我这个病能不能治？"我安慰他说："你压力不要太大，这也不是什么大病，我给你做做试试，应该是有效果的。"

我让他平卧在床，用调整任脉法，并加用水分、关元，刚做到压三把，他就说忍不住要小便，他儿子把他扶到厕所里，一会儿，他面带喜色的回来告诉我说，小便通了。

第二天治疗的时候，患者精神明显好了很多，他笑着对我说："从昨天治疗过以后到现在小便五次，小腹没觉得胀，排气多，也想吃饭，口苦的感觉也没有了，只是大便还有点稀。"于是我用推背升阳法和调整任脉法又给他做了一次，第三天，他反馈说："排便正常了。"应他的请求，我又为他巩固治疗了三次。

### 三十二、结胸

邪气郁结在三阳经，出现症状为心腹胀满硬痛，胸腹疼痛，手不能触及，按之即痛且不能饮食的称为结胸。其因邪气内结胸中，胸膈结满，所以按之必痛。浊气布满胸中，升而上阻，津液不行，筋脉失养，项能仰不能俯。热入是结胸之因，水结是结胸之本。

病例　龚某，女，48 岁。

2003 年夏的一天，以前找我治疗关节炎的患者老刘，带着一个人到我工作的地方找我，他介绍说，这是他的一位亲戚，胃脘痛多年了，能不能请我帮忙看一下。

患者自述说："心口窝这里疼痛，胸口总觉得像塞了一团东西，心情烦躁，只有经常叹气才觉得胸中畅快一些，用手触胃脘部位痛不可忍，最怕生气。时常感觉口苦咽干，吃水果以后，胃部疼痛加剧，便秘，小便色黄，几个月前曾到医院作 B 超检查为胆囊炎，没有结石，服中西药病情没有大的改善。"我观其舌，有黄厚苔滑腻，触诊其剑突下偏右高起，按之则痛难忍受，胸胁苦满，此为少阳热结。我告诉她可以治，大约二十几天就好了，治疗期间不用吃药。我给她重在点通任、督两脉诸穴，治疗下来患者觉得非常饥饿。第二天她过来的时候告诉我说，昨天调理以后，腹中鸣响，今早排便顺利，胃脘疼痛减轻，但痛处仍高起而拒按。此为痰热内郁，我加用推按背部法继续为她治疗，共治十五天，胃脘已不痛，高起处平复，诸症消失。

## 三十三、糖尿病

世界上最早确认和治疗糖尿病的医生是中国唐代名医王焘，王焘根据甄立言《古今条验》一书中指出的"消渴病者小便似麸片甜"，把为其父治疗消渴症的宝贵经验写进《外台秘要》一书。《外台秘要》比 10 世纪阿拉伯医生阿维森纳的《医典》中关于糖尿病的诊断和治疗早 200 多年。

《黄帝内经·素问·奇病论》云："脾瘅者，数食甘美而多肥也，故其气上溢，转为消渴"。可见消渴病是由"脾瘅"转化而来。消就是损的意思，先是气血损耗发展到脏腑、经络受伤，然后出现气机逆乱，最后导致疾病的发生，引发水精逆乱，邪毒上犯、中溢、下浸。三焦是气化水津的通道，三焦受损，气化受阻，气就不能化精，精不化液，水精代谢失常，气血循环瘀阻，故痰浊内生。邪毒上犯导致肺、心、脑受伤，但出现口干、饮多、溺少、舌赤唇红，并不是消肺的主证，只是消渴的症状表现之一，消肺是合并肺痨，因为心肺同居胸中，所以膈消其实就是血液受损，合并厥心痛、心悸、病脉痹、卒中。中消能损伤脾胃、肝胆，但消谷善饥、不生肌肉却不是中消的主要症状，只是消渴其中的一个症状，中消是为合并胃脘痛、胆胀、胆结石、肝积。下浸是损伤肾脏及膀胱，气化失司，喝一点水，小便就很多，还有腿膝枯细，骨节酸痛，并不是消肾的主证，只是消渴的症状之一，消肾实际就是合并肾脏病，或膀胱受累而为病。中医的消渴症要分上消、中消、下消三种。上消，渴而饮水多，脂如麸片，甜者，消渴也；中消，吃食多不其渴，小便少，似有油而数次者，消中也；下消，饮水不能多，但腿肿，脚先瘦，小便数，肾消病也。同时，三消还包括了三种现代病名，上消包括了现代病名精神性烦渴，中消包括了现代病名糖尿病，下消包括了现代病名尿毒症。

引起消渴的主要原因，多是由于嗜欲太过，肾气虚败，又服用金石之类的药物补元阳，药性猛烈积在脏，导致精血枯竭，元阳衰败，使用药物，药性炎上，内外焦干，出现燥渴，外在表现饮水无度，小便频数，日渐消瘦。这时，一定不能再服补药，应该调肾益水，十二经脉与奇经八脉中，任脉最补肾，脏腑机能调整按摩法施术范围多集中在三焦的位置，三焦主调通水道，在手法调节的同时，调节饮食，痊愈可期。

消渴所慎者有三种：①饮酒；②房室；③咸食及面。能慎此，不须药亦自可。消渴之人愈与未愈常须虑发大痈，必于骨节间发大痈而卒，有人患渴数年，果发痈疽而死。

现在医学把消渴与西医中的糖尿病划分为同一种病，认为血糖失控的原因是由于胰脏的功能出了问题引起的，得了这个病只能利用药物或注射胰岛素来控制血糖。但这种治疗方法能使人体分泌胰岛素的功能减弱，不是治愈糖尿病的根本方法。

胰岛素是胰岛分泌的，胰岛长在胰腺上，胰腺属于脾，中医说，有散膏半斤，亦属于脾，所指的散膏就是胰，胰腺的组织结构是腺管和腺泡，其组织松散，其色白，状如膏脂，故称散膏，重约半斤，所以胰岛素属于脾，胰岛的分泌依赖于脾气，胰岛素是脾的精华，又称脾精，五脏之精，各有不同，具称精微，精微的定义是数量极少，能量极大，作用很精确，胰岛素和所有的激素都符合精微的特征，胰岛素是诸精微之一，由脾气化生，脾气一虚，胰岛素自然不能保证。所以，在调理时，以扶持阳气和恢复脾胃功能为主，阳气充盛，则相火不致于妄动，肾精得养，下元自固。脾胃功能恢复，才能吸收饮食中的精微之气，使气血生化有源，消渴之症愈。

病例1　于某，女，55岁，教师。

2004年8月，战友带着他的一位亲戚来找我，我见她面色发黑，皮肤干燥，身体极为瘦弱。显然是气血双虚，阴精亏损所致，我问她现在有什么症状？得病多长时间了？

她说："从去年开始，先是总觉得口渴，一天到晚想喝水，水喝多了，小便次数就多，最多的时候，一小时一次，后来身体开始消瘦，而且特别容易疲劳，我家住在四楼，上下楼都觉得心里发慌，气好像不够用，到医院一检查，说是得了糖尿病，医生让我注射胰岛素，开始身体感觉挺好，但用了半年左右，好像又不管用了，去问医生，才知道身体出现了抗药性，胰岛素用不上，医生就另外开了一些药，让我坚持吃，并嘱咐我平时注意控制饮食，这样又治疗了一段时间以后，口渴及小便多的症状减轻了，但近一个月，又感到口渴，小便多，而且心慌的症状加重，还经常头晕，我实在想不明白，我原来吃糖并不多，怎么会得了糖尿病呢？”

“你这种情况在中医里称为消渴，主要的根源在于你的先天不足，先天之本在肾，肾主藏，藏的就是人体的阳气，先天不足后天补，只要脾胃健旺，消耗的阳气得益于后天的扶持，所以平时不会有症状显示出来，但随着身体的自然衰老，或常年劳累或多思远虑，过伤七情造成脾胃功能减弱，阳气得不到养护，渐渐衰退，燥气乘虚进入体内，消渴的症状随之显示出来。

西医认为糖尿病是一种血糖异常引起全身代谢失常的一种疾病，人体内的胰脏会分泌胰岛素，对正常人来说，胰岛素会把葡萄糖带入细胞，以提供人体所需能量。但糖尿病患者由于体内无法制造足够有效的胰岛素，葡萄糖无法进入细胞内而累积在血液中，使血液出现高血糖现象。经过西医的反复研究发现，糖尿病是人体的糖代谢存在着先天异常所致，如有些人不爱吃糖，每日三餐正常地吃馒头、米饭、面包等淀粉食物，却得了糖尿病。这就说明这些人的糖代谢存在着先天异常。中医上的消渴和西医上讲的糖尿病在治疗上有着本质的不同，消渴指的是症状，只要把症状消除就是痊愈，而糖尿病只是一种化验指标，主要是通过药物使化验指标控制在正常值的范围内，西药固有的毒副作用将会随着药量的不断增加而使体内脏器备受损害，而且长期服用西药控制血糖，最容易造成血栓……”

我说到这里的时候，战友插话了，他说：“那她这种情况如果不治疗，以后会不会出危险。”

我说：“这就不好讲了，因为这个病本身并不可怕，主要是怕引起并发症，常见的并发症是视网膜病变、肾衰竭、手脚发麻、肢体坏死、中风、心血管疾病等，并发症也分急性和慢性两种，急性并发症感染和糖尿病酮症酸中毒最为常见，慢性并发症是指大血管并发症、微血管并发症和神经并发症。大血管并发症有脑血管意外、冠心病和下肢血管病变引起足部坏死。微血管并发症主要影响肾脏及视网膜，造成肾功能不好，视力不良等。”

患者问我说：“您看我的情况应该怎么治疗呢？要不要继续吃着药？”

“你现在的血糖是多少？”我反问她。

“我四五天以前，刚到医院去检查了一下，血糖是12mmol/L。医生告诉我，血尿素氮和非蛋白氮都比较高。”她回答说。

“你先停停药，我给你调理几天看看情况再说吧！”我回答说。

我用调整任脉法，恢复脾胃功能，调节气机，刚做到引气归元，患者就睡着了，战友想叫醒他，我说：“让她睡吧，这个方法就是恢复人的吃、喝、拉、撒、睡。”患者一直睡了一个多小时才醒，起来后对我说：“身体觉得很轻松，就是饿得受不了。”我让战友赶紧给她做碗面条吃，面条做好后，病人吃了满满一大碗。吃完饭等了一会儿，我又给她治疗一次，先用调整任脉法、督脉法，再循经推拿双阳明，双厥阴。

第二天下午四点多，患者过来后对我说：“昨天夜里，小便次数明显减少，睡得也香，今天早上吃过饭后，又睡到中午。家里人见我这样睡，都怕是病加重了。”我对她说：“那不是一回事，疾病引起的嗜睡，是病情加重的表现，你现在虽然睡眠多，但醒来以后，应该觉得很舒服，随着气血的恢复，过两天睡眠就正常了，不会一直这样。”第二次治疗的时候，我继续沿用上次的治疗方法，并加用头部治疗法。一直到做完后，她没再睡着，说：“感觉比昨天还轻松，眼睛都清亮。”第三天她反馈说：“昨天夜里只小便三次，白天不像前一天那样想睡觉了，中午的时候感到困倦，睡了两个多小时，头不晕了，口中还时常有津液涌出来，身上也有劲。”效不更方，继续按上次的方法给她治疗。

第四天她说：“今天我到医院检查了一下血糖，是13mmol/L，比上次高了，血尿素氮和非蛋白氮比上次低了很多，虽然感觉全身的症状都没有了，为什么反而血糖高了呢?”我对她说：“这个你不要担心，你以前吃的降糖药物把血糖合成了肝糖原的同时，也把血糖合成了脂肪，这就是降糖药物的副作用，这些脂肪沉积在血管壁上，就形成了我们常说的动脉硬化，随着你体内气血的恢复，代谢功能逐渐旺盛起来，开始清理这些沉积物，这里面含有大量的糖分，所以在化验上反映血糖高了，这说明你体内新陈代谢的功能提高了，所以我们应该学会怎样理解西医的检测标准。”听我说完后，她说：“从今天检查了以后，我就很担心，怎么身体的感觉越来越好，血糖反而高了呢，听你这么一讲，我才放心。”

根据患者身体的变化，随时调整着手法治疗至第七次的时候，她说又到医院去检查了一次血糖，是7.5mmol/L。在她的要求下，我又为她巩固治疗了三天，共十天，治疗了十一次。治疗结束后，我跟她讲，无论是中医上的消渴，还是西医上的糖尿病，为了控制住不复发，最好经常做做保健或经常艾灸几个穴位。她问我说：“现在得这种病的人很多，尤其是老年人，从哪些症状能提前判断出老年人得了西医上所说的糖尿病呢?”我告诉说:“可以通过观察老年人早上起来的一些反应来判断，如老人在早晨睡醒以后，应该是精神很好，但却表现疲乏无力，心情闷闷不乐，头脑不清醒，或者有头晕症状，则可能患有颈椎骨质增生、血黏稠度增高等疾病；在凌晨四五点钟从睡眠中醒来后感到饥饿难忍，还伴有疲乏无力。进食以后，症状缓解，但仍口干舌燥、想喝水，这些症状在吃早餐后逐渐消失，这就预示可能患有糖尿病。”

肾为水脏，阴阳寄居之所，功能主气化和固摄，肾脏能调节人体水液代谢及小便量的多少。肾阳亏虚，则不能蒸腾气化使津液上升，液变浊阴蓄留于下，肾气已亏虚，则无以约束尿液，所以患者临床中多表现为多饮多尿，水液及精微丢失过度，无以滋养机体，出现两腿软弱，心慌不能自主，而饮多尿多。尿不能忍，是由阴虚及阳，阳气虚衰，固摄无力，是为肾阳虚衰的症状。

病例 2　赵某，女，60 岁。

赵某，腿疼近三十年，医院里检查是类风湿，两条腿已经变成一条腿长一条腿短，走路一瘸一拐的，治了地方不少，都没有效果。疼厉害了，就吃片止疼药。

治疗类风湿，必须要从脾胃入手。为她调理的时候，先用几分钟时间把腿部分筋给她做了一遍，然后让她起来感觉一下，她半信半疑地起来走了几步，然后惊讶地说，这两条腿真轻松。我再用推背升阳法和调整任脉法给她调理一次，她说，感觉整个后背和腹部都轻松。

第二天她过来时反馈说:“以前夜里睡觉，由于疼痛，双腿从来都是弯曲着，昨天夜里，慢慢地能伸开了。以前从家里走到这里，中间至少休息五六次，今天只休息了两次，双腿也觉得有劲了。更奇怪的是，我还有糖尿病，吃药只能控制当时症状，心慌，口渴总想喝水，夜里要起来十几次上厕所，你治疗过以后，昨夜只起来了五次，今早起床后也没觉得心慌。”

调理到第五天的时候，所有认识她的人，都能发现她以前由于一条腿长，一条腿短，走路一瘸一拐的，现在变的两条腿一样长，不瘸了，走路和正常人没有区别，这个效果连她自己都说，不是亲身体会，难以相信。我问她，除了两条腿一样长了和走路有力量了以外，还有没有其他的感觉?她说，从开始治疗以来到现在，一直没有心慌，口渴和尿多的情况也减轻了很多，夜里就起来一两次上厕所，只要走路不是很多，腿就感觉不到疼痛，她请我继续再为她调理几天巩固效果。

例 3：施某，男，47 岁。

我为一位朋友调理好腰椎间盘突出以后，他特意带哥哥施某过来找我。施某说："六年前，因工作劳累，有段时间突然觉得口干舌燥，小便很多，体重也明显减轻，到医院检查，发现餐前血糖竟高达15mmol/L（正常值为3.9～6.1mmol/L），尿糖+++，医生告诉我，我患上了糖尿病，曾用胰岛素，后来发生抗药性而停药，改口服药物维持，病情虽有缓解，但血糖还是居高不下，而且夜尿多达十几次，造成睡眠质量太差，早晨起床以后，两眼睑浮肿，两腿也总感到发凉，听我兄弟说您不用药，只用手法就能调理好糖尿病，特意登门求医。"

"不能说一定能调理好，我会尽力而为。其实调理好任何一种疾病，都需要医患结合，共同努力，才能完成，不相互配合，不遵医嘱，单靠一方面的力量，是很难完成的。在中医上，你现在的情况属于消渴的症状，糖尿病只是一个西医病名，消渴才是症状。"

"久病成医，自从得病以后，我也经常看一些中医书，我现在也算是半个大夫了，有时候感到不舒服的时候，就自己按按某条经络或某些穴位调理一下身体，还是有效果的，我想请教您一个问题，为什么中医上把这种症状称为消渴呢？"

"这个问题说起来稍微有点复杂，消渴病自古以来就是一个大病，其病变较为复杂，可涉及五脏六腑。古人对'消渴'这两个字的解释是，'消'为'欲饮也'；'消渴'渴也……津液消渴，极欲得水也。'消者，消灼也，亦消耗也。凡阴阳气血之属，日见消败者，谓之消。''消瘅者，三消之总称……内热消中而肌肤消瘦……消者，消耗之谓。'从中医学对消渴的病名所进行的论述来看，可以认为消渴乃因'消'而致'渴'，消渴病变的基本点在于消。消既反映了消渴的病机在于内热消灼，也反映了气血消耗、肌肉消瘦的症候特点。渴乃是因消作用于机体，津液被消耗而造成的一个症候表现，所以这个病称之为消渴。对消渴的认识应基于对'消'的分析和探讨，只有如此才能对消渴病有深刻而透彻的认识。'消'是怎么来的呢？《黄帝内经》中讲到，'二阳结，谓之消。'二阳者，即阳明经。阳明多为气多血之经，是水谷之海。手阳明大肠经主津液，足阳明经主血，'二阳结'乃胃与大肠气血津液郁遏内结，结而蕴热，成为消证。"

第一次调理的时候，主要调其任脉，重点在中焦。调理结束后，老施问我说："王大夫，为什么您的手法，大部分都运用于中焦这个部位呢？"

"这个部位是脾胃所居之地，刚才我们说手阳明大肠经主津液，足阳明经主血，气血津液输布不利，当责于脾。胃主受纳，脾主运化，脾病则其运化功能失司，导致气血精微物质不能上布下达，滞阻中焦，蕴久而热结，消灼津液，成为消渴的病变基础。因此，脾胃在消渴的发病中具有重要的意义。脾胃是后天之本，水谷生化之源。脾胃的功能在于受纳腐熟水谷（以胃为主）并将消化水谷所得精微物质运送全身（以脾为主），以濡养全身各个脏腑、四肢百骸。人体生命活动的物质基础皆赖于脾胃的运化功能。《黄帝内经·素问·阴阳别论》中曰，‘饮入于胃，游溢精气，上输于脾，脾气散精，上归于肺，通调水道，下输膀胱，水精四布，五经并行，合于四时五脏阴阳，揆度以为常也。’说明只有在‘脾气散精’的基础上，才能‘上归于肺’，‘下输膀胱’，而使‘水精四布’，从而保证人体正常的生理活动。‘脾气散精’的过程依赖于脾气升清的功能，脾之所以能够将水谷精微物质转输于周身主要是通过脾的升清作用实现的。一旦脾失健运，升清失职，这种‘散精’的过程便无法进行，尽管饮多食多，也只能结于胃肠，而不能为机体所用，最终导致机体精气津液的匮乏，而所入水谷蕴结体内成为燥热之由。中医认为消渴病因是多种多样的，归纳而言，不外饮食所伤，脏气虚弱，过取丹石、温燥之品，劳逸失当，及情志失调等。这些原因都有可能直接伤及脾脏或间接影响脾之功能。饮食不节，过食肥甘厚味，或嗜食辛辣，势必损伤脾胃，致脾胃运化失职，脾弱而胃强，胃热而消谷善饥，脾虚而转输失司，导致消渴发生。清代钱一桂在《医略》中说，‘夫肥甘膏粱之疾，同属于热，然非酒色劳伤，脾失传化之常，肾失封藏之职，何以至此。’十分深刻地揭示了饮食所伤，脾失传化之常导致消渴的病理过程。劳倦太过，耗伤脾气，但过度安逸也能使脾气受损，所谓‘逸则气滞’，‘久卧伤气’，劳逸失当，都会损伤脾气，不能敷布精微，津液代谢失常，发生消渴。五志过极，情志不畅，肝气郁结，横克脾土，肝郁可化火伤阴，脾伤则津液不行，生化乏源，阴更伤而燥热更甚，正如叶天士所说‘心境愁郁，内火自燃，乃消渴大病。’”

第二天，患者反馈说：“昨天晚上，小便的次数少了一些。”我为他继续按昨天的方法调理。手法调理完以后，老施又问我说：“王大夫，听您昨天说到，脾胃出现问题是导致糖尿病的关键，是不是调理糖尿病就要从脾胃入手呢?”

中医理论认为，消渴病是体内津液运化失常的疾病，其病机具有阴虚燥热的病理特点，叶天士在《临证指南》中提到“三消一症，虽有上中下之分，其实不越阴亏阳亢，津涸热淫而已。”阴虚为本，燥热为标，阴愈虚则燥热更盛，反之燥热又可伤阴，使已虚之阴更为不足。如此互为因果，愈演愈烈，终至体内阴阳失衡，消渴日久不愈而变生诸症。其阴虚燥热的病机，具体而言，我们认为在其病之初始阶段当为脾阴虚，胃阳燥，脾胃升降运化功能失常，当其功能失常影响了津液的化生及敷布，便导致了消渴病的发生。所以说，消渴发病与脾胃的生理、病理有密切的关系。

就像你现在的情况，小便多而带甘味，这就是因为，脾阴虚，不能为胃行其津液，胃阳燥热，脏虚而腑实，脏虚则精不得藏，腑实则热蕴中焦，消谷而善饥，虽食多却身瘦。脾虚不能使津液上承，母病及子，则肺燥津亏，饮水以自救，故而口干多饮。脾虚升清无权，脾气下陷而膏汗下流，水谷之精微不能为人体所用却从小便而出，故小便频多浑浊而味甜。《成方切用·润燥门》即言："小便本咸而反甜，是生气泄，脾气下陷于肾中，为土克水也。"《医家心法·消症》也认为"小便带盐，今变为甘，则水已败，而土味下泄矣，"并说此乃"先后天真气已绝"。甘味入脾，尿甜正是脾之味随脾气下陷而致。无论是土克水还是先后天真气已绝，都说明脾之功效失常是消渴小便甘的病变基础。脾失升清，精微物质下陷，随小便排出体外，人体脏腑肢节不得濡养，精血生化无源，势必造成机体功能衰退，甚则变生诸证。

第三天，老施过来的时候，反馈说："口干舌燥的现象减轻了，夜尿也少了近一半，这两天一到夜晚睡觉的时间，我就容易犯困。"我告诉他这是正常的瞑眩反应，几天就过去了，不用担心。继续为其调理。

转眼间，半个月过去了，老施夜间小便的次数，减少到三四次，双腿发凉，晨起两眼浮肿的症状都没有了，所有的药物也停了。老施到医院做了一次检查，餐前血糖 10mmol/L 比以前有所下降。老施拿着化验单高兴地对我说："王大夫，刚开始听您说调治糖尿病要从脾胃入手调理，我还不太接受，现在发现这个理论太正确了，看来脾胃调好了，糖尿病也就好了。"

"虽然脾胃在消渴发病中有极其重要的作用，但并不是说消渴病只与脾胃有关，实际上随着消渴病的发展，五脏六腑都将受到影响，从而造成一些相应的病理变化。《黄帝内经》中就强调了'五脏皆柔弱者，善病消瘅'，这并不与我们强调脾胃的认识相矛盾。消渴发病之初，首先与脾胃有密切关系，脾胃乃后天之本，脾胃病变，日久必然影响其他脏腑。《黄帝内经》所强调的五脏为病，实质上是揭示了消渴作为脏腑病变的复杂性。从古到今很多医家充分认识到了脾胃与消渴病的重要关系。喻昌在《医门法律·消渴论》中指出，'消渴之患，始常于微，而成于著，始于胃而极于肺肾，始如以水沃焦，水入犹能消之，既而以水投石，水云而石自若。'说明了消渴病从脾胃中焦开始，不愈，久则上下传变。中焦热盛，上熏于肺而渴不止成为上消，日久肾气衰败而溲频浑浊而成下消……"

又为老施调理了半个月，化验指标基本正常。

脾阴虚作为消渴的病变基础，当其病变日久不愈时，脾阴虚则必兼脾气虚，正所谓“阴虚则气虚”。阴虚作为机体生理活动的物质基础，其虚必将影响机体正常的生理功能，导致气虚而功能低下。从临床观察来看，就诊的消渴病人并非十分典型的阴虚证象。消渴病初起症状隐匿，常不为人所注意，　旦发现往往都经过了一定的时间。即如喻嘉言所说“始常于微，而成于著”。因此，有部分消渴病人在就诊时不一定表现了很典型的“三多一少”的临床症状，而是以气阴两虚为主要表现，有很多病倒均主诉症状为疲乏倦怠，四肢无力，为脾之气阴俱虚的特点。同时，脾与其他脏腑关系十分密切。脾病可以累及其他脏腑，而使消渴终成五脏皆病的病理转归，使消渴病的辨证成为一个复杂的过程。

### 三十四、系统性红斑狼疮

红斑狼疮是一种相当复杂的疾病，在中国古代医籍中没有相对应的病名，只是根据症状辨证治疗，或根据皮损形状命名为“红蝴蝶疮”“马缨丹”“茱萸丹”等。或根据日光暴晒而诱发或日晒后病情加重，名之为“日晒疮”。对出现胸水、腹水、水肿等症状者，称为“悬饮”“水臌”“水肿”等，病程较久，人体比较虚弱者，都可以归属于“虚劳”的范畴。

中医认为本病是由先天不足，身体亏虚，加之后天失养，七情内伤，劳累过度，外受“六淫”之邪侵袭，导致阴阳失调、五脏亏虚、三焦阻滞、气血运行不畅，五脏六腑，气血津液，经脉筋骨，皮毛百骸皆出现损伤。五脏是人体的核心，三焦是整个人体气机运转及水液通调的枢纽，故其基本病机就是“五脏亏虚，邪阻三焦”。由于五脏亏虚，体内就形成了代谢性病理产物，如中医常说的瘀血，痰饮及水湿等。这些有形之邪阻塞三焦，使三焦的气机转枢功能及通调水道的功能失常，而出现各种症状，如狼疮病人三焦阻塞，气血运行不畅，卫气失去卫外功能，故常常感冒，三焦郁火弥漫则壮热不退，三焦阻塞气化失司，气血津液的运行受阻，不能营养五脏六腑，使五脏更虚，使疾病反复不愈。三焦运行水液的功能受阻，上焦之水积聚可形成胸水，心包积液，中焦之水积聚，而成鼓胀腹水，下焦之水积聚，小便不利，下肢浮肿，甚则腰、腹、阴部水肿，三焦水液泛滥，形成全身水液弥漫的重症，是红斑狼疮的浆膜炎积液和狼疮性肾炎低蛋白血症积液的临床表现。

“脏腑机能调整”按摩法在治疗时红斑狼疮采用先调脾胃、再疏通筋络的方针。脾胃是后天之本，气血生化之源。饮食入胃，脾胃健，则能生化气血。筋是气运行的路线，筋无阻碍则血随气行，气血调和，其病自消。

西医认为，系统性红斑狼疮是凶险的全身性疾病，肾脏受累者约占七成。轻者仅有蛋白尿或血尿，重则呈现肾病综合征或肾功能衰竭症状，临床不要因为肾病的表象掩盖真相。

病例　章某，女，56 岁。

患者面黑无光泽，最醒目的是，脸上两颧骨部位有拇指大小的蝴蝶形红斑。她自述说："三年前夏天，开始觉得全身关节经常疼痛，周身乏力，反复感冒，渐渐的身上出现了红色皮疹，脸上也出现蝴蝶形红斑，口干，胸闷，饮食没胃口，心里烦躁，失眠多梦，尿量减少，小腿浮肿。到医院确诊为'系统性红斑狼疮'经过中西治疗症状有所改善，但还是不能正常活动。"

瘀血在经络脏腑之间，则周身作痛，以其堵塞气之往来故滞涩而痛。此为患者全身关节经常疼痛的原因；瘀滞生热，所以心中时感烦躁；脾气虚弱，运化无力，故饮食没胃口；心气不足而神不守舍则表现为失眠多梦。

我先给她调理任、督两脉，做完后，患者感到非常疲倦，想睡觉，我让她先回去休息。

第二天我继续沿用上次调理的方法。第三天，我发现病人的脸比以前白了很多，她跟我说，身上的红斑也淡了，睡眠、饮食明显增加，关节不像以前那样疼了。第四天，她说胸闷明显减轻，心里烦躁的感觉差了。尿量增多，小腿浮肿减轻。加减手法和穴位治疗至十五天的时候，患者脸上的蝴蝶形红斑渐退，可以自己到外面走一走，活动一下。我告诉她避免晒太阳，因为阳光晒后则瘀滞生热而更痛，并叮嘱她家里人，尽量使病人的心情保持愉快，不要惹他生气、心烦。二十天时，我让病人去医院检查了一下，所有指标都恢复了正常。我告诉病人现在身体刚刚恢复，一定要注意饮食，不要劳累，尽量减少晒太阳，前一两个月隔四至五天最好再来治疗一次，以后也要尽量坚持，杜绝复发。对可能诱发此病发生的苯妥英钠、异烟肼（雷米封）等西药避免使用。

### 三十五、尿毒症

尿毒症及各种肾脏病的晚期病症是由于肾功能衰竭，不能将身体内的蛋白质代谢所产生的含氮物质从尿中排出，以致使含氮物质在血中潴留，当氮质潴留到一定程度时，就会产生水电解质紊乱，引起全身中毒，使病情恶化，危及生命。

尿毒症患者是由于肾功能不全发展至衰竭，是危重之候，出现尿少、尿闭，患者不能如正常人一样将蛋白质代谢所产生含氮物质自尿中排出，从而使含氮物质在血中潴留，当血中非蛋白氮继续升高后，可出现高血钾等并发症，造成电解质的紊乱，进一步加剧氮质潴留的程度，使病情恶化。

中医上此病属于虚损病的范畴，病机是虚、浊、瘀、逆四个方面，浊与瘀是此病的特征，患者浊毒大量滞留、壅而化热，以致出现内攻上逆，肾络瘀血，气化不利等症状，嗜睡烦躁，神昏，肌肉颤动，甚至抽搐。如出现心衰，乃脾肾阳虚、浊毒上逆，气不化水，凌心伤肺，有时心悸气短，不能平卧，吐白痰。水溢于表，则见下肢浮肿，甚者过膝，以及眼睑浮肿。

病例　李某，男，46 岁。

2004 年冬，患者由家人陪同来找我，到我这里的时候已经晚上七点多，当时我正好有点急事要处理，未能与他见面，他们就在旁边的宾馆住下。后来据宾馆的工作人员跟我讲，他一夜多次呕吐不停，而且一个人走不了路，必须两个人搀扶着才行。

患者面色萎黄，颜面及两下肢浮肿，舌淡体胖，苔白腻，面色苍白，似乎连站立的力量都没有。他自述说："五年前得病，近年来呕吐加剧，尿少，便溏，口中异味很大，1998 年曾在某肾病医院治疗三个月，花费五万多，回家后病情加剧，饮食入口即吐。"他带的化验单显示：血常规血红蛋白 75 克/L，红细胞 $2.44\times10^{9}$/L，白细胞 $7.3\times10^{9}$/L，尿常规蛋白 + + +，尿素氮 16mmol/L，血肌酐 5.5mg/dl，总蛋白 54g/L，白蛋白 35g/L，球蛋白 20g/L，结论是尿毒症。

肾功能衰竭，病本在肾，而且以阳虚为多，间亦有阳损及阴者。肾阳既虚，温化无能，水气停留，湿浊泛滥，脾为湿困，又无肾阳的温煦，不能运化水湿，以致水停三焦。三焦为人身的水道，下出肾系，上连于肺，外而腠理，内而胃肠，皆与三焦相连。肾阳虚，水液不化，以致决渎不行，水道不利，小便不通。水液不能排出体外，水气凝结，化为水毒浊邪，散漫全身，久而诸症丛生。病本在肾，而其水湿泛滥的病机，与肺、脾，尤其是脾的运化密切相关。因脾有制水生金的功能，有调整肺、肾生理平衡关系的作用。本法通过健脾温阳调气，使水湿得以运化，浊毒得以清除，故对肾功能衰竭诸症有极好的疗效。

为他调理时，我用调整任、督两脉法，加点关元、命门，为他调理，他即刻不再呕吐。第二天反馈，昨夜睡眠较好，只有一两次想呕吐的感觉。第二次为他治疗的时候，加用推背升阳法，第三天，我发现病人脸色变得红润，心情也好多了，有说有笑的，自己可以慢慢散步。他自己说，现在吃饭不呕吐了。调理十天左右，病人下肢浮肿消失，全身有力，吃饭、睡眠香甜，没事的时候就到外面玩去了，又继续治疗十天，诸症缓解，神态已佳，患者回家前，到医院检查，化验报告：血红蛋白 95g/L，尿常规蛋白（±），血总蛋白 62g/L，白蛋白 41g/L，球蛋白 21g/L，血尿素氮 7mmol/L，血肌酐 1.9mg/dl。月余后患者一侄儿来找我，要拜我为师随我学习。

## 三十六、精神病

中医把精神病称之为癫狂，但癫与狂有所区别，癫病多静，而狂病多动；癫病多虚而狂病多实；癫属于阴而狂属于阳。阴阳虚实之病理变化各不相同，故不可混为一谈。但其致病的原因，则没有什么差异，病轻而从阴化者为癫，病重而从阳化者为狂，所以也可以癫狂并称。

中医认为，心为君主之官，神明出焉。是五脏六腑之大主，精神之所舍，神明之主司。头为精明之府，府是储藏神明的府库。脑为神明的宝藏，心为神明的出纳。所以心脑一气相贯，息息相通，互相利用，须臾不可分离。若心脑相通之系忽然阻隔，脑中神明组织失其心主之指挥则发为癫狂。因脏腑功能失调而产生的痰阻隔心脑相通之系。痰随气升，上闭清窍而为是病。因于心肝胆胃肠之阳盛多为痰热，若心肝之火暴盛则痰火闭阻神明而成狂症；因于心脾肝肾之阴血亏虚，炼液而为痰湿，若因情怀不遂，则神明失养，痰湿阻闭神明，而发为癫症。

现代医学把精神病分为神经衰弱症和精神分裂症两种。

神经衰弱症：由于现在社会的竞争压力日趋激烈，患神经衰弱症的人越来越多，神经衰弱症就是精神病初期表现，属神经官能症中常见的一种，究其根源应多由心情不舒，脑力疲劳、劳逸失度，或病后体弱等原因引起中枢神经系统兴奋与抑制过程失调所致。临床表现为整日头昏无力，精神不振，注意力不能集中，记忆力显著减退，入睡困难，联想不断，长期失眠。其中轻型抑郁症及早期精神分裂症均有上述神经衰弱的表现，前者以情感忧郁为突出表现，有消极悲观、自责自罪，甚至自杀意念。后者则以情感淡漠为突出表现。有行为懒散不主动就医等表现。本点穴法对神经衰弱症有奇效，一般一次见效，数次可愈。

精神分裂症：包括狂躁型和抑郁型两种，也称为阳性和阴性，本法对阳性的、新得的、年轻的三个条件同时存在者有特效。

治法：凡得此病在膈俞穴或心俞穴必有气包，用点穴法将穴中气包点开，病人即刻昏睡，此时使其仰卧床上，重点用泄法，开穴位中阻滞之气，膈俞穴、心俞穴开通之后，病人在神智昏沉中必然吐出大量带紫血的浓痰，有时要用手给其抠出，然后又进入昏睡状态，睡醒之后，病人即可恢复正常。

病例　杨某，女，40 岁。

2000 年 5 月，因与邻居口角，引起神志错乱，哭闹打骂，语无伦次，家人带她找我调理，患者两目斜视，面色红赤，口中喃喃自语，时哭时笑。对此类病我的经验甚少，就试着双手点按住患者的膈俞穴，患者当时就昏昏欲睡，我抓住时机，让其平卧，为她点穴，穴位虽大部分未通，但患者却睡着了。约三个小时醒过来后，连吐几口浓痰，说头昏沉。我让其稍稍吃了些东西，又为她点了一遍。然后嘱其家属送她回家睡一会儿，有什么情况再打电话给我。第二天一早，病人和丈夫一起到我家来表示谢意，她的精神完全恢复正常。

### 三十七、失明

病例　任某，女，32 岁。

1994 年冬，任某因为评职称的事与单位领导发生争执，盛怒之下，突然导致双目失明，单位要送医院治疗，任某情绪非常激动，坚持要回家，单位领导没有办法，只好边送她回家，边通知她的丈夫。任某的丈夫姓谭，是部队政治部的一名干事，与我单位门诊部的杨主任关系挺好，他听说这件事后，就急忙去找杨主任，当时我正好在场，听他说完情况，我对他说，你带我去看看，也许我有办法。

我和杨主任跟随任某的丈夫到了他家，刚进门，就听任某在发脾气。我对任某的丈夫说："我和杨主任在外面等一会，你过去跟她聊聊天，尽量能让她哭，只要她一哭，就好办了。"任某的丈夫半信半疑地说："这能管用吗?"我说："你现在没有别的选择，她又不去医院，如果我的办法不行，你再采用别的方法。"说完，我就拉着杨主任出来了，杨主任担心地说，你的方法管用吗？我说，放心吧，即使不行，不是还有你吗?

过了一会儿，谭干事红着眼睛走出来对我说："我还没开始劝她，她一听我回来了就开始哭，现在都哭了好一会儿，还要哭多长时间?"

我说："你告诉她杨大夫来给她看病了吗?"

"说了。"

"我说你们在门口等着呢!"

"好，你的任务完成了。"我说着就和杨主任走了进去，我先揉她的降压穴，大约过了五六分钟，任某就觉得眼前逐渐能看到东西了，随之，她的心情就比刚才好了很多，我又紧接给她调理背部和头部，很快视力彻底恢复了。事后，杨主任问我为什么这么做？我说：“在中医里，肝属木，主怒，肺属金，主悲。她大怒，必伤肝气，所以让她哭。取金制木。治疗背后是重点调理太阳经。因为太阳经能舒肝解郁，最后做头部，是因为，她生气造成了颅压大，头部的操作方法能疏导和减轻颅压。”听了我这番话，杨主任说：“中医确实是一门学问，应该好好地研究它。”

### 三十八、腹胀

腹胀，在中医上是指胃部气滞而出现的一种症状，气滞指的是运动不畅，最典型的症状就是胀痛，根据气滞的部位不同，出现的症状也就不相同，比如胃部气滞则出现胃脘胀痛；肢体气滞则出现四肢胀痛；肝部气滞则出现胁肋胀痛；膀胱气滞则出现小腹胀痛。“脏腑机能调整”的目的就是调节一身之气。所以对消除气滞的症状效果极为显著。

病例 1　陈某，女，56 岁。

陈某腹胀和背胀多年了，2002 年秋，陈某到我地来做生意，经人介绍来找我调理，她对我说：“几年前开始觉着胃不舒服，反酸，恶心，后来每次吃过饭后都觉得腹胀和背胀，而且出现便秘、失眠、全身乏力。到医院一检查，医生告诉我背胀是由腹胀引起的，在医学上称为胃胀神经。虽然吃了很多药，但病情没有从根本上得到改善，只要听到哪里有好的大夫，我都跑去求医，几年来钱花了不少，效果并不理想，而且现在逐渐出现了浮肿。”

患者症状属于中阳不振，肝胃不和，第一次治疗时，我施以疏肝理气和调整任脉法，她说感到腹部松软了很多。第二天，她告诉我，昨夜睡眠好了，吃饭也觉得有胃口。第三天，她反馈排气较多，排便通畅。调理到第七天的时候，所有症状消失，体重减轻六斤多。她怕复发，就请我多给她调理两天。至第十五天时，体重共减十斤。

病例 2　霍某，34 岁，公务员。

面色泛黄，精神不振，舌苔白，舌体胖大，齿痕明显。面色黄，脾胃运化差。舌苔白，体内有寒，齿痕明显阳气亏损。自述：大约近两年来，总觉得吃饭没有胃口，饭后消化差，腹胀、夜里睡眠不深，多梦，习惯性腹泻，气短乏力，就诊于各大医院，经过中药、针灸、点穴治疗，曾长期服用过参苓白术丸和理中丸等中成药，稍有改善，但时好时坏。

此症状造成的原因，是三阴阳虚所致，少阴病则阳衰阳亏，太阴病则湿阻饮停，厥阴病则风气不治。少阴为一身阳气的枢纽，少阴阳衰则六经阳衰，参苓白术丸，只是起到补益脾胃的作用，没从根源入手；理中丸只考虑到了太阴经的阴寒，忽视了少阴需依赖太阴阳明胃气的滋养、足厥阴风气的疏泄，所以服用后效果不大。

三阴经的循行走向是从足走腹胸，腹部群阴集聚，全靠阳气温煦，阳气易温不宜补，温则阳气通达，补则阳气凝滞。在调理时，先开四关穴，四穴同治行气理血、协调阴阳，使阴阳之气相互顺接、升降贯通。然后开地门，开地门、中门，在施以手法的时候，患者感到腹部热气直达腰部和下焦。第二天，患者反馈说，明显有了饥饿感，睡眠也好多了。效不更方，继续沿用前一天的手法，第三天，症状明显改善，精神也好多了。观察舌苔白苔减退很多，面色红润，说话中气充足，胃气渐复。六气本为一气，六经为川，脾胃为海，太阴乃阳气之助，先天之阳气，非胃气不能滋养。第四天，加用八髎穴和推腑行气的手法，点通在八髎穴，正是从外而内调理胞宫。冲脉、任脉和督脉也都起于胞宫。所以，八髎乃支配盆腔内脏器官的神经血管会聚之处，是调节人一身的气血的总开关。推腑行气加强脾胃运化，扶持阳气。共调五天，痊愈。

### 三十九、无原因眼睛发红

眼睛发红，是指眼白，所谓白眼球，发红，也就是覆盖在眼球前部的球结膜发红，它既可能是局部炎症刺激引起的血管扩张，充血；也可能是非炎症因素引起的结膜小血管破裂，也就是结膜下出血。正常情况下，球结膜的血管都是瘪着的，处于“沉睡”状态，血管内并没有血液通过，因而巩膜总是显得那样洁白无瑕。当遇到细菌、病毒等入侵时，“沉睡”着的血管会马上被“惊醒”，继而扩张。于是红色的血液从四面八方蜂拥而至，巩膜也就红起来了。

病例　李某，男，48 岁。

患者自述十多年前开始，出现头痛如裹，身体沉重、倦怠，胸闷腹胀，同时双眼发红，曾在国内外多家大医院检查，各项指标正常，未查出任何原因。我告诉他，头痛的原因是由体内湿气重所致，“湿温者，乃夏暑熏蒸，阴晴蕴酿，天地间氤氲之气也。人在蒸淫之中，受而即发；或交秋令，而为新寒感发者。身重头痛，形类伤寒，胸闷寒热，过午更甚者，是为湿温。”

首次为他调理的时候。只调理三焦，第二天反馈，头痛减轻；第三天反馈，头部除稍有些不适以外，头部重、痛的现象已经全部消失，同时眼睛发红的现象也没有了，双眼变得明亮清澈有神。调理五天，头痛消失。

## 第二节　妇　科

### 一、经行乳房胀痛

每值经前或经期乳房作胀，出现乳房乳头胀痛，乳房胀满疼痛，甚则不能触及，似有硬结或有块，经净后症状消失者。称“经行乳房痛”。是经行前后诸证颇为多见的病症。本病属西医学经前期紧张综合征范畴，多见于青壮年妇女，是常见病。

病例　顾某，女，23 岁。

多年以来，月经一直延后，经量少，有血块，下腹时感寒凉，经前乳房胀痛，胸闷烦躁。平时性格内向，郁郁寡合，时久，导致气机不畅，痰瘀阻滞，肝气郁结，肾气不足，脉络欠通以及肝肾精亏、乳络失养。

我首先为其疏通太阳膀胱经，振兴阳气，然后调理三焦，三焦通百脉，三焦通，百脉皆通，肝气得以疏泄。中医认为，月经贵乎如期，血安经水自调，女子易于拂郁，郁则气滞，血亦滞也。我国历代医家主要认为“乳房属胃，乳头属肝”，情绪不欢，肝气郁滞，木横克土，所以经前有胸胁胀闷、乳房胀痛等情况。次日反馈，乳房胀痛，胸闷烦躁的症状减轻。再次调理，重在调任脉，通三关。肾气不足，一则不能化肾水以涵养肝木，二则肾阳无力敷布，又不能助肝气疏发，以致肝郁气滞，加之肾阳偏虚，气化欠利，水湿不运，乳络之间痰湿与肝郁气滞相接为患。任脉有妊养的作用，它的循行路线和人体的生殖系统相对应，任脉经气不正常时，症状主要出现在小肚子以及生殖器官及咽喉部，所以任脉最补肾气。为其共调十日，症状消失。

### 二、经行头痛

每逢经期，或行经前后，出现以头痛为主证者，称为经行头痛。西医认为，经行头痛的原因主要为内分泌失调，使激素不平衡而水盐潴留，颅内充血、水肿、颅内压升高；或由于激素作用，引起全身小血管扩张，颅内血管扩张颅内压增高而头痛。

中医认为本病主要是气血为病。若素体血虚，经行时益感不足，血不上荣，或因瘀血内阻，络脉不调，或因情志内伤，气郁化火，皆可导致本病。

病例　石某，女，38 岁。

四年前开始，每次例假前三五日，至来经的前两日，头痛如刀割，经量少，有血块，烦躁胸闷，乳房胀痛。西医诊断为神经性头痛。

中医认为，头为诸阳之会，五脏六腑之气血皆上荣于头，而足厥阴肝经上巅络脑。子宫冲任又与三阴三阳经脉有关，发生的主要部位在于肝经循行之途，气血阴阳的变更均易致本病发生。若素体本弱或脾虚化源不足，或失血伤阴，经行前后或经行期，阴血下注血海，脑窍相对不足，以至清窍失养而发头痛；也可由于情志所伤，肝气郁结，气有余而化火，经前冲脉气旺，肝之气易于上逆，侵犯清窍，而发头痛；又或肾虚肝郁，久而血滞致病，脉络壅阻，不通则痛；也有是由于肝郁脾弱，水湿痰浊内阻，窜八脉络，上犯清窍而致头痛。

在为其调理的时候，运用通三关和调理任脉的手法为其调理，因为无论头痛是在经前、经期、经后发作，其主要原因与整体的阴阳消长转化过程中失常有关。若阴血不足，阳长欠佳，至经前期阳长水平不足，重阳不及，难以载血上行，故致血虚头痛；又或阴不足，气火偏旺，经前期阳长至重，因而易于触动，故肝窍空虚，则头痛不已泯；若平素气阳不足，血脉流通不畅，子宫内的瘀浊留驻，以致血瘀，气不化津布液，停痰积液，经前气血变动易随冲气经脉上犯清窍，经行之前而发为痰浊瘀血头痛。由此可见疼痛的局部病变实与阴阳消长转化及其冲任督脉盛衰有关。首次调理完以后，她即感头痛的症状消失，头部和颈椎非常轻松。此后的调理，根据每一天的症状，结合头部、颈椎、督脉的操作，共调理八天，诸症悉除。

### 三、经行吐衄

每于经前 1 ~2 日或正值经期，出现有规律的鼻出血或吐血等，称为经行吐衄。因鼻衄或吐血伴随月经周期发作，并常导致月经量减少或停闭不来，似乎是月经倒行逆上，故古人又称之为倒经。临床上吐衄较常见，此外还有眼、耳及皮肤等周期性出血。

病例　李某，女，21 岁。

近一年来，经行前夜间鼻衄，曾急诊于医院，用止血药，鼻衄减轻，但并未控制住，经期多延后，经量或多或少，腰酸腿软，头晕胸闷。昨晚又现鼻衄，量多色红，家人特意带其找我调理。

此证属于，遇阻气逆，上热下寒，寒凝血瘀。《黄帝内经·素问·至真要大论》曰：“诸逆冲上，皆属于火。”历代医家认为本病的发生机理多为血热而冲气上逆，迫血妄行所致。对于经行吐衄的病因病机，本病病机与三个方面有关。首先若肝气郁结，相火内盛，肝藏血而司血海，冲脉为血海，又隶属于肝经，经行之时，冲气旺盛，随肝气上逆，气升血升，而发为吐衄。其二，肾阴亏虚，子宫冲任失于涵养，冲脉之气上逆化火，灼伤血络，发为吐衄。其三，还有部分患者是由肾虚肝郁，冲任失于通畅，气血滞于子宫，积久成瘀，经前经期冲脉气盛，以致气机升逆，经血随冲脉之气上逆，形成经行吐衄。

因此在调理时，用疏肝理气和任脉的组合手法，导血下行，引火入阴，使血归经。气有余便是火，解郁即可降火，火降则血自止。第二天，小李过来反馈，鼻衄现象未出现，头晕胸闷的症状减轻。调理五天后，手法改用通三关配以调任脉为其操作。以平衡阴阳，使体内气机一气周流，中医认为，“治妇科不究奇经，犹如隔靴搔痒。”经曰：“女子……二七而天癸至，任脉通，太冲脉盛，月事以时下，故有子……七七任脉虚，太冲脉衰少，天癸竭，地道不通，故形坏而无子也。”冲脉动为血海，藏十二经之血，为月经之本。加以任脉为之担任，带脉为之约束，跷维为之拥护，督脉为之统摄，是以八脉协调，血气循行有序，月经得以按时而下。脏腑机能调整治奇经，法在以通为补。调治奇经，养血应无碍胃之弊，止漏需防寒凉之咎。奇经协调，血海宁静，则循经荣内，血不淫溢。调理十五天，症状消除、面色红润、气机通达、神清气爽，三个月后，见其父，反馈，鼻衄未现，痛经消失。

### 四、痛经调整

痛经是常见妇科病之一，痛经指女性月经期前后或在行经期间，出现周期性下腹部痉挛性疼痛，常痛引腰骶、痛剧昏厥，或者行经末期经净后短时期内小腹坠痛隐痛，影响日常生活者。其中经过详细妇科临床检查，未发生器质性异常者，称为原发性痛经。亦谓之功能性痛经。月经属于血的范畴，血与气关系密切，所以治疗月经病，首先是调气血。气血来源于脾胃，欲使气旺血足，关键在脾胃，脾胃为气血生化之源，是阴阳升降的枢纽，肩负统血及运化水湿的作用。脾胃互为表里，脾司运化，胃主受纳，胃为水谷之海，多气多血之腑，足阳明胃经与冲脉汇于气街，故又有“冲脉隶于阳明”之说，胃中谷气旺，脾气运化强，后天生化之源旺盛，冲脉血海亦盛，加上统血化湿，调节冲任带脉之间的升降，维持着月经的正常来潮。

病例　梁某，女，20 岁，未婚。

1995 年我在陕西宝鸡某部工作，战友们得知我爱好研究点穴按摩疗法，不舒服了就找我给治一治，时间长了，在单位我也小有名气了。一天下午，曾让我一次治愈过颈椎病的梁干事带着她妹妹来找我，说她妹妹借放假的机会来部队看她，这两天要来例假，肚子疼，以前每次来例假前都是这样，吃了很多中药也见效不大。我问她妹妹，这种情况多长时间了？都有些什么症状？她告诉我说：“以前经期都比较正常，自从前年秋天来例假期间被一场大雨淋过之后，月经周期错后，而且每次来例假都小腹疼痛，还常伴有呕吐现象，要等到月经来了之后，疼痛才逐渐缓解，但量少，有血块，颜色紫黑。平时还经常腹泻，四肢酸痛，白带多。”此为虚寒之症，急则治标，现在她正腹痛，我先为她调治八髎，当时她就感觉疼痛减轻了很多，她高兴地对哥哥说：“没想到按摩这么神奇，就是吃药也没这么快啊！”接着我再把任脉给她点通，再治足三里和公孙穴。做完后，她说全身都很舒适。第二天告诉我说昨晚例假来了，没有不适的感觉。

妇人有先因病而后经不调者，有因经不调而后生诸病者。但无论哪种情况，都要先调气血，脾胃是气血之源，所以妇科疾病都可以通过调理脾胃而取得很好的疗效。例如，某些慢性胃肠疾患，如消化不良、慢性腹泻、慢性痢疾等，常能导致月经不调，在治疗上常以调治脾胃为主，虽不治血，而经自调。

气郁日久，则气机不畅，气病及血，致血瘀不化，故有“气行则血行，气滞则血瘀”之说。气血瘀滞，内阻冲任，血海气机不利，经血运行不畅而发痛经。从疼痛部位上讲，一般来说，小腹部是子宫所居之地，经期发生疼痛，必与子宫血瘀有关；两少腹胀痛又与肝郁气滞有关；腰部疼痛，大多与肾有关；阴部、少腹部及乳房部抽掣痛，前人谓之吊阴痛，又与肝肾有关，至于牵引腰骶、臀部，上冲胃脘等处疼痛，亦当从有关经络脏腑所在部位分析。治疗最佳时间是经间排卵期及行经期，收效较好。

### 五、崩漏

崩漏是指妇女不在行经期，阴道大量出血，或持续下血淋漓不断，又称“崩中漏下”。突然出血，来势急，血量多者叫“崩”；来势较缓，血量，淋漓不断者称“漏”。常常二者相互转化，故称“崩漏”。西医称为功能性子宫出血，女性生殖器炎症，肿瘤等所出现的阴道出血，皆属崩漏范畴。

病例 1　宋某，女，42 岁。

平时月经不正常，常感疲倦，腰膝酸软，白带淋漓。

一天清晨，我还在沉睡未醒，突然被一阵电话铃声惊醒，是前段时间被我治愈过糖尿病的一朋友打过来的，他在电话中急匆匆地说：“我老婆突然子宫大量出血，有什么好办法吗?”我说：“你们过来一下，我看看情况吧!”半个小时左右，朋友两口子过来了，我见朋友的妻子宋某，面色黄白，唇色淡，舌尖红，搭其脉，脉细数。说话有气无力，她告诉我说，近几个月来，每次来例假量都很多，夜间睡眠很差。结合她的症状，她的情况是肝肾阴虚，虚热扰动、冲任失固所致。病机涉及肝、脾、肾三脏及冲任二脉。因冲任损伤，不能固涩制约经血，故经血从胞宫非时妄行。可突然发作，亦可由月经失调发展而来。

急治其标，先灸其百会、中脘、关元、足三里、隐白穴启闭开窍，收敛止血。隐白的作用是治“妇人月事过时不止”；《保命集》云：“崩漏症宜灸隐白”，艾灸关元穴，以补虚状元，温中止血。

月经的主要成分是血，但血与气息息相关。气为血之帅，气行则血行，气滞则血瘀；血为气之府，血到气亦到，血脱气亦脱。故月经失常虽表现在血病，实则与气机紊乱有密切关系，如气寒则血寒，气热则血热，气郁则血滞，气虚则血脱，气升则血上逆，气陷则崩漏下血等，所以汪石出说：“血乃气之配，其升降寒热虚实，一从乎气……此调经莫先于养血，养血莫先于调气也”。说明治疗月经病应以调气为主。任脉司一身之阴气，督脉司一身之阳气，因此，灸完再为她调理任督两脉，促使体内一气周流，调理完毕，她感觉身上明显有了气力，第二天过来时反馈，从昨天调理完以后到现在，一直没有出现大量的流血，继续按昨天的方法调理六天，神清气爽，面色红润，诸症消失。

病例 2　张某，女，40 岁。

近一年来，每次例假提前十余日，而且淋漓不断，例假来前，头晕心慌、四肢乏力、精神倦怠，此次来经，血流如注，体力不支，观其舌苔，舌质淡红。

张某来找我时，当时身边没有任何艾草之类的工具和热源，她的症状属于心脾两虚，冲任不摄，只选调理任脉中的几式即可，旨在疏肝、补脾、升阳，经脉崩漏，原因在于肝木的下陷。肝木主生发，生长意愿畅通如意木气条理通达，则经血温升，不至下泄，生长意愿郁积下陷，木气不通达，经血陷流，则发病崩漏。调理完后，即感疲倦欲睡。第二天反馈，昨天调理完后，非常困倦，回去后，倒头便睡，晚饭时，被家人强行唤醒起来吃饭，饭后不到两小时的时间，又倒在床上睡了过去，睡到早上六点，整整一天的上班时间，都觉得很困倦。我告诉她说这是平时体力透支，经过调理身体在恢复的表现，属于好现象。调理任脉至第四天的时候，她困倦的感觉消失，身体感觉轻松很多，调理至第五天，月经结束，调理至第十天，身体不适均得以消除。

## 六、慢性盆腔炎

慢性盆腔炎，是西医的病名，中医里面没有这个病名的记载，根据临床上表现，可概括于“热入血室”“带下病”“下焦湿热”“妇女癥瘕”“经水不调”“经行腹痛”“不孕”等病之中。这个病的病理是湿热毒邪蕴结下焦，客犯胞宫、盆腔、经络闭阻，气血凝滞，营卫失调，影响冲任带脉所致。所以清热解毒除湿，活血化瘀软坚、通络理气调经、培元复肾、调理冲任是治疗盆腔炎的大法。湿热下注，带脉失约，湿热交蒸则带下黄稠，气味臭秽，湿热瘀积，阻碍气机，则小腹、腰骶疼痛，病程日久，瘀滞胞宫则月经失调，甚则不孕。若积聚不散，则成包块。如《妇人良方》曰：“妇人月经痞塞不通。或产后余未尽，因而乘风取凉，为风冷所乘，血得冷则为瘀血也。瘀血在内，则时时体热面黄。瘀久不消，则为积聚癥瘕矣。”这段话即描述了盆腔炎的病因，症状以及炎块的形成。所以尽管祖国医学中没有盆腔炎病的记载，但只要根据其临床表现，进行辨证施治，用手法也能取得良好的调理效果。

盆腔炎一般分为急性盆腔炎和慢性盆腔炎两种类型，两者临床表现是不同的。一般来说急性盆腔炎的临床表现主要是下腹部的疼痛或发热（高烧或低烧），还会有一些脓性的分泌物。慢性盆腔炎病人主要表现为下腹部的隐隐疼痛或者有下坠感，总觉得不舒服，同时腰骶部觉得酸疼，这些症状往往在劳累以后、活动多了、月经前后、性生活后症状加重，有时也可以伴有月经不调或不孕症。

病例 1　褚某，女，30 岁。

有盆腔炎史，近两年来，自感少腹隐痛、腰痛白带多，近半个月来，少腹疼痛加重，伴有肛门坠痛难忍，痛经，月经周期正常。经医院诊断为盆腔炎。

女性疾病，多在肝脾两经，土湿木郁，生气不达，特殊的邪气淫乱，百病丛生。调理的时候，宜重在调理脾胃之气，佐以疏肝理气，使风木不闭塞于地中，则地气自升腾于天上，脾健、湿除，自然诸症消除。手法上，以调理三焦为主，配合疏通太阳膀胱经。第二天，她自感症状有所减轻，继续调理，第三天，吃饭明显增加，但她问我来例假了，还可不可以继续调理？我说来例假时，正是调理这种情况的最佳时段。第三天反馈，这次来例假时，疼痛明显减轻。继续调理三焦，通三关。第四天反馈，少腹疼痛和腰痛的症状消失了……调理十五天，症状消失，而且面色红润、有光泽。

病例2　小黄，女，35岁。

时感下腹部坠胀、疼痛。痛经，月经延后，腹部、腰骶部酸痛，劳累或者月经前后疼痛加剧。平时畏寒怕冷，四肢不温。经检查，诊断为慢性盆腔炎。

西医认为，慢性盆腔炎包括子宫内膜炎，输卵管炎，卵巢炎，盆腔腹膜炎及盆腔结缔组织炎等。引起慢性盆腔炎的病原体多为各种需氧菌或厌氧菌的混合感染。此种病可局限于某一部分或几个部分同时发炎，一般用抗生素治疗本病效果不是很理想，病情较顽固。当机体抵抗力较差时，可急性发作，而且病情复杂、病程较长。中医认为慢性盆腔炎的主要病因是：湿热、寒湿、气滞、痰湿、气虚所致。病性为虚实夹杂。病机特点为胞宫、胞脉、瘀滞、内阻。湿热证多见腰酸、下腹痛、带下量多、色黄、质稠、味臭、月经不调或先期量多、尿黄便干、舌红苔黄腻、脉滑数者，治以清热利湿、活血化瘀。寒湿证多病程迁延日久、畏寒肢冷、小腹胀痛、有冷感、经行后期量少色暗、带下清稀量多、舌质淡或有瘀点、苔白腻、脉沉迟者，治以温经散寒、化瘀除湿。脾肾不足多下腹痛及小腹两侧隐隐作痛，甚至牵及腰骶酸痛、带下量多清稀、精神疲倦、四肢不温、大便溏薄、舌苔薄腻、脉细沉者，治以健脾益肾。

为她首次调理时，重点在于振兴阳气、疏通三焦，手法上，先调颈椎，再调尾闾，后调任脉。做完后，她感觉腹部疼痛明显减轻，眼睛清亮，后背非常轻松。第二天过来调理时反馈说，全身感到非常疲惫，总想躺着，但并没有睡意，第二次调理的时候，通三关，重在玉枕关、尾闾关，然后调理任脉。第三天，她反馈说，吃饭明显有胃口。继续按上次的手法调理，第四天反馈，虽然饭量大增，但反而消瘦了一些。再继续沿用前次手法的同时，加强疏通四肢的经络。第五天反馈，手脚温暖了。调理十天，所有症状消失。这时小黄又问我说："王老师，忘了问您，为什么以前我来例假的时候，腹部和腰骶部疼痛会加剧呢?"

"中医认为，来例假的时候的时候腹部疼痛，是因为肝气郁塞而克制脾。缘于是体内水土湿寒，乙木抑遏，血脉凝涩不畅，月满血盈，经水不利，木气堵塞，疏泄不通，郁积勃发冲突，克伤脾脏，所以腹痛。现在你阳气渐复，脾胃运化正常，寒湿得以转化，肝脾调和，自然行经不痛。"

病例3　鲁某，女，26岁。

患者两个月前流产以后，一直少腹隐隐作痛，白带比以前明显增多，小便频数，腰痛，全身乏力。以前月经周期为二十八天，正常是五天，上次来月经四天就干净了，量中等，医院诊断为盆腔炎。我按照调整任、督两脉的顺序为其治疗，做完后患者感觉小腹发热，腹痛现象消失。第二天，她说昨天治疗以后小便频数及腰痛症状均有改善，全身乏力现象消失，继续依前法治疗，并加用公孙和金门穴。第三天病人反馈说，今天排出了很多分泌物，共调理九天痊愈。

### 七、更年期综合征

《黄帝内经》曰："女子……七七任脉虚，太冲脉衰少，天癸竭，地道不通，故形坏而无子"。说明妇女在五十岁左右生理状况发生了变化，肾气渐衰，冲任二脉亏虚，天癸得不到滋养，渐渐衰退，月经将断而至绝经，生殖能力降低而致消失。因此，绝经期是妇女一生中的一个生理转折，是脏腑功能衰退，生殖机能丧失的开始。同时，更年期也是妇女必经的一个生理阶段，由于人体有自我调节的能力，故大部分人虽然有些症状，但很轻微，而有些人症状明显，以致影响工作生活，究其原因，一是素体虚弱，脏腑气血阴阳均不足，不能很快适应这一生理变化；二是情志所伤，与社会家庭环境以及个人修养均有密切关系，也是本病发生的一个很重要的诱因。由于肾与五脏的密切关系，肾气衰退必然引起五脏功能失调，出现一系列脏腑失调的临床征象，故本病的病机特点，以肾虚为根本，临床表现以肝脾心三脏失调为中心。

病例 1　王某，51 岁。

停经半年，平时感到乏力气短、胸部胀闷、大便黏腻、失眠。舌苔，舌质暗，舌苔薄。属于心脾两虚的更年期综合征。我为她重在强心安神、调理三焦。调理结束，她感到胸部胀闷的感觉减轻了很多。第二天，她反馈说，今天早起排便多，也很通畅。继续按昨天的方法调理，第三天，她反馈说，睡眠好多了，以前难以入睡，梦多，易醒，现在可以一觉睡到天亮。第四天，她反馈说，总想睡觉，周身无力。第六天，感觉全身轻松，共调理十五次结束。

病例 2　高某，52 岁。

一天，我到朋友家去做客，一位大姐听说我是用手法帮人调理身体的，就对我说："王大夫，我也经常去做按摩、推拿、足疗，确实对一些疾病有一定的作用，但像我这种情况，效果却不大明显。"

"您的身体有什么情况，方便的话，可以说一下，我们共同想想办法。"

“也没有什么不方便的，我姓高，今年 52 岁，停经一年了，近半年以来，胸闷气短、周身乏力、腰酸腿软、发热汗出，睡眠质量差，您看我这个情况应该属于什么问题?”

“您的情况从医学的角度来说，妇女一般在‘七七’四十九岁就会出现月经闭止不行，医学上称之为‘绝经’。有部分人在‘绝经’前后伴随出现一系列的症状和体征，如月经紊乱、眩晕耳鸣、烘热汗出、面红潮热、烦躁易怒、肢面浮肿等各种症状，就称为‘经断前后证候’，又称‘经断前后诸症’。现代医学称为‘更年期综合征’。由于体质的差异，每个人表现有轻有重，有的单见一种症状，有的多种表现共存，少数病人还有可能出现个性特征改变，甚者可严重影响正常的工作与生活。其症状持续时间也有长有短，短则数月半载，长者可达数年之久。”

“能找您帮我调一下吗?”

“可以，但目前时间太紧张，过几天有病号调理结束，空出时间以后，我通知你。”

到了约定的时间，她如约而至，她的情况属于脾肾阳虚，善补阳者，阴中求阳。任脉属阴，最能补益肾阳。所以首次调理，我为她疏通任脉，疏肝理气，引火归元，然后调整玉枕关。次日，她反馈，腰酸、乏力的情况的情况明显好转。我继续沿用昨天的方法为她调理。第五天她反馈，汗多的症状减轻，饭量大增，睡眠也加深了。调理至十天，她告诉我说，与刚开始来相比，种种不适的感觉已经减轻很多了，周身也很轻松。

我为她调理至二十天时，所有症状消失，她的性格也变得开朗了很多。所以在调理更年期综合征的时候，除手法以外，也要重视心理治疗，因情志所伤是一重要的诱因，对调理过程中患者思想上出现的问题，做及时引导、疏解，使患者正确对待遇到的各种问题，只有把两者结合起来，才能加倍提高疗效。

### 八、带下

俗话说：“十女九带”，最早记载提出“带下”之名的文献见于《黄帝内经 · 素问 · 骨空论》“任脉为病……女子带下瘕聚。”带下一词，有广义、狭义之分，广义带下泛指妇产科疾病而言，由于这些疾病都发生在带脉之下，故称为“带下”。如《金匮要略心典》说：“带下者，带脉之下，古人列经脉为病，凡三十六种，皆谓之带下病，非今人所谓赤白带下也。”又如《史记 · 扁鹊仓公列传》记载：“扁鹊名闻天下，过邯郸，闻（赵）贵妇人，即为带下医。”所谓带下医，即女科医生。狭义带下又有生理、病理之别。

正常女子自青春期开始，肾气充盛，脾气健运，任脉通调，带脉健固，阴道内即有少量白色或无色透明无臭的黏性液体，特别是在经期前后、月经中期及妊娠期量增多，以润泽阴户，防御外邪，此为生理性带下。“带下，女子生而即有，津津常润，本非病也。”若带下量明显增多，或色、质、气味异常，即为带下病。“若外感六淫，内伤七情，酝酿成病，致带脉纵驰，不能约束诸脉经，于是阴中有物，淋漓下降，绵绵不断，即所谓带下也。”在《诸病源候论》中还有五色带下的记载，有青、赤、黄、白、黑五色名候，指出五脏俱虚损者，为五色带俱下。临床上以白带、黄带、赤白带为常见。但也有带下过少者，带下与月经都有周期性，带下过少常与月经量少、闭经的某些病症相一致。

病例 1　霍某，女，43 岁。

赤白带多年，黏稠，异味重，月经前后无定期，睡眠尚可、纳差，口苦，胸胁胀满，小便黄，医院检查未发现器质性病变。在跟我阐述病情的时候，我发现她即使在笑，眼中也有抑郁的神色，情志不舒则肝气不舒，肝郁则气滞。考虑她这种情况，为她做调理的时候，重点疏通任督两脉。任督两脉通畅则体内气机一气周流，肝气得以升发，肺气得以宣降。

带下，俱是湿症。而以“带”的原因，是因为带脉不能约束而有此病，所以称之为带下。带脉通于任、督两脉，任、督病而带脉始病……况加以脾气之虚，肝气之郁，湿气之侵，热气之逼，成带下病，故终年累月下流白物，如涕如唾，不能禁止，甚则臭秽者，所谓白带。白带乃湿盛而火衰，肝郁而气弱，则脾土受伤，湿土之气下陷，是以脾精不守，不能化荣血以为经水，反变成白滑之物，由阴门直下，欲自禁而不可得也。治法宜大补脾胃之气，稍佐以舒肝之法，使风木不闭塞于地中，则地气自升腾于天上，脾气健而湿气消，自无白带之患。

第二天她反馈说，身体有被束缚住的感觉，很不舒服，我告诉她这是身体内湿气重的一种感觉，尽量坚持一下。继续沿用昨天的方法手法，第三天她反馈，不舒适的感觉更为明显，而且晨起有呕吐的现象出现，但吐出物又不像是前一天晚上吃的食物。第四天，虽然小便不黄了，但其他情况依旧，她对这种调理方法产生了很大的疑虑。但第五天她过来的时候，却是满面春风地笑着对我说：“前几天，您给我调理以后，身体很不舒服，我都没有勇气来继续调理下去了，今天早上一起床，突然感觉全身非常轻松、胃口也很好，为什么有这样的现象出现呢？”“从量变到质变需要一个过程，所以一定要坚持。”第六天反馈，昨晚一觉睡到天亮。去督脉调理方法，加用疏通太阳经。第九天反馈，口苦和胸胁胀满的症状消失，身上没有异味了。为巩固效果，又继续调理 6 天后结束。

病例 2　马某，女，35 岁。

颈椎不适，后背酸痛，胃胀，痛经，白带多，身体疲倦乏力，医院检查各种数据正常，服用中药一段时间，效果甚微。听她叙述完病情以后，我对她说：“中医不但能养生、保健、治病，同时还是全息学说，比如说疾病就是反应一个人脾气、性格等状态的密码，解读这个密码，可以更为准确地找到得病的根源，以便掌握更好的调整方法。”

“您认为我这个病是什么情况引起的呢？”

“你的性格是心气高，不服输，对家人有怨气，你看我说的对吗？”

“基本上是这样的，没想到从病情还可以看出这些事情！”

“这就是中医的阴阳学说，有内必有外，有阴必有阳……”

我为她重在颈椎和疏通太阳膀胱经，然后调理三焦。做完后，她说，后背像卸下一块石板，异常轻松。在手法调理的同时，运用心性调节法，调整她的心理……第二天她来调理时反馈，颈椎、后背和胃部轻松了很多。效不更方，除了不调理颈椎以外，继续沿用昨天的调理方法。第三天，她反馈说乏力的现象没有了，感觉很轻松。调理时重在调理背后三关和胸腹部的三焦。第四天反馈，胃胀明显减轻。调理至第六天的时候，来月经，但没有丝毫不适。第十六天，带下正常。调理二十天，诸症消除，全身轻松。

带下病主要病因是湿邪，湿有内外之别。外湿指外感之湿邪，如经期涉水淋雨，感受寒湿，或产后胞脉空虚，摄生不洁，湿毒邪气乘虚内侵胞宫，以致任脉损伤，带脉失约，引起带下病。内湿的产生与脏腑气血功能失调有密切的关系。脾虚运化失职，水湿内停，下注任带；肾阳不足，气化失常，水湿内停，又关门不固，精液下滑，素体阴虚，感受湿热之邪，伤及任带。总之，带下病系湿邪为患，而脾肾功能失常又是发病的内在条件；病位主要在前阴、胞宫；任脉损伤，带脉失约是带下病的核心机理。

### 九、子宫内膜异位症

子宫内膜异位症的发病原因主要是月经期脱落的子宫内膜碎片随经血经输卵管逆流入盆腔，然后在子宫直肠陷窝、卵巢等处种植，或子宫内膜经淋巴扩散或直接移植所致，也有认为系体腔上皮化生所致。

子宫内膜异位症属祖国医学“痛经”“癥瘕”的范畴，本病的特点为经期及行经前后下腹胀痛，肛门作坠，疼痛剧烈，进行性加剧，经量甚少，或有量多，一般伴有不孕不育，类似古人所描述的血瘕。《诸病源候论》曰："妇人月水来腹痛者，由劳伤气血以致体虚，风冷邪气客气胞络，损伤冲任之脉"《证治准绳》曰："血瘕之聚……腰痛不可俯仰……小腹里急苦痛，背膂疼，深达腰腹……此病令人无子"。

子宫内膜异位寒凝血瘀型占多数。病人多数为阳虚体质，或内伤生冷，外受风寒，郁怒伤肝，忧思伤脾等以致气滞血瘀，气虚血滞，不能则涌，久则成癥瘕积聚，是一种沉痼难疗的腹中积聚病症（即膜异位形成的包块、结块、囊肿等）。故肾阳虚是该病的内因，也是根本、瘀血则为标（异位包块、结节等）

子宫内膜异位症的一般症状包括：

①慢性盆腔炎；②严重的痛经；③性交时的深部疼痛；④不易怀孕；⑤排卵期疼痛；⑥月经量多或异常，如月经前的少量出血；⑦排便疼痛、腹泻、便秘或其他月经期间的肠部不适；⑧月经期间排尿疼痛或尿频；⑨疲惫。

病例 1　黄某，女，49 岁。

行经前、后，及月经期间，小腹坠痛剧烈，且伴随着全身乏力，腰酸腿软、乳房胀痛，经前心中烦闷，舌苔淡红，舌周紫色。久服中、西药，疗效不佳。

在为她调理的时候，先疏导患者心理，手法运用通三关，重点在玉枕关和尾闾关，振兴阳气，通达气机，气顺则血和。然后疏肝理气，肝经分布于两胁及少腹，肝经气滞，气机不畅，气病及血，血行不畅，冲任失调则见乳房作胀，结块，月经失调，痛经，闭经等。最后引气归元。调理完以后，她说："腰腿轻松，胸闷现象减轻了。"第二天，继续沿用昨天的手法，第三天，她反馈说："全身倍感乏力。"我让她坚持一下，三、四天就好了，《妇人良方大全》曰："妇人月水不断，淋漓腹痛，或因劳损气血而伤冲任。"手法改用通三关和任脉操作。第五天，她说腰腿比以前明显有力，身体也轻松多了。半个月过去了，她说例假来了，除小腹稍有坠痛以外，没有其他不适，继续调理一段时间结束。

病例 2　杨某，女，44 岁。

因痛经找我调理，她诉说病情的时候说："近十年来，每次来例假，我都感到害怕，小肚子剧痛，腰骶部也疼痛难忍，一直放射到大腿，这种疼痛一直到例假干净的时候才停止，但经期一般都延长，真是太受罪了。"

“按你说的情况，符合子宫内膜异位症的表现。”

“我主要是痛经。没有别的问题。”

“痛经就是子宫内膜异位症的一种病理表现形式，子宫内膜异位症从西医的解释来说，就是子宫腔内有一层叫作子宫内膜的组织。这种子宫内膜组织通常只在子宫内生长，但有时候也能长到子宫外面，一般是长在生殖器官（如卵巢、输卵管）里或肠、直肠、膀胱上，这就叫作子宫内膜异位症。一些女性虽然有子宫内膜异位症，但几乎没有不适的感觉，而有一些人则会在月经周期前或期间感到下腹部非常痛。子宫内膜异位症的症状通常在绝经期后会减退。你到医院检查过没有？”

“没有，那我先去检查一下再来找您调理。”

几天过后，她又过来对我说：“我到医院去检查了一下，确实是您说的问题，但听医生说像我这种情况很难治，又过来找您了。像我这种情况，中医上是怎么说的。”

“从中医上来说，子宫内膜异位症的机理是肾虚气弱，正气不足，经产余血，浊液流注于胞脉胞络之中，泛溢于子宫之外，并随着阴阳的消长转化而发作。月经余血本属于阴，因此，阴长则留瘀亦长，得阳长始有所化，因而亦出现消长的变化，异位的子宫内膜不易吸收，不易消散，所以在临床属难治的疾患。你的情况主要是由于肾阳虚弱，所以在行经前后，易受到寒邪侵袭，余血蓄积逆流于子宫之外，蕴结于脉络肌肉之间。根源是肾虚瘀结，如果再心情不舒畅，肝郁气滞，冲任气血运行不利而瘀滞不行则易于导致发病。你的病程较长，久病肾必虚，肾虚及脾，脾肾阳虚，脾失健运，水湿不化，聚而成痰，痰滞胞络，与血气相结，致使病情加重。”

“王老师，有个情况要跟您提前汇报一下，因为工作的原因，我在这里只能待十五天，您如果时间允许的话，能不能麻烦您一天帮我调理两次？”

“前三天时间安排不过来，我先每天帮您调一次。”在为她调理的时候，我先调理颈椎，疏通太阳膀胱经，再调三焦。第二天，我问她有什么反应？“困倦，早上不想起床，这是正常反应吧？”她笑着回答。“是的，这就是中医上讲的瞑眩反应。”第二天调理的时候，我重点为她疏通太阳经，调理盆骨的筋和任脉。第三天她反馈的情况和前一天基本一样。从第四天我安排一天为她调理两次。调理至五天的时候，困倦、嗜睡现象消失，调理至十二天的时候，她高兴地对我说，不知不觉中来例假了，没有任何不适。半个月很快就过去了，最后一次给她调理完，临走的时候，她站在门口深深地给我鞠了一个躬，然后说：“我知道说任何感谢的话都是苍白的，谢谢！”

病例3　姜某，女，33岁。

患者本来是请我为她调理痔疮，自述：“我痔疮非常严重，每月都便血一次，量非常大。用了一些外用药，也没什么效果。”我见她，面色青白，唇色淡。触诊发现，她肚脐偏右，拒按，小腹寒凉，用手按压气海关元的位置，绵软无力，元气虚弱，脉沉细，问她有没有痛经的现象？“有，而且近半年来一次比一次厉害，有时候吃药都不管用，一直到例假结束，现在每一次来例假我都害怕。”她回答说。“你这不是痔疮，是子宫内膜异位症。”“子宫内膜异位症不会便血吧？”“你便血的原因是因为子宫内膜异位到大肠导致的，并非是有痔疮，建议你最好到医院检查一下。”

一星期后，姜某来说到医院检查过了，子宫内膜异位症。《诸病源候论》曰：“妇人月水来腹痛者，由劳伤气血以致体虚，风冷邪气客气胞络，损伤冲任之脉。”考虑她阳气虚弱，中气下陷，气虚血滞。开始为她治疗的时候，首先通三焦，辅以百会、大椎，手三里提升阳气。并让她每天坚持喝几杯姜糖水，调理期间绝对不能吃水果。第二天，她反馈说，以前每天都觉得无精打采的，今天感觉精神多了。调理至第四天，面色红润，气海、关元的位置明显有了弹性，调理至第十天，患者的体力和精神都非常好。改用推腑行气手法强化气血运行，又调理五天，我在调理时感觉她小腹两边盈满，告诉她说，你快来例假了吧？她说不会的，还有几天，再说来例假前肚子都痛。我笑了笑没说话。次日患者反馈说，今天早上来例假了，虽说例假提前了，但肚子没有痛，也没有出现便血。共调一十五天痊愈。

## 十、乳腺增生（乳癖）

中医认为，乳腺增生的发病原因多与脏腑机能失调、气血失和有关，病变脏腑责之肝脾，尤其是脾土虚弱之人或过食辛辣肥甘厚味，损伤脾土，而致脾土运化功能失常，聚湿为痰或天生性格内向，情绪压抑，好生闷气或性情急躁、动则易怒或因七情所伤，忧思过度，而致肝失疏泄，郁而成痰等，均可导致痰湿结聚，气血凝滞而形成肿块。清·高秉钧在《疡科心得集》中提到“有乳中结核，形如丸卵，不疼痛，不发寒热，皮色不变，其核随喜怒而消长，此名乳癖。”既描述了肿块的特点，又指出了乳腺增生病与情志变化的关系。

病例1　杨某，女，52岁。

腹胀、便秘多年，两年前，自觉乳房胀痛难耐，触摸两侧有多个肿块，大如鸽卵，表面光滑，质地坚硬，推至可移，按压疼痛，经医院检查确诊为

“乳腺增生”，服用中、西药一段时间，效果不明显。为其做手法时，先调理颈椎、三至五胸椎、腰四椎，拨渊液穴和辄筋穴的筋，疏肝解郁。然后疏通三焦，使体内气机一气周流不息。调理完毕，乳房胀痛现象明显减轻。第二天，她反馈说，除乳房胀痛减轻了以外，昨晚睡眠较平常好了很多，调理时，先通三关，拨胸大肌、胸小肌的筋，后调三焦，第三天反馈，排便通畅了，腹胀减轻很多。调理十二天，腹胀和乳房胀痛现象消失。

病例 2　郭某，女，38 岁，已婚。

近半年来，两侧乳腺出现间歇性疼痛，自己可触及肿块，月经前疼痛明显，经医院诊断为，乳腺囊性增生症。她对我说：“开始我还以为自己得了乳腺癌，到医院检查了一下，才知道是乳腺增生，但听说乳腺增生可能会发展为乳腺癌，心里还是很担心。”

我说：“你不要过于担心，乳腺增生主要表现为乳房的不同部位单发或多发地生长一些肿块，质地柔软，边界不清，可活动，常伴有不同程度的疼痛。尤其在月经前、劳累后或是生气等情绪波动时，肿块增大，疼痛加重，而在月经后肿块明显缩小，疼痛减轻。疼痛一般是胀痛，很少有刺痛感。而乳腺癌的肿块质地较硬，边界不清，皮肤常变成橘皮一样，而且与月经没有关系，肿块一般只增大不缩小。做 B 超及 X 光片，近红外线扫描等可以早期有效地诊断。从理论上讲，任何癌肿都是细胞增生的最终恶果，是细胞增生在量变的基础上发生的质变。它经历了轻度增生—高度增生—非典型增生—细胞突变—癌性增生的过程。所以仅从这个角度来说，乳腺增生病最后可以发展为乳癌。但由于增生的发展不是一个永不停止的过程，多数增生细胞发展到一定程度后不再继续发展，停滞在某一阶段，同时即使发展到癌前增生，只要没有变成癌肿，仍然是可逆的，所以笼统地把乳腺增生病看作是乳癌的癌前病变是不够科学的。事实上，只有极少数的乳腺增生病能发展成乳癌。”

在与患者对话的时候，我从患者说话的语气、状态和脸色上判断，造成目前她这种情况的原因，与她情绪压抑、生闷气有莫大的关系。于是在制定调理方案的时候，我采用心性调节的方法为她调节情绪，同时用手法为她调理脏腑的机能，先通三关，重在夹脊关，然后疏肝理气，做完后，她即感胸部轻松很多，心里也亮堂了。第二天反馈颈椎和后背非常轻松，排气较多。我继续沿用昨天的手法为其调理。第三天反馈胸口很通畅，吃饭较以前有胃口。手法调理时，重在疏通三焦。第四天反馈两侧乳腺基本上没有疼痛的感觉了，继续调理共十次，诸症悉除。气血瘀滞不通，不通则痛，调理此症的主要在于疏通经络，使气血调和，从而达到消肿散结之效。

中医认为肝肾两经与乳房关系最密切，其次是冲任两脉。肝郁气滞、情志内伤在乳癖的发病过程中有重要影响。平素情志抑郁，气滞不舒，气血周流失度，蕴结于乳房胃络，乳络经脉阻塞不通，不通则痛而引起乳房疼痛；肝气横逆犯胃，脾失健运，痰浊内生，气滞血瘀挟痰结聚为核，循经留聚乳中，形成乳中结块。肝肾不足，冲任失调也是引起乳癖的重要原因。肾为五脏之本，肾气化生天癸，天癸激发冲任，冲任下起胞宫，上连乳房，冲任之气血，上行为乳，下行为经。若肾气不足，冲任失调，气血滞，积瘀聚于乳房、胞宫，或乳房疼痛而结块，或月事紊乱失调。

## 十一、慢性附件炎

女性内生殖器官中，输卵管、卵巢被称为子宫附件。附件炎是指输卵管和卵巢的炎症。但输卵管、卵巢炎常合并有宫旁结缔组织炎、盆腔腹膜炎，且在诊断时也不易区分，这样，盆腔腹膜炎、宫旁结缔组织炎，就也被划入附件炎范围了。中医根据慢性附件炎有下腹疼痛、带下增多、盆腔包块及不孕等症状，可归于中医“妇人腹痛”“带下病”及“不孕症”等病症中。其发生的原因多是由于患者体质虚弱，或摄生不慎，感染湿浊邪气所致。湿阻冲任，气血不畅，蕴而化热，可成为湿热下注或瘀热互结之证；若湿浊不祛，日久耗伤脾肾阳气，湿从寒化，可引起寒湿凝滞之证。

病例　梁某，女，33 岁。

时感小腹坠胀、腰痛，易感疲倦，夜间燥热，白带多且清稀。她这种情况属于任脉的阴气旺盛，带脉不能约束。五脏的阴精，都统领于任脉，任脉中阳气秘固，带脉横向约束，环腰如带，为之收引，所以精收敛而不泄，任脉极寒，带脉不收缩，精华流溢，这就是白带下。水下泄则火上炎，所以大多有夜间热和出汗，手心脚心燥热烦、口干舌燥的病证。小腹坠胀，与中气不足有直接关系。症状虽是水寒，病却在于脾胃之湿，考虑到这种情况，在为她做调理的时候，重点通三关，使阳气周流畅通无阻，然后调理任脉，并加强带脉的调理，在为她点按相应穴位时，感觉气通的感觉极为明显。第二天，她反馈小腹坠痛的感觉明显减轻，继续按前一天的方法调理。第三天反馈，体力明显增强，继续调理，内经云，湿重如裹，湿气得以运化，身体自然轻健。第四天反馈，夜间燥热汗出的现象消失，善补阳者阴中求阳，任脉为阴脉之海，阴为阳根，阴气足阳气得以收敛，因此夜间燥热汗出的现象减轻。调至十天时，诸症消失，根据要求，继续调理一段时间结束。

## 十二、闭经

闭经最早记载于《黄帝内经》，称为“女子不月”“月事不来”。继后，医家对闭经的论述颇多，以“血枯”“血隔”分虚实立论，言简理明。

闭经的病因病机较复杂，按“辨证求因”原则可分为虚证、实证。一般而论，已逾常人初潮年龄尚未行经，或月经逐渐稀发而停闭，并伴有其他虚象的，多属虚证。如以往月经尚属正常而突然停闭，又伴其他实象的，则多是实证。虚者精血不足，血海空虚，无血可下；实者邪气阻隔，脉道不通，经血不得下行。虚者多因肝肾不足，气血虚弱，阴虚血燥而成经闭；实者多由气滞血瘀，痰湿阻滞导致闭经。

西医把闭经分为原发性闭经和继发性闭经。原发性闭经指 16 岁第二性征已发育但月经还未来潮者，或 14 岁尚无第二性征发育者；继发性闭经指月经建立后月经停止，停经持续时间相当于既往 3 个月经周期的总时间或月经停止 6 个月以上者。导致闭经的原因又可分为生理闭经、病理性闭经和运动性闭经。

生理闭经：凡年满十八岁以上的妇女，月经尚未来潮或月经周期已经建立后连续三个月以上不来月经的，都叫闭经。前者为原发性闭经，后者为继发性闭经。生理性闭经属于正常现象。青春期发育的早期，在初来月经的二三年内，由于卵巢功能尚不稳定，月经周期往往不规则；受孕后的妇女，由于卵巢黄体产生大量黄体素，刺激子宫内膜不断增生而不脱落，所以就不会来月经；分娩以后，卵巢功能恢复需要一定时间，加之哺乳对卵巢的抑制，月经的恢复更晚；妇女到 40 岁以后，由于卵巢功能的逐渐衰退，月经经常数月一次直至绝经。这种在发育期、妊娠期、哺乳期和绝经期所发生的闭经称为生理性闭经，属于正常现象。

病理性闭经：由于生殖系统的局部病变和全身性疾病引起的闭经，称为病理性闭经。引起病理性闭经的原因很多，可分为以下几个方面：①精神因素。精神上的创伤、恐惧、紧张等。②营养不良。③全身性疾病。如严重贫血、结核、肾脏病、糖尿病等。④子宫本身疾病。如先天性无子宫、子宫发育不良、创伤、刮宫过深、宫腔粘连等。⑤卵巢疾病。如卵巢先天性缺如或发育不良或手术切除、恶性肿瘤等。⑥内分泌腺疾病。如垂体、甲状腺、肾上腺等的病变。另外尚需注意，有些闭经属于假性闭经，即有月经周期的变化，但因先天性畸形或后天的损伤使经血不能外流，而引起的这类闭经。这些病人往往有下腹周期性胀痛，并且逐月加重，与上述真性闭经不同。

运动性闭经：本病证多与精神过度紧张，导致内分泌功能紊乱有关。中医学认为，由于精神心理过度紧张，肝郁气滞，气机运行逆乱，冲任功能失调，血海不能满盈所致。《校注妇人良方·室女经闭成劳方论》中说：“寇宗爽目……若室女童男，积想在心，思虑过度，多致劳损……女子则月水先闭，盖忧愁思虑则伤心，而血逆竭神色先散，月水先闭。”由此可见，干扰心脑神明，不管是忧烦思虑、紧张、肝气不疏、情怀郁结，将使心神不宁，心气不降，肝气不得疏泄，心肾不得交合，阴阳消长转化不利，子宫藏泻失职，有藏无泻。使心一肾一子宫生殖轴失调，从而导致闭经。病虽起因心肝，但亦与肾、子宫的功能不强有关。

病例1　龚某，24岁。

1996年春，龚某到我单位来找朋友玩，她的朋友在介绍我的时候，说我按摩治病的效果很好。她笑了笑没吭声，表情很不以为然。我知道她不相信，就注意观察她的面部，发现她人中有一颗痣，嘴角遍布很多粉刺，就问她是不是妇科有问题，她问我是怎么知道的？我说那你不要管，你只回答我说的对不对？她点头说对，闭经有半年多了，吃药没有改善，问我能不能治好？我说像这种情况，一般来说大约七、八天就可以治好，小龚虽然当时半信半疑，但还是想试试。

我给她先把肝腧、脾腧、肾腧、三焦腧、八髎调整一遍，然后再调整任脉，一遍下来，她说除了感觉全身很轻松，没有什么别的感觉。第二天，快下班时她匆忙赶了过来对我说，昨天夜里，腹内向开了锅一样，咕咕噜噜的响，感觉挺好。第二次治疗时我先用调整任脉法，再用推背升阳法，最后放通手足三阴三阳，第三天她说，晨起发现月信来潮。

病例2　顾某，49岁。

一位朋友来找我，他说：“我刚结识了一位女顾客，今年四十多岁，在医疗系统工作，身体多病，停经四个多月了，为了治病，吃过中药、用过针灸、做过推拿，效果不大，不知道你有没有什么好办法？

我出来的时候，忘了带手机了，麻烦你给她发个短信，把你的电话号码告诉她就行了。”朋友对我说。

我刚把短信发出去一会儿，手机就响了。显示号码是刚才我发短信的通知那个人，我刚接起电话，她就在电话的另一端问我：“你是干什么的?”

“我是从事手法调理的，你的一位朋友来找我，咨询你身体的情况，让他跟你说吧！”我把电话递给朋友，朋友在电话里跟对方介绍了一下我的情况以后，然后又把电话递到我的手中。

“王老师，刚才我不了解情况，现在我把我身体的情况跟你说一下，我今年四十九岁，闭经四个多月了，医院检查没有问题，说我到了停经的年龄，我除了闭经以外，稍一活动就觉得疲惫，一天到晚总想躺着，头也不清醒，饭后腹胀，中医大夫说是阳虚、气滞血瘀，给我开了些中药，但吃了一段时间，丝毫没有改善。我又做了一段时间的推拿按摩，也没见起色，到目前为止，前后找过六位中医大夫，都没给我治好，我自己都没有信心了，你能给我治好吗？”对方在电话里说。

“疾病只是身体内部出现问题反映出来的信号，只有把身体的气血调好了，使气血充足、畅通无阻，身体自然无病，我只帮人调理身体，而不是治病。你的情况的确属于气滞血瘀、脾阳虚，你找的中医大夫没有说错，虽然在判断上大同小异，但各人有各人的方法，对你的情况，我只能试试看。”

“推拿按摩我做过，也就是活动一下筋骨、肌肉，做完了当时感觉挺轻松的，但过一会了，还是那样。”

“同样是按摩，所用的方法不同，达到的效果也是完全不一样的。”说到这里，我感觉从中医上面，很难和她说得清楚，毕竟她是在医院工作的，太注重数据，我决定从另一个角度入手和她继续聊一下。

“你老公现在什么情况？”我突然换个话题问她。

“什么意思？”这个话题可能让对方感到有些诧异，“你问我老公干吗？”

“没什么？随便问一下。”我回答道。

“你为什么突然问我老公呢？”对方不依不饶的抓住这个话题不放。

“好吧，既然你问，我就告诉你，家庭和睦是身体健康的基本条件。”

“王老师，我们能见个面吗？”

“我这几天太忙，过两天吧！”

放下电话，朋友问我说：“你怎么提到她婚姻的事情呢？”

“如果我不这样显示一下技术实力，以她这种性格，说得再多她都不信。”

“你好像在暗指她的婚姻不好，你是怎么知道的呢？”

“我是从她的电话号码和……”还没等我说完这话，电话又响了，我一看电话号码，还是那位女士，接起电话，我问她还有什么事？

她说：“王老师，请您无论如何今天安排一个时间我们见个面，要不然，这几天我都会想这个事。”

听她这么说，我就在下午安排了一个时间，下午，这位大姐来到我工作的地方。

从聊天中我得知她离婚好几年了，心情非常不好，四个月以前，例假一直很正常，一次到基层出差，住的地方很阴寒，回来以后，就出现身体乏力，四肢发凉，头晕，饭后易腹胀的现象，最后一次来例假的时候，腹痛，经量非常少，两天就没了，从此以后，例假就再也没来。

我听她说完得病的过程以后，随后给她检查了一下，发现她的舌象青紫，小腹怕凉，痛而拒按，我判断引起闭经的原因应该是气滞血瘀、七情内伤、寒凝血脉所致。像这种情况，只要为她调节任脉，通利三焦，则肝气得疏，“月事以时下”，中医认为，任脉最补肾，“经水出诸肾，肝为肾之子，肝郁则肾亦郁矣。”

几天以后，她按照约定的时间过来了，我先用搜骨洗髓的手法为她调理，第二天她过来反馈说，不想吃饭、晚间难以入睡，晨起排便不畅，总之感觉全身都不舒服，我说这是一个正常的瞑眩反应，坚持几天就好了；继续调理第三天她反馈说，昨天的情况没有缓解，还是不舒服；第四天，一见到我就抱怨说：“全身上下紧绷绷的，呼吸都觉得困难。怎么这么不舒服，我到很多地方去做按摩，都没有出现这种情况，不会是做坏了吧?”我对她说：“你虽然觉得不舒服，但脸色比以前好多了，舌苔的颜色变化很大，这就是身体在往好的方向发展，你再坚持一两天就行了。”第五天，她来的时候，边进门边说：“真奇怪，今天早上一起来，感觉全身的经络好像一下子畅通了，排便很多，浑身轻松，呼吸都觉得通畅，饭后也没觉得腹胀。”

转眼间，她调理完第十四次，回去后的当天晚上给我来电话说：“王老师，明天就十五天了，现在虽然感觉全身非常轻松，就像回到了二三十岁，但还是一点来例假的感觉都没有。”

第二天一大早，我刚起床，她就打来电话说：“王老师，我跟您汇报一下，昨天夜里，例假来了，量很多……”

### 十三、子宫肌瘤

子宫肌瘤属于中医里面的“癥瘕”“积聚”，顾名思义就是有“浊”停滞，多发于 30 ~ 50 岁的生育年龄妇女。一般来说，“癥”和“积”都是指腹腔内固定的、有形的肿物，大部分相当于现代的肿瘤，“瘕”与“聚”是指体内不固定的，时有时无的，聚散无常的“肿物”，大多是非器质性肿块，而属于功能失调所致。

病例　张某，女，45 岁。

患者自述：“去年春天开始，来例假的时间总是延后几天，而且量多，十几天都完不了，小腹一个硬块，到医院一检查，是子宫肌瘤，5 × 6cm 大小，我不想做手术，服用过一段时间的中药，效果不是很理想，就到您这里求医来了。”

“我一定尽力。西医认为，子宫肌瘤是妇女最常见的良性肿瘤，多发于中年妇女，发病率约为 35% ~ 45%，常引起不孕、流产、月经不调、腹部肿块、压迫症状、疼痛、白带增多、不育、循环系统等病症。属于妇科的疑难杂症，常并发输卵管、卵巢病变，也极易和子宫体腺癌和宫颈癌同时存在，所以被称为妇科第一瘤。中医认为，子宫肌瘤因七情内伤、脏腑功能失调、气滞血瘀而成。”

“是啊，医院的大夫也是这样讲的，您要治疗的话，采取什么方法见效最快呢?”

“我先了解一下病情再说。”我观她的面色，晦暗，没有光泽，舌质红，有瘀点。问她是不是睡觉的时候，做梦比较多，她点头说是。再问她大小便的情况，她说，便秘，三四天一次，平时总觉得口渴，但不想喝水。我让她躺下，用手轻触她的小腹，硬块处于下腹中部，稍稍用力，她说有气窜动的感觉。

检查结束以后，我对她说：“一般来说，肌瘤初期的时候，肌瘤小于三个月妊娠子宫大者，不容易从腹部触及，能触及的一般在下腹中部，质地比较硬，多不平整。当子宫肌瘤逐渐增大以后，使子宫超过了三个月妊娠大小，或位于子宫底部的浆膜下，肌瘤才比较容易从腹部触摸得到。”

我用搜骨洗髓的八髎穴调整法，配以太冲穴为她调理，在做手法的时候，患者感觉小腹很温暖，调理结束，我让她用手按一下子宫肌瘤的位置，感觉有没有变化，她用手一按，突然喊了一声：“呀?！的确是软了，真不敢想象。”

“我刚才给你做检查的时候，手刚刚碰到小腹，你就说有一股气往下走动，这说明，你的经络非常的敏感，经络越敏感的人，效果也越快。换成其他的人，我未必就有把握了。”我说。

旁边一位学习的朋友听了这话以后，问我：“老师，为什么以调理八髎为主，配以太冲的手法，对子宫肌瘤有这么好的效果呢？接下来的调理，一直要继续这样做吗?”

“子宫肌瘤从中医辨证的角度来看，主要分为，痰湿、血瘀、气滞。刚才他们进来的时候，我观察她坐的姿势，整个身体呈内收的状态，在我给她做检查的时候，触及她的手臂，很凉，腹部拒按，再结合观察她面色，她的这种情况属于气虚血瘀。八髎穴其实是在阳关和会阳之间，邻近胞宫一个区域，妇科的一切疾病，都与胞宫紧密相连。用手法作用于八髎穴这个区域可以起到调理胞宫的作用。冲脉、任脉和督脉都起于胞宫，督脉主一身阳气，任脉主一身之血，冲脉则为经脉之海，五脏六腑都要靠它们支配，所以，八髎乃支配盆腔内脏器官的神经血管汇聚之处，是调节人一身的气血的总开关。而且八主坤卦，坤为腹，腹部里的脾胃也是坤所主，所以调八髎穴的同时对振奋脾阳起到了关键的作用，肌瘤，里面包含脂肪组织，脂肪主肉，肉属土，凝结成块的寒土，得到阳气的温煦，就会松软，这就是八髎穴的重要意义和作用。为什么配太冲穴，除了刚才发现她的情绪有点低落以外，我还是这样想的，坚硬的一块土，除了温煦可以让它变软以外，植以树木，也可以起到疏泄的作用，所以我就取了肝经的原穴——太冲穴。但接下来的调理就要从任脉上下功夫，我国古代有一套《明堂经脉图》，其中任脉的图片竟然是女性，在古代封建意识很强的时代，这是很难理喻的，是作者无意所为，还是另有所指呢？我在查阅《黄帝内经》时发现，《黄帝内经·素问·上古天真论》一文中在论人体的成长变化，男女有别时提到。‘女性以七年為一变，二七有天癸，任脉通、太冲脉盛，此时有月事、能生子。七七四十九岁，任脉衰、太冲脉虚，经水寖绝，形貌渐坏而无子……’‘任脉为病，男子内结七疝，女子带下瘕聚’任脉担任一身之阴血，若阴虚血燥，则任脉失去濡养而自病，在女子多影响子宫生理的健全，是以中年女性之月经诸病、癥瘕带下。总之，女性终其一生与任脉的通畅、枯竭相关。所以，《明堂经脉图》用女性作为任脉图片的用意就是告诉，任脉不但涉及气血的生成主生养；而且对妇科疾病，那是再好不过了……”

接下来，我用搜骨洗髓与任脉的组合手法，经过六天的调理，她子宫肌瘤已经用手触摸不出来了，学习的朋友问我，肌瘤到哪里去了？我说，阴成形，阳化气……

## 十四、不孕症

婚后夫妇同居 2 年以上，男方生殖功能正常，女方未避孕而未受孕，或曾生育或流产后，未避孕而又 2 年以上不再受孕者称为不孕症。西医把女子无排卵性月经，称为原发性不孕。曾有过生育或流产，又连续 2 年以上不孕者，称为继发性不孕。引起不孕的原因很多，而月经不调是其中最重要的因素，所以调理月经实为治疗不孕症的关键。诸症以调气为先。女子性柔，每因环境不佳易生闷郁，郁久则气不调，诸病丛生，生育也就艰难了，待气分调顺，通经病除，也易受孕。此外，根据一些老中医的临床观察，妇女行经前及排卵期乳房胀痛不可触按者，多见有不孕症。

妇科诸病多是由于经血所引起的，月经来潮后有的数十日不止，也有的猝然暴下，称为血崩症。这些情况多因为郁闷日久，再加上劳累，导致气分错乱。还有的月经四五十天或两个多月才来一次，这属于血分不足，气分阻滞，不能运化周流，而出现延期；还有经前或经后腹内疼痛，这是气分受到阻滞，气滞则痛。很多人还伴随着腰疼，少腹板或作胀，这些都是气滞的表现，所以妇科血分出现的症状，都要先调气，女子容易心生郁闷，时间长了则气不调，百病随之而生，生育也就出问题了。气分调顺通经病除，也就容易受孕了。

中医认为：脾胃为后天之本，气血生化之源，气血充足，方可滋养先天之精，并使肝血充盛，血海盈满，若素体脾胃不强，或饮食不节等等原因，导致脾失健运，出现纳呆，腹胀，便溏等，气血阴阳失去水谷的滋养。精血赖水谷以滋养。若脾胃失和，水谷生化之源失职，则必然影响肝肾阴血，从而影响精（卵）的生成和排出。

根据民间中医的说法，天突穴是任脉的腧穴，位于颈结喉下，胸骨切迹上缘之内方凹陷处，有脉动感多为妇女妊娠的一种征象。

病例 1　苏某，女，36 岁。

苏某当时是陪同别人来治疗膝关节骨质增生的，问我能不能治疗妇科病，我问她都有什么症状？她说："大的毛病没有，就是月经快来的时候，两乳房胀痛，四肢及小腹发凉，腰酸腿软，小便次数多，大便稀，下身怕冷，全身无力。"这时她陪同来得那个患者对我说："她现在面临的主要问题就是没孩子，两口子为这事总拌嘴。如果能把这个病治好，算是救了她。"我让苏某把情况介绍一下，她说"十年前怀过一次孕，在四个月的时候流产了，从此以后，就一直没怀孕。在医院检查的结果是宫颈轻糜，宫体前位，子宫发育略小，里面有肌瘤，输卵管通畅，吃了几年的药，还是老样子，丈夫也跟我闹离婚，你要能把这个病给我治好，我一辈子都感激你。"我说："不敢保证，只能试试看，因为你年龄偏大，气血已弱，估计治疗起来要久一些。"她说："没关系，不要说两个月，就是一年，也能坚持，不知道经过一段时间的治疗以后，子宫肌瘤会不会消失？"我说："不一定，治疗子宫肌瘤，主要是看症状，因为子宫肌瘤不是病，是机体生长发育的现象，大多数没有症状，体质比较虚弱的人才会表现出来，随着更年期的到来而萎缩，一般不需要治疗。"

我为她调理任脉穴位的时候，她腹中哗哗作响，最后加拨公孙穴的筋，治疗结束后，她说感到非常舒服。第二天她过来时告诉我小便次数明显减少，排便也不像以前那样稀，四肢有温热的感觉。治疗十天后，她告诉我例假来了，乳房没有胀，全身也没有不适的感觉。根据病情辨证施治我又继续为其治疗十天后，嘱其以后每隔三至四天治疗一次，一个月后，我跟她讲无须再继续治疗，但在两个月后才能同房。半年后，我在路上遇到她，说是去妇幼保健院做孕期检查。

病例 2　周某，女，33 岁。

周某在 24 岁结婚后，生过一个孩子，不幸夭折。27 岁的时候想再要个孩子，却一直不能怀孕，上医院检查，各项指标正常，到处治疗，中药吃了几百斤，为了治病，经常是一年的工资都变成了药，就是不怀孕。自述月经周期正常，量少，色淡，腰发凉，全身无力，便秘，三四天排便一次，睡眠多梦，饮食没有胃口，嗳气。万物生长靠太阳，对胎儿来讲，阳光温暖来自母体的子宫，阳虚的人子宫的温度自然不够。另外，脾在五行中属土，有大地之德，能化生万物。

在为她治疗时，我用升阳法和调整任脉法，扶持阳气、调理三焦、恢复脾胃的功能。第二天，她告诉我说："昨天回去后，觉得很饿，晚上吃了两个馒头，喝了一碗稀饭，今早上又觉得饿了。"第二次治疗时我选用疏肝理气法和调整任脉法的部分手法，疏肝解郁，运化气血。第三天，她反馈说："这两天感觉特别困，原来晚上爱看的电视剧，现在也睁不开眼了，排便也多了。"我对她说想睡觉这说明人体的气血在恢复，是好现象。继续沿用昨天的方法给他治疗，第四天，她说来例假了，能不能继续治疗？我对她讲说，治疗妇科疾病，经期是最好的时候。第五天时，她说犯困的感觉没有了，这次来的例假量很多，颜色正常。治疗到第九天的时候，她说全身觉得轻松，从治疗的第三天到现在排便一天一次，任何不适的感觉都没有。我让她隔两天治疗一次，再治疗一个月。结束治疗的两个月后，她来电话说怀孕了。

病例3　徐某，女，28岁，已婚。

2013年春节期间，我在为患有椎间盘突出症的小贾做调理的时候，他妻子小徐问我说："王大夫，不孕症好治吗?"

我笑了笑说："没有一种病是好治的，无非是根据每个人的体质、得病的时间、病情的轻重等不同，治疗起来，有快有慢罢了。"

"我们两口子结婚五年了，刚结婚那两年，不想要孩子，这两年想要了，却怎么都怀不上。我们的身体都很健康，到医院检查，西医讲是内分泌失调导致的排卵障碍，中医说肝郁所致。为了治病，中药西药我也吃了不少，但还是怀不上。没事的时候，我也到网上查一查，想看看有没有秘方什么的？我想问问您，用您按摩的方法能调理吗?"

我说："古代有本医术叫《广嗣纪要》，书中卷之三的择配篇记载，男女各有五种先天性生理缺陷导致不孕不育。女子五种不宜为，'一曰螺，……二曰纹……三曰鼓花头……四曰角花头……五曰脉……此五种无花之器，不能配合太阳，焉能结仙胎也哉。'指的是先天性生殖器畸形，这些生理缺陷，目前药物尚无法治疗。所以排除二人生理上的缺陷，夫妻同居二年以上，没有采取避孕措施，而不受孕的，这种情况称'原发性不孕。'《诸病源候论》称为，'断绪'。元代一位著名的医生朱丹溪说，'求子之道，莫如调经’你来例假的情况如何？”

“我的例假每次都提前，乳房特别胀痛，肚子痛，量也多，颜色暗淡，有小血块，经期十多天，一年到头，小肚子和手脚冰凉，还有就是脸色，您也看到了，好多斑点，我才三十多岁，都成黄脸婆了。”

我边看她的舌象边说：“《脉经》上讲‘妇人少腹冷，恶寒久，年少者得之，此为无子，年大者得之，绝产。’‘少腹冷，恶寒久’是不孕的证候。《傅青主女科》讲，‘妇人有下身冰冷，非火不暖，交感之际，阴中绝无温热之气’为肾阳虚宫寒不孕的征象。平时还有其他不舒服的感觉吗？”

“吃饭没有胃口，稍一活动就觉得累，胸口发闷，总想躺着，怕冷，大便稀，其余的感觉就没有了……”

“她的脾气不行，不知道怎么惹着她，就发脾气。”小徐说到这里的时候，她老公插话说。

“在中医上称这种情况为肝郁气滞、肝郁化火。肝在五行中属木，木的性质是升散，不受遏郁，喜条达，恶抑郁，主疏泄。人体肝气就像春天阳气刚刚生发的时候，具有条顺、畅达、疏通的特性。如果肝气郁结，不疏泄了，则木气郁而生火，人的脾气就容易生气、发火，医学上称为肝郁化火。你的面色晦暗，就是肝气疏泄失常而气血不和所致。肝气横逆，侵犯脾胃，胃失和降而脘痛、饮食不调、气滞血瘀。月经不调、消化不良等病症也常和肝气郁结有关。因为这种情况的存在，所以，就特别容易因为一些小事而生气，而这些小事根本和自己没有关系，只是自己看着不顺眼而已。举个例子说吧，你吃饭的时候，喜欢端端正正、不讲话，这时候，有人说话，或坐姿不好，总之只要达不到你的要求，你就生气，别人可能还不知道怎么回事的时候，你已经气得不行了，这就叫拿别人的错误来惩罚自己，吃亏的只能是自己……”

“王大夫您说得太对了，她就是这个脾气。”小贾插话说。

“脾胃之气虚，则胞胎无力，必有崩坠之虞。”“妇人有素性恬淡，饮食少而平和，多则难受，或作呕泄，胸膈胀满，久不受孕”为脾胃虚寒不孕之证。因此在给小徐做调理的时候，我选用，调胸压，开地门、开中门、搬提带脉、疏通任督两脉、推太冲，扶持阳气、健运脾胃，治疗时间大约在二十分钟左右，调理结束以后，小徐说，胸腹部非常轻松。

第二天，他夫妻开车去接我的时候，在车上，小徐问我说：“王大夫，昨天您给我治疗以后，吃饭有胃口了，精神也好了，再想想您给跟我讲的那些话，真的很有道理，在这个世界上，每个人都有自己的兴趣、爱好和做事的方法，干吗总想着去改变别人呢？”

我说："是啊，看什么都不顺心，就会让自己的心越来越小，心小了以后，就什么都容不下了……"

"王大夫，只要是把病治好了，不就能怀孕吗？"小贾边开车边问我说。

"不一定，"我说："《外经微言》中有这样一段话可以回答你这个问题，神医岐伯在回答大夫雷公的提问时说，有九种病情导致男子不能生孩子，分别是，精寒、精薄、气馁、痰盛、精涩、相火过旺、精不能射、气郁、天厌；女子不能生孩子的原因，病有十种，分别是，胞胎寒、脾胃冷、带脉急、肝气郁、痰气盛、相火旺、肾水衰、任督病、膀胱气化不行、气血虚而不能摄。大夫雷公问，'怎么治呢？'岐伯说，'精寒的，就温其火；精薄的，益其髓；气馁的，壮其气；痰盛的，消其涎；精涩的，顺其水；火旺的，补其精；精不能射的，助其气；气郁的，舒其气；天厌的，增其势。这样的话，男子就有生育的能力了，不能只知道补益相火，换成我们现代人的话来说，就是只知道壮阳。对女子来说，胞胎冷的，温其胞胎；脾胃冷的，暖其脾胃；带脉急的，缓其带脉；肝气郁的，开其肝气；痰气盛的，消其痰气；相火旺的，平其相火；肾水衰的，滋其肾水；任督病的，理其任督；膀胱气化不行的，助其肾气以益其膀胱；气血不能摄胎的，益其气血以摄胎。这样女子就有生育的能力了。不要只知道在胞胎上下功夫。'大夫雷公说，'老师的话，句句真言啊！但如果按老师讲的方法，把这些病都治好了，男女还不生子该怎么办呢？'岐伯说，'这个原因就是……'我这样说，你听明白了吧！"

"那该怎么办呢？"小徐有点着急地问我。

我说："所以我们治疗的时候，要从多方面、多角度入手啊！"

就这样，每天边给小徐作手法，边抽空和她聊聊天，五天过去了，她身体的症状都没有了，用她丈夫小贾的话来说，脾气也好多了，遇到事情也不像以前那样着急上火了。此后治疗的时候，根据情况，手法有些变化，但不离健脾胃这个根本，一共治疗十八天，正月十一我要去上班前，他两口子说要随我到上班的地方，继续调理，我仔细观察小徐的状态后说，不用了，应该没有太大的问题，只要日常做好保健就可以了，同时特别叮嘱他们要孩子以前的注意事项等等。前段时间，小贾打来电话给我报喜说，小徐怀孕了……我在给随我学习的朋友讲起这个病历的时候，有位学员问我说："老师，您在给她治病的时候，为什么给她聊那么多呢？"我回答说："你问的很好，这样做有两个好处，一、让患者明白自己的身体出现了什么问题？其二，精神和形体同样重要，而且相互对应，我们不能只把注意力放在形体上面，而忽视了精神。病由心生，只有透过现象看本质，才能从根本上清楚疾病的来龙去脉，所以，和患者聊天的过程就是调理的过程，而且这种治病的方式，是在不知不觉的过程中进行的……”

生儿育女与男女双方有关，公元三世纪的东汉医学家张仲景，在《金匮要略》一书中就曾明白指出：“须眉脉浮弱而涩，为无子，精气清凉”。因为精气清凉，影响了一般的男性功用以及精液，不克不及完成一般的精子和卵子联系的心理历程，致使不克不及生养。现代中医学家把对男性不育症的各类病因归纳综合为“五不男”和“男六病”。所谓“五不男”，是指出的“天、漏、犍、怯、变”五种影响一般生养的表示。“天”即“天宦”，是指男性先本性外生殖器和睾丸缺陷。“漏”是指精关不固，精液滑泄外漏的征象。“犍”是指阴茎及睾丸切除者。“怯”是指阳痿不举。“变”又称“人痾”，即相似两性畸形。所谓“男六病”，是清朝陈士铎正在《石室秘录》中将男性不育的病因归纳为六种。书中说道：“女子不生子，有六病……六病为什么？一精冷也，一气衰也，一痰多也，一相火盛也，一精少也，一气郁也。”“男六病”和“五不男”实践上包罗了绝对不育和相对不育症。

### 十五、皮肤粗糙、痤疮

唐朝武平的《杂曲歌辞》中有这样一段：“有女妖且丽，裴回湘水湄。水湄兰杜芳，采之将寄谁。瓠犀发皓齿，双蛾颦翠眉。红脸如开莲，素肤若凝脂。绰约多逸态，轻盈不自持。常矜绝代色，复恃倾城姿……”

读罢这首词，一位美若天仙的绝色女子顿时跃然纸上，辞中描述的美女外在的容颜，是古今很多女子梦寐以求的。俗语说得好，爱美之心人皆有之，特别是对于女人来说更为如此。

小李，女，35岁，近两年来经常出现下腹部双侧剧痛、经期延伸、腹胀、尿频等症状，经医院检查为慢性附件炎。服用一段时间的药物，症状有所缓解，但容易反复发作，面部气色晦暗、面无光泽，遍布痤疮和黄褐斑，她自述，从二十多岁起，脸上就出现色斑和痤疮，为了美容，先后做过中药祛斑、肉毒素除皱、羊胎素……诸多的方法，但大多数都是当时见效。

面部气色是内脏的外在表现，身体健康，正气强盛则面部气色润泽，否则面色晦黯。中医认为：“脏腑居于内，颜面显于外。”《黄帝内经·灵枢·邪气脏腑病形》就曾提到“十二经脉，三百六十五络，其血气皆上于面而走空窍……其气之津液，皆上熏于面。”《黄帝内经·素问·脉要精微论》亦云，“夫精明五色者，气之华也。”因此，有经验的中医大夫均可从面部色泽及形态的变化上看出脏腑气血的盛衰及邪气对人体的影响。

第一次为小李调理完以后，她说腹部有点胀。第二天，她过来调理时告诉我说回去后排了很多的气，腹部轻松了一些，继续调理；第三天，她反馈说，腹泻，但下腹部的疼痛减轻了很多，同时面部的痤疮也减轻了很多。第五天尿频的现象消失了，身体舒适。调理十天，诸症悉除。同时，小李的脸上的痤疮消失，色斑变淡皮肤也明显变得细腻、明亮、有光泽。

中医藏象学说以为，心主血脉，其华在面，心气充沛，血液充盈，脉道通利，则面色红润而有光泽；反之，如果心气不足，心血亏虚，脉道不利，则见面色苍白无华，甚至灰暗、青紫。肺主气，输精于皮毛，肺的功能正常则可将卫气、津液及水谷精微敷布于皮肤和毛发，使皮肤滋润，致密，具有抗御外邪的力量使毛发光亮，润泽，给人增添活力，若肺气虚弱，则可造成毛发憔悴，枯槁。脾主运化，主肌肉，其华在唇，脾气健运，则人的营养状况良好，红光满面，肌肉丰满，行运矫健，口唇红润。肝主疏泄，其华在爪，肝的疏泄正常，全身气机流畅，气血和调，则人的精神清爽，情感舒畅，肤色正常，指甲光泽红润，坚韧，若肝气不舒或肝郁气滞，可导致烦躁易怒，郁闷不舒，面色发青或生黑色，褐色斑片，指甲色枯无华，软薄甚至变形，脆裂。肾藏精，主生长发育，其华在发，人的生长发育，壮大衰老的整个生命进程，都与肾息息相关。肾气旺盛，肾精充沛，人则精力旺盛，朝气蓬勃，须发乌黑，容颜不老，青春常驻，若肾虚精亏，则人精神不足，萎靡不振，须发早白，面衰早老，年少而有老相。

## 第三节　痹　症

痹症，是泛指邪气闭阻躯体或内脏的经络而引起的病症。“痹”即闭阻不通也。通常多指风、寒、湿三种邪气，侵犯肌表经络和骨节，发生关节肌肉疼痛、肿大等疾患。《黄帝内经·素问·痹论》即曰：“风、寒、湿三气杂至，合而痹也。”

### 一、类风湿性关节炎

类风湿是一种慢性而又顽固难治的疾病，中医认为气血两虚是造成本病的内因，风寒湿热是外因，此病临床表现虽然各有不同，但气血亏损是主要原因。根据“治风先治血，血行风自灭”和“扶正兼祛邪，祛邪兼扶正”的原则，以扶正祛邪、补益气血为治疗本病的基本法则。

类风湿具有病程长、易反复、缠绵难愈之特性，且治疗类风湿的药物多对脾胃不利，久治不愈的类风湿患者多表现脾胃虚损。脾胃为气血生化之源，水谷之海，五脏六腑、四肢百骸皆赖其充养，脾胃损伤必然百病皆生，所以调治脾胃是治疗类风湿性关节炎的根本。

病例 1　陈某，男，58 岁。

患者 1997 年底，来找我治疗，自述，遍体关节疼痛已经一年多了，全身上下他人手不能碰，恶风畏寒，四肢不温，屈伸不利，纳谷寡味。没得病以前喜欢吃肉、喝酒，但现在闻到肉味，就觉恶心，平时饮食甚少，大便四、五日一次，夜里疼痛加剧，无法入眠，服用一片地塞米松，能使疼痛暂时减轻，可以睡一、两小时，走路时，需他人扯其衣服帮忙，才能上下台阶或前行，曾多次到各地医院治疗，服中、西药甚多，当时有效，但复发较快。

听完病人的介绍，我根据其病情，我告诉患者用手法治疗的同时，逐渐减少西药的药量。前十天，治疗一天两次。我用较轻的力度，选用推背升阳法，调理任脉，四肢分筋法的部分手法为其治疗。第二天患者对我说，四肢有温热的感觉，昨晚忽觉腹中饥饿，想吃炖排骨，家人为其准备好后，食用数块，夜睡三个多小时。治疗至七天左右，原所服西药已全部停用，夜间睡眠加深，五六个小时，白天中午可睡一个小时左右，脸部黑灰之色渐退，饮食正常，大便日行一次。每天根据病情的变化，选用不同的手法。治疗半个月后，改为三天治疗一次，共治疗六十天三十次，痊愈。

病例 2　路某，女，69 岁。

患者自述二十多年前患病，开始是左腿疼，后来右腿出现，夜晚双腿一夜都屈着，稍一活动，就疼得受不了，除了腿疼以外，胃里面还泛酸，总觉得胃里有气往上顶，便秘还特别严重，大约七八天才排便一次，头也经常疼。到医院检查，说是骨质增生。吃中药、打封闭，都没什么效果。

初次给老人调理后，老人说：“觉得胃舒服多了。”我让老人走走试试，她起来走了几步说：“腿轻松了，以前起来要先站一会儿才敢走，现在可以直接迈步走路。”

第二天，治疗前，老人对我说：“昨天夜里睡觉的时候，腿敢伸开了，虽然还是疼，但比以前灵活得多，从昨天到现在一直没头疼。”第三天老人反馈说：“两条腿好像长了一样，感觉有力了。”第四天老人说：“今早上排便很多，身体很轻松，睡眠好了，不像以前夜里有点响动就醒了。”第七天我治疗时，老人高兴地说：“昨天出去走了走，大约二、三里地那么远，夜里双腿一点都没疼。”治疗十天以后，所有症状全部消失。改为三天治疗一次继续巩固疗效，共调理二十次结束。

## 二、强直性脊柱炎

强直性脊柱炎是西医的一个病名，是一种侵犯脊柱为主，呈慢性进行性发展的炎性疾病，最后可以使整个脊椎受累变为强直、圆背畸形而得名。中医称“龟背疯”。脊柱处于人体的中间部位，中间部位属土，脾主土，为后天之本，所以调理强直性脊柱炎，脾胃是关键。同时，中医认为，脊椎大部分时候表现出来的症状是内脏某些方面出现障碍外在的显示，治疗脊椎的病，不仅仅是外在调整脊椎的问题，更需要调整内脏之间的协调平衡，只有内部环境坚实，气血畅通，才是解决问题的根本。

病例　沈某，男，38 岁。

患者自述，在 28 岁的时候，无意中扭伤了腰，后来就经常感到腰背僵硬疼痛，尤其是双髋关节疼痛较重，慢慢地腰背出现强直，不能弯腰，曾到多处治疗，没有明显起色。十年来，为了治好病，吃过中药，练过气功，请大夫针灸半年，病情依旧，疼痛厉害的时候就吃片吡罗昔康（炎痛喜康）维持一下。

我告诉他说：“这个病在早期治疗最好，早期症状是后腰和髋部疼痛和关节僵硬。调理起来相对来说难度小，病情容易控制，脏腑出现的问题好修复，治疗后也不会留下后遗症，完全可以恢复到和正常人完全一样。控制不当，病情就会发展很快，炎症和疼痛会导致骶髂、髋、肩、膝、踝关节活动受限，连脚跟也会受影响，最后逐渐发展为整个脊柱自上而下的强直。你现在的情况，病情已经发展到中期了，这个时候调理起来难度大，时间长。如果病情发展到了晚期，脊柱活动就会明显受限，不能弯腰转头，甚至呈驼背畸形，双腿迈不开步，上厕所蹲不下去，生活失去自理能力。同时强直性脊柱炎还可能侵犯到心、肺、肾、眼和神经系统，严重者还出现，心、肾功能衰竭，造成不可逆的损害。这时就如同癌症一样，治疗上难度就很大了，甚至可丧失劳动能力，造成终生残疾。到目前为止还没有发现特效西药能够控制病情的发展，就是手术治疗也仅是短期矫正畸形，改善功能，而不能从根本上治愈疾病本身。”

沈某说：“才得病的时候，仅仅觉得腰痛，夜里睡觉翻身困难，当时认为是腰受凉了，自己就随便买了点止痛药吃，没有引起太大的重视，后来越来越严重了，去医院检查才知道自己患上了强直性脊柱炎，问题严重了，就想赶紧治好，一旦打听哪里有好大夫，就去治，但最终还是没有控制住。”

我对他说：“腰痛和夜里睡觉翻身困难不过是强直性脊柱炎所有症状中，骶髂关节的症状表现之一，反应在骶髂关节上的症状还有臀部疼痛和发僵，晨起时僵硬症状明显，活动后缓解，双侧骶髂关节压痛明显等情况。患上强直性脊柱炎以后在脊柱也有明显的症状，那就是累及腰椎向上到胸椎和颈椎有腰酸背痛及腰部活动受到限制，腰椎有压痛，椎旁肌肉痉挛，压痛明显，晚期肌肉萎缩，脊柱完全强直僵硬如弓，呈驼背畸形。此外还有外周关节的反应，约有三分之一的强直性脊柱炎以外周关节受累为首发症状，呈非对称性，除髋关节外常为一过性的，很少发展为关节变形，强直性脊柱炎致残的主要原因是髋关节受累，表现为局部疼痛、活动受限，继发展为关节强直。强直性脊柱炎除了关节外的表现，还伴有肌腱端炎、眼损害、心脏病变、肺部病变、肾脏损害等情况。判断是否得了强直性脊柱炎很简单，就是双侧骶髂或单侧骶髂关节炎引起疼痛，然后再看有没有以下情况，第一，连续三个月背痛；第二，腰椎在向前和侧屈方向活动时受到限制。第三，胸廓范围小于同年龄同性别的正常值。只要有这三个条件中的一个，就是患上了强直性脊柱炎。"

我选用升阳法和调整任脉法的部分手法为他治疗，治疗结束后，他跟我讲，感觉饿得受不了，我让他先别走，安排人给他买了碗面条，让他趁热吃，他再三推辞，我说："你以为我请你吃饭呢？我是为了让你出出汗。"他吃完面条后，出了一身大汗，我让他等汗消了以后再回去。第二天他过来的时候说，背部感到轻松了，我继续依前法治疗。第三天他反馈说，饮食有所增加，身上也有力气了。至第五天时，改用搜骨洗髓的部分手法，同时我让他早上起来喝杯淡盐水，然后坚持跑跑步，慢跑即可，不要太剧烈。第十天治疗结束后，他竟然做了两个仰卧起坐，他说这要在以前是想都不敢想的事，现在腰背和髋关节部位已经没有明显的疼痛了。治疗至二十天时，再运用推腹行气的手法组合，调理他说除腰背活动还不灵活外，疼痛的感觉没有了。我让他改为隔天治疗一次，并加强锻炼。根据身体的变化，运用不同的手法又治疗十五次后，他感觉全身都很轻松，仰卧起坐可以连续做四十多个。

### 三、颈椎病

人在年轻的时候去世，称为"夭折"，"夭"这个字代表人的颈部歪斜（正常人的仰卧身形就该呈现"大"字形状），从这一点就可以看出，古人早就明白颈椎歪斜的人容易早死的道理。颈椎病在中医典籍里按其症状，列入"痿症、眩晕、项强"病类进行治疗，如出现肌肉萎缩，肢体痿废者，便以痿症论治；以眩晕为主的，便以眩晕论治；以头项疼痛为主的，便以痹症论治，但所有根源都在脾胃。

《黄帝内经》中说："正气存内，邪不可干，邪之所凑，其气必虚。"颈椎病的发病离不开正虚、邪盛两个方面。患者多因体弱、久坐等原因，使颈椎局部或全身劳累、疲乏，此时或因颈部受风着凉而致局部气血运行缓慢，不通则痛；或因低头拾物等致颈部经筋牵拉损伤，瘀血停于局部，导致气血不通，发为疼痛。中医认为"诸痉项强皆属于湿"，"项强"特指枕骨粗隆到第一颈椎之间的部位，这一部位的疼痛在颈椎病患者中很常见。"湿"邪困脾，脾本属太阴，体性为湿。得燥阳为用，故脾喜燥恶湿，故脾最易受湿所困。所以，颈椎病的根源在脾胃。

西医把由颈椎间盘、小关节退变或（和）颈椎椎管内外软组织病变引起的各种病症，称之为颈椎病，它是一种综合征。其主要症状是颈肩痛，放射至头枕部和上肢，少数有眩晕、摔倒，或一侧面部发热、出汗异常，严重者双下肢活动受影响，甚至截瘫。病人由于病变组织和部位的不同，综合征的表现也不相同，有的病人出现脖子发僵、发硬、疼痛、颈部活动受限、肩背部沉重、肌肉变硬、上肢无力、手指麻木、肢体皮肤感觉减退、手里握物有时不自觉地落下等表现；有的病人出现下肢僵凝，似乎不听指挥，或下肢绵软，像在棉花上行走；有的病人伴随有头痛、头晕、视力减退、耳鸣、恶心等感觉；还有的少数病人出现大小便失控、性功能障碍，甚至四肢瘫痪。

颈椎病根据受压情况可分为：

1. 神经根型：常有外伤、长时间从事伏案工作和睡眠姿势不当的病史。主要表现为颈部活动受限，颈、肩部疼痛。上颈椎病变以颈椎疼痛，向枕部放射，枕部感觉障碍或皮肤麻木。下颈椎病变颈肩部疼痛并可向前臂放射，手指呈神经根性分布的麻木和疼痛。并可伴有头痛、头晕、视物模糊、耳鸣等表现。检查可见颈部活动受限，棘突、棘突旁或沿肩胛骨内缘有压痛点。

2. 脊髓型：是由颈椎的突出物刺激或压迫交感神经纤维，反射性地引起脊髓血管痉挛，缺血而产生脊髓损害的症状。表现为颈肩痛伴有四肢麻木、力量减弱或行走困难。严重者发展至四肢瘫痪、小便潴留、卧床不起。检查可见颈部活动受限不明显。肢体远端常有不规则的感觉障碍、腱反射亢进、肌张力增高和病理反射。

3. 椎动脉型：主要是头痛、头晕、眩晕，甚至猝倒。有时可有恶心、耳鸣、耳聋和视物不清。

4. 交感型：多数有轻微的颈肩痛等神经梢刺激症状。表现为头晕、头痛、头沉、偏头痛、视物模糊、耳鸣、耳聋、心律失常；肢体或面部区域性麻木、出汗异常等表现。

落枕也属颈椎病的一种类型，此病的起因往往因睡眠时头部姿势不正而发病，有时也因扭错，转头过猛，用力不当等因素造成；也有风寒侵袭致气血运行不畅，筋脉拘急所致。落枕能造成颈部气血经脉阻滞，肌肉失于濡养，颈部斜方肌痉挛引起疼痛、僵硬、活动受限。

脏腑机能调整按摩法在针对颈椎病临床的时候，以下两种情况的颈椎病不能按摩：①颈椎结核、肿瘤；②颈椎病伴有急性传染病、急性化脓性炎症。以下六种情况，根据自己的医学知识和临床经验谨慎对待，建议远端取穴：①脊髓型颈椎病；②有明显的颈椎节段性不稳定；③颈椎病伴有发育性颈椎椎管狭窄；④强直性脊柱炎；⑤颈椎病伴有骨折，严重老年性骨质疏松症；⑥急性期或炎症渗出期。

病例 1　孙某，男，50 岁。

2003 年冬的一天，一位中学老师，找我调理颈椎病，我看他面色晦暗，走路小心翼翼，就问他这个病是怎么引起的？多长时间了？都有什么感觉？他说十几年前，开始觉得颈椎活动受限制，有半年左右的时间，肩膀活动疼痛，手指麻木，头晕、耳鸣、视力模糊，吃了不少药，就是没什么效果。

他病情已久，由标及本，必须标本并治。于是，我先用颈椎调节法，让他感到轻松、舒适，再用推背升阳法、调整任脉的部分手法。他说颈部异常轻松，大病若失！此后几天一直沿用这个治疗方案，四天后，他面色变的红润，说话中气十足，继续保健治疗三天结束。三个月以后见他，他说感觉一直挺好。

病例 2　朱某，40 岁。

2000 年 6 月的一个星期天，我以前治疗过的一位患者老陈打电话来说，他家属头晕，刚在医院做完检查，医生告诉说是颈椎病引起的，想请我给看一下。

时间不长，他搀着妻子朱某来了，患者对我说："昨晚单位加班，处理完工作后，回家吃完饭就躺下睡了，可能是太劳累，一觉睡到今天早上六点才醒，起来后，觉得头晕，恶心，走路不稳，就赶紧去了医院，先做了 CT 扫描，没有发现脑部病变，后来又做了个检查才知道是颈椎间盘膨出，造成椎基动脉供血紊乱引发的头晕、恶心，医生给我开了点药，让我保守治疗，但头老是晕，不能正常走路，上不了班，所以来求你了？"我让她坐好，她做了一下头部和颈椎调理。做完后，问她还晕不晕，她起来走了两步说，不晕了，眼睛都觉得很清亮。我又把调整任脉和升阳法的组合手法给她做了一遍，她站起来后说，身体很轻松，所有症状都消失了。

病例 3　杨某，65 岁。

2013 年春节的前几天，朋友打电话找我，让我回淄博的时候，到他家去一趟，说老父亲病了，让我过去看一下，我问他具体情况？他说："大约十几天前，我父亲就感觉左侧的胳膊和腿行动不利索，走起路来一颠一颠的，到村里卫生所去看医生，医生说是中风的前兆，建议输液一段时间，到现在已经输液五六天了，情况有些改善，但还是行动不方便。"

我说："一个多月以前，我见老人的时候，他正在锻炼身体，当时我还问他血压、血黏稠的情况，他说都正常，怎么会突然中风呢？不会是生气导致的吧？"

朋友说："你认识我父亲也不是一两天了，他的精神状态一直都很好，血压、血糖等一切指标都正常，除了上街、和朋友打打牌，再有时间的话就在一楼的小院子里种种花，而且我的事业、家庭、孩子也都挺好的，他们二老不但不用操心，还经常在外面炫耀一下，所以说不可能是因为生气得病。"

我说："你先别着急，明天就放假了，我尽快赶过去，见了面再说。"

第三天，我刚到家门口，朋友已经开着车在等我，没让我回家就直接把我按到车上，让我先去看一下他父亲的病情，我开玩笑地说："你有父母，我也有父母亲，你不让我回家先跟父母打个招呼，先去见你父亲，这太不公平了吧？"

朋友说："你不是常说，病人为大吗？我父亲身体不好，所以你要先去看我父亲。"

到了朋友的父亲家中，一打开门就看到老人在小院子里微屈着右臂，跛着右脚，一瘸一拐的在院子里散步，确实像是中风偏瘫的样子。我问老人血压的情况，老人回答说："收缩压 140mmHg，舒张压 90mmHg，我的血压一直都很正常，血黏稠度也没有问题，咋就突然胳膊伸不直，腿就不太听使唤了呢？"

"在此以前，您有没有经常打哈欠，还伴随着特别爱睡觉的现象？"我又问老人。

"没有。"老人没有迟疑，马上回答说。

"打哈欠、爱睡觉与中风有关系吗？"旁边的同学问我。

我说："人在疲倦、睡眠不足等情况下打哈欠是正常的。如果排除这种原因的话，人到了老年以后，脑动脉硬化日趋严重，血管壁的弹性也变得差了，再加上血管内径越来越小，血流就会相应的减少，这样时间长了以后，大脑组织就经常处于一种缺氧的状况。这时候，人体就自动经过打哈欠来帮助血液回流，换句话说，这就相当于在做深呼吸，从而改善大脑缺氧状况。所以经常打哈欠就要重视了。尤其是那些平常血压高、血稀薄度高、动脉硬化的老年人，一旦出现屡次哈欠的迹象，常常就是中风的前兆了。所以在中风的老人中，大约有60%人在发病前的10天左右都出现过于屡次打哈欠的迹象，只是很多人不加重视罢了。”

“还有其他的表现是预示中风的前兆吗？”同学又问我。

我说：“除了这两种情况以外呢，还有好多现象都预示为中风的先兆，如头痛比较剧烈，或者伴有恶心、呕吐；一只眼睛忽然视物不清楚，或者视物成双影，眼前有黑点，甚至看不见东西，在很短时间内又恢复正常；突然觉得天旋地转，头晕目眩，站立不稳，步履蹒跚，抬脚费力，甚至失去平衡出现摔倒；在头转向一侧时，手臂突然失去握力，有时还伴有讲话不清，过一、两分钟后完全恢复正常；忽然感觉舌根部僵硬，舌头胀大，吞咽困难，说话不清楚，查看舌头并无红肿现象；喝水或进食过程中出现呛咳；还有高血压病人反复鼻出血后1~6个月，约有半数的人发生出血性中风；突然感到一侧面部、手臂、指头麻木，特别是无名指麻木，耳鸣，听不懂别人讲话的意思；嘴歪斜合不拢、流口水。以上这些现象都是中风的先兆，而且大都在瞬间闪现。有的可反复发作，医学上习惯上称为小中风。”

“是说的这些情况，我从来都没有出现过，怎么也中风了呢？”老人在旁边插话说。

我对老人说：“我怀疑您并非中风，而是颈椎病。”

“颈椎病，这怎么可能？”同学说。

“您坐这里，我先给您检查一下！”我没有回答同学的话，转头对老人说。

我轻轻地在老人颈椎两侧触摸了一会，然后让老人颈部前屈向左右旋转，问老人有什么感觉？老人说，感到颈椎有点疼痛。我让他的头偏向右侧，然后我把左手掌放在老人的头顶部，边用右手握拳轻叩左手背，边问老人的感觉，他说右臂疼痛一直传到手掌。我再让老人低头，用一手扶他的头颈部，用另一手握住他的右腕，往他的左侧推拉，老人说右臂还是感到疼痛，而且有点麻木；我立于老人身后，用左手把他的左肩固定好，然后右手握住他的右腕，逐渐向后、外伸展，老人还是说右臂放射痛。

检查完以后，我对同学说：“我判断的没错，的确是颈椎病，在临床上，西医把颈椎病分为五种类型。

通常以一个类型为主，合并有其他几个类型一起，称为混合型颈椎病。颈椎病有些表现和中风相类似，向老人这种情况应该属于颈椎椎间盘突出神经受压而导致的。”

我选用颈椎的操作手法，先梳理斜角肌、胸锁乳突肌、斜方肌，再施以摇头捋颈一气呵成，大约用了两、三分钟的时间为老人把颈椎调整了一下，我问老人什么感觉？

老人说："很好，颈椎很轻松，眼睛都亮了，右边胳膊和腿有温热的感觉。"

听老人这么说，站在一边的同学长出了一口气，说："虚惊一场，病了这么久，现在才知道是颈椎病，这段时间的针是白打了？"

"也不一定，因为颈椎病可以引起中风。"

正常情况下，通过颈椎活动而发生头位变化，这种变位运动，因富有弹性的椎间盘而不会使椎体出现前后错位。但是随年龄的增长，颈部肌肉韧带劳损、退化，固定关节力量和功能减弱，在低头或仰头时颈部关节失稳、摆动和错位，就会刺激在颈椎横突孔中穿行的椎动脉，使之痉挛、收缩或扭曲变形，导致脑部供血不足。另外，因为椎间盘纤维附着在椎体边缘，错位还会使纤维环反复牵拉，刺激椎体边缘而发生骨质增生，压迫椎动脉导致椎动脉狭窄或痉挛，同样会造成脑供血不足。临床上会出现恶心、头晕、耳鸣、视物模糊等症状。颈椎病多发生在中老年人身上，而中老年人又多伴有脑动脉硬化，这样脑血流速度会变慢，易形成血栓，从而发生中风。

"那颈椎病和中风是怎么区分呢？"同学又问到。

我说："颈椎病和脑血管病都多见于老年人，因为脑中风的患者大多都有高血压、冠心病、糖尿病史，发病急，而且进行性加重，肢体麻木或无力，多不伴有疼痛症状，且符合脑动脉所辖区缺血引发的神经功能缺损综合征，如右大脑中动脉的闭塞可出现左侧面部及肢体感觉丧失、左侧偏瘫、左侧同向偏盲及失语等，一侧中下部脑干梗塞大多有同侧肢体的交叉性感觉运动障碍。而颈椎病患者则多有颈肩部疼痛、僵直、活动受限，当按压患者的头部与颈椎时，疼痛和麻木感会加重。"

"像我父亲这种情况，需要治疗多久呢？"

"用不了几天，我们先让老人休息一下，明天再过来看看什么情况？"

"有没有注意事项和锻炼的方法防治颈椎病的复发呢？"同学又问。

我回答说："湿邪是导致颈椎病的主要原因，所以平时注意饮食调摄，勿贪食寒凉，以免中伤中阳，阻碍气机，不能温煦筋脉而导致疾病复发。我告诉你一个防治颈椎病的复发的方法，首先，身体自然放松，双手十指交叉放于背后，首先头很自然地下垂至能明显地感觉到与肩部肌肉有丝微的拉扯，呼吸放平。然后，头开始缓慢地上抬，下意识地去感觉七块颈椎骨一块一块地被提起。到达正常直立状态后，深吸一口气，呼气的同时头开始向后仰，这时候，能明显地感觉到肌肉被压迫而疼痛，所以应该特别注意在节奏上保持缓慢，直至感觉后颈部末尾的肌肉压迫到肩部肌肉而前颈部肌肉不能再伸展为止，在此保持五秒钟。然后头回过来停留在自然状态片刻。这就算完成了一组动作，可以根据自己的颈椎情况和运动体验，每次做三到八组，早中晚各一次。平时没事的时候，可以点一下风府穴和手三里穴，每次三五分钟，效果也很好。”

正当我和同学准备向老人告辞，转身离开的时候，有人按门铃，老人开门一看，门口站着一位三十多岁的年轻人，经介绍，我得知他姓贾，就住在楼上，他说刚才在阳台的上听我们在讲治病的事，自己患有腰椎间盘突出好几年了，久治不愈，特地下来问一下自己的腰痛还能不能治……

第二天，朋友把我接过来以后，老人说，胳膊和腿虽说还不能完全伸直，但疼痛减轻了很多，这次我先把老人的颅压、颈椎两侧的肌肉、背阔肌、臀部等部位，有筋节的地方依次松开，做完后，老人告诉我说，胳膊和腿都觉得灵活了很多。于是，我隔天给老人治疗一次，共治五次痊愈。在给老人治疗的同时，还给他的邻居治愈了另外两种病……

## 四、椎间盘突出症

老百姓常说：人老先从腿上老，人衰先觉腰无力。观察一个人是否衰老，就是看他是否步履蹒跚，弯腰弓背，外人看来，人体机能的衰退是先从骨关节、腰腿开始的，这种看法也有一定的道理，西医认为颈、肩、腰、腿、关节、软骨等骨关节组织都是没有血管直接供养的，是靠骨关节润滑液濡养、生长的，就像机器的中轴和润滑油的关系一样。

中医认为，骨的主要组成部分是脂肪组织，脂肪组织就是肉，脾主肌肉，所以说治骨关节疾病也离不开调脾胃，这就是中医讲的治本。中医上讲的本，有先天和后天之分，先天之本是肾，后天之本是脾。先天不足后天补，关节出现问题，就已经暗示人的衰老开始了，就要及时调节脾胃，补充不足。

“腰”单从字面的组成结构来看，是由“月”和“要”两部分组成，“月”代表肉，“要”代表重要、要害。所以腰可以理解为是肌肉里面最重要的一部分，腰椎间盘的病变，可以理解为肌肉里面最重要的一部分里面出了问题，脾主肉，所以腰椎间盘的病变应该归属到脾病的范围中。从中医的角度上说，椎间盘的病变系脊柱的病变，脊柱位于人体的中央，中央属五为土，脾为人体的后天之本属土主肉，所以脊柱与脾相应，即脾病，其反应在脊柱，脊柱为脾所主。脊柱功能的正常与否在很大程度上是由脾来决定的。脊柱骨系的病变之所以与脾土关系密切，是因为脊柱的病变虽多不一，如常见的脊椎错位、椎间盘突出等，但是，它们都有一个共性特点，就是生理位置的偏离，如椎体生理位置的偏离，即为脊柱错位综合征，椎间盘髓核生理位置的偏离，则为椎间盘突出症。位在中央则不病，偏离中央则病，此为脊柱疾病的共同特征。脾胃为五脏六腑之海，主润宗筋，宗筋主束骨而利机关，宗筋的束骨功能亦有赖于脾胃。什么是束骨呢？束骨其实就是对骨属系统的约束或束缚，束骨功能的减退就会引发脊柱骨属系统的病变、错位和椎间盘突出。因此，椎间盘突出症以及其他错位性的脊柱病变的共同病机都应非脾胃莫属。

椎间盘突出症属于中医“腰痛症”“痹症”“痿证”的范畴。从《黄帝内经》的经典论述到历代医家对腰痛、痹症等疾病的理论探讨，对中医腰腿痛病因病机有完整的论述，认为其病因是外伤劳损与外感风寒湿热邪气，导致营卫失调、气血经络受损，或是由于肝肾不足，外邪乘虚而入，致使气血瘀阻而发病。肝肾不足，气血两虚，邪气深伏，治当搜风祛湿，以止痹痛；益肝肾，补气血，扶正祛邪。其中巢元方《诸病源候论》对此病的论述比较全面，曰：“凡腰痛病有五：一曰少阴，少阴肾也，十月万物阳气伤，是以腰痛。二曰风痹，风寒著腰，是以痛。三曰肾虚，役用伤肾，是以痛。四曰臂腰，坠堕伤腰，是以痛。五曰寝卧湿地，是以痛。”“劳损于肾，动伤经络，又为风冷所侵，血气击搏，故腰痛也。阳者不能俯，阴者不能仰，阴阳俱受邪气者，故令腰痛不能俯仰。”这些论述较全面地概括了腰腿痛的病因病机，具体论述了肾脏功能和外邪侵入，劳损外伤在腰腿痛发病中的关系，以及腰椎间盘突出症的发病原因是肝肾不足，风寒湿邪侵入，反复过劳或跌仆损伤。

中医治疗腰椎间盘突出症的患者方法有很多，包括按摩、针灸、中药等，其中的手法治疗是最主要的方法。《黄帝内经·素问·调经论》曰：“神不足者，视其虚络，按而致之，以通其经，神气乃平。”《医宗金鉴》曰：“摩其壅聚，以散瘀结之肿，其患可愈。”腰椎间盘突出症从根本上讲属于机体形体结构方面的异常改变，椎间盘退变是其内在的原因，但根本在脏腑。

脊柱相关疾病学说，认为很多疾病都是由于椎体紊乱引起的，所以现在有很多脊柱复位的手法，但究其根源，脊柱产生的紊乱是体内出现了不平衡的因素，是这种因素引起的紊乱，因此，可以通过内部调整来自动复位，此所谓治外必先治内，治内以气血为先。

西医认为，腰椎间盘突出的标准为在腰扭伤或受凉后突然出现腰痛及下肢放射性疼痛，可从臀部到大腿后方小腿外侧，甚至足根及足外侧。多发于

20至45岁的青壮年，男性多于女性。腰椎间盘突出症按髓核突出方向的不同，出现不同的情况可分为：①后突型：临床症状明显。②前突型：一般无明显的临床症状。③椎体内变形，除局部症状外无神经根压迫症状。症状表现：该症具体临床表现主要是下腰痛，并沿坐骨神经向下肢放射，疼痛轻重取决于压迫神经根的程度，而腰椎间盘突出的大小、位置、自身椎管大小，形态及神经组织的张力等又决定了脊神经根受压的力度。另外，椎间盘如向椎管内突出，可压迫马尾神经，出现部分性双下肢瘫痪，会阴麻木及大小便功能障碍，病程长者常见小腿，足背外侧，足跟和足底外侧麻木。X片显示腰椎间隙变窄，CT及磁共振影像检查可明确诊断显示椎间盘突出。腰椎骨质增生症，又称肥大性腰椎炎、增生性脊椎柱炎、腰椎骨刺、骨赘等。是常见的退行性骨关节病，实质上是一种代偿改变。其病程迁延，缠绵难愈，历来有“腰痛腿痛，医生头痛”之说。

腰二、三椎体出现问题，膝关节在上下楼时可能出现疼痛；腰部疼痛首先要在腰三、四椎找问题；腿的外侧疼痛可以检查腰四、五椎；腿的后侧疼痛检查腰五椎和骶一；腰痛在休息后加重，活动后减轻椎间盘出现问题；休息后减轻，活动后加重可能椎管狭窄；大小便异常，髋关节可能出现障碍；大腿内侧受限与骶髂关节有关；腰一侧疼痛为腰突，腰的两侧都疼痛为椎管狭窄；腰部中间疼为伤筋；腰向后鼓为后突，脊柱塌陷为前突，再者为滑脱；腰四五椎两侧疼为肾虚；腰五椎及骶一两侧疼为风湿。

病例1　李某，男，50岁。

患者找我调理的时候，我看他耳郭及鼻梁有腰部的病理表现，就问他是不是时常感觉腰痛，他点头说是，我说颈椎也不好吧！他没直接回答，反问我还能不能看出是否还有其他的问题，我说：“你的胃也不好！”

“老胃病了，腰痛将近二十年了，颈椎也很僵硬。”

“是怎么引起的呢？”我问他。

“我以前在单位从事行政工作，在一次工作中，不小心把腰扭伤了，当时并没有在意。但随着时间的推移，腰痛逐渐加重，两腿出现沉重，无力、麻木的现象。这才感到了事态的严重性，到医院CT检查的结果是椎间盘突出症，伴随着腰椎管狭窄。我不想做手术，就到处求医问药，吃过中药，打过封闭，针灸、推拿、按摩、理疗，只要听别人说对腰痛有效果，就去尝试，但效果不大，最后连穿衣、脱鞋这样简单的动作，也需要家里人来帮忙，胃口也很差，没食欲。由于病情严重，不得不离开了原来的工作岗位。”

我用疏肝理气法加用颈椎调整法为他治疗一遍下来，他感觉身上好像卸去了千斤重担，全身轻松很多。第二天治疗时，我用调整任脉法加分筋法为他治疗。第三天，他反馈说，感到两腿麻木感减轻。

第三天在为老李调理的时候，我先让老李俯卧在床，在他的腰骶部与突出部位相对应的椎间隙患侧表面，找到一个明显的凹陷，然后让他翻身仰卧，放松，患侧膝关节屈曲。我站立他患侧，一手放于老李的腰骶部与床面之间，手指按在腰部的凹陷处，另一手在他弯曲的大腿根部寻找股薄肌和大收肌，然后沿大腿内侧窝将股薄肌和大收肌捏住提起，反复数次，感到腰部凹陷向外鼓出，变得较平坦。这时让老李下床，做大幅度的扭腰摆臀动作，再做跳跃动作，并上下楼梯。经过运动以后，再让老李俯卧，发现腰骶部凹陷处变的平坦，然后再逐一按压腰臀部及下肢痛点，提捏大腿后面肌肉。从上至下反复数次以后，抓住他的髁关节，轻轻交替牵拉双下肢（如有双下肢不等长的症状，这种方法可以给以牵正）。最后再用任脉的手法为他操作一边，经过三次治疗，老李的生活自理完全没了问题。经七天调理后，他对我说体重好像减了三十斤那样轻松，共调理十五天，症状消失。

病例 2　贾某，男，30 岁。

春节前，应同学之邀，为他父亲治疗颈椎病，首次治疗结束，我们正聊天的时候，听到有人按门铃，同学开门一看，是一位三十多岁的年轻人，经老人介绍，得知这是二楼的邻居小贾。他说：“我在阳台上收拾东西，从窗户看到这位大夫正给大爷按摩颈椎的效果挺好，我也想请大夫帮忙，看我的病还能治好吗?”

我观察他双手成八字按在两腰眼的位置，肩膀歪斜、面色黑暗、神情倦怠，走路有轻微的跛行，就问他说：“你是不是腰疼?”

他回答说是，我问他的工作、病史及身体都有那些症状?

他说：“我是做水产生意的，四、五年前腰扭伤过一次，从那以后，经常感到腰部没有力量，臀部有重坠的感觉，弯腰提重物时特别容易受伤，就连平时早上起来屈腿穿袜子都困难，吃饭没有胃口，排便不成形，睡眠质量不是很好，尤其是到上午的九点钟至十一点钟左右，腰腿就会厉害一些，到医院 CT 检查是腰三、四椎及腰五、骶一椎间盘突出。”

“讲得很专业啊?”我笑着说。

“唉！这些年经常外出求医问药，对医生的问话都已经很熟了。”他也笑了。

我先看他的舌苔，厚白苔、黄腻、舌面有裂痕，舌边有齿痕，然后让他分别向前和向后弯腰，发现他在前俯的时候，极为困难，向后仰则没有明显的不适，属于椎管外病变。我让他到屋里躺下，再给他好好检查一下，他摆摆手说："无论如何都是麻烦您了，您如果不忙的话，还是到我家去吧，毕竟方便一些。"诚恳的话语让我很难拒绝。

到了小贾的家里以后，小贾边介绍他的妻子小徐，边招呼我们坐下，我对小贾说："你先趴到床上，我给你检查一下。"

他的妻子小徐打开一间卧室的门，对我说："他腰痛不能睡软床，就专门买了一张硬板床，放在这间屋子里。"

小贾来到床边，小徐过来扶他，小贾说不用，他把双手按在床上，撑起身体，把朝向外侧的胳膊弯曲，用肘撑住床面，俯下身体，先把一条腿放到床上，然后把双肘贴紧床面，身体压在双臂上面，最后再把另一条腿放到床上。他调整好身体以后，我撩起他的上衣，把枕头依次置于他的胸、腹等位置，边检查边询问他有没有疼痛的感觉，同时观察背后肌肉的松紧程度，脊柱有无侧弯、凹凸、反弓等曲度改变，脊柱两侧肌肉有无绷紧、隆起的条索状。背部检查完以后，帮他翻身平卧，双腿自然放松伸直，我用双手拇指按在他的两脚拇趾上面下压，然后让他用力上跷拇指，感觉他的两拇趾上翘（背伸）有力，就问他腰部有没有疼痛的感觉？他说左边腰痛的厉害一点，这说明突出的部位偏向左侧，我再用双手握持他的双脚踝，上提三四十厘米左右松手，让他双脚自然下落在床面，他的左脚朝向腿的内侧，右脚尖直冲上，这表示他的大腿内侧内收肌紧张。接下来"4"字实验他的双腿都不能接触到对侧膝关节上，这也再次证实这个判断，同时也显示髋关节有问题。

检查完毕，我对他说："问题不是很大，能治愈。"

小徐一听要治疗，就急忙走到床边，要帮小贾翻身俯卧，我连忙说："不用翻身，平躺着就行。"

小徐说："您不是给他治腰吗？怎么让他平躺着呢？"

我说："治病需要根据患者的病情、体质、年龄、性别、病程长短等因素选择合适的手法。比如小贾是做水产生意的，容易受寒湿之气的侵扰，这一点，从他的舌苔上面就能证实，上午的九点钟至十一点钟腰痛加重，而这个时间正是太阴经的欲剧时。再根据小贾的面色和吃饭没有胃口这几点结合起来推断，典型的脾阳虚的表现，这是主症。'腰'这个字，是由'月'和'要'组成的，'月'代表肉，'要'代表重要、要害，所以'腰'就是肌肉里面最重要的一部分。腰椎间盘的病变，可以理解为肌肉里面最重要的一部分里面出了问题，在中医里，脾主肌肉，所以腰椎间盘的病变就是脾病，这才是根本。"

我示意小贾闭目休息，然后用了二十分钟，为他调理了一下，治疗结束后，我问他什么感觉？他一咕噜就从床上爬起来，双手插着腰，晃动了几下，然后又坐在床边，把左小腿放到右大腿上，然后又反过来，反复几次以后，他惊奇地说："太奇怪了，轻松了很多，以前的时候，这些动作根本就做不了。在您给我做治疗的时候，腰部有胀的感觉，然后觉得一股热流沿左腿下行，又过了一会，热流又沿着右腿下行，现在感觉腰部很轻松。"

"还需要复位吗？"小徐问。

"呵呵，刚才我说的可能有些专业了，我给你打个比喻，假如五十米以外有一个装有易燃物的仓库，我们现在的房子是个值班室，里面装了个报警器，目的就是时刻监控仓库是否有火灾出现，我们三个人每天就在这间房子时刻关注报警器的动静。有一天夜里，我们都睡了，这时报警器响了，当然，这是预示仓库那边起火了，虽然火灾会给我们造成不可估量的损失，甚至会出现危及生命的严重后果，但目前我们还是安全的，影响我们现在正在休息的是报警器，而不是仓库的火灾。这时候我们有两个选择，一是关闭报警器；二是根据报警器的提示，赶快去灭火。对应到我们的身体，腰椎间盘突出症就是报警器，透过腰椎间盘突出这个现象，内在的问题就是本质，所以，刚才你问的问题就是一个关闭报警器和灭火的问题。我在临床中发现这样几个现象，有些人，经过腰椎、颈椎 CT 检查发现腰椎间盘突出，但身体上并没有相应的症状；有的人虽然身体上出现了腰椎间盘突出的症状，CT 检查的结果也是椎间盘有病变，但病变的椎间盘根本就没有压迫硬膜囊或脊神经根，却出现了症状；在对腰椎和颈椎间盘突出的患者治疗以后，症状消除了，但拍片检查，和得病时并没有多大的改变。所以我们不能以常规的思维来判断问题。"

"在医院检查的时候，医生告诉我说，如果腰椎间盘突出症发展到一定程度会造成瘫痪。"

"确实如此，腰椎间盘突出主要分为两种类型，第一种类型是中央型腰椎间盘突出症，这种类型治疗不当的话会直接造成偏瘫。因为腰二以下的椎管内走行的不是脊髓，而是马尾神经，一般腰椎间盘突出（中央型）压迫马尾神经才会引起下肢截瘫。马尾神经是腰二至腰五及骶神经、尾神经的终丝，这些神经负责传导下肢肌肉的运动，所以当这些神经受压时可引起截瘫。第二种类型是：高位腰椎间盘突出症，但是这种类型在所有腰椎间盘突出病症中所占的比例并不高，但发生截瘫的比例较高，所以腰椎间盘突出症会导致瘫痪。总之，治疗的越早越好。"

"像他这种情况，需要治疗多久呢？"小徐问道。

"十几天差不多就可以了。"

"治好了以后还会复发吗？"

"腰椎间盘突出的根本原因是肾气不足、肾阳亏损、命门火衰、风寒湿邪乘虚侵袭所致，所以要想做到不复发，首先要扶持阳气，生活起居顺应自然，避免劳累过度，加强锻炼；其次，保持好的心态，注意饮食，少吃寒凉的食物……"

"王大夫，反正您也要每天过来给楼下的大爷治病，如果方便的话，我每天用车去接您，我知道马上要过年了，您的事情多，每天这样跑来跑去地很辛苦，但无论如何都请您多费心帮我把病治好……"在小贾诚恳的言语之下，我点头应允了。

除了春节那一天以外，小贾每天用车接我过去为他治疗一次，手法以调任脉为主，穿插使用搜骨洗髓法和分筋法。共治疗十三天，在治疗期间，除了开始前五天，偶尔腰部出现乏力的症状以外，小贾感觉都非常好，由于在为他治疗的时候，还为他的妻子调理身体，所以治疗结束以后，联系也较多，几个月过去了，他说一直没有复发……

腰椎间盘突出症可与腰椎管狭窄伴发，但腰椎管狭窄可以没有腰椎间盘突出。鉴定方法：间歇性跛行。即由于步行引起相应腰椎缺血性经根炎，而出现下肢跛行，疼痛及麻木等症状。蹲下休息片刻，疼痛即可消失。即重新再行走，之后再次发作，又再休息，故而谓之"间歇性跛行"；腰椎间盘突出症合并椎管狭窄时可同时发生。单纯椎间盘突出症虽有时出现相类似现象，但休息后又稍许缓解，而难以完全消失。由于后伸时使腰椎椎管内有效间隔更加减少，而加重症状并引起疼痛。因此患者腰部后伸受限，并喜欢采取能使椎管内容积增大的前屈位。基于这一原因，患者可出现"骑车能行数里，步行难过百米"。与椎间盘突出症明显不同。

病例 3　患者，男，44 岁。

五、六年前在搬重物的时候，腰部不慎扭伤，当时没在意，过几天腰痛加重，而且出现双腿放射性疼痛，医院检查结果腰椎间盘突出症，这些年来经过理疗按摩、针灸拔罐、中西药物，症状稍有改善，后来又去正骨，但经过数次调理以后，还是不能干重活。由于平时畏寒怕冷，腰部发凉，胃口不佳，夜尿频多，又服用金匮肾气丸等补肾的药物，但自我感觉对病情没有太大的帮助。

患者病在少阴，"少阴之上，热气治之"，热气既元阳之气。少阴阳气必赖太阴阳明之胃气的滋养和厥阴风气的疏泄。因此患者服用金匮肾气丸等补肾药不起多大的作用。针对此症，无论何种治疗，必然恢复脾胃功能为根本，脾有收束的功能，收束能力弱了，椎间盘则容易脱出。不从患者的脾胃功能入手，单纯舒筋正骨，根本不可能彻底治愈，而且可能出现越正骨，突出的部位越不容易康复。再从字面分析，“腰”字，是由“月”和“要”组成的，“月”代表肉，“要”代表重要、要害，所以“腰”就是肌肉里面最重要的一部分。腰椎间盘的病变，可以理解为肌肉里面最重要的部分出了问题，脾主肌肉，所以腰椎间盘的根源就是脾胃病。

治疗时，先分腰部之筋，然后，后病前治，调理下焦，最后疏通三焦，重点在中焦，筋松骨自正。二十五分钟，施术完毕，患者即感病去大半，腰部灵活温热，神气清爽。共治疗六次，症状消失。

## 五、坐骨神经痛

坐骨神经痛也是西医病名，其症状与《诸病源候论·贼风候》中所描述的：“其伤人也，但痛不可得按抑，不可得转动，痛处体卒无热。”症状相类似。

在正常人体站立活动时，椎间盘接受体重的压力。腰部是活动最多的部位，受的压力及磨损很大。以下腰段为主。三十岁左右，椎间开始发生变性。如果纤维环及髓核退行性变化的速度一致时，多出现间隙变窄，纤维环普遍膨出。按这种平衡一致的退变，软骨板亦骨化，则椎体关节趋向稳定。除整个脊柱略有缩短及腰部活动受限外，并不产生腰痛。但如果二者退行性变表现为不平衡，如纤维环变化较早且明显，其坚韧性减低，髓核压力不变，弹性仍较好，即使无明显外伤，亦可造成纤维环破裂。再遭到较大的旋转或扭曲，纤维环即可在后外侧呈环形或辐射状断裂。环状破裂多位于间盘的周围部，在临床上可造成急性腰痛，辐射状破裂将使髓核向外膨出达间盘的边缘，但外层纤维环可保持完整。此时髓核在较大的压力下被挤入裂隙内，以后腰部不断活动和用力，则使髓核逐渐向外突出，压迫根，造成坐骨神经痛。直腿抬高试验在诊断腰椎间盘突出上有很重要的作用。90%的椎间盘突出症病人此试验呈阳性。

左腿坐骨神经痛，在右肩肩后下取点，右腿坐骨神经痛在左肩后下取点，压痛取点，用力点压，有一定的效果。

病例1　孙某，男，33岁。

孙某自述，从去年冬天开始腰痛，当时没在意，继续坚持工作，今年春节以后，觉着腰痛加重，不敢弯腰提物，不能干重活，两腿出现放射性疼痛，到医院一检查，经拍片诊断为腰椎间盘突出和坐骨神经痛。医院建议他手术，他因为工作忙，手术前后要休息很多天，所以就放弃了。后来找人针灸、按摩、贴膏药，折腾了半年，病情也没有改善。

孙某来的时候，我正好有事，就用十来分钟，把腰部和腿部分筋法给他调整一下，他当时就觉得很轻松。我告诉他，你把时间记好，看这轻松的感觉能保持多长时间？第二天他来的时候说，今天上午开了一段时间的车，觉着腰有点痛，但比以前轻松多了。第二次治疗的时候，我继续沿用昨天的方法。第三天他过来的时候说，昨天治疗结束到现在，有二十个小时没腰痛。第四天，他说今天有二十二个小时没腰痛。在治疗时，我加用调整任脉的部分手法，第五天，他反馈说，偶尔感觉腰部和腿部出现跳动疼痛的感觉，但很快消失。治疗至第六天，症状完全消失，我又继续给他治疗四天后结束。一年后，我在路上碰到他，他说病情没有复发。

病例 2　沈某，男，57 岁，单位职工。

1993 年时，我在部队的时候，一天，战友小沈的父亲到单位来看他，小沈特意叫我过去跟他父亲认识一下。小沈在跟他父亲介绍我的时候，说我按摩治病的技术很好，他父亲听了非常感兴趣，对我说：“我在几年前的时候，由于受凉引起左腿坐骨神经痛，当时疼得很厉害，连路都不敢走，到门诊部打了几针才不疼了，这两天不知道什么原因，病又复发了，现在就疼得很厉害，你能不能帮我治疗一下？”我随即用双龙入水法、推背升阳法、腿部分筋法为他调了一次，他感到异常轻松，说腿不疼了，很舒服。第二天，我过去看他，他说今天早上起来，感到左腿稍微还有点疼，我又按昨天的方法给他调理一遍。第三天，他说从昨天治疗以后，左腿一直没痛。我又给他调理一次，以巩固疗效。五天以后，他离开部队回家，小沈告诉我说：“我父亲的腿，经你三次治疗后，一直都没再痛，临走的时候还嘱咐我问问你，有没有锻炼的方法，让他经常做一下，以免复发。”我告诉他，最简单的方法就是平时早起压腿，并在晚上睡觉、早上起床时，双手搓热摩擦命门和肾区。

### 六、骨质增生

西医认为，骨质增生一般有两种原因，一是生理性骨质增生，主要是老年性退行性改变，是中老年人常见病、多发病，轻者可使患者肢体发生功能性障碍，重者可致畸或者致瘫。主要表现为上肢麻痹，肩背疼痛，颈项僵硬、头晕、胸闷不舒，心悸心慌、坐骨神经痛、下肢麻痹痛，怕冷、膝关节肿痛，上下楼梯困难，不能下蹲等一系列病理变化。如不及时治疗，就会使病情加重，增加治疗难度。二是病理性骨质增生，是由慢性劳损感受风寒、湿痹而引起骨骼与肌肉之间渗出钙化而形成骨质增生，一般都有症状。骨质增生一般发生在颈椎、腰椎、膝关节及足跟。

骨质增生是人体衰老的自然现象，人体随着年龄的增长，肝肾之气渐衰退，而肾主骨肝主筋、肝肾不足筋骨失养，加上常年劳作磨损及风寒湿外邪的侵袭，日积月累使椎间盘退变、变薄，椎体周围原有的肌肉、韧带关节囊的生理平衡遭到破坏，机体为了适应这些变化，重新建立新的平衡，就在椎体的边缘生长出了新的骨骼以增加脊椎的稳定性即骨质增生，这新生的骨骼就是我们通常所说的骨刺。产生了骨刺可以使脊椎间盘的接触面积增大，减少单位面积受到的压力，从而使脊椎更加稳定，因此从某种意义上说，骨质增生是机体的保护性反应，属正常的生理退变现象。增生部位的症状只与运动有明显相关，不与气候有关，而关节风湿病则与气候变化相关。

人体由于骨质增生的部位不同引起的症状也不同：

颈部骨质增生：颈椎增生引发的症状最多，可对头部引发诸多症状，如脑血管供血不足、头痛、头昏、颈部刺痛、颈肩麻木、某一些上肢沿神经行走方向酸痛等。

腰部骨质增生：腰部增生引发的症状主要在下肢表现，如坐骨神经痛、下肢麻木、发凉、血流不畅、无力、沿神经走向酸痛等。当做侧向弯腰活动时，若病灶在左方，则向左弯腰时可感觉病症明显加重，反之亦相同。

病例　崔某，女，55 岁。

患者的职业是西医大夫，她自述，腰痛已经两年多了，逢阴天下雨或劳累的时候，疼痛加重。早晨起来或坐久了以后，腰部僵硬，活动后反而症状减轻，疼痛无明显规律，前几天到医院拍了个片子检查了一下，诊断是腰椎骨质增生引起的，吃药、按摩都没有效果。

我告诉她说："中西医的诊断标准不一样，所以治疗也是完全不同的两种方式，中医重症状，西医重指标。"

给她治疗时，我用双龙入水法、推背升阳法、调整任脉的部分手法组合为她治疗，崔某觉得腰痛减轻了很多。第二天她反馈说，早晨起来腰部没有以前那么僵硬了。第三天，正好是阴天，她过来的时候，我问她天气不好，有没有感觉腰痛？她说没有。

我又为患者巩固治疗三天后，她问我说："现在腰部觉得有劲了，僵硬的感觉完全消失，平时也想多活动活动。但你给我治疗的时候，我发现腹部的操作手法很多，治疗腰部的手法相对来说很少，为什么腰不疼了呢？是不是骨质消失了。"

我说："我们先弄清骨质增生在中医上是怎样理解的？现代医学认为骨质增生是由于骨钙流失到骨面上形成的骨性赘生物，为什么骨钙会流失到骨面上？其实骨质增生的形成是人体自我保护和自我防御的结果。举个例子说，人的皮肤破损流血后，人体的修复系统会分泌出一种凝血机制来促使伤口愈合，而不至于血流不止，最后造成更大的伤害。在凝血机制的作用下，新生的肉芽组织不断扩大和硬化，形成我们看到的在皮肤表面结成的那层痂，这层痂随着皮肤的愈合程度会慢慢脱落，在伤口完全愈合前，如果你认为这层痂影响了你的美观把它揭掉，会造成皮肤的二次伤害。其实从皮肤破损到结痂的过程，这和骨钙流失到骨面上形成骨质增生的道理是一样的。骨质增生的出现是源于骨组织有了损伤，机体对骨组织出现的损伤应该怎么修复呢？要明白这个过程，首先要清楚骨组织里面所含的主要成分是脂肪细胞，这就是说，骨头的主要组成部分是肉，脾主肉，要想修复损坏骨面的工程必须由脾来实施。所以治疗骨质增生首先要调脾胃，脾胃恢复了，骨面的伤痕才会得到修复。骨组织得到修复以后，气血就不会再对增生的部分进行养护，增生的部分就会逐渐萎缩。从五行角度上来讲，骨钙是骨髓的主要组成部分，骨髓在五行中属水，水失去了约束，就要取土制水，这就又回到脾胃上来了。"

"那怎么理解骨质增生产生的疼痛呢？"患者又问我。

"人体有自我保护的能力，"我回答说，"当骨组织有了损伤以后，人的自治能力不能完全修复，于是这个时候，损伤的部分就给大脑发送一个信号，或疼痛，或酸胀，或麻木，大脑接到这个信号以后，会及时安排相应的组织对骨骼进行修复，当然这个任务还是要交给脾胃来完成。"

## 七、腰椎骨质增生

脊椎骨是人体中持重最大的骨骼之一，如果长期承受过大的压力，会促使骨骼发生退行性变。腰椎在脊椎骨的下端，是承受压力最大的骨骼，极为容易受伤，所以临床上腰椎增生是引起腰痛最常见的疾病之一。

西医认为腰椎增生病主要是由两方面的病因：一是随着年龄的增长，内分泌免疫和骨代谢等发生衰老性改变，椎间盘逐渐发生退行性变；二是异常应力，即外力致伤，包括急性损伤，慢性劳损及慢性积累性损伤，致使椎间关节内应力失衡。引起腰椎退变，增生和椎间关节不稳定。人们在日常生活和劳动中，脊椎腰段是人体全身活动中枢轴，是脊椎主要承载部位，因而腰椎承受载重负荷的机会最多，支撑的重量也最多，其内应力作用亦越强。尤其是腰椎间盘经常处于被压缩、屈伸和扭转的组合性，复杂力学活动中，最容易遭受异常的压应力、拉应力与剪应力的影响，而导致腰椎间盘退行性变，继而出现椎间隙狭窄，进一步引起椎体边缘及关节突出的增生。

腰椎椎体骨质增生形成的机理：退变的椎体可以形成各种不同形式的骨赘。腰椎增生主要表现为腰痛，腰部僵硬，其次是下肢发紧或有麻木感。疼痛程度不一，晨起时腰部僵硬酸痛，稍事活动后反觉减轻；负重和活动增多时加重，当腰椎不稳定时，微小的活动或干扰便可引起急性腰痛。有的病人在急性发作时腰部出现突然“卡住”性疼痛。活动翻身均困难，并可使疼痛加重。这种病人睡觉时常翻身，因一个姿势睡久后即觉腰痛不适。多数病人为慢性腰痛或慢性腰腿痛，可扩散至一侧或双侧臀部甚至达膝下。半数病人感到下肢麻木，行走困难。X 线片可显示，腰椎椎体边缘唇样骨质增生，椎间隙变窄，小关节硬化变尖并有骨赘形成。

病例　李某，女，53 岁。

李某腰痛病史已 5 年了，在医院检查诊断为腰椎骨质增生。经按摩、打针、吃药多处治疗均无很大改善，家住五楼，每次上楼都要中间休息一次才能上去。2001 年 5 月找我治疗时说，现在的感觉是腰腹胀痛，每天下午 3 点以后疼痛加剧，睡眠饮食均无异常。此段时间腰痛，属阳明经病，我为其调整任、督两脉，做完后，患者就感觉得腰痛减轻了很多。第二天患者反馈，昨天回去后，矢气很多，腹部没胀，今早上起来感觉腰痛消失，继续巩固治疗五天痊愈。

## 八、肩周炎

“肩”这个字单从字面的组成结构来看，是由“户”和“月”两部分组成，“月”代表肉，“户”这里指“主”的意思。综合起来可以理解为全身所有的肉，都有肩来统领，由此可见古人对肩的重视。

痛症无论发生在人身的何处，不外乎就是虚实，虚为气血不足，实为六淫实痰留滞。四肢病变一般有两种症状：一种就是疼痛无法伸屈；一种为麻木失去灵活。脾主四肢，主运化，四肢痛病首先要恢复脾胃的功能，使气血通畅而无留滞。其次，四肢筋络最为繁盛，脏腑经络环绕其间，所以四肢痛病皆于筋络血脉关联，筋络血脉是气血流行之道路，若有阻塞淤滞，立可发生疼痛。中医认为，脾主四肢，若脾病不能运化胃所生化的水谷精微输送至四肢，四肢就会失养，筋骨肌肉萎缩，四肢就不能随意运动即脾病而四肢不用。古人对于四肢疾病统称痹症，痹为不通之意，通则不痛，痛则不通。

“脏腑机能调整”按摩法治疗肩周炎，对风、寒、湿等外因造成的则只用分筋法，筋络渐渐分开，气血通畅，筋得气血保养，渐渐舒开，其症自消，无须再调整内脏；若因气分错乱，血循受阻，筋不得养，须先调脏腑，再用分筋法，舒其筋络，表里兼治，方能收效。

病例 1　韩某，男，60 岁。

2007 年我受某地按摩学校的邀请前去讲课，一天上午，本地的工商局退休的副局长过去说肩膀疼痛已经半年多了，手不能上举、后背，贴过膏药，用过针灸，效果都不明显。我让一名学生用颈部和臂部分筋法，为他治疗后，让他活动一下胳膊看有没有效果？他一抬手臂，立即高举过头，但还是无法将手臂后背。我又动手把他肩部几处黏滞的地方打开，不过几分钟的时间，他的胳膊能后背至胸椎部位，他连呼神奇。第二天，他又过来要求再治疗一次，说从昨天治疗结束到现在，活动已经没问题，就是感觉还有些疼痛。一名学员又按昨天的方法给他治疗一遍，第三天他过来说，疼痛已基本消失，要求再做一遍巩固疗效。

病例 2　胡某，女，50 岁。

患者几个月以前，右侧肩臂出现疼痛，活动受限，上举、外展、后伸的活动均受到限制，甚至牵连背后疼痛，穿衣、梳头、洗脸均感觉困难。受寒和受凉后疼痛加剧，服用中西药都没有效果。我先用臂部分筋为他治疗后，当即她的胳膊就能上举，外展。第二天，她说疼痛明显减轻，穿衣、梳头、洗脸不成问题。我按昨天的方法，又加用颈椎调节法。第三天，她告诉我说："疼痛消失了，你再给我调理一次巩固一下吧！我丈夫也是肩周炎，也想请您治疗一下。"

胡某的丈夫从前年肩膀就开始疼痛，连后背和颈椎牵连的都难受，尤其是拿东西的时候痛，上举反而差一些。我给他检查了一下，说："你这不是肩周炎，是颈椎病。"

"我和老伴都是肩膀疼，怎么病情不一样呢？"

"症状类似，并不代表病情一样，肩膀疼痛虽然都是颈椎病与肩周炎的症状，但还是有区别的，颈椎病起病主要是以枕部不适为主，可能有颈部外伤或反复落枕的情况；肩痛起病一般以肩部不适及疼痛为主，也可能有肩部外伤、受凉的情况发生。颈椎病以颈项肩背疼痛为主，牵拉下垂时疼痛加重，上举抬高时疼痛反而减轻，疼痛多为神经根性，和神经分布相一致，多伴有放射性的手指麻木和疼痛。肩痛以局限的肩痛为主，肩臂上举、外展和旋转运动时疼痛加重，以肩关节运动障碍为主要特征，多会在夜间加重，无手指麻木的表现，肩痛来源于痉挛的肌肉及局部炎性致痛物质的作用，与神经分布无关。颈椎病的疼痛常为麻痛、灼痛、放射性痛，多向手部放射，肩痛伴颈项疼痛不适和颈项僵硬及活动障碍，无肩关节活动障碍，上肢及手指麻痛，有时发麻的手指有感觉障碍。肩痛患者在活动肩关节时，可诱发钝痛、酸痛、疼痛限于肩部，伴随肩关节的功能障碍，以上举、外展、旋转动作为主，无感觉障碍。这就是判断肩周炎和颈椎病的方法，治疗起来颈椎病的难度要比肩周炎大。尤其是病情时间长了，肌肉出现僵硬，再做一些不正确的按摩方法，更会增加治疗难度和效果。”

“他肩膀疼痛厉害的时候，就经常到外面去找人做按摩。”旁边的胡某插话说。

“刚才我给他做检查的时候感觉到了，整个肩部都很僵硬，脾主肌肉，中医讲的脾包括现在西医上讲的胰腺，脾出了问题，肌肉的弹性和其他功能都会降低，长期做不正确的按摩方法造成肌肉僵硬以后，脾也相应地会受到伤害，所以说他现在的情况比较难治，要时间长一些。”

调理时，我先施以推背升阳法，然后再用颈椎调整法，做完后，他说颈椎轻松了很多。第二天胡某跟我说，今天早上起来，她丈夫还说感觉颈椎很轻松，请我再帮忙治疗一次。我连续给胡某的丈夫治疗了三天，然后每隔三天再给他做一次，并加用调节任脉的组合手法。断断续续共做了一个多月，共治疗十三次痊愈。

### 九、寒邪侵袭导致急性腹痛、腰痛

前天，我接到朋友给我打来的电话：“您在家吗？”

“我在家吃饭呢，啥事啊？”

“昨天晚上，我和客户吃完饭以后，已经是晚上十二点多了，饭店离我家近四十分钟的路程，为了快点到家，我就开车从一个村子里的小路上抄近道，走到一半的时候，内急就停下车，在路边的树林里小便，突然感觉一股凉气一下子进入腹部，顿时全身的汗毛孔全部张开了，腹部和腰部顿时疼痛难忍，我强忍着开车回到了家，吃了一片止疼药，但一点作用也没起，本来想给你打个电话，我一看表，快一点钟了，没好意思打扰你，就一直忍着，直到现在也没减轻，麻烦你过来帮我看看，我马上让司机过去接你。”

车到了以后，我随手拿上了一盒艾条。到了朋友家的时候，他坐在沙发上，身体斜趴在一侧的扶手上，满脸痛苦的样子，一见我进来，就说：“这病来的咋这么蹊跷呢？是不是中邪了。”

我给他检查了一下后，笑着说：“是中邪了，准确地说是你中寒邪了。”

“啥意思？你别吓我啊！”朋友疑惑地说。

“呵呵！别害怕，我先问你，你在和客户吃饭的时候，房间是不是很暖和，你的车上是不是也很热？”

“是啊！”

“这就对了，你下午和晚上，一直在温暖的环境里，你停车在路边树林中小便的时候，是夜里十二点多，也就是子时，《黄帝内经·灵枢·营卫生会》上说，‘夜半为阴陇，夜半后而为阴衰。’夜半即子时，阴陇指阴气极盛。这时极为容易受寒，你小便的时候，部分热量也随之丧失，这时，寒风一吹，寒邪乘虚侵入你的身体，然后就出现了这种情况。你躺下，我简单地给你处理一下。”

朋友躺好以后，我轻触他的腹部，整个腹部连同任脉硬满、压痛，是受寒邪侵袭的表现，由于腹部疼痛，我先点他的列缺穴，待他的腹部软和一些以后，再拨腹部的筋，然后让他俯卧，点脾俞穴，前后不过五分钟的时间，朋友说，疼痛明显减轻了。这时，我又拿出三根艾条，全部点燃，让他自己依次灸一下大椎、八髎、关元，然后我就告辞离开了。下午朋友给我来电话说，腹部、腰部疼痛及全身发凉的现象都消失了，现在正要去和客户吃饭。

## 十、游走性神经疼痛

宋某，女，78 岁。一位患者老张在找我调理肾结石的时候，问我不明症状的肌肉疼痛，能不能调，我说中医讲望闻问切，要见了面才好判断，他说是自己的母亲，大腿上面有块肌肉疼痛难忍，不方便出门，能不能麻烦我方便的时候过去看一下。

在老张的带领下，我们来到他的父母家，刚一进门，就听到一阵低沉的呻吟声传了过来，到卧室一看，一位头发花白的老人半躺在床上，脸色略显苍白，但精神还好。一见我进来，就连忙招呼我坐下，连说辛苦。我问她都有哪些地方不舒服？

“大夫，我就是大腿这里的这块肌肉疼痛厉害，尤其是夜里，疼的很难入睡，到医院还检查不出什么问题。平时吃饭挺好，大小便也正常。”老人回答说。

“那您还记得，腿上的肌肉疼痛是怎么引起的？多长时间了？疼起来有没有规律？”

“我记的一天早上我去市买东西回来，也没磕着、碰着的，就觉得大腿上面，大约有一块钱硬币那么大的地方，疼得不得了，我就用手使劲地揉搓，也没效果，这就去医院，折腾一圈，检查不出啥病，最后说是，神经性疼痛。开了些药回来了，吃了几天也没见效果，又去看中医，大夫给我搭过脉后，也说没有太大问题，这两三个月到处看病，就是治不好。这不，孩子就去找一些大师，神的鬼的也都弄了，也没用。”

我看了一下她的舌苔，稍显白腻，搭了一下脉，脉浮紧。我轻轻触摸她疼痛的位置，肌肉有些僵硬、黏滞。我在疼痛点的上方轻轻地按压，大约五分钟时间，只听老太太大喊一声，到脚上来了。我问她怎么了？她边呻吟边说：“大腿不疼了，到脚趾头这里来了，难受死我了。”我低头一看，老人的脚趾头都变得紧绷绷的挺着，这还能走？真是匪夷所思。于是我再给他按压脚部疼痛的上面，不一会儿她猛地一挺腰，大叫一声到腰上了，我用手一摸，的确腰上出现一块较为僵硬的肌肉，老人的脚随之放松了，按压一会，疼痛又跑到肚子上，继续点压，最后又回到大腿的原位上去了。忙了半个多小时，从起点回到终点，真是奇怪。老人看我忙了一身汗，歉疚地说："辛苦您了大大，我这病的确有些缠手。"

"没事，今天太晚了，您先休息，我回去想办法再来给您调。"

老张在送我回去的途中，问我说："王老师，你说，我母亲的病不是精神上的吧？怎么总觉得有点神神道道的呢？"

"这种情况我还是第一次遇到，不是精神上的问题，因为疼痛每转移一个地方，就出现铜钱那么大的硬块，先前的地方随之松软，我认为这就是一团气，理论上分析是寒湿所致，人的阳气本为一体，一气流行，阳气只有亏耗没有盈满，所以人生病都是阳气为病，阳气一处不在，就会得病，阳气一处有亏，就会一处阴凝，而且多寒湿并至。今年（2013 年）是少阳在泉，现在虽是冬天，但天气暖和，造成肾藏精力弱，老人本身气血较弱，再加上早上寒气重时外出，受到阴寒之气的侵袭导致生病。我仔细想想，为老人制定一个方案，再治疗。"

为老人调理的时候，我先点膈俞穴，推膻中穴，以胸口气机顺畅为度，然后推按太阳经，最后调理任脉，用了半个小时做完以后，老人说肚子里很舒服，但疼痛未减轻。第二天，继续沿用上次的手法，调理完以后，再点按老人大腿疼痛的部位，已经不移动了。疼痛依然未减轻。第三天，老人说，大腿那个地方虽然还痛，但夜里能睡着觉了，一觉可以到天亮。调至第五天的时候，疼痛开始明显减弱。手法改用开地门和开中门，让热感充盈她的后背，然后加做腿部分筋，并引气归元，共调理十五天疼痛方消失。

## 第四节　儿　　科

### 一、小儿牙齿生长慢及增高

人的一生长两次牙齿，一次是乳牙，一次是恒牙既成人牙。恒牙牙胚自出生后开始发育钙化，到六、七岁开始萌出，恒牙一般是二十八颗，十八至二十五岁又再长出一至四个，第三个磨牙（也称智慧齿也可终生不出），恒牙全部出齐，共有三十二个，在恒牙萌出时乳牙相继脱落。《黄帝内经》认为："丈夫八岁，肾气实，发长齿更。"男孩子七岁的时候肾气开始往旺盛的方向走，开始换牙，头发变得茂盛。“肾主骨，其华在发”，肾气充沛了，牙齿才能生长、替换，头发才能浓密、油亮。有些小孩到了七八岁还不换牙，或者换了乳牙长不出新牙，这都是肾气不足的表现，需要补足肾气。

一位以前曾找我调理过身体的朋友，他的孩子今年八岁，因常感双腿行走无力、时常腹泻，特请我为孩子调调身体，我看孩子两颗上门牙脱落，就开玩笑的对孩子说：“门牙掉了，说话可就漏风了。”没等孩子说话，朋友接过话来说：“他这两颗牙还是去年元月份掉的，一直就没有长出来。”正在这时，有人敲门，这个话题就没有往下继续。

在给孩子检查身体的时候，我感到孩子的腹部肌肉层非常的薄，把手放在上面，好像感到能触及内脏，同时孩子的肚脐明显高于周围皮肤……在给孩子调的前两天，孩子食欲大增，排便也非常好，但从第三天开始，出现清晨呕吐，腹泻的现象，据家长反应，呕吐的东西又不是前一天晚上吃的东西，虽然腹泻，但没有出现脱水和连续腹泻的现象。我根据孩子的情况和症状，把手法调整后，继续调理，很快，孩子呕吐腹泻现象随之消失，症状进一步得到了改善，孩子走路时，双腿明显有力，以前消瘦的身体，逐渐变得结实了很多，脸色也变得红润了起来，几天以后，孩子的父亲告诉我说：“前两天发现，孩子脱落了近半年的门牙已经开始长出来了，而且长得很快，太不可思议了。”

我告诉他说：“中医认为‘齿为骨之余’，肾在体为骨，牙齿属骨骼的一部分，牙齿与骨同出一源，由肾中的精气所充养，《杂病源流犀烛·口齿唇舌病源流》说，‘齿者，肾之标，骨之本也’。牙齿的生长、发育、枯槁、脱落，与肾中精气的盛衰密切有关。由于先天和后天的某些原因造成孩子肾气不足，导致孩子恒牙生长较为缓慢，肾属先天，脾主后天，先天不足后天补，脾胃功能恢复以后，运化的水谷精微外可布散体表，滋养肌肤毛发，上可流注孔窍，滋养眼耳口鼻，内可滋养五脏六腑，维持正常活动，旁可充骨填髓，促进牙齿生长、身体发育。孩子牙齿的生长，也代表骨骼发育正常，老百姓常说，‘七岁八岁狗也嫌。’七八岁正是孩子长身体的时候，阳气通达四肢，导致孩子喜欢动来动去，甚至连趴着打盹的小狗，他也去逗个不停，把小狗都惹得烦了。你回去以后，可以测量一下现在孩子的身高，估计很快有也能长高……”转眼间，一个月过去了，一天，孩子的父亲来到我工作的地方，对我说：“孩子现在的状态非常好，身体长高了两厘米。”

## 二、小儿厌食

厌食是小儿常见的脾胃病，以长期食欲不振，厌恶进食为特点。《幼科发挥》："儿有少食而易饱者，此胃之不受，脾之不能消也。"其主要原因由脾胃素弱、先天不足、喂养不当、饮食失节而致脾胃运化不健所引起。长期厌食者，可导致气血化生不足，抗病力减弱，易患他病，甚至发展为疳证。本病属中医学的"纳呆""恶食"等病证范畴。如果小儿由于疾病或其他原因引起几天之内的食欲不振，不能放在小儿厌食症之列。

病例 1　陈某，男，3 岁。

患儿的父亲因失眠找我调理的时候，无意中说起孩子两三个月以来一直不好好吃饭，身体很瘦弱，问我这是什么原因导致的？我问他孩子有没有感冒或者其他内科的一些问题？他说经常感冒，前段时间到医院检查，没有发现什么问题。就是排便有些干结。我让他带孩子过来，看看再说。

次日，他带孩子过来，孩子身体有些瘦弱，面色黄白，不喜动。属于脾气虚弱，致使营卫不和，只要调和脾胃气机，自然营卫调和。我问老陈孩子能否躺在床上十分钟，他说可以。把孩子放到床上躺好，孩子倒是比较配合，虽然瞪着大眼左右环顾，但还算安静，我用脏腑推拿的手法为他轻轻按摩腹部，重点施术于上脘、中脘、建里部位，不大一会，孩子腹内就发出咕咕的声响，气机通畅。

还没做完，突然孩子不愿意躺了，嚷着要起来回家，老陈没办法，只好带他离开。第二天老陈带孩子过来的时候，笑着对我说："奇迹，您知道昨天孩子为什么急着要回家吗？他是饿了，在车上就嚷着要吃东西，正好前几天我买了几包饼干，放在车上没吃，被这小家伙吃了大半包，晚上回去还吃了半碗米饭，麻烦您再给他调理几次，巩固一下效果。"

病例 2　吴某，男，5 岁。

患儿的父母在介绍其病情的时候说："孩子近几个月来，很少主动要求吃饭，吃得也少，一吃就饱，不喜欢活动，大小便基本正常有规律。"患儿发育正常，面色黄白，舌苔黄。很少主动要求吃饭，是胃气不足所致；食少易饱，属肝气横逆犯胃，造成胃气不和；喜静不喜动，是脾阳虚的表现。

在为患儿调理的时候，他哭闹着不愿在床上躺着，只好配合手部的穴位操作。第二天，患儿的父母反馈，孩子回去后，排气较多，吃饭明显增多。继续调理五次痊愈。

### 三、小儿腹泻

小儿腹泻是造成小儿营养不良和生长发育障碍的主要原因之一，为儿科重点防治的四大病之一。《景岳全书·泄泻》说："泄泻之本，无不由于脾胃，盖胃为水谷之海，而脾主运化，脾健胃和，则水谷腐熟，而化气化血，以行营卫，若饮食失节，起居不时，以致脾胃受伤，则水反为湿，谷反为滞，精华之气，不能输化，乃致会污下降，而泻利作矣”。

中医认为脾为小儿之本，本来就常不足，小儿发病与否与其脾胃功能密切相关。风寒之邪如果直中脾胃或者由于不注意饮食卫生而感受湿浊之邪，就会发生腹泻。

丁某，男，两岁五个月。

据患儿父母介绍，孩子近半年来每天腹泻三至四次，而且有便意时，自己不能控制，经常排泄到裤子里面，大便稀薄，气味不大。腹胀，不喜欢自己走路和活动，夜里睡眠不安。孩子的病虽然看起来不是很严重，但中药、西药，都用过，效果并不明显，后来到国内几个城市，去做小儿推拿，花费两万余元，但效果仍是时好时坏，不稳定。我问他们是否知道孩子目前的症状是怎么造成的吗？他们说，以前不知道，但经过多方求医问药，原因也清楚了，就是以前让孩子多食水果、冷饮导致的。细看孩子两眼上下色青，为木乘脾土，舌苔白，虚寒之象，当是由喂养不当，损伤脾胃，脾阳虚衰导致腹泻。大便稀薄，气味不重，体内多寒。且长期腹泻，必然导致阳虚。正如《黄帝内经·素问·痹论》中所讲“饮食自备，脾胃乃伤。”

为孩子调理的时候，本来要用小儿推拿的手法健脾胃、补中气、和血脉、补肾水、温命门，但考虑以前孩子长期做小儿推拿，手上的穴位敏感度可能变差，只好改用腹部推拿，可能经常做推拿的缘故，孩子还挺配合的，几分钟下来，孩子腹部咕咕直响，气机通畅的征象非常明显。做完以后的当天晚上，孩子的父母来电话说，从下午两点多回来到现在，一直没有腹泻。第二天下午，孩子的父母过来时反馈，从昨天下午到现在，孩子只在今天早上，排便一次，略有稀薄。继续调理至第四次时，孩子排便基本正常，其父母担心效果不稳定，故在其要求下，连做十天结束。时隔一个月后，电话跟踪问孩子的情况，孩子的父亲告诉我说，到现在一直挺好的，而且孩子不像以前那样，总想让大人抱着，变得爱走路了，说话吐字清晰了，没想到还有这样的附加效果。

小儿腹泻临床上可依其粪便性状与症状表现，分辨寒热，审察虚实。凡暴泻者多实，久泻者多虚，迁延难愈者多虚中夹实；腹胀痛者多实，腹胀喜按者多虚；粪便黄褐而臭者多属热，便稀如水、粪色淡黄、臭味不甚者多寒；舌苔厚腻者多属湿滞，舌质红、苔黄者多为热邪；舌淡胖边有齿痕者为伤阳，舌红绛而干者为伤阴。《幼幼集成·泄泻证治》中说：“凡暴注下逼属火，水液澄清属寒；老黄色属心脾肺实热，宜清解；淡黄色属虚热，宜调补；青色属寒，宜温补；白色属脾虚，宜补；酱色属湿气，宜燥湿；馊酸气属伤食，宜消”。

### 四、小儿咳嗽

中医认为“小儿肺常不足”，小儿肺脏无论是在组织结构还是生理功能上，绝世娇嫩柔弱，全而未壮，有异于成人，肺主一身之气，外合皮毛腠理，肺为华盖，为清虚之体，外合皮毛，开窍于鼻，与天气直接相通，故六淫等外邪侵入，最易犯肺，所以说，“娇脏易遭伤”小儿时期的肺系功能未臻完善，肺气尚未充盛，故肺之主气、司呼吸、宣发肃降、主治节、通调水道等功能均处于不完善和不稳定状态，抗邪力弱，一旦受邪则功能易乱，发生疾病。

肺属金，主气；肝属木，主疏泄，金克木，二者属相克关系。肝主升，肺主降，人体气机升降、气血调畅全赖肝肺之升降功能。小儿“肝常有余，肺常不足”，肺金的肃降，有制约肝气、肝火上升的作用，如肝肺的气机升降失常，肺金不能克制肝木升动之气，导致肝气升发太过，肝气郁结，气郁化火，循经犯肺，即可现“木火刑金”的反克病理现象，则可出现咳逆等肝火犯肺的症状，因此调理小儿咳嗽从肝论治，同时中医又提出，见肝之病，知肝传脾，当先实脾，因此调理脾胃是关键。

推“天河水”对夜里手脚心发热，汗出烧不退，烦躁难眠，夜咳不止等热性病症，最为有效，但若是畏冷怕风，神倦易困的虚寒性体质，则万不可用。方法：从孩子左手心沿小臂中线一直推到肘窝的曲泽穴为一次，每次要推至少 300 次，推时要在孩子小臂上抹些润滑油（擦手油），防止擦伤皮肤。睡前给孩子推一推效果最好。

周某，男，10 个月。

一天上午，曾找我调理过胃病的某公司老总带着媳妇，抱着孩子前来，他对我说：“我儿子这几天可能是受风寒了，一直咳嗽不止，遇冷空气更是加重，咳得厉害就会出现干呕，也不爱吃饭，打了几天针，没有改善，就找您来了。”我问他孩子吃饭、睡眠、排便情况如何?

他回答说：“孩子不怎么爱吃饭，夜间睡眠不沉，总是翻来覆去，排便还算正常。”

“你们不用担心，孩子的情况好处理，调理两三次就好了，其实咳嗽从西医上来讲，是许多疾病都可能出现的一种症状，不是病。婴儿咳嗽是为了排出呼吸道分泌物或异物而做出的一种机体防御反射动作。换句话说，咳嗽是婴儿的一种保护性生理现象。但是如果咳得过于剧烈，影响了饮食、睡眠和休息，那它就失去了保护意义。因此对于婴儿咳嗽，先要鉴别是何种原因引起的，再对症处理。绝不可一听小儿咳嗽，马上就认为是风寒、感冒，甚至是肺炎，做出盲目的判断和治疗。”

在为孩子调理的时候，由于孩子太小，只能用五六分钟时间做小儿推拿一次。第二天过来调理时反馈，孩子咳嗽明显减轻，共调理五次，症状消失。



## 五、小儿便秘

“大肠者，传道之官，变化出焉。”故粪便的排出与大肠功能关系密切。《诸病源候论·小儿杂病诸候》曰：“小儿便不通者，脏腑有热，乘于大肠故也。”

病例　程某，女，4 岁。

据孩子的父母讲：“孩子在去年的一次感冒后，出现便秘，一般四五天一次，大便干燥如羊屎，非常坚硬，甚至排便时肛门出血，孩子因此惧怕排便。曾服中药，当时见效，时间久了则出现耐药性。只有家中常备开塞露，以备孩子排便时使用。自从得病后，孩子的脾气变得很烦躁，不像以前那样安静了。”

孩子感冒后出现便秘，并导致脾气烦躁，应与肺气宣降有关，肺主燥主收敛，肺与大肠相表里，肺气不宣，大肠不通。病位虽在大肠，但病机却在脾和肝。中医认为，小儿生而未全、全而未壮，故其脏腑功能较弱，同时，小儿处于旺盛的生长期，对水谷精气的需求比成人高，而小儿脾气尚弱，存在着运化功能不健的现象。若饮食调摄不当、情志变化，易造成脾胃虚弱、运化无权，脾升胃降失常，浊阴不降，影响大肠气机，致传导功能低下，糟粕内留而便秘。所以说小儿脾常不足。肝主疏泄，能调畅全身气机，且能促进脾胃的运化功能和大肠的传导功能，以助大便排泄。小儿的生理特点为肝常有余，生机勃发，其气机升多降少，糟粕不易顺降而淤滞肠腑，故便秘者多；肝气郁结，疏泄不畅，气机壅滞，同时也影响了脾的运化，大肠气行不畅，传导失司，糟粕留滞，而成便秘。所以在调理时，以小儿推拿的手法加以配合腹部按摩。第二天反馈，孩子虽未排便，但排气较多，睡眠安静了。这说明脾胃运化的功能有所恢复，心肾相交，自然排气较多，睡眠加深。第三天反馈，早上起来排便，先硬后软。这代表运化功能增强，肺气宣降，六腑通畅。此后，每天排便一次，应家人要求，共为孩子调理十次，在便秘消除以后，孩子的脾气也柔和了。

## 六、小儿夜啼

夜啼是指小儿经常在夜间啼哭的一种病症。有的阵阵哭啼，哭后仍能入睡。有的通宵达旦，彻夜不眠，白天如常，入夜则啼哭。一般多见于半岁以内的婴幼儿，持续时间数日至数月不定。小儿夜啼多由脾寒气滞、心经积热、惊恐伤神、食积胃脘所致。

中焦脾寒，寒性收引，则气血凝滞不通，“夜属阴，阴盛则脾脏之寒愈盛，脾为至阴，喜温而恶寒，寒则腹中作痛，故曲腰而啼。”因痛而啼，痛解而寐，故时哭时止。脾脏虚寒，运化失司，故吮乳无力，胃纳欠佳，大便溏薄。虚寒内盛，故睡喜蜷曲，腹喜摩按。小便较清，面色青白，唇色淡红，舌苔薄白，指纹淡红均为脾寒所致。

心经积热则为胎热结于心脾，邪热上乘于心而扰乱心神，“心属火，见灯则烦热内生，两阳相搏，故仰身而啼。”“心属火则烦，多夜啼。”此证为受热所致，故哭声响亮，面赤唇红，身腹俱暖，大便秘结。苔黄，指纹紫均为热象。小便短赤，舌尖红为心经有热之象。

惊恐伤神是小儿偶见异物，暴受惊恐，以致神志不安，心志不宁，神不守舍，心虚胆怯，故面色乍青乍白，指纹色紫，脉数。《育婴家秘·夜啼》云：“惊惕者，常在梦中哭而作惊”

食积胃脘则使患儿阴阳失调，不寐而啼。小儿饮食不知饥饱，喜爱之食多饮多餐，一不留神便吃多了，到了夜晚胃脘过饱，自然感到不舒，胀闷不消化，睡眠自然不安而啼哭。故《黄帝内经·素问·逆调论》云：“胃不和则卧不安”。

病例1　宋某，女，三个半月。

近一个月来，夜间睡眠时啼哭不止，食乳少易吐，腹部整天胀鼓鼓的，排气多且味重，舌苔黄。此为乳食积滞，导致气机不畅，升降失和，食乳易吐。小儿脏腑娇嫩，父母喂食不知控制，到了夜晚胃脘过饱，自然感到不舒，胀闷不消化，睡眠自然不安而啼哭。调理时，以小儿推拿手法结合腹部推拿，第二天反馈，夜啼现象较以往好了一些，食乳量明显增多，排气虽增多，但味轻了，腹部柔软一些。第三天反馈，夜间睡眠时间明显增多，啼哭现象明显较少，食乳不吐了，同时发现这两天以来孩子腹内经常咕咕作响。第四天反馈，昨晚一夜未啼哭，继续巩固调理十天结束。

病例2　张某，男，5个月。

夜啼近两个月，啼哭声甚大，且哭时出现屏气，面色红赤，需家人抱在怀中，不断走动，方能稍稍睡一会，脱离家长怀抱，立即啼哭。腹胀，便秘，小便色黄气味重，舌尖红苔黄，此患儿夜啼为心火上炎，脾胃积热所致，调理时用小儿推拿手法，加夜间外用药物敷脚心。第二天反馈，夜啼时间比以往减少，晨起排便，便软成形，小便颜色变淡。继续调理，第三天反馈，间断夜啼，时睡时哭，声音比以往减弱。第四天反馈，昨晚夜啼的时间，大约一个小时左右，但哭声时停时止，哭声不剧烈。第五天反馈，夜间醒来两三次，哭几分钟，又安睡。患儿腹部柔软，舌苔薄白，进食正常。

### 七、小儿夜间磨牙

洪某，男，十三岁，近半年来，经常出现呕吐的现象，其父带领找我调理时告诉我说："我儿子除了呕吐以外，还有一个问题，就是从五岁开始，出现夜间睡眠磨牙，一位中医大夫教给我给他按摩双手的大鱼际，坚持揉了一段时间，情况有所好转，但没过多久，又复发如常。"

"体内有寄生虫和脾胃不和都有可能导致夜间磨牙，建议先带孩子到医院检查一下体内是否有寄生虫？因为寄生虫会分泌一些有害物质，影响自律神经，日间我们意识较强，可以控制行为举止，但入睡后，则会不自觉地磨牙，如果真是这种情况的话，祛虫以后磨牙的现象就消失了。"我说。

"我带他到医院检查过了，体内没有寄生虫，也检查不出导致磨牙的原因。"

"中医认为'胃不合则寐不安'，这种情况应该和脾胃有关，因为从经络的走向开看，胃足阳明之脉，起于鼻，交鼻梁中，旁约太阳之脉，下循鼻外，入上齿中，还出挟口，环唇，下交承浆，却循颐后下廉，出大迎，循颊车，上耳前，循发际，至额颅。所以我认为，无论大人还是小孩，夜间睡眠磨牙，都应于与足阳明胃经有关。"

"这种情况好调理吗?"

"我现在就是给他调理脾胃，过几天看看情况吧?"

调理三次以后，孩子呕吐的症状没有了，而且胃口很好，每次调完以后，孩子都感到饥饿，调理到第五天的时候，孩子的父亲告诉我说，孩子夜里睡眠磨牙的现象消失了。停止调理两个月后，偶见孩子的父亲，他告诉我说，孩子的状态一直挺好的，夜间磨牙的情况再也没有出现过。

### 八、癫痫

癫与痫，本为两病，不可混为一谈，中医认为痫证是一种发作性神志异常的疾病。其特征为猝然扑倒，不省人事，两目上视，口吐涎沫，四肢抽搐，或口中发出猪羊叫声，醒后多恢复至发作前的状态，又称癫痫、癫疾、痫病，俗称"羊痫风"。对于癫痫一病，在《黄帝内经》时代即有记载。"人生而有病癫疾者，名为胎病，此得之在母腹中时，其母有所大惊，气上而不下，精气并居，故令子发为癫疾也。"明确指出了先天因素在本病发生中的重要作用。

痫症的根源在肾，有时肾中的相火暴动，煽动肝风。火借风势，挟痰上升，窜于经络，上闭心窍，导致神经骤然受制，出现昏仆搐搦的现象。等痰涎流出，正气渐渐复顺，人又恢复正常，而病又伏于肾。阴虚不能制火，气虚不能化痰，是得病的主要原因。

至目前为止，现代医学，尚无根治此病之法，中药古方亦多不效，皆视之为不治之病。"脏腑机能调整"按摩法调通气机，交通心肾，兼安脾胃，统十二经脉，见效奇快，且能根治。一般来说，患者病程越短，疗程越短；病程越长，疗程越长。

病例 1　谭某，男，5 岁。

患者在 3 周岁时患上癫痫病，久医无效，几乎一天患病一次。患病时突然栽倒，口角流涎，手足抽搐，数分钟后才得苏醒。一次偶然的机会我与孩子的父亲认识，他听我能治此病，特请我为其子医治。我选用调整任脉、督脉、手足三阴三阳法的部分手法为孩子治疗一遍，穴位都能放通，一遍做完，嘱咐同事注意观察孩子，看疗效能持续多长时间。不想，数月过去，一直未发作，两年后，我离开此地时，孩子不但神情活泼，而且智力发育良好。

病例 2　陈某，女，17 岁。

癫痫小发作五年，一天发作数十次，发作时双眼直视，呼之不应，维持数秒钟即可恢复正常，偶尔发作时有手足抽动的现象。便秘，四至五天排便一次，舌苔黄腻。服用较长时间的中、西药，效果欠佳而停服。

中医认为，心者，君主之官，神明出焉。心为一身之君主，具一理而应万机，脏腑百骸，唯所是命，聪明智慧，莫不由之，故曰神明出焉。心脑一气相贯，息息相通，相互依赖，片刻不得分离，若有阻隔，脑中神明失其心主的护佑和指挥，必然不知所措。导致这种情况出现的原因，是脏腑功能失调而产生痰，痰随气升，上升轻窍而为是病。朱丹溪在《丹溪心法·痫》中指出："痫证有五……无非痰涎壅塞，迷闷孔窍。"楼英在《医学纲目》中说："癫痫即头眩也，痰在膈间则眩微不仆。"明代医家李中梓曰："脾为生痰之源，肺为贮痰之器"若脾失健运，则水液不能正常敷布，停而为湿，聚而为饮，凝而为痰。《医宗必读·痰饮》"按痰之为病，十常六、七，而《黄帝内经》叙痰饮四条，皆因湿土为害，故先哲云'脾为生痰之源'……脾复健运之常，而痰自化矣。"肺主宣发与肃降，宣发可将津液布散于肌膝皮毛，肃降可使水道通调，使上源之水下行。若肺失宣降，上焦水津不能通降与布散，便停聚于肺，而化为痰饮。

明此机理，在调理时重点在于通三关和调三焦，使其气机通畅，任督调和。才能补益脾气，增强脾运化水湿的功能，水湿得化，肺内停聚之痰再生无源。肺气宣降协调，诸证便解。第二天反馈，调理以后，发作次数减少了三分之二。

陪同孩子前来调理身体的是孩子的父亲，为了给孩子看病，自学中医，参考过很多有关此病的资料，对手法调理这样的疾病，他一直就是抱着试试看的心理。看到只调理一次，就有效果了，他半信半疑，问我说："王大夫，请教您一个问题，明代医学家方贤把痫证分为风痫、食痫、惊痫、痰痫、饮痫，像我孩子这种情况，应该属于哪种呢?"

"从孩子发作时偶尔出现手足抽动及舌苔黄腻的情况来说，应该属于风痫、痰痫夹杂。不过话说回来，这样的分法也未必涵盖所有的痫症病人的发作情况，如和医家方贤同时代的鲁伯嗣在《婴童百问》中把癫痫分为心痫、肝痫、肾痫、肺痫、脾痫五种，面红、眼睛直、吐舌、咬牙、烦躁不安、气短的叫心痫；脸和嘴唇发青、眼睛向上看、手脚抽搐、腰背硬直的叫肝痫；脸发黑带有晦气、眼睛向上看、嘴里吐沫、身体僵直如尸的叫肾痫；脸白如土、眼睛发直、像受了惊吓似的跳动摇头、嘴里冒沫的叫肺痫；脸色发黄、眼睛发直、肚子胀、下泻、四肢僵硬的叫脾痫。作者把发作症状和病理结合起来给癫痫病分类，基本上可以从中医典籍上找到理论根据，也符合中医的临床观察经验，这样的分法更有独到之处。"

"王大夫，以您的经验来看，我孩子的疾病，是怎么得的呢?"孩子的父亲又问我。

"从中医上说，有两种原因造成，第一种情况是先天因素。母亲在怀孕期间受惊吓，气上而不下，精气并居，容易导致此病。第二种情况是孩子本身受惊导致。《诸病源候论·小儿杂病诸候·痫候》提到，'因惊而发作成痫也，初觉儿欲惊，急待抱之，惊自止，故养小儿常镇惊，勿闻大声。每持抱之间、常年安徐，勿令怖，又雷鸣时，常塞儿耳，并作余细声以乱之'。指出惊吓是导致癫痫的原因。对你孩子的症状和表现来看，应该与惊吓有关。"

"的确如此，他回忆说，孩子得病的前几天，是受过一次惊吓。"

他说完以后，我继续为孩子调理，第三天反馈，排便通畅。在以后调理过程中，以患者出现的症状，在通三关和调三焦的基础上或调颈椎，或疏肝理气，或先开四门，或拨筋通络……手法随患者症状而变化，调理至二十天时，开始出现隔一至两天发作，或一次，或两次，后来发作的时间越来越少，调理至四十天的时候，孩子连续几天都没有发作。这是孩子的父亲又问我说："王大夫，这种病调好以后，还复发吗？"

"一般来说，调理后多数人不再发作，但也不是绝对，要想避免复发，就要注意保养，防止任何诱发因素，如无论男女，绝对戒烟、酒，防止激动、生气以及疲劳过度等。另外，尽量少看电视、电脑，减少使用手机，不要下棋、打麻将等。只要三年内不发作，出现复发的可能就很小了。"

癫痫病的形式是多种多样的，有的癫痫病人在反复发作中只有一种发作形式，而有的可有一种以上，如有时为大发作，有时为失神发作；也有在一次临床发作中从一种演变为另一种发作，如简单部分性发作迅即变为复杂部分性发作而以大发作告终；也有开始时只有大发作，在长期反复发作后又出现精神运动性发作；也有在白天为精神运动性发作而晚间睡眠中为大发作等。临床上最常见的发作形式为大发作、小发作、局限性发作和精神运动性发作，其中以大发作为最多见。发作的间隔与发作的时间差异很大，发作从每日数次至数月一次不等，小发作可多至每日 100 次以上，大发作可数年发作一次，发作时间早晚不一。

大发作：即全身性强直——阵挛发作。每次发作时患者都会突然尖叫一声，意识丧失，跌倒于地，并立即发生肌肉抽搐。发作开始时，全身肌肉同时发生持续性收缩，患者头转向一侧或向后仰，眼球也向同侧或向上转，上肢伸直或弯曲，手握拳，下肢常伸直，有时屈曲。全身的肌肉由持续的收缩转变为一张一弛的交替抽动，形成阵挛。患者头部、躯干与四肢的肌肉均见强烈的收缩，有时容易发生挫伤。阵挛逐渐减弱，频率逐渐减少，松弛时间逐渐延长，持续约 1 分钟，在最后一次强烈痉挛后，抽搐即行停止。由于胸部的阵挛活动，气体反复由口中进出，形成白沫，若舌头或颊部被咬破，则口吐血沫。尚出现心率增快，血压升高，汗液、唾液和支气管分泌增加，深反射、浅反射消失，牙关紧闭，和再次咬破舌头，并有可能发生小便失禁，少数可能还有大便失禁。

小发作：即单纯失神发作。典型的失神发作最多见，多在 6 ~ 12 岁发病，在 15 岁后发病者极少。表现为突然发生和突然停止的意识障碍（神志丧失），持续 5 ~ 20 秒，很少超过 30 秒钟。患者无任何先兆，突然中止其正在进行的动作，呆立（坐）不动，呼之不应，双眼睑节律性抽动或双眼上翻，手持物件可能跌落，亦仍能机械地继续原来的简单动作，但从不跌倒。发作突然停止，意识立即清醒，对发作不能回忆。

### 九、小儿哮喘

小儿哮喘，是一种发作性痰鸣气喘疾患，发时以喉间有水鸣声，呼吸困难，不能平卧为其特征。如果素体不足，痰伏肺窍，遇到气候变化，情绪波动，饮食改变或接触其他物质可诱发，随着小儿生长生育以渐臻完善，本病发作机会可逐渐减少，以至终身缓解。但如果青春期前后依然反复发作，则难根除，每可成为终身痼疾。

中医认为，喘以气息言，哮以声响言主。喘者呼吸急促，甚至呼吸极度困难，出现张口抬肩、鼻翼煽动、不能平卧等现象。如喘气出入时，喉间痰鸣作声谓之哮。但哮必兼有气喘，喘则不一定兼哮。二者很难绝对分开，所以将哮喘放在一起讨论。后世对该病病因的认识逐渐发展，如张景岳说："实喘者有邪，邪气实也，虚喘者无邪，正气虚也。"叶天士更说："在肺为实，在肾为虚。"

**哮证**

冷哮：痰喘久延，肺胃阳气日耗，胃虚则不能气化津液，痈疽为痰，肺虚则卫气不固，易感外邪，非时之感与宿痰相合，闭拒气道，搏击有声，发为冷哮。症状为呼吸困难，喉中痰鸣，面色苍白，身汗肢冷，胸满纳少，甚或抬肩不能平卧，苔白腻，脉迟滑。

热哮：肺经素有痰火，肺合皮毛，肺病则毛窍常疏，卫外不固，易感外邪，以致痰火郁于内，风寒束于外，内外相搏，阻塞于气道，肺气郁滞不宣为热哮。症状是，发作骤急，胸胀气粗，呼吸抬肩，不得平卧，喉中痰声，痰稠色黄，苔黄腻，脉滑实。

冷哮与热哮的鉴别：冷哮者，喉间有痰声，痰稀色白。热哮者，胸胀气粗，痰稠色黄。实喘者，气粗烦躁，苔黄脉数。虚喘者，声低息短，易汗唇淡。

**喘证**

实喘：肺居高处为华盖，诸经之火热或外感风热均能上熏灼于肺，火热属阳，阳主升，肺为娇脏，火熏则伤肺气，肺以气降为顺，气升不降，发为实喘。症状是胸闷气粗，烦躁口渴，脉数有力，苔黄腻，或发烧。

虚喘：肺为气之主，肾为气之根，肺虚则气无所主，肾虚则吸入之气不能纳于下焦，故呼吸急促为虚喘。症状是声低息短，呼吸不能续，肢体倦怠，动则喘急易汗，神疲形羸，口唇清淡，脉弱无力，或咽喉干痛，肢冷掌热。

病例 1　刘某，女，四岁。

两岁时因受寒而引发哮喘，遇冷发作，咳嗽喘促，久治不愈，发时喉间有痰鸣声，呼吸困难，大便稀薄。

《医宗必读·痰饮》云：“‘脾为生痰之源’……脾复健运之常，而痰自化矣。”同时，肺主宣发与肃降，宣发可将津液布散于肌肤皮毛，肃降可使水道通调，使上源之水下行。若肺失宣降，上焦水津不能通降与布散，便停聚于肺，而化为痰饮。如临床常见大便溏薄、泻泄、咳喘痰多。则其治法除宣肺化痰、止咳平喘外，关键还应补益脾气，增强脾运化水湿的功能，水湿得化，肺内停聚之痰再生无源。肺气宣降协调，诸证便解。在为孩子调理的时候，小儿推拿与调理三焦相结合，加用大椎、风门、丰隆，大椎是诸阳经之汇穴，加用灸法有诸阳卫外的作用，风门是治疗和预防风邪外感之要穴，丰隆穴是足阳明胃经别络，别走足太阴脾经，联络脾与胃的表里关系，既能治胃，使胃气调和痰浊下降，又能治脾，使脾健运，杜绝生痰之源，以安其中。诸法同用，达到宣肺通胃，补脾益肾的目的。首次调完以后，嘱其父母回家后用无烟艾条为孩子灸大椎、脾俞、胃俞、肾俞，肾主纳气，肺虚必及于肾，胃虚必累于脾，灸脾俞、胃俞，以绝生痰之源，肾为胃关，灸肾俞以增强肾阳。

第二天反馈，孩子呼吸顺畅了很多，排便成形了。继续以前法调理。第三天反馈，咳嗽明显减轻，虽然昨天气温较低，但未对孩子的病情造成影响。调理二十次，诸症悉平，为防复发，嘱其父母继续用特制灸器自行为孩子艾灸一段时间。

病例 2　何某，男，五岁。

一岁半左右患哮喘，经中西医治疗，只能控制病情，但每逢遇外邪侵袭，仍反复发作，出现胸闷气促，咽喉红肿疼痛，舌红苔黄，大便干结的现象。

小儿哮喘病因，有内因和外因两方面。内因主要是痰邪内伏，且和体质有一定关系，外因则是指各种诱发因素而言，由于痰邪久伏，所以哮喘反复发作。伏痰的产生，来源于津液，与肺脾肾三脏功能不足有关。肺虚则卫外失固，腠理不密，易为外邪所侵，邪阻肺络，气机不利，津液聚而为痰；脾虚不运，生湿酿痰，上贮于肺；肾虚不能蒸化水液，上泛为痰，聚液成饮。外因是诱发的因素，如感冒受冷、劳倦过度、饮食内伤、情志影响等。此外煤气、油味、花粉、灰尘等，也可诱发本病。病理变化为外因诱发，触动伏痰，痰随气升，气因痰阻，相互搏结，阻塞气道，气机升降不利而发为哮喘。急性发作期，病机主要在肺，而缓解期则以肺脾肾虚亏为主。

调理时，先调肺俞、尺泽、天突三穴，以达到宣肺利气、清肺降火的作用，然后调三焦，使土气斡旋，脾胃调和，三焦一气贯通。次日反馈胸闷气促的现象减轻很多。继续调理，第三天反馈，吃饭较好，睡眠深沉。第四天反馈，排便非常顺畅，调理十天，症状皆除，而且孩子吃饭非常有食欲，睡眠较好，面色红润。继续调理一段时间，以防复发。



## 十、小儿脑瘫

小儿脑瘫归属于中医所论的“五迟五软五硬”“手足拘挛”“痿证等”范畴。我国古代医籍提到“齿不生候”“数岁不能行候”“头发不生候”“四五岁不能语候”。五迟的某些典型症状是“长大不行，行则脚细；齿久不生，生则不固；发久不生，生则不黑。”得病原因，“皆胎弱也，良由父母精血不足，肾气虚弱，不能荣养而然”。“良由父精不足，母血素衰而得。”《保婴撮要·五软》指出：“五软者，头项、手、足、肉、口是也……皆因禀五脏之气虚弱，不能滋养充达。”有关其预后，“苟或有生，譬诸阴地浅土之草，虽有发生而畅茂者少。又如培植树木，动摇其根而成者鲜矣。由是论之，婴孩怯弱不耐寒暑，纵使成人，亦多有疾。”

病例　武某，男，六岁。

一岁时患高热惊厥，经中西医治疗，得以康复，但颈项无力，手足痿软，不能站立，手不能握紧，视力、听力正常，智力差，语言只能简单表述，说话不流利，睡眠差，大便干秘。医院诊断为脑发育不良，经过一段时间的康复训练，效果不明显。

患儿的情况属于中医五软的范畴，五软者，头项、手、足、肉、口。头软，脏腑骨脉皆虚，诸阳之气不足；乃天柱骨弱，肾主骨，足少阴太阳经虚；手足软者，脾主四肢，乃中州之气不足，不能营养四肢，故肉少皮宽，饮食不为肌肤；口软者，口为脾之窍，上下龈属手足阳明，阳明主胃，脾胃气虚舌不能藏而常舒出；心主血，肝主筋，脾主肉，肺主气，肾主骨，此五者皆因禀五脏之气虚弱，不能滋养充达，故骨脉不强，肢体萎弱，源其要总归于胃。调理时，重点在调理任督两脉及疏通四肢的经络，督脉与肝经会于巅，督脉入络于脑，脑为元神之府，《针灸大成》中谈道：“以人之脉络，周流于诸阳之分，譬犹水也，而督脉为之督纲，故名曰海焉”。督脉入属于脑，又循行于头顶正中，本着“经脉所过，主治所及”，故其对治疗与脑有关的神志病有着肯定的作用。从循行上看，督脉与脑直接联系，督脉为阳脉之海，总督一身之阳气，统领诸经，进而联系五脏六腑，对各经脉脏腑病变均有调整作用。任脉为阴脉之海，与全身所有阴经相连，凡精血、津液均为任脉所司。任督两脉同时调节，以达到“阴平阳秘，精神乃治”的作用。

第二天其父母反馈，大便通畅，睡眠加深。继续调理至第八天，患儿手握稍有力气。调理至第十五天，能双手扶在床边自己站立一两分钟，此时加强走路训练及心理调节。调理至三十天时，可在旁人搀扶下走五十米左右，语言表达能力增强，说话明显流利。调理四十天时，患儿可持物自行缓缓行走。

造成脑瘫的原因，《医宗金鉴·幼科杂病心法要诀》中提到："小儿五迟之证，多因父母气血虚弱，先天有亏，致儿生下筋骨软弱，行步艰难，齿不速长，坐不能稳，要皆肾气不足之故。"欲为人父母者，此常识不可不知，不可不察。

### 十一、小儿疳积

小儿天性率真，没有七情六欲的影响，其致病原因，除先天性外，多系停食、停乳、惊吓、受风四种。此四种病或医治不当，或父母看护不周，皆易发生或转变种种疾病。疳积，分食积和水积两种，都是因哭闹进食，脾胃受伤，所进饮食不能生津化血，停滞胸中日久，即成疳积，发焦身瘦，好哭闹。虎口三关射甲者为最严重。（虎口三关射甲是小儿大指与食指之间，从合谷穴开始出现一条红线，从二间穴三间穴穿过，叫三关射甲，出现这条红线说明病很严重了。）歌云："小儿三岁下，虎口看三关，紫热红伤寒，青惊白是疳，淡红淡黄者，斯为无病看。"

治发烧可加点风府穴、百劳、两肩井、夹脊下捋，治泻痢加点天枢和长强，如果高烧不退，系小儿危症。

病例　张某，男，4岁。

患者是我一同事的孩子，2000年3月同事带着孩子来找我，当时孩子的症状为食欲不振，形体消瘦，口渴喜饮，腹胀，大便稀溏，为疳积的典型症状。我选用任脉的组合手法，治疗结束，孩子就嚷着要吃东西。第二天，家人带着孩子来诊时说，昨天治疗结束后直到现在腹部未胀，爱吃东西，大便成形。又治疗三次，以巩固疗效。

儿科疳病相当于大人之劳病。疳症有五，其中以食疳、奶疳、虫疳最为多见，唯奶疳由于乳汁缺乏，而襁褓中的婴儿脏腑脆弱，过食粥饭或米粉糕饼，损及脾胃，或断奶太早，饮食致伤，仍与食疳同类。但食疳须年龄较大之小孩，在三岁以上居多，其病初起，由于饮食伤脾，致胃肠消化不良，身中营养受到障碍和缺乏，所以必面黄肌瘦，大便溏泄，腹部膨大，甚则青筋突露，此种见证，属于阳虚。若形瘦，发热，大便坚，或有盗汗，小便短赤，腹不膨大，口臭，牙血多，每多阴虚。

## 十二、小儿智力开发

中医学认为，智力活动是属于五脏六腑之功能，肾为先天之本，主骨主髓，心为君之宫而主神明；肝为将军之宫而主谋虑，小儿先天禀赋不足或后天失养，均可导致心、肝、肾等脏腑受损，使髓海不充，神智衰弱，谋虑失常，从而导致儿童智力低下或开发较慢。只要调整五脏六腑的经气，改变脏腑虚实状态，就能促进大脑细胞发育，提高儿童智力。

梁某，男，两岁四个月。孩子近半年来经常感冒，服用过一段时间中药，效果甚微。父母就带孩子求于推拿，开始有效，但按摩过一段时间以后，效果就不那么明显了。后经朋友介绍找到我。我发现孩子面色黄白，语言迟缓，说话的时候，顶多两三个字，而且含糊不清，同时，还有一个外在的表现就是极为不愿意走路。经调治八次，孩子面色变得红润起来，饮食也逐渐增多，我建议停止调理，以观后效。一个半月以后，我上街的时候，碰到孩子的母亲带着孩子在公园里玩耍，孩子跑来跑去的，很是高兴。当我询问孩子身体情况的时候，孩子的母亲告诉我说："自从您调理过以后，孩子身体一直挺好，没有感冒，而且胃口很好，饮食明显增加，以前出门，孩子基本就是让大人抱着，现在他自己愿意跑跑跳跳的了，同时还发现在您调理以前，孩子说话都是几个字的从嘴里往外蹦，不成句，现在不但说话成句，也爱说话了，没想到通过您的调理，还能开发孩子的智力和提高语言的功能。"

"阴主收敛，阳主生发，阳气充足以后，孩子自然会变得活泼爱动。人的智力在中医学属'神志'的范围，神志活动主要包括五神（即神、魂、魄、意、志）和五志（即喜、怒、思忧、悲、惊恐）两个方面。五脏与五神的关系是，心藏神、肺藏魄、肝藏魂、脾藏意、肾藏志，五脏与五志的关系是，心主喜、肝主怒、脾主思忧、肾主惊恐，所以称五脏为'五神脏'。五脏的功能越强健，人的精神、思维、意识、活动也越能得到开发……"

# 第八章　诊余随笔

## 第一节　脏腑机能调整是一个圆运动

脏腑机能调整按摩法主要通过调理任督两脉，贯通头部、臀部的气机，通三关（玉枕、夹脊、尾间），分拨四肢的筋，来达到脏腑调和、气机通畅、去除百病的目的，除了四肢的操作手法着眼于十二经络以外，胸腹部、背部、头部、臀部重点施术手法都在任督两脉，以及任督两脉的起点和交接的位置，使之一气周流，畅通无阻，形成一个圆运动。这也是脏腑机能调整按摩法与其他流派的重要区别，这样编排手法有什么重要意义呢？为什么十二经络与任督两脉并称为十四经络？除了我们目前对经络所了解的知识以外，任督两脉还有多少不被我们目前的知识所探索到的秘密呢？

经络分为两个大部分，一个是奇经八脉，一个是十二经脉。十二经脉如河流，奇经八脉如湖泊。任督二脉，一个是居人体的前正中线，一个是居后正中线，它主一身之阴阳，脏腑气血都存储在任督二脉中，当哪个脏器，或者哪个部位气血充足的时候，它多余出来的气血，就存储到这两个地方，任督二脉除对人体的内循环进行二次调节以外，任脉和督脉也构成了一个小的循环，从任脉到督脉，再由督脉至任脉的小的循环系统。

说到任督二脉，很多金庸、梁羽生的武侠迷都会说，打通任督两脉就可以冲破生死玄关，从而为练习绝世武功打下基础。其实，从医学上来讲，任督两脉原属于奇经八脉，奇经八脉是任脉、督脉、冲脉、带脉、阴跷脉、阳跷脉、阴维脉、阳维脉的总称。李时珍在《奇经八脉考》中讲道：“阳维起于诸阳之会，由外踝上行于卫分；阴维起于诸阴之交，由内踝而上行于营分，所以为一身之纲维也。阳跷起于跟中，循外踝上行于身之左右；阴跷起于跟中，循内踝上行于身之左右，所以使机关之跷捷也。督脉起于会阴，循背而行于身之后，为阳脉之总督，故曰阳脉之海；任脉起于会阴，循腹而行于身之前，为阴脉之承任，故曰阴脉之海；冲脉起于会阴，夹脐而行，直冲于上，为诸阳脉之冲要，故曰十二经脉之海；带脉则横围于腰，状如束带，所以总约诸脉者也。是故阳维主一身之表，阴维主一身之里，以乾坤言也。阳跷主一身左右之阳，阴跷主一身左右之阴，以东西言也。督主身后之阳，任、冲主身前之阴，以南北言也。带脉横束诸脉，以六合言也”。接着他指出奇经八脉在医学气功中的重要地位，“是故医而知乎八脉，则十二经、十五络之大旨得也；仙而知乎八脉，则虎龙升降玄牝幽微之窍妙得矣”。

奇经八脉与十二正经不同，既不直属脏腑，又无表里配合关系，其循行别道奇行，故称奇经。其功能除了沟通十二经脉之间的联系以外，同时对十二经气血有蓄积渗灌等调节作用。在临床上，奇经八脉主要针对人的生命，十二经络主要针对的形体，很多从事点穴、按摩、针灸临床的人都知道，治疗重大疾病时，多在任督两脉上取穴，奇经八脉中因任督两脉具有明确穴位，医家将其与十二正经脉合称十四正经脉。任脉主血，为阴脉之海；督脉主气，为阳脉之海。也就是说，任督两脉分别对十二正经脉中的手足六阴经与六阳经脉起着主导作用，当十二正经脉气血充盈，就会流溢于任督两脉；相反的，若任督两脉气机旺盛，同样也会循环作用于十二正经脉，故曰：“任督通则百脉皆通”。

● 《明堂经脉图》任脉图的模特是女性

根据李时珍在《奇经八脉考》中提到的任、督两脉在人体中的位置，与地理位置上子午线相似，看过《明堂经脉图》的人都会发现一个非常奇怪的事，十四幅经络图中，任脉竟然是女性，在古代封建意识很强的时代，这是很难理喻的，是作者无意所为，还是另有所指呢？

《黄帝内经·素问·上古天真论》论人体的成长变化，男女有别一章中提到，女性以七年为一变，二七有天癸，任脉通、太冲脉盛，此时有月事、能生子。七七四十九岁，任脉衰、太冲脉虚，经水寝绝，形貌渐坏而无子，女性终其一生与任脉的通畅、枯竭相关。《周氏经络大全》云：“任之为有孕也，妇人生养之本”。任脉涉及气血的生成，同时，与人的生殖精气机制密不可分。元·滑寿《十四经发挥》云：“任之为言，妊也。行腹部中行，为妇人生养之本，奇经之一也。”

从以上论述可以看出，任脉对于女性来说，要更为重要一些，“任”其实是个通假字，同“妊娠”的“妊”，意思是怀里抱着一个东西（女性主包容）。《太平圣惠方·卷一》曰：“夫‘任’者‘妊’也，此是人之生养之本。”任主胞胎，任脉起于胞中，与女子月经来潮及妊养、生殖功能有关。《黄帝内经·素问·上古天真论》的：“（女子）二七而天癸至，任脉通，太冲脉盛，月事以时下，故有子。”及“七七任脉虚，太冲脉衰少……故形坏而无子也。”正是说明了任脉与女性月经、生殖功能的密切关系。《汉书·王莽传》中记载，“西汉平帝元始五年秋，王莽因为他女儿王皇后有了生育的祥瑞征兆，就开凿子午道。从杜陵直绝南山，径汉中，藉此感通其女的生产方术。”根据《奇经八脉考》中所描述的任脉的位置，任脉循行于腹面正中线，其脉多次与足三阴经及阴维脉交会。能总任阴脉之间的相互联系，调节阴经气血，统任一身阴经之脉气，故称“阴脉之海”。如《古今医统大全·卷六》曰：“谓任脉为阴脉之海者，以其总诸阴脉之会也，故曰阴脉之海。”《针灸大成·卷七》亦曰：“属阴脉之海，以人之脉络，回流于诸阴之分，譬犹水也，而任脉早为总会，故名曰阴脉之海焉。”所以，任脉能调节阴经气血。

对女性来说，任脉从会阴上行，沿着腹部正中线，经过肚脐，然后一直往上走。它的正面止于口唇的下方承浆穴处。它也有分支，环绕着口唇往上走，经过眼睛，最后进入脑子。正因为任脉环绕口唇，所以，判断一个女性的任脉血气足不足，看她的嘴唇就知道了。如果嘴唇比较干裂、苍白，一看就是任脉不通，生育功能有问题。任脉通了以后，气血充足，肾精也足了，就具备了怀孕的一个条件。所以，对女性而言，任脉尤为重要，而且必须要畅通。

### ●任、督两脉的源头及其循行路线

关于任督两脉的源头，《十四经发挥》云“任与督，一源而二歧，督则由会阴而行背；任则由会阴而行腹。夫人身之有任督，犹天地之有子午也；人身之任督以腹背言，天地之子午以南北言，可以分，可以合者也。”从这句话我们可以看出，人体的活动能量有一个主要的源头。相对于天地阴阳之气运作的子午线，人体也以任督为主导源头。子午是天地的南北，阴阳之气始发，进一步引申则是卦位的坎（水）离（火）或人体的中轴线。沿着人体的中轴线的三个部位、心（火）——肾（水）；脑——肾；脑髓（泥丸）脊柱——下丹田或脾胃。所以中国历代养生、修炼的方法，即以人体的中轴线展开使任督接通形成一个循环道路，以桔槔、辘轳、河车等一系列引水的工具比喻气在人身中轴线的升降环流，任督两脉循行的过程，称为周天运转。李时珍在《奇经八脉考》中说：“任督二脉，人身之子午也，乃丹家阳火阳符升降之道，坎水离火交媾之乡”。并引证《参同契》《入药镜》论述河车妙旨。丹家河车妙旨也称子午周天，即医学气功之小周天，它是贯通任督二脉，阴阳交会，坎离交媾，水火升降，神气合一的基础。只要任督二脉一通，继续修炼下去，全身经络也会随之畅通。

任督两脉的循行路线，一般来说，任（督）脉的循行都是由下往上，即任脉由会阴循行到承浆，而督脉由长强循行到龈交。然《黄帝内经·灵

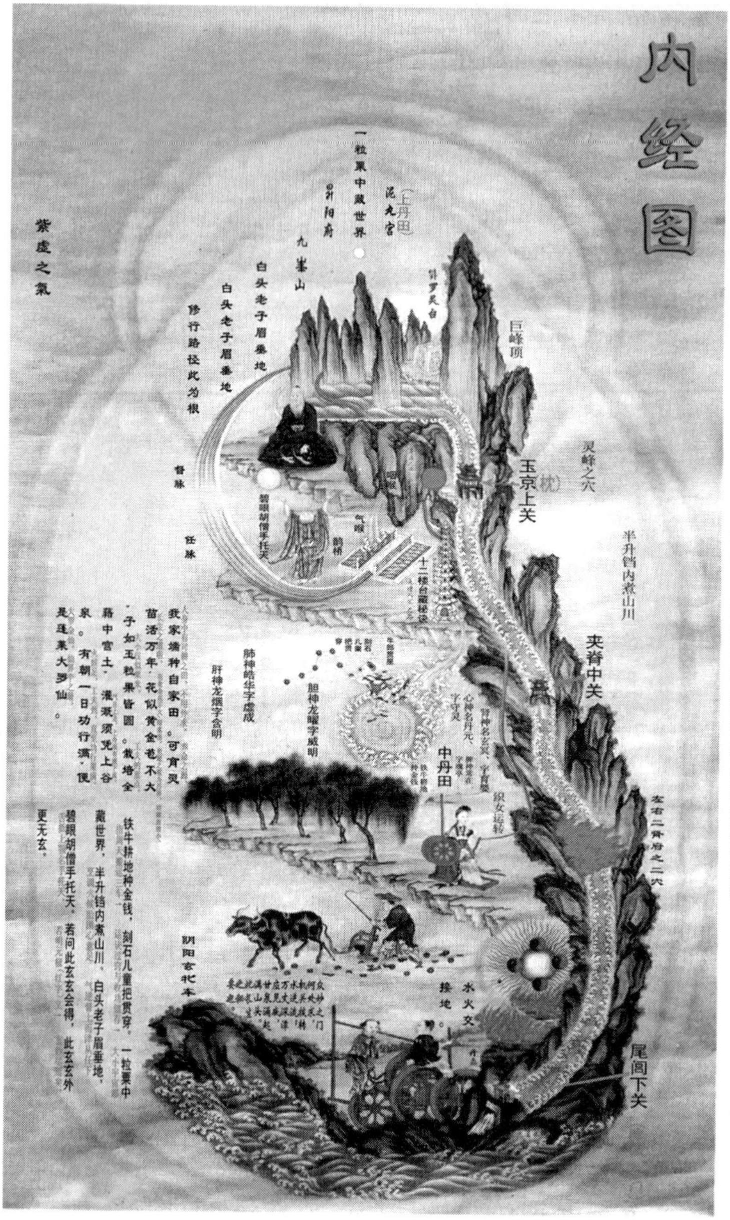


铁牛耕地种金钱，刻石儿童把贯穿。一粒粟中藏世界，半升铛内煮山川。白头老子眉垂地，碧眼胡僧手托天。若问此玄玄会得，此玄玄外更无玄。这首诗出自《吕祖全书》，是清初顺治年间道教信士刘体恕等纂道托名之作，上图时略有字词的改动或是误抄，这里不再细说。再看清初的道教，龙门第七代律师王常月，从隐居的嵩山北上京师，"奉旨主讲白云观，赐紫衣凡三次，登坛说戒，度弟子千余人"（清完颜崇实《昆阳王真人道行碑》）。一时间一度出现了道教史上的龙门中兴之势，即顺乎时局的需要，赢得了统治者的礼遇，所以一贯尊崇喇嘛教的清庭收有推崇吕洞宾的道教龙门内丹学派的《内经图》，并非怪事。倒是在顺治、康熙、雍正之后，"道流卑*，不宜滥厕朝班"，已是乾隆一朝的公开歧视，紫禁城从此给道教摆上了"闭门羹"，在其后清庭一百七十年的飘摇风雨中，日渐衰老的道教，已失其献图之路矣。据此，我们说，彩绘《内经图》多是清初作品，如果就道教谜辞结合《内经图》画风，进行一番考据，就更能充分地说明这一点了。从前八句是清初顺治年间道教信士刘体恕等假托名为吕洞宾之作。从中说明·后人托前人神仙佛名的也甚众矣。

枢·营气》叙述十四经脉的循行次第，由肺经始依次走大肠经、胃经、脾经、心经、小肠经、膀胱经、肾经、心包经、三焦经、胆经、肝经，接着由肝经别出上行经额循巅，下项循背脊，即督脉下行再通身前的任脉上行，然后回流于肺经而环流体系。《黄帝内经·灵枢·营气》云："此营气之所行也，逆顺之常也"这是医经所述任督之气运行的常规，"小周天"的行气与之相反。亦即，顺成人，逆则成仙。督脉上行而任脉下行。行功者斡旋人身的元气，河车倒转而使身形变化。沿着今本任脉的主要穴位，如气海、膻中，都是人体元气所生之处。敦煌医书《呼吸静功妙诀》所揭示的功法同样是“子午”概念技术化的示范：人生以气为本，以息为元，以心为根，以肾为蒂。天地相去八万四千里。人心肾相去八寸四分。此肾是内肾，脐下一寸三分是也。中有一脉，以通元息之浮沉。息总百脉，一呼则百脉皆开，一吸则百脉皆阖。天地化工流行亦不出呼吸二字。人呼吸常在于肾之间，则血气自顺，元气自固，七情不煽，百病不治自消矣。每子、午、卯、酉时，于室中，厚褥于榻上，双腿盘坐，瞑目视脐，以绵塞耳，心绝念虑，以意随呼吸，一往一来，上下于肾之间，勿亟勿徐，任其自然，人呼吸在心肾之间，也就是人体的中轴线。起于肾的脉无疑是任脉（或督脉）。

●任脉循行路线的不同说法

关于任脉的循行路线还有不同的说法，例如《黄帝内经·灵枢·五音五味》曰：“上循背里”，这一说法与《甲乙经》《太素》的有关论述大致相同。也就是说，任脉除走腹胸中轴线之外，还向后走背脊。《黄帝内经·素问·骨空论》，任脉起始于中极下的会阴部，向上到阴毛处，沿腹里，上出关元穴，向上到咽喉部，再上行到下颌，口旁，沿面部进入目下。《黄帝内经·灵枢·五音五味》：冲脉和任脉，都起于胞中，它的一支循背脊里面上行，为经络气血之海。其浮行在外的，沿腹上行，会于咽喉，另行的从咽唇口周围。《难经·二十八难》，任脉，起于中极穴的下面，向上经过阴毛处，沿着腹壁深处再上行经过关元穴，到达咽喉部。《黄帝内经·灵枢·经脉》任脉别络，名尾翳（鸠尾），从鸠尾向下，散布于腹部。实证，见腹皮痛；虚证，见瘙痒。取用其络穴。任脉的“任”字，有担任、妊养的含义。任脉循行于腹部正中，腹为阴，说明任脉对全身阴经脉气有总揽、总任的作用。故有“总任诸阴”和“阴脉之海”的说法。其脉气与手足各阴经相交会。足三阴与任脉中极、关元，阴维与任脉交会于天突、廉泉，又冲脉与任脉交会于阴交。足三阴经脉上交于手三阴经脉，因此任脉联系了所有阴经。任脉起于胞中，有“主胞胎”的功能，它所经过的石门穴，别名称为“丹田”，为男子贮藏精气，女子维系胞宫之所，又为“生气之原”。

●督脉循行路线的不同说法

督脉的循行路线也有不同的记载：《黄帝内经》时代奇经八脉还没有形成完整的体系，百家争鸣，故出现了督任冲皆可称“督脉”的含混现象。

《难经集注》中吕广曰："督脉者，阳脉之海也。"杨玄操云："督之为言都也，是人阳脉之都纲。"《黄帝内经·素问·骨空论》王冰注："所以谓之督脉者，以其督领经脉之海也。""督"有总督、统率之意，因其脉有统领制约和影响全身的阳脉及阴脉的功能，故命名为"督脉"。《黄帝内经·素问·骨空论》讲的循行路线，是督脉分支的起止点而已，并非主干的起止点。主干的起点，除去某些自相矛盾的论点外，主要有下述几种观点：《黄帝内经·难经·二十八难》"督脉者，起于下极之俞……"《四十四难》"下极为魄门。""下极之俞"即位于肛门周围的穴位。其前指会阴；其后是长强。会阴，《外经微言》的记载是"虽督脉止于龈交，任脉止于承浆，其实同起于会阴。"《难经本义》"此督任冲三脉，皆起于会阴"。《奇经八脉考》"督脉起于会阴"。长强，《二十八难》杨玄操注"下极者，长强也。"《奇经八脉考》"其脉起于肾下胞中"。胞中含义有子宫、膀胱二义，在此男女皆有当指后者。张志聪在《黄帝内经·素问灵枢合注》中曰"任督二脉，并出于肾"，唐千顷说"督脉起于肾中"。督脉循行及其方向，《难经·二十八难》载督脉的循行方向由下而上，后世皆宗此说。督脉起于会阴终于龈交。《黄帝内经·灵枢·营气》论营气在督脉里的循行是从上至下。由此推论，督脉起于龈交终于长强。个别书，如《针灸学简编》有此意。令人费解的是，在同一条经脉里气血居然会作截然相反的运动！《黄帝内经·素问·骨空论》《外经微言》督脉与足少阴肾经、足太阳膀胱经、任脉相通。《黄帝内经·素问》王冰注：督脉与任冲同源。《黄帝内经·素问·痿论》带脉络于督脉。《难经集注》手足三阳经会于大椎穴，阳维脉会于哑门。《奇经八脉考》与足厥阴会于巅。与阴阳跻会于目内眦。与脾心二脉会于心脏。与肺、心包经及阴维脉也通过任脉而有联系。无怪乎《黄帝内经·素问》王冰注"所以谓之督脉者，以其督领经脉之海也。"这是不无道理的。督脉的生理功能是统督身背部之阳及诸阳经，为阳脉及全身经脉之海，主阳，调节阴阳，为十二经之纲领及动力，肾气肾水之通路，主生肾气，交通心肾，充养髓海，益脑，主生殖功能等，常通此脉，补益元气，百脉皆通。督脉络属于脑，主要治疗元神之府所产生的病变。督脉之气通于元神之府。督脉是在元神之府管辖下的经络之一。《奇经八脉考》："医书谓之任督二脉，此元气之所由生，真息之所由起。"

●头部、臀部（包括腹部）的手法在脏腑机能调整按摩法中的意义

古人把任、督两脉比喻成子午线，其两端就是头部和腹部（包括臀部），这两个部位就像是南极和北极，脏腑点穴按摩疗法在头部和下腹部

（包括臀部）的手法相对较少，但这两个位置，无论对两脉的起源还是交通却至关重要，施术于头部和腹部（包括臀部）不但能两脉顺利地交通，无数倍的提高脏腑点穴按摩疗法临床的效果！这个思路是否正确呢？静心翻阅数遍王雅儒老先生的《脏腑图点穴法》一书，无论是在理论、手法篇还是后面的“临证概要”，都未发现端倪。

《黄帝内经·素问·阴阳应象大论》云：“清阳出上窍，浊阴出下窍；清阳发腠理，浊阴走五脏；清阳实四肢，浊阴归六腑。”意思是说，阳主气，轻清上升，故清阳（主要指呼吸之气）出于耳、目、口、鼻等上窍；阴主形，重浊下降，故浊阴（主要指大小便）出于前、后阴等下窍。阳主卫外，故清阳（可以体会为卫气）发于肌表“腠理”；阴主内守，故浊阴（指水谷精微的浓浊部分）内走于体内脏腑等组织器官。头部我们称之为清阳之府，那有浊阴之地应该是就在下窍所居之地，因为人体代谢废物排出的最大出路莫过于二阴，尤其是大便是否通畅，直接影响到机体的气机升降出入和食物残渣、代谢废物、污浊之气的排泄。因此，吴有性在《瘟疫论》中曾指出：“一窍通而诸窍皆通，大关通而百关尽通。”可见只要大便得通，就一通而全通，百症若失，所以，保持胃肠传导功能的正常，才能使人体生理及病理产物、致病因素等能顺利地排出体外。《黄帝内经·素问·阴阳应象大论》中提到的“上窍、下窍”正好处于头部和腹部（臀部）所处的位置，正处于任督两脉的交界处。《合阴阳》（湖南长沙马王堆汉墓出土的简首有“凡将合阴阳之方”一语的竹简。出土时，和竹简《十问》合卷在一起。帛书整理小组根据简首语以“合阴阳”作为篇名）所述的行房时间及相关的人体术语时提到行气注重人体脊柱之气的调整，人体能量的聚会在小腹与脑部之间的中轴线，行功在于午，阳气会聚的时刻。综上所述，可以看出头部与下腹部（臀部）的重要性。

●脏腑机能调整按摩法头部操作时所使用的主要穴位

脏腑机能调整按摩法调理头部时所使用的主要穴位，百会穴、风池穴、风府穴、印堂穴。中国文字的含义是很深刻的，绝对不能随便用一个代号来代替。下面对这四个穴位逐一阐述，百会穴，百会又称天山、天满、巅上、岭上、巅顶、顶山、维会、鬼门、泥丸宫、五会、三阳五会，是督脉、足少阳、足太阳、足厥阴的会穴，穴居人体至高正中处，具有醒脑开窍、回阳固脱、息风安神、益气明目的作用。道藏云：“天脑者，一身之宗，百神之会，故曰百会。”所谓天者，以期居人身之最上也；所谓百神者，有关全身之神识也。本穴处人身最上，四围各穴罗布有序，大有百脉朝宗之势。犹地理学之世界屋脊，在人身则总摄阳经之汇也。

百会穴首见于《甲乙经》，但《黄帝内经·灵枢·海论》有“其输上在其盖”的记载。高士宗说：“盖，谓督脉之百会，督脉应天道环转复盖，故曰盖。”由此可知，《黄帝内经》时期，对百会穴已有一定的认识。百会穴有很多的别名，据考《针灸大成》《卫生宝鉴》《本事方》等几十种书籍，计有三阳五会、五会、三阳、巅上、天满、维会、泥丸宫七种别名。据有关文献记载，足太阳之脉交巅上，手少阳之正别于巅，足少阳之筋交巅上，足厥阴之脉内行与督脉会于巅，督脉上额交巅。可见，百会穴是足太阳、手少阳、足少阳三条阳经与足厥阴、督脉五条经脉的会穴，故称三阳五会。如巅的原义是指山顶，后引申头顶部为巅。此外，《说文》曰：“天，颠也。”由此可知，巅上、天满等的命名，说明百会穴处在人之头顶这一特点。古今针灸医家，善用百会穴者，屡见其效。史记就有扁鹊嘱使弟子子阳针刺该穴治愈尸厥的验案。又如《针灸资生经》载：“执中母氏久病，忽泣涕不可禁，知是心病也，灸百会而愈。执中凡遇忧愁凄怆亦必灸此。”据不全统计，百会穴能主治昏厥、头痛、中风、失语、眩晕、脱肛等三十余种病症。

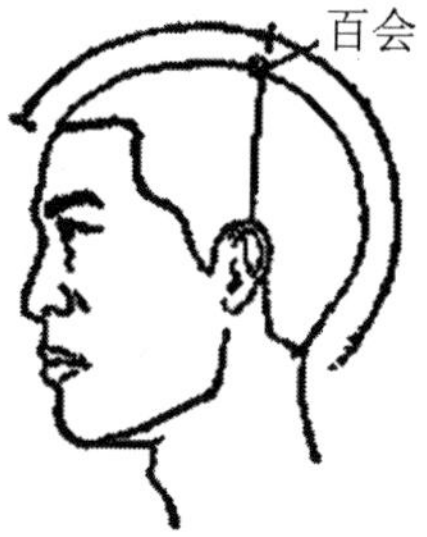


“风池”这个穴位。风池最早见于《黄帝内经·灵枢·热病》篇，“风为阳邪，其性轻扬，头顶之上，唯风可到，风池穴在颞颥后发际陷者中，手少阳、阳维之会，主中风偏枯，少阳头痛，乃风邪蓄积之所，故名风池。”“池”是蓄水的地方。在古代，把城市成为城池，就是因为城的周围都有一条环绕的、有护卫城市作用的河，这条河称为护城河又叫池，所以，城池的叫法就是由此产生的。古人云：巅高之上，唯风可到。为什么要把脑血管意外、脑血管栓塞的病叫中风呢？这就说明我们的头，这个巅高之处，只有风可以到这里，所以，头痛病又叫头风。风池是足少阳胆经的穴位，位于头项之交界处，是正好要进入头部的地方。它的作用就像是一道护城河，把头这个“城”护卫起来，不让外敌入侵，那么，这个外敌是什么呢？这个外敌就是风邪。因为巅高之上，唯风可到。所以，这样一个防卫风邪的穴道就叫作风池。风池这个穴是风邪入脑的一个屏障，要想攻下这个“城”，就必须首先破掉这个“池”，这就是风池的意义。

提到风，就不能不提头部的另一个穴位，风府。“府”是什么意思呢？我们常说“贵府”“政府”“官府”，由此可见，“府”是一个很重要的地方所在。如果我们说风池，是讲风的有害一面，但同时风性还主生主和，这是有益的一面。生，即生养万物；和，即调和阴阳。没有风植物就不能进行花粉传播，因为通过昆虫来授粉的植物毕竟还是少数，与风的力量相比是微不足道的。所以，风性主生与和，对于维系生命，繁衍后代，都具有非常重要的作用。另外一点，风性主动。在我们身体里面，呼吸、心跳也都具有风性主动的一面。“风府”就说明是风所聚集的地方，进而也就是生气、和气、动气所聚集的地方。因此“风府”的意义在于说明，它就是生命的所在地。“风府”是督脉的穴位，位于脑后发际正中上一寸处。这个穴位的深部就是延髓的所在地，延髓是呼吸、心跳等生命中枢汇聚的地方，刺激这个地方，就可以改变呼吸与心跳，就可以改变生命的基本体征。如果拿掉这个地方，呼吸、心跳就会停止，生命也就随之停止。

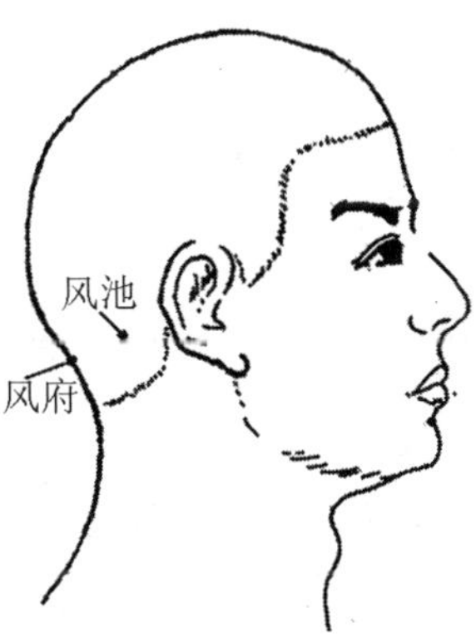


中国的道家在内丹修炼的时候，有一个能量聚积、运转、升华变化的过程。先是能量的聚积，当聚积到一定的程度，便开始运转，这个运转又叫作河车运转、周天运转。运转的过程必须要过“三关”，哪三关呢？第一关是尾闾；第二关是夹脊；第三关是玉枕。所谓“关”，那就是要费劲才能过去，能否过去，就要看这第一步走好没有，也就是看你的能量积够了没有，这就是一个“火候”的问题。光是想着它通了还不行，必须是实实在在的贯通，这个过程有感觉，有变化，有印证，总的一句话有物质基础，不是你想通就通的事。上述三关中的最后一关，也就是玉枕，位于枕后这块地方，包括了风府穴的范围。玉枕这一关是最重要的一关，一旦玉枕贯通就会产生特殊的变化，此时的感觉，犹如醍醐灌顶，春意融融，百脉疏通，舒畅无比。如果用一些现代的相关术语来表述，那么，玉枕这个地方，也就是我们风府所在的这个地方。风之德为“和”，阴阳和合，若用现代的语言来描述，和就是一种生殖的状态，就是一种生殖的功能，所以也是与性相关的东西。再看看古人对生殖器的描述，男性生殖器叫玉茎，女性生殖器叫玉户，这里又出现一个玉枕，这就不是巧合了。

再说一下印堂穴，道家认为印堂是一个人精气神聚集的地方，在道家修炼中，印堂被称为“玄关一窍”。一般而言，人有三个丹田，道家养生者就将印堂称为“上丹田”，认为多刺激这个部位，就能够获取到有助于长生延年的“内丹”。佛家认为它是生长“第三只眼”的地方。在密宗中它属于眉轮，而眉轮控制着脑下垂体并使用松果体和下视丘的荷尔蒙。主宰世俗和灵性的知识，支配心神方面功能。“脑垂体”是一个非常重要的腺体，脑部直接刺激这个腺体，重生各种不同的荷尔蒙，起腺体总指挥作用。如：腺体分泌、血液循环、生长和体温等。当它功能失常时会产生许多疾病，而且身体会不正常发展，或变胖、过高、过矮小等。在按摩界通常把印堂称为天门，在古代人们很重视给小儿推天门，因为天门穴是孩子元神出入的必经之处，有安神镇惊的作用，当父母给孩子推这个穴位时，孩子会感觉特别舒服，推不了一会儿，孩子就会安静下来甚至睡着。刚出生的孩子在视力、听觉、神经放射等各方面都比较迟钝，但唯独对触觉很敏感，这就是小儿推拿有奇效的原因之一。另外经常给小儿推天门可以拓宽他的印堂，古人认为“印堂宽阔，高官厚爵”，“印堂”这个穴位名来自于唐·赵蕤的《长短经·察相》“天中丰隆，印堂端正者，六品之候也”，意思是天庭饱满就会官运亨通。

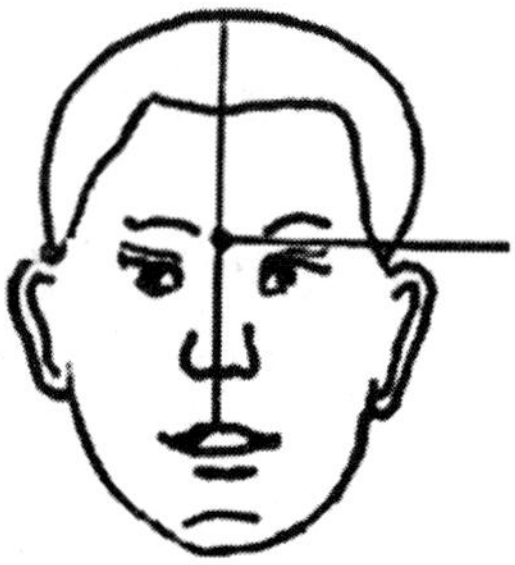


印堂穴所处的位置，也称为命宫，十二宫之一，二十八岁，处不宜出现疤痕损伤，也不宜有黑子，若生痣，应相痣之吉凶定夺。此处以宽大，圆润，色正，凸起而不尖为佳。若两眉相连交加于此，必主凶悍，有牢狱之灾；若此处生得窄小，必主心眼小，心胸狭小，有仇必报；若此处凹陷暗滞有疤痕，命必不长。若生痣，因痣之吉凶而定。这虽然是古代相士的说法，但从医学角度解释，也是有一定道理的。如果一个人气血一直都很充足而顺畅，那么，他的额头则是锃亮发光、血色匀和，而且很饱满。这就是人们经常说的“天庭饱满”，这种相貌是福相，这种人也必然很聪明。反之，他的额头上则会隐隐发暗，也更容易起皱纹，就需要长期的调养了。天生气血充足的人，额头都会很宽，而且会越来越宽，这就是人们经常说的“哲学家式”的额头，这种人会有超乎常人的智商、精力和意志，宽额头的伟人、企业家、学者比比皆是，他们先天过人。当然，因身体虚弱或遗传因素而脱发或秃顶也会造成额头越来越宽，这又另当别论了。其实，我们一看就能分辨出来。这些人的宽额头，一般不够饱满锃亮，或者血色不匀，或者皱纹布满，根本不是气血充足所致。当然，如果印堂或额头过于发红，不该红的时候红了，红得不正常，那也不是好事，其实，这是阳明经有热的标志。只要我们保持欢喜心，无论遇到什么事情，都不要皱眉就行

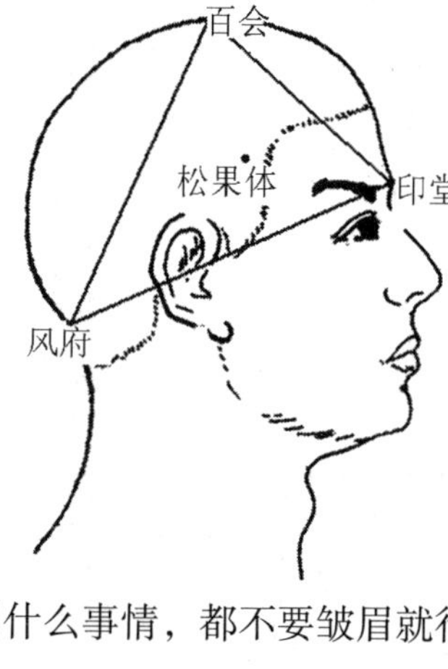

了，眉头一皱，印堂不就拧起来了吗？那样的话，气血也就拧起来了，弄不好，一切都得拧起来。印堂这一区域，是人体几个重大经络的汇集之处：足太阳膀胱经起于内眼角，足阳明胃经起于鼻旁，都要经过印堂，任脉也要从印堂正中穿过。我们知道，膀胱经主人一身的阳气，任脉主人一身之阴，胃经多气多血；而且，前额还直接对应于人的足阳明经。不仅印堂，而且包括人的整个前额，都是人体气血情况的一个外在标志。印堂穴位于前额，在两眉之间连线的中点位置。前额之内为脑，额叶所在，前额突出或饱满，则脑发育正常，脑容量相对大；此处又是足太阳膀胱经和督脉循行经过的地方，督脉起于两肾之间，膀胱经又入络肾，两条经脉又都入络脑，肾主骨生髓，脑为髓之海。这个地方饱满、丰腴，就代表人的肾精比较充足，髓海功能旺盛，智力较强，自然就有更多的机会获取成功。

把百会、印堂、风府三个区域连起来，就会出现一个三角形，三角形的中点是能量最强的地方，这三个区域中点正好是依托人脑百会穴之下、双眉之间、印堂之后深处、被西医称为人体的第三只眼睛的“松果体”，道家言“天眼”，佛家称其为“识海”。是巧合，还是……

●脏腑机能调整按摩法腹部（包括臀部）操作时所使用的主要穴位

以上阐述的是脏腑机能调整按摩法头部操作时常用的四个极为重要的穴位，说到腹部（包括臀部），有三个穴位不得不提，首先是神阙穴。母体中的胎儿是靠胎盘来呼吸的，属先天真息状态。婴儿脱体后，脐带即被切断，先天呼吸中止，后天肺呼吸开始。而脐带、胎盘则紧连在脐中，没有神阙，生命将不复存在。人体科学研究表明，治脐即能调理脏腑，扶正祛邪，人体的百脉气血就随时得以自动调节，人体也就健康无病，青春不老。神阙穴还是人体任脉上的要穴。它位于命门穴平行对应的肚脐中。是人体生命最隐秘最关键的要害穴窍，是人体的长寿大穴。神阙穴为任脉经腧穴，居于任脉，任脉为阴脉之海，与督脉相表里，二者皆经过脐。脐又为冲脉循行之所，冲脉为十二经脉之海，故冲、任、督三脉“一源而三歧”，皆交汇于脐，故脐为经络之总枢，经气之汇海。加之奇经八脉纵横上下，沟通内外，所以脐与百脉相通，内联五脏六腑，外达四肢百骸。神阙穴位于脐之中央，具有“上至泥丸，下至涌泉”之效力，又为先天之本源，后天之根蒂。神阙为任脉上的阴穴，命门为督脉上的阳穴，二穴前后相连，阴阳和合，得天独厚，是人体生命能源的所在地，故能调和阴阳、扶正祛邪、温补脾肾，所以，古代修炼者把二穴称为水火之官。

命门穴，也是人体的长寿大穴。命门的功能包括肾阴和肾阳两个方面的

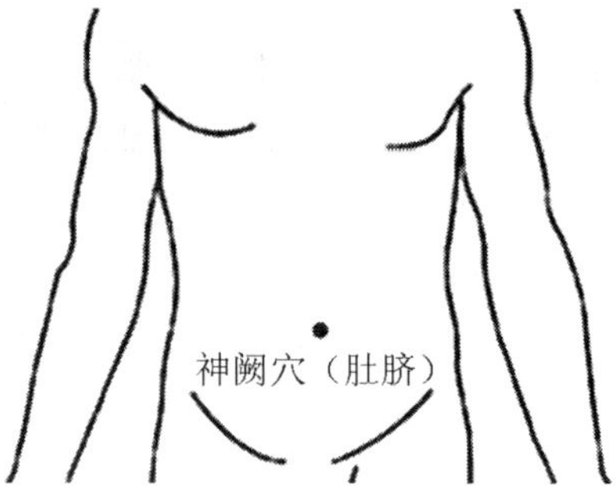


作用。《难经·三十六难》云“肾两者，非皆肾也，其左者为肾，右者为命门。命门者，诸神精之所舍，原气之所系也；故男子以藏精，女子以系胞，故知肾有一也。”。“肾两者，非皆肾也”，就是告诉我们，这里讲的肾并非完全是指实际存在这两个肾脏。明代医学家赵献可在《医贯》里写道：“此处两肾所寄，左边一肾属阴水，右边一肾属阳水，各开一寸五分，中间是命门所居之官，其右旁即相火也，其左旁即天一之真水也。”道家认为，肾为水，而内经图中的两肾之间却是熊熊大火在燃烧，此即为水火既济平衡之意，无怪乎明代医学家张景岳在《类经附翼·求正录》中写道：“是命门总乎两肾，而两肾皆属于命门。故命门者，为水火之府，为阴阳之宅，为精气之海，为死生之窦”。这段文字把命门的重要意义确然于纸上，但这两本书中讲到的命门穴是同一个位置吗？《难经·第八难》写道：“所谓生气之原者，谓十二经之根本也，谓肾间动气也，此五脏六腑之本，十二经脉之根，呼吸之门，三焦之原，一名守邪之神。”明代医学家孙一奎在《医旨绪余》里认为：“命门乃两肾中间之动气，非水非火，乃造化之枢纽，阴阳之根蒂，即先天之太极，五行以此而生，脏腑以继而生。”孙一奎明确指出命门不是水火，不属脏腑，而是无形之气。那么命门的实际位置又在哪里呢？《黄帝内经·灵枢·根结篇》写道：“太阳根于至阴，结于命门。命门者，目也。”这种说法与后人的理解相距较远。但是，这里所提及的命门，只是体表门户的命门，而并不是形体内部中的命门。所以才会强调“命门者，目也。”目，在此指外观而视的“眼睛”，这个眼睛是谁的眼睛呢，当然是内肾中命门通过气脉到达体表而外视的眼睛。体表的命门穴只是内肾命门在体表的“潜望镜”。魏晋时期的医学家皇甫谧在《针灸甲乙经·卷三》写道：“命门，一名属累，在十四椎节下间，督脉气所发。”即命门穴在身后正中的督脉上，位于第二和第三腰椎之间。皇甫谧为什么说“在十四椎节下间”呢？因为人体有二十四块椎骨，其中颈椎七块、胸椎十二块、腰椎五块。临床上计算椎骨数目和针灸取穴的标志是第七颈椎（隆椎），往下数十四节，就是第二腰椎。这一观点一直流传到后世。

从现代整体观的角度来看，命门还是躯体混元气聚集的地方。人的混元气分为三部分，其中一部分叫作躯体混元气，它的聚集处在腹腔内靠后的地方，具体位置在肚脐与命门穴连线的前三分之二、后三分之一之处，这个地方相当于两肾之间的部位，它不是一个点，而是一个区域，叫作命门窍。命门窍作为躯体混元气的聚集区域，与人的生命活动息息相关。命门窍是先天元气生发的地方。命门窍是胎儿时期生殖系统所在之处，带有人生命的全部信息，是人的先天元气和生命之源，虽然后来生殖系统下移了，但带有先天全息功能的气场仍留在命门窍。命门窍还是先天气和后天气混化的地方。人后天从外界摄取的混元气，大部从食物中获得，对食物的消化及吸收主要在小肠，位置与命门窍相近、相关，因此命门窍是先天气和后天气混化的地方，它不仅能增进胃肠的消化能力，还可赋予水谷之气以生命的全息性。同时，命门窍是维系人体平衡的重心所在。腰椎是人体形体运动的关键部位，是支撑身体重量的中心，腰椎比身体的其他部位需要更多的混元气充养，而这些气就来自命门窍。

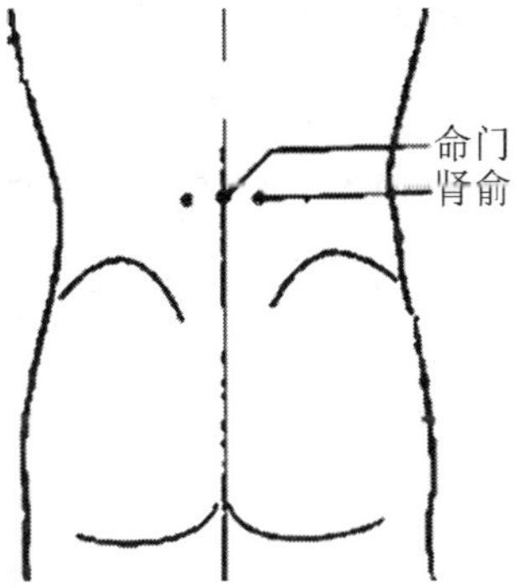


道家认为，命门为先天之太极，是人体精、气、神的根源，为五脏六腑之本，十二经脉之根，呼吸之门，三焦之源，水火之府，阴阳之宅，精气之海，死生之窦，其功能位于十二官之上。命门是十二经脉之根，呼吸之门，所以诊脉之时，命门之脉不可缺，加之手太阴肺经又是脉之大汇，气息出入的交通要道。《伏羲续命绿》中曰："天之清阳之气，西北不足东南有余；阳之不足，则浊阴之气必盛；天地人三气相通，命门之元阳，乃天地之阴阳与人之阴阳相合化生之精微灵气。生于肝，与肝之魂相抱，两者皆为元阳之气，婴离母体，则下行建宅于两肾之间，搭木（肝）连肺与脏腑髓海相通而居。天与人相应，人之身左为天之余，为阳；右为地之余，为阴；命门之元阳生于肝，肝乃五脏之一，为阴；木克土，然不可与土相离，如官之财源于百姓。地之气为阴，应在人体的右侧；寸脉为阳，尺脉为阴，故命门之脉伏于右手脉之尺也。"

会阴穴更是重中之重，道家把会阴穴古称阴跷穴，又称生死窍。上通泥丸，下达涌泉，为八脉总根，是生药之处，即为青春活力萌动之处，是内分泌的源头。按丹经所言，会阴穴是任督二脉的总枢，冲脉的起点。《张紫阳八脉经》曰："阴跷一脉其名颇多，曰天根，曰死户，曰复命关，曰生死窍。上通泥丸，下透涌泉。倘能知此，使真气聚散，皆从此关窍，则天门常开，地户永闭，气脉周流于一身，贯通上下，和气自然上朝。阳长阴消，水中火发，雪里开花，所谓天根月窟闲来往，三十六宫都是春。”

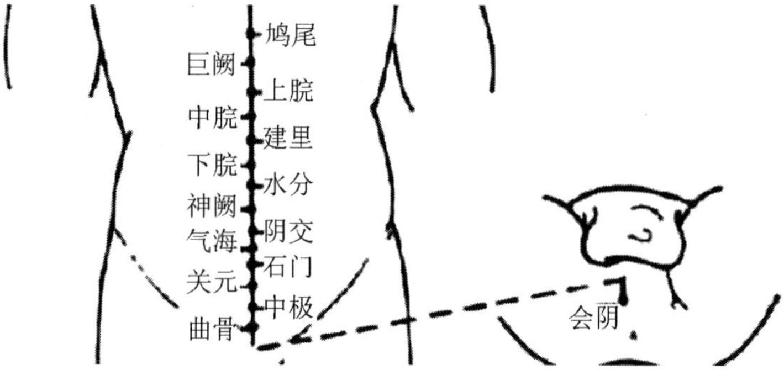


医学和气功与奇经八脉的关系十分密切，明代著名的药物学家李时珍特撰《奇经八脉考》以备学仙医者筌蹄之用。他认为：“八脉者，先天大道之根，一气之祖，采之惟在阴跷为先。此脉才动，诸脉皆通。次督、任、冲三脉，总为经脉造化之源……凡人有此八脉，俱属阴神，闭而不开，惟神仙以阳气冲开，故能得道。……是故医而知乎八脉，则十二经、十五络之大旨得矣；仙而知乎八脉，则虎龙升降，玄牝幽微之窍妙得矣。”尤其值得指出的是，阴跷脉与手足太阳、足阳明、阳跷五脉会于睛明而上行，与眼的功能极为密切，因此亦有眼根在会阴之说。

张紫阳和李时珍在论及阴跷穴时，虽然是与阴跷脉混而兼述，但其位置明确，功能详备。例如李时珍在《奇经八脉考》中说：“要知西南之乡乃坤地，尾闾前、膀胱后、小肠之下、灵龟之上，此乃天地逐日所生气根，产铅之地也……得之者，身体轻健，容衰返壮，昏昏默默，如醉如痴，此其验也。”并且感叹地说：“丹书论及阳精河车，皆往往以任、冲、督脉、命门、三焦为说，未有专指阴跷者。”

明代尹真人高弟所著的《性命圭旨》，将阴跷穴明确地定位于会阴穴位置，并将其称之为虚危穴。会阴穴的异称、位置和功用也散见于其他的丹经之中。如《天仙正理浅说》将会阴穴称为“尾闾界地”，云：“尾闾者，二十四脊椎骨下尽处。界地者，三岔之路，上通丹田，下之前通外肾，下之后通尾闾。”《大洞玉经》又将会阴穴称之为“伏梁下户”。“……伏梁下户是大小肠相近间隔处当中。秘诀云，伏梁下户，在阴囊之后，肛门之前，二阴中央也。”《道法会元》将会阴穴之气称之为“太乙”，云：“太乙者，乃会阴穴至阴之气也，其穴在谷道、水道后，正陷于其气。”

李时珍在《奇经八脉考》中载《八脉经》道出：“而阴跷一脉，散在丹经，其名颇多：曰天根、曰死户、曰复命关、曰酆都鬼户、曰死生根，有神主之，名日桃康，上通泥丸，下透涌泉。倘能知此，使真气聚散，皆从此关窍，则天门常开，地户永闭，尻脉周流于一身，贯通上下，和气自然上朝，阳长阴消，水中火发，雪里花开。所谓天根月窟闲来往，三十六宫都是春。得之者，身体轻健，容衰返壮，昏昏默默，如醒如痴，此其验也”。此窍位置在会阴穴部位，为先天大道之根，一气一祖。为道家将此列为秘窍之一就是因为此处为生药的地方，为青春活力萌动的处所，是产生内分泌的源头。天开于子，合于亥，此地乃天人合发之地。正如近代仙学大师原全国道教协会会长陈撄宁说：“神仙家每于阴跷一穴秘而不宣，且云轻泄者必受天殃。推此本心，非吝而不肯传，盖人不论男女老少，若得此阴跷种阳之诀，其肾阳立能变弱为强，易如反掌。而阳旺思淫亦为常人所不免，此道本为寿世，今反用以助淫，是贻害于世也。故必择人而后传者，一也；其二，又恐落入江湖骗者之手，搬弄是非，致虎落平原反被犬欺耳。”

从以上的经典论著中我们可以得知：会阴穴不仅是人身通气、八脉之总枢，乃肾的根系所在。此穴上通泥丸，下透涌泉，是生精造精之窍，真气的聚散皆以此窍为转移。血脉周流、全身贯通、气血流畅、百病亦无、容衰返壮、延年益寿，皆于此生，为全身通气之宝地。故而《黄庭经》云：“闭塞命门保玉都者此也，闭子精路可长活者此也。”《性命圭旨·利集》云：“……水火发端也在此处，阴阳变化也在此处，有无交入也在此处，子母分胎也在此处。”正如《翠虚篇》所总结的那样：“此穴干涉最大，系人生死岸头。”

道家将会阴穴视之为“地户禁门”，只因先圣曾有言“天门常开，地户永闭”，便成为历代丹家必遵之法旨。为什么地户要永闭呢？《黄庭经》对此进行了解释：“盖真阳初生之时，形如烈火，状似炎风，斩关透路而也必由此穴经过。因闭塞紧密，攻击不开，只得驱回尾闾，连空焰赶入天衢（道家认为人体中有四个真气聚集和运行的通道，称之为气街。这里所指的天衢即上丹田头部气街‘脑’），往上奔一撞三关，直透顶门，得与真汞配合，结成丹砂。非拘束禁门之功，而谁欤。”《天仙正理浅说》也对此进行了论述：“昔曹老师先上蒲团，先得大药。用七日之功，到五日之间，忽丹田如火珠，直驰上心，即回下驰向外肾边，无窍可出，即转驰向尾闾冲关。此皆真气自家妙用，非由人力所至。”由此看来“地户永闭”的原因是为了进行丹道运炼的需要。所以《参同契》云：“筑固灵株者此也，拘束禁门者此也。”

佛教密宗将会阴穴称之为密处和铁门。其位置处于中脉的底端，是人身阴经的汇聚点；它与中脉的顶端、全身阳经的汇聚点百会穴遥遥相对，从而构成人体的阴阳两极。密宗认为，人身会阴处（密处）贮存着不尽的能量，称之为“灵蛇”。修持的关键是激活这条眠睡的“灵蛇”，使其在以中脉为轴的七轮之间游走，以使冲天脉结，贯通天顶。因此，密宗虽然对密处的修持十分重视，但也不主张开启铁门，而提倡密处永固。

神阙、命门、会阴三个穴位连起来，也出现一个三角形，三角形的中心前面对应关元这个区域，关元是脐下三寸的这块区域，桓谭（约公元前20—公元56）在《仙赋》有“积气关元，精神周洽”的语句。荀悦在《申鉴·俗嫌篇》说到“邻脐三寸谓之关，是谓要术”。关元为男子藏精，女子蓄血之处。温灸此穴可以补虚损，暖肾振阳，壮一身之元气。《道德经》云：“谷神不死，是谓玄牝。玄牝之门，是为天地根”。谷神指虚灵之神，指元神。《黄帝内经·灵枢》：“天谷元神，守之自真。”人体有三处要穴：一为天谷泥丸，为藏神之所；二为应谷降宫，藏气之所；三为灵谷关元，藏精之所。“玄牝之门，是为天地根”。即是阴阳交合的门户或交合的场所，也就是交合的部位。老子虽未说明这个部位在何处，但玄为天在上，牝为地在下。玄天在人为泥丸宫居上，藏神之所，中有应谷降宫，藏气之所，则其下必为灵谷关元，是谓藏精之所。因精能化气，故关元穴才是修身体道的门户所在，才可以称为狭义的“牝”，为心与身的根本所在。

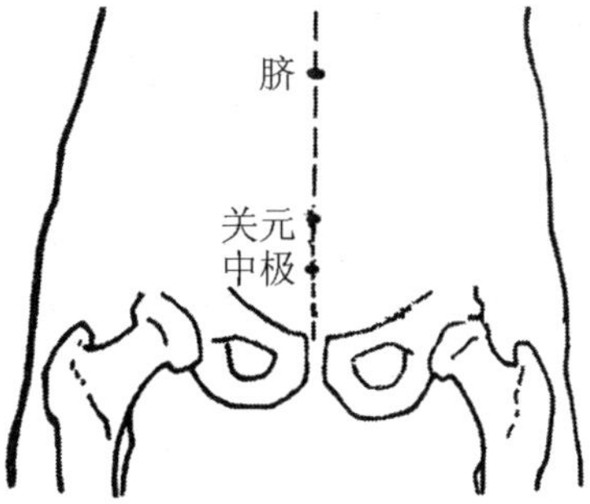


三角形的中心后面对应八髎这片区域，八髎就是八个穴位：上髎、次髎、中髎、下髎各一对，所以叫作“八髎”。八髎这是一个区域，也就是盆腔所在之处，邻近胞宫，是支配盆腔内脏器官的神经血管会聚之处，是调节人一身的气血的总开关，务必畅达无阻。这个区域的皮肉，应该是很松软，能捏起来的，如果不松软，说明经络肌肤之间有粘连，这种粘连，正是体内尤其是胞宫有毛病的外在表现，而妇科的一切疾病，都与胞宫紧密相连。冲脉、任脉和督脉都与胞宫密切关联。八髎是我在脏腑机能调整按摩法后背的操作中，使用率极高，也是我极为推崇的部位，我个人的理解是，八在《周易》里面代表坤卦，所以八髎和后天之本脾胃一定有很多内在的联系，八髎处于背部，背主阳，所以调节八髎可以振兴脾阳，脾的运化水谷、运化水液、升运清阳、温煦四肢肌肉等功能，都是脾的阳气完成的。如脾阳虚，可见食欲不振、腹部胀满、大便溏泄、四肢不温，或痰湿内生，或水湿停滞等一系列症状。单从这一点来讲，就可以看出八髎穴的重要意义。

在关元和八髎连线的中间也隐藏着是一个“天机值万金”“不传六耳”“秘之又秘”的地方……《奇经八脉考》云：“要知西南之乡乃坤地，尾闾之前，膀胱之后，小肠之下，灵龟之上，此乃天地逐日所生，气根产铅之地，医家不知有此”。这是对此处很准确的描述，是人身气穴之地，正如古人说：“二前对脐轮后对肾，中间有个真金炉”，正是此处。

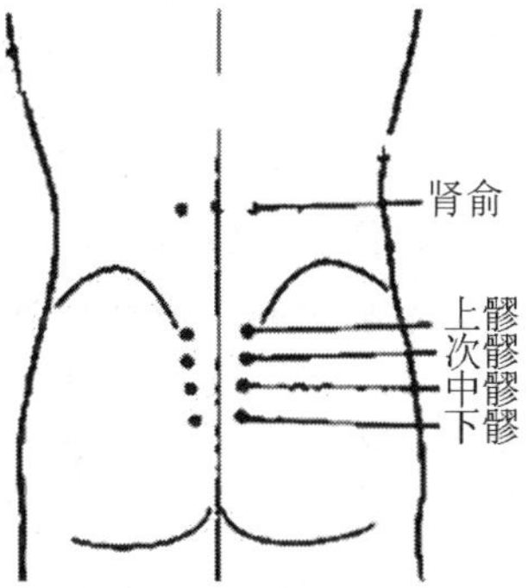


从以上论述可以看出，神阙、命门、会阴这三个区域，加上命门、八髎，就可以影响到人体中最难调动、最机密的部位。这一点和百会、印堂、风府三穴组成的三角区内隐藏着的“松果体”极为相似，而且这两个部位都是人体最为重要的部位……脏腑机能调整按摩法在施术于头部和腹部（臀部）时所选用的穴位，无论是头部的百会、风府、印堂，还是的神阙、命门、会阴、命门，都分布于任督两脉两端，就像地球的南极和北极，关于南极和北极对地球影响的重要性我们都知道，同样头部、腹部（臀部）对人体生命更深层次的重要意义，有待于我们进一步去思索和探讨。所以在调节任督两脉的同时，施以特殊的手法作用于头部和腹部（包括臀部），使任脉、督脉、头部、腹部（臀部）的气机上下贯通、一气周流、畅通无阻，形成一个圆运动，最终达到益寿延年、强身健体、百病皆除的目的。

任督两脉和头部、腹部（臀部）到底藏着多少我们还未探知的秘密，我们不得而知，也无法想象，相信随着我们知识的不断增加，会把这层神秘的面纱一层层地揭开，使其更好地服务于人类的健康事业。

## 第二节　中医与胎教

我国的中医学早在公元前 12 世纪就从“治未病”思想出发，强调孕前优生优育思想的宣传指导和父母体质状态的调养。提出“娶妻不娶同姓”，“男女同姓，其生不蕃”（《左传·僖公二十三年》），“男女辨姓，礼之大司”（《左传·昭公元年》）等观点。

我国现存最早的妇产科专著马王堆汉墓帛书《胎产书》成书大约在春秋末期或战国初期，其基本内容即为优生，尽管只有短短数百字却蕴含了孕期饮食、药物、精神、起居、胎教等丰富的优生学思想。

●父母的体质对后代的影响

《红楼梦》中的林黛玉和薛宝钗从小就身体不好，书中第二回介绍，黛玉的母亲过世较早，在母亲生病后，“女学生奉侍汤药，守丧尽礼，过于哀痛，素本怯弱，因此旧病复发”。所以黛玉一出场，就让读者知道她身体不佳。第三回，众人见黛玉年貌虽小，其举止言谈不俗，身体面庞虽怯弱不胜，却有一段自然的风流态度，便知他有不足之症。因问：“常服何药，如何不急为疗治?”黛玉道：“我自来是如此，从会吃饮食时便吃药，到今日未断，请了多少名医修方配药，皆不见效……”第二十八回，宝玉在阐述黛玉病情的时候说：“林妹妹是内症，先天生的弱，所以禁不住一点风寒”

《红楼梦》第七回在交代薛宝钗的病情时，作者是这样描述的，宝钗笑道：“那里的话。只因我那宗病又发了，所以且静养两天。”周瑞家的道：“正是呢，姑娘到底有什么病根儿·也该趁早请个大夫认真医治医治。小小的年纪儿倒做下个病根儿，也不是玩的呢。”宝钗听说笑道：“再别提起这个病！也不知请了多少大夫，吃了多少药，花了多少钱，总不见一点效验儿。后来还亏了一个和尚，专治无名的病症，因请他看了。他说我这是从胎里带来的一股热毒……”薛宝钗自已说，自己这病是“无名之症”，是“胎里带来的一股热毒”，是先天的，与生俱来的，是热症。症状是喘嗽，气喘、咳嗽。

从书中的描述来看，林、薛两个人的病，都是胎里病，由于薛宝钗“先天壮”，所以她的病，仅在气候骤变或交节时才会犯，平日里显不出大的病态；而林姑娘则不同，她幼年丧母，少年亡父，父母的身体原本就是病弱之躯，所以才生下这个怯弱不胜的病潇湘，使她终日离不开药，未到二十岁就香消玉殒了。由林、薛两人的病情来看，胎里的“强”与“弱”，对人一生的健康和寿命有着很大的影响。

中医认为，胎里的“强”与“弱”与父母的身体健康息息相关，由于体质秉承于先天，具有遗传性，因此中医在优生优育和养生保健方面十分强调对偏颇体质的调节，认为先天禀赋因素对人类素质的优化具有重要作用，正如《黄帝内经·灵枢·寿夭刚柔》指出：“人之生也，有刚有柔，有弱有强，有短有长，有阴有阳。”若父母素体强盛，其子女秉受多强，反之则多弱；父母素有痰湿，其子女因先天秉受而痰湿与之俱生，常表现为痰湿体质，正如元·王珪在《泰定养生主论》中曰：“父母俱有痰疾，我禀此（疾病），则与生俱来也。”可以通过对父母孕前体质或亚健康状态的调养，优化子代的身体素质。另一方面，体质因素还将影响其母体孕期的健康状态，对孕前女性的偏颇体质或亚健康状态进行调养，不仅有利于孕期母体的健康，也关系到胎儿的正常发育。

瑞典有一个研究儿童白血病及实体瘤的小组，他们对205例癌症患儿，调查发现：孕期母亲每日吸烟的多少，与儿童患癌症的比例息息相关，每日吸烟10支以上的孕妇，她的孩子患癌症的危险性比不吸烟的增加百分之五十，西方世界的所谓“星期日婴儿”，主要是指父母双方在节假日里，酗酒狂欢后受孕，其中畸形儿占很大的比例。我国古代因酒导致后代智力低下的实例也屡见不鲜，例如，东晋时期的著名诗人陶渊明，才华横溢，给世人留下了许多脍炙人口的诗篇。但是，就这样一位才思敏捷、诗思如潮的优秀作家，可是，他五个儿子的智力都非常低下。陶渊明生有五子，分别取名舒俨、宣俟、雍份、端佚、通佟。他原希望把五个儿子都培养成才华出众、“猛志逸四海”的超群人才。但却事与愿违，孩子的智力让他非常失望。于是，陶渊明恨铁不成钢，愤怒至极，写下了《责子》一诗：“白发披两鬓，肌肤不复实。虽有五男儿，总不好纸笔。阿舒已二八，懒惰故无匹。阿宣行志学，而不爱文术。雍端年十三，不知六与七。通子垂九龄，但觅梨与栗。天运苟如此，且进杯中物。”陶渊明的儿子，所以个个智能低下，其实与他嗜酒如命有关。他在自论中云：“性嗜酒，期必醉。”他又在名诗《饮酒》二十首序言中道：“余闲居寡欢，兼比夜已长，偶有名酒，无夕不饮。顾影独尽，忽焉复醉。既醉之后，辄题数句自娱。纸墨遂多，辞无诠次。聊命故人书之，以为欢笑尔。（陶渊明《饮酒诗序》）”陶渊明的妻子是个贤淑识礼的女人，在彭泽县令任内，县里有一百亩公田，田里的收获算做陶渊明的俸禄。妻子打算都种上粳稻，多打粮食，丰衣足食。可是，陶渊明说，他喜欢喝酒，要拿一半土地种植高粱，做制酒的原料。虽然很穷，但妻子还是尊重丈夫的主张，用五十亩地种了高粱。陶渊明的经历告诫人们，要获得一个“先天强”的婴儿，父母双方都必须注意怀孕前及怀孕期间的生活卫生，做好优生优育，避免出现伤及后代的沉痛教训而悔恨终生。

古人认为：“男子以精为主，女子以血为主，阳精溢泻而不竭，阴血时下而不愆，阴阳交畅，精血合凝，胚胎结而生育滋矣。（《妇科玉尺·求嗣》）”这句话的意思是说：男子的精、女子的血是怀孕的必要条件。除了必要条件外，还需要“阳精溢泻而不竭，阴血时下而不愆”。男子的精子要源源不断、十分充足；而女子的月经不能过期，也不能提前，要按时而下，只有经期特别准，排卵期才会准。这样，人才可以怀孕。

西方医学对受精机制的解释是：男人一次释放的精子约3亿个，在从子宫口到输卵管的奔跑路途中，大部分精子会因宫颈黏液及子宫内的白细胞而死亡，能到卵子附近的不到100个，接触到卵子的精子群要齐心协力地用顶体酶，溶解卵子的外壁，当唯一幸运的精子进入卵子后，细胞壁的保护膜就会硬化，将其他精子驱除在外。当卵子和精子的细胞核相互融合后，受精的过程就结束了。这真是个惊心动魄的过程。首先，只有最强壮、最勇敢的精子会把自己的基因传下去；其次，精子只有源源不断，才会有足够多、足够强的精子帮那个最强壮的精子打入卵子中。男子的精多、活力强，女子的月经准、血足，是怀孕的必要条件，但还需要"阴阳交畅，精血合凝"。意思是男女的夫妻同房，父精和母血合为一体，这样才更容易怀孕，并生出好的儿女。

古人说："男女情动，彼此神交，然后行之，则阴阳和畅，精血和凝，有子之道也。若男情已至，而女情未动，则精早泄，谓之孤阳。女情已至，而男情未动，则女兴已过，谓之寡阴。孤阳寡阴即不中，诸鳏夫寡妇，谓之不能生育也。"人高兴时阳气多，抑郁时阴气多，多阳者多生气，多阴者多杀气，生杀之气，就是孕育贤愚之关键所在。

"阴阳交畅"其实与《易经》里说的"男女胥悦，阴阳交通"是一个意思。男女在情绪很放松、精神很愉悦的情况下，经脉就会通畅，精血自然合凝，怀孕这件事也就水到渠成。反之，越是常年不怀孕的人，越容易紧张，紧张使得人整个的气机焦虑，造成经脉淤滞，阴阳无法通畅地交合，怀孕也就变得更加困难。

因此，对于孕前偏离于正常状况的体质进行中医保健，调节或尽量改变其亚健康状态，使其趋向"阴平阳秘"的健康状态，对于优生优育具有积极作用。我们可以运用脏腑机能调整的有关手法和理念，在孕前阶段实施调养，使其受孕于最佳身体状态。

### ●中医对孕前的指导

如何孕育一个健康聪明的孩子，是所有夫妻的共同愿望，这一点，我们的本土文化——中医，早在五千年前黄帝时代的一本《素女经》中就有记载了，书中强调要生育"贤良而长寿"的子女，首先要做到懂得"避九殃"，避免"九殃之子"的出现。

《素女经》中有这样一段话。素女说："受孕之时，应当回避时节上的禁忌。"如果要生育儿女，一定要选择自己年富力壮，最有生气的时间受孕，这样不但可以使夫妻双方都健康长寿，也有利于儿女的健康成长。

受孕必须禁忌的时间："农历每月的晦日和朔日，也就是每月的最后一天和初一；每两个月的六个丁日、六个丙日，还有每个月的破日，也就是中日；发生日食和月食的日子，刮大风或者下雨的日子，地震的日子，闪电和打雷的日子，二十四个节气里的立春、立夏、立秋、立冬、大寒、大暑、春分、秋分、夏至、冬至，以及节气前的前三天后三天，共七日，还有举行盛大宴会前后的日子，必须迎接和送走客人的五天之内，都不能受孕。”

黄帝说：人之所以能够出生，其根本在于男女受孕的胚胎。因此必须回避九种给人类带来灾难的自然现象，也就是通常所说的九殃。那些在发生九殃的情况下孕育出来的九种孩子，也就是九殃之子。分别是：

在夏日骄阳似火的正午，即太阳当空的时候孕育出来的孩子，一生下来就容易呕吐，一般都难于进食，这是九殃之子中的第一种。

在半夜里进行受孕，因为当时天空与大地之间已经闭塞，缺少正常的阴阳交合，生下来的孩子极为容易出现聋、哑或眼睛失明，这是九殃之子中的第二种。

在发生日食现象的时候受孕，因为当时的太阳出现了残缺，要警惕孩子的身体被毁伤，这是九殃之子中的第三种。

在发生雷电现象的时候受孕，因为当时天兴威发怒，容易引发孩子习惯性的疯狂，最容易导致孩子疯狂成性，这是九殃之子中的第四种。

在发生月食现象的时候受孕，孩子性格凶悍，这是九殃之子中的第五种。

在出现彩虹的时候受孕，容易造成孩子的命运不顺利，这是九殃之子中的第六种。

在二十四个节气中的冬至或者夏至这一天和前后两天受孕，对父母身体不利，这是九殃之子中的第七种。

在农历每月的上弦日、下弦日或者望日，也就是每月的初七、初八、二十二、二十三，大月的十六、十七、十八日，小月的十五、十六、十七日这些日子受孕，生出来的孩子，好动、好斗、闹事，这是九殃之子中的第八种。

在喝醉酒或者吃得过饱的时候受孕，孩子容易患癫狂一类的疾病，而且皮肤和皮下组织容易化脓和生毒疮，这是九殃之子中的第九种。

在农历十二生肖中的本命年中，尤其要回避禁忌这些日子：“二十四节气中，夏至后的丙丁日、子丑日，冬至后的庚辛日、申酉日，以及新洗了头或刚刚远行归来，体力或脑力劳动疲倦，过于高兴或者过于愤怒，都不可以受孕。”

素女说：“农历五月俗称毒月，是最要注意的一个月份，其中更有九天就是古代所谓的‘九毒日’。五月初五、初六、初七、十五、十六、十七、廿五、廿六、廿七。尤其是五月十六，更为注意，所以古代有习俗，五月让妻子回娘家住一个月，其中的九毒日更要慎重。”

古人认为，特殊自然景象或时间对产育后代不利，不宜交合受孕。北宋太平兴国年间，东汉灵帝之后入籍日本的阿留王八世孙，日本名医丹波康赖撰成《医心方》卷二八《房内求子第廿一》也提到：“《产经》云：黄帝曰，人之始生，本在于胎合阴阳也。夫合阴阳之时，必避九殃。九殃者，日中之子，生则殴逆，一也；夜半之子，天地闭塞，不聋则盲，二也；日食之子，休戚毁伤，三也；雷电之子，天怒兴威，必易服狂，四也；月食之子，与母俱凶，五也；虹霓之子，若作不祥，六也；冬夏日至之子，生害父母，七也；弦望之子，必为乱兵风盲，八也；醉饱之子，必为病癫，疽痔有疮，九也。”

除《素女经》《医心方》提出的受孕时间的禁忌以外，古代医学著作中还记载以下时间不宜受孕：

甲己年，三月戊戌日，七月癸亥日，十月丙申日，十一月丁亥日。乙庚年，四月壬申日，九月乙巳日。丙辛年，三月辛巳日，九月庚辰日，十月甲辰日。戊癸年，六月己丑日。古人认为在这期间受孕不吉。

阴不足之日，即：正月庚戌日、二月辛酉日、三月庚申日、四月丁未日、五月丙午日、六月丁巳日、七月甲辰日、八月乙卯日、九月甲寅日、十月癸丑日、十一月壬子日、十二月癸亥日。

阳不足之日，即：正月甲申日、二月乙卯日、三月甲辰日、四月丁巳日、五月丙午日、六月丁未日、七月庚申日、八月辛酉日、九月庚戌日、十月癸亥日、十一月壬子日、十二月癸丑日。

此外，《道经》云：“男女交媾，最有避忌，若犯所忌，天夺其算，神降之殃，生子丑貌怪相，性行不良，生理残障夭札，实有明验，故君子不独外色锄之务尽，即房帏之内，琴瑟之欢，俱有克治之道焉。”《陈抟》曰：“上士异室，中士异床，下士异被，守此戒期者，非异室异床不可。”

受孕禁忌：唐朝时代，被誉为药王的著名的医学家和药物学家孙思邈不但提到怀孕时间对后代的影响，“交会者当避丙丁日，及弦望晦朔、大风、大雨、大雾、大寒、大暑，雷、电、霹雳，天地晦冥，日月薄蚀，虹霓地动。不可受孕，生子心癫痴顽愚、喑哑聋聩、挛跛盲眇、多病短寿、不寿不仁。”同时还提到要注重母体身心条件的选择，环境的选择，以及生理、心理卫生等。“又避日月星辰，火光之下，客厅、厨房、厕所、露天、神庙佛寺之中，井灶圊厕之侧，冢墓尸柩之旁，皆悉不可。夫人郁怒、远行、醉饱、病后、新病(《黄帝内经·灵枢》曰：精泄则病甚而怄)、惊恐、忧愁皆不可受孕。受孕之时，女子必仰卧，否则生子极易带病。若以上所言，则有福德，大智善人降托胎中，仍令性行调顺，所作和合，家道日隆，祥瑞竟集；若不如法，则有薄福、愚痴、恶人来托胎中，仍令父母性行凶险，所作不成，家道日否，殃咎屡至，虽生成长，家国灭亡。夫福祸之应，有如影响，此乃必然之理，可不再思之。”以避免胎儿先天“癫痴顽愚，瘖痖聋聩”。

清代《宜麟策·论胎肖》曰：“月令，先雷三日，奋木铎以令兆民。曰雷将发声，有不戒其容止者，生子不备，必有凶灾。”《便产须知》云：“孕妇应避宰杀凶残之事，不见残废秽毒之人。种种琐言，其旨衷于圣训，可忽乎哉？盖胎元化始，未有定仪，如鉴纳形，有感随象，自然之理也。”

古人认为，受孕时的禁忌，能最大限度地避免后代智力差、身体弱等后果的出现。为何古人如此重视特殊自然景象和时间对后代的影响呢？用现代科学无法解释。古人在提及怀孕前的注意事项，禁忌繁多，屈指算来，一年之中也剩不下多少天了，再加上女性特有的生理现象，受孕的时间似乎更是少之又少，但反过来想想，“贤良而长寿”之子，岂非轻易得到。不过，现代有些学者认为，像《素女经》《医心方》等书中提到的“九殃之子”，除第九种，酗酒之后不宜受孕，否则生子多残病，是有现代科学道理的以外，其他“八殃”只是反映了古人对风俗观。是否如专家所说？还是古人的意见对现代人确有实际指导意义？本人亦非此类学术的研究者，不得而知。但临床观察，夫妻吵架生气后受孕生子脑瘫儿者居多，不可不避。

### ●中医对孕期的指导

中医认为：母子同体，母安则子安，母病则子病，母热则子热，母寒则子寒，母壮则子壮，母弱则子弱。《广嗣纪要》是明代论述生育和小儿疾病的一本专著，书中就明确指出：“养胎者血也，护胎者气也。”因此，养胎护胎即是调养孕妇，孕妇气血调和，则可达到养胎护胎的目的。

中医十分重视孕母的饮食调理，在妊娠早期孕妇常有恶心泛吐，食欲不振，偏食择食等现象，因此对动物脂肪、甜腻食品、辛辣刺激之物，均有所忌。妊娠中期，常伴有血压偏高、浮肿、小便偏少等情况，应少食汗颜多的菜肴和食物，因为过多的食盐会增加水分在体内的潴留，引起水肿，增加心脏和肾脏的负担，同时辛辣刺激致热的食物，如羊肉、狗肉、辣椒、姜等食品亦有所忌。如，有人发现孕妇一直服用棉籽油，可导致体内血钾的减少，出现全身乏力，不利于胎儿的发育，常用多用味精，可使染色体断裂，应有所禁。

祖国医学主张孕妇的饮食应营养丰富而易于消化，宜清淡，不宜膏粱厚味、煎炙辛辣。宜轻清，不宜重浊，宜甘平，不宜辛热。如妊娠中好偏食毛病，喜吃特别的食物，要想生形容端方之智慧子女，一定努力避免不可。《妇人秘科》中指出："妇人受胎之后，最宜调饮食，淡滋味，避寒暑，常得清纯和平之气，以养其胎，则胎元完固，生子无疾。"同时，妊娠期间，禁止吸烟喝酒，烟酒对母体的心肺不利，对胎儿发育亦不利，甚至导致畸形，特别是妊娠早、晚期，更为不利。妊娠中、晚期要经常更换食品，需进食多样化的食物，一满足胎儿在发育中营养多样化的要求。

古人极为重视"受胎三月"，是非常有道理的，据西医研究发现，妊娠三月，胎儿脑细胞发育迅速，至本月底，胎儿身长可达七至九厘米，颈部为胎儿全长的三分之一，对于母体传来的影响比较敏感，因此，利用此期着重胎教，给予良好的刺激，有利于脑细胞分裂繁殖中素质培养的影响。

孕妇谨慎针药。中医认为，孕期应该审慎针药，《育婴家秘·胎养》说："妊娠有疾不可妄投药饵，必在医者审慎病势之轻重，药性之上下，处以中庸，不必多品，视其病势已衰，药宜便止，则病去于母，而子亦无殒矣。"一般情况下，孕妇无病，不可乱服药，即使孕期患病，亦"宜审病势，避其毒药"。凡峻猛、滑利、祛瘀、破血、耗气、散气及一切有毒药品，都应慎用或禁用。妊娠期患病针刺也应慎重。《万氏妇人科·胎前章》说："孕妇有疾，又不可轻用针灸，以至堕胎。"更应避免腹部针刺，其他部位也应审慎。

在养胎问题上，早在北齐的徐子才，就提出了"逐月养胎法"的设想。逐月养胎的理论基础是胎儿在母体内的逐月发育的不同情况。对于胎儿在母体内逐月发育的不同情况，徐子才认为："妊娠一月始胚，二月始膏，三月始胞，四月形体成，五月能动，六月筋骨立，七月毛发出，八月脏腑具，九月谷气入胃，十月诸神备，日满即产矣。"有了这一理论，按照每月不同要求的逐月养胎做法，就有了依据。按胎养常规来说，药补不如食补。而一旦孕妇体内气血阴阳失调，并出现直接和胎儿有关的子肿、子痫等病，那么药物调治还是必要的。《内经》曾说："有故无殒，亦无殒也。"只要药物的性子不过分激烈，一般对症下药，大多数的孕妇都可药到病除，并不影响胎儿发育。即便如此，在具体用药时仍然又有所慎、有所选，如恶阻伴腰酸明显者，有人曾用旋覆代赭汤，恶阻愈而见胎漏，终致流产，可谓慎之。

现在医学研究发现，胎儿在发育不同的时期对药物敏感性也各异，受精后的二十一天至八十一天，相当于徐子才提出的始胚、始膏时期，是胎儿器官高度分化时期，也是致畸高度易感期，又是药物引起畸形的最危险时期。

畸形的类别与胎儿接触药物时器官的发育阶段有明显关系，如神经组织于1～26天，心脏于20～40天，肢体于24～46天易受药物影响等。总的来说，一些先天缺陷是在妊娠早期且往往是在第一个月妊娠，即在本人知道自己怀孕以前发生的。有许多器官可同时发育，因此有害物质可导致多个器官的畸形，用一种药物，由于胎龄的关系，可同时发生多种畸形，而多种药物在特定时间内应用也可能发生同一种畸形。不同的孕妇使用同样的药物而胎儿的结局可完全不同，即为个体差异。

药物对孕晚期胎儿及新生儿影响亦不容忽视。孕九月至足月胎儿生长迅速，对有害药物的敏感性逐渐降低，但对少数器官仍可能发生形态上的异常，主要可造成发育迟缓及生理机能的缺陷，如胎儿宫内生长迟缓、中枢神经系统抑制、核黄疸及出血倾向等。怀孕晚期容易出现各种妊娠并发症，在积极处理过程中，必然涉及用药问题，既注意到“有故无殒”，又要注意到某些对胎儿有不利影响的药物。当然，胎养的重点不仅仅在于治疗母病，更重要的还在于安胎和养胎上。安胎的方药尽管多种多样，选用的原则却不外审因论治，择善而从。原来胎气不安的原因有寒有热，有虚有实，种种不一，正如《景岳全书》所说：“盖胎气不安，必有所因，或虚或实，或寒或热，皆能为胎之病，去其所病，便是安胎之法。”

现代医学研究发现，很多药物均能通过胎盘进入胎儿血液循环，直接影响胎儿，或某些药物通过改变母体的生理状态，从而影响子宫的环境，造成胎儿发育生长障碍，最终致畸致流，影响优生优育。对胎儿造成影响的除了内服药以外，某些具有毒性的外用药也不容忽视，外用药可通过皮肤吸收进入血液循环，对胎儿不利，《外科全生集》曰：“妊娠患疮疡，虽膏药不宜擅贴，恐内有毒药能堕胎也。”所以，为谨慎起见，需要外用药的时候，咨询专业医生较为稳妥。

孕妇切勿好逸恶劳。我国旧俗，家庭条件较好的孕妇，在怀孕期间，不去工作和劳动，平时又不知不锻炼和运动，致使筋骨柔脆，气血不行，体力渐渐变弱，妨碍胎儿的发育，略有伤触便至堕胎。家庭条件差的孕妇，为生活所迫，只顾忙于眼前的利益，奔波工作而不惜激烈的劳动，也会造成伤及身体影响胎儿的后果。适中的保育胎儿的方法是，孕妇劳作不能过于激烈，时常行动，不可久坐久卧，睡眠须要两边换睡，不能只睡一边，以免将来孩子出生以后形貌偏斜。

人禀气血以生，胎赖气血以养，所以孕期如果适当运动，就可使血气通流，百脉和畅，但不要举止无常，攀高负重；如果好逸恶劳，以贪吃贪睡的方法养血，不仅达不到预想目的，甚至会使气停血滞，而导致难产。孕母应当动静相兼，劳逸结合，经常做适度的活动，也是促进全身气血流畅的好方法。《万氏妇人科·胎前》说："妇人受胎之后，常宜行动往来，使血气通流，百脉和畅，自无难产。若好逸恶劳，好静恶动，贪卧养骄，则气停血滞，临产多难。"张曜孙提出孕期"不可太逸，逸则气滞，不可太劳，劳则气衰。"主张"五月以前宜逸，五月以后宜劳"。主张孕妇不能久坐久卧，要适当活动以利气血调畅，过劳则伤气耗血、气少力衰、精神疲惫；过逸则气血运行不畅，脾胃功能呆滞，抵抗力下降，均不利于胎儿成长，应劳逸适度，不同阶段应有所偏重。另外，勿去登高涉险，提举重物，防止流产。

孕期注意情志变化。在情志方面，如果孕妇情志过极，不克制自己喜怒哀乐的情绪，导致气血逆乱，会影响胎儿的正常发育，甚至引发癫疾等病。正如《黄帝内经·素问》中所说："在母腹中时，其母有所大惊，气上而不下，精气并居，故令子发为癫疾也。"

对于孕期的房事，历代医家把节欲、绝欲当作养胎护胎的第一要务，主张孕妇与丈夫分房寝居。妊娠期间，房事不节则营血不安，最易引起流产；精伤则不能养胎，所以生育的后代容易愚鲁多病。《礼记·内则》中提到，"妻子怀孕要生产了，就搬到侧宫居住。丈夫每天派人去问候两次。到了将要分娩的时候，丈夫又亲自去看望。深厚的家庭责任感和浓浓的舐犊之情，可见一斑。"古人认为"身心清静不犯房劳，临产自然快便，生子也必聪明少疾。"

对孕期的注意事项，《景岳全书·胎前节养篇》做了进一步的总结，书中记载：

一除恼怒。凡受胎后切不可打骂人。欲生好子者。必须先养其气，气得其养，则生子性情和顺，有孝友之心，无乖戾之习，所谓和气致祥，一门有庆，无不由胎教得之。

二禁房劳。保胎以绝欲为第一要事，只宜分床独宿，清心静养，则临盆易生易育，得子少病多寿。倘或房劳不慎，必致阴虚火旺，半产滑胎，可不谨欤?

三戒生冷。胎前喜食生冷，否则临产之虚脱，产后之绝证，断不免也。

四慎寒温。要知起居饮食，最宜调和。夏不登楼，宜着地气。夜不露坐，宜暖背腹。

五服药饵。胎前产后，药能起死回生。接养有方，随时调治，其所安全母子者，药饵之功，正复不浅也。

六宜静养。胎前静养，乃第一妙法。不校是非，则气不伤矣。不争得失，则神不劳矣。心无嫉妒，则血自充矣。情无淫荡，则精自足矣。安间宁静，即是胎教。所以古人必先静养，无子者遵之，即能怀孕。怀孕者遵之，即为易育。静养所关，岂不大哉？

●怀孕期间的心态对胎儿的影响

人类不同的心理活动、精神状态，乃是人体对外界客观事物的反映；而精神情志的异常变化，往往因影响内脏的奇迹而导致气血功能紊乱，气机升降失衡，即《黄帝内经·素问·疏五过论》所说：“离绝菀结，忧恐喜怒，五脏空虚，血气离守。”而在妊娠期间，由于胎儿在胞宫内依赖母体精气（气血）的滋养而生长发育，与母体的气血精神息息相关。因此，孕妇的精神和心理状态的异常或失度，势必影响到精气的变化。胎儿受此异常精气的影响，神经系统的发育就必然受到阻碍。如《素问·奇病论》说：“人生而有病癫疾者……此得之在母腹中时，其母有所大惊，气上而不下，精气并居，故令子发为癫疾也。”由此说明儿童先天性癫疾的发生，与母亲怀孕期间遭受大惊骤恐、精神紊乱、精气运行失常有密切关系。病理上的影响如此，而在生理上，孕妇的精神、心理状态，也必然对胎儿有所影响。特别是在妊娠前期，胎儿各器官及神经系统正值形成过程中，所谓“形象始化，未有定仪。”因此，应特别注意孕妇的精神调摄，可以设想，妊娠期间如能多接触美好的事物，诸如听轻松的音乐，欣赏优美的风景，观看花卉和美术作品，读有益身心的文艺著作等，从而陶冶性情，开阔胸襟，旷怡心神，以使气血和顺，阴平阳秘，则对胎儿未来智力、性格的发育，当然或有好的影响。由此，《在增补大生要旨》一书中指出：“盖气调则胎安，气逆则胎病。”意思是说，怀孕不仅是女性生理的一个特殊过程，而且在心理上也同样会发生相应的变化和反应，也就是所谓情志的变化。因为，怀孕后应该情志舒畅，遇事乐观，心境平和，不要喜怒无常，动不动大动肝火，甚至经常恼怒，以免影响孕妇和胎儿的健康。

将胎教与养胎、护胎有机地融为一体是中医优生优育学说的一大特点。我国历史上最早记载和提出“胎教”的是西汉政治家、文学家贾谊（公元前200~公元前168年）。贾谊在《新书·胎教》中最早明确提出“胎教”一词，书中提到：“青史氏之记曰：‘古者胎教之道，王后有身，七月而就蒌室，太师持铜而御户左，太宰持斗而御户右，太卜持蓍龟而御堂下，诸官皆以其职御于门内……’”的记载。以上这些记载可以说明远在三千多年以前，我们的祖先就十分注意和重视“胎教”这一问题。

晋朝张华《博物志·卷十》说：“席不正不坐，割不正不食，听诵诗书讽咏之音，不听淫声，不视邪色。以此产子，必贤明端正寿考。此所谓父母胎教之法。故古者妇人妊娠，必慎所感，感于善则善，恶则恶矣。”《文王胎教》不知出于何人手笔，此事司马迁在《史记》中记载：“太任（周文王之母）有娠，目不视恶色，耳不听淫声，口不出傲言。”汉代贾谊著《新书·胎教》中也提到：“周后妃妊成王于身，立而不跛，坐而不差，笑而不渲，独处不据，虽怒不詈，胎教之谓也。”综合《文王胎教》，问题从三个方面展开：一、“调心神，和情性”，这是一种精神情绪调摄法；二、“居处简静”，“节嗜欲”，这是从生活起居着眼；三、“欲得见贤人君子，盛德大师”，这一环节的重点落在了教育和美学上面。这三个方面，目的只是一个，就是“生子皆良，长寿忠孝，仁义聪慧”，也就是我们今天所说的优生。

陈自明的《妇人大全良方》中对“外象内感”理论作出了最全面、精辟的论述：“夫至精才化，一气方凝，始受胞胎，渐成形质，子在腹中，随母听闻。自妊娠之后，则须行坐端严，性情和悦，常处静室，多听美言，令人讲读诗书，陈礼说乐，耳不闻非言，目不视恶事，如此则生男女福寿敦厚，忠孝贤明。不然则男女既生，则多鄙贱不寿而愚，此所谓因外象而内感也。”清代贺兴思在《三字经注解备要》中也提出，“端心正坐，清虚和一，坐无邪席，立无偏倚，行无邪经，目无邪视，口无邪言，心无邪念，无妄喜怒，无得思虑。”等准则，认为孕妇如果能做到心怀坦荡、言语大度、行为端庄，无论是对自己还是对胎儿都是非常有益的。

民国时期，印光大师曾说过：“母教第一是胎教，胎教乃教于秉质之初。凡女人受孕之后，务必居心动念行事，唯诚唯谨，一举一动，不失于正。尤宜永断腥荤，日常念佛，令胎儿禀受母之正气，则其生时，必安乐无苦。所生儿女，必相貌端严，性情慈善，天资聪明。及至初开知识，即为彼说做人之道理。如孝、悌、忠、信、礼、义、廉、耻等。”

朱子在《小学》中提到：“子在母腹中，母呼亦呼，母吸亦吸。”当母亲用正气来感召胎儿，那么先天的气质变化就来得非常迅速。如果母亲无论昼夜，都能保持自身的廓然正气，精神内守，情绪稳定，喜怒哀乐适可而止，心情恬淡而宁静。这样，外邪不能侵入体内，内邪也就起不来，才能安养胎儿，使孩子天赋秉正。

上述关于“外象内感”的精辟论述与现代科学主张孕妇对胎儿良好的心理影响，包括情志的调和、音乐与诗词的熏陶、言行的端庄、品德的修养等方面的要求是一致的。同时，前人还总结了许多胎教与生产和胎儿身体健康的经验教训。例如，女性怀孕期间性情和顺，才能顺利生产。《张氏医通》说：“难产之患，多缘妇女禀性执拗，怀孕之日，不检束身心，任意作为，以致气血乖违，胎孕偏著。”孕期心境和顺，对父母孝顺，行为恭顺，人的气血就顺畅，不易出现胎位不正等种种难产的情况。

现代医学认为，胎儿与母体之间存在着一种“感通”，其“感通”途径有许多，最有力的证明是胎儿很早的神经系统发育及血循环中的激素。胎儿在6月开始有听感觉能力，能够理解母亲的思想和感情，对外界的一些变化并不“置若罔闻”。据调查统计，婚后生活不和睦，彼此反目，口角频争的夫妻所生孩子，因恐惧心理而出现的神经质者比婚后生活美满的夫妻所生孩子高4倍，而其躯体上出现缺陷的概率要高1.5倍。美国生物学家W. B卡博士研究证明：儿茶酚胺存在于遭受恐吓的动物和人的血液中，从遭受恐吓的动物体内抽出儿茶酚胺注射到正常动物体内，正常动物就会立即显出恐惧状态。如此，如果母亲遭受恐吓就会分泌这种物质，这种物质（儿茶酚胺）将穿过这一障碍流入胎儿体内，胎儿也会产生恐惧。因此孕妇应当随时注意调养心神，乐观豁达，品行端正，从而确保胎禀充足，以出“贤子”。

### ●中医对婴儿养育的观点

从孕育生命那一刻开始，孕妇就经受着所有的痛苦和折磨，为了保护幼小而又稚嫩的生命，行、止、坐、卧都小心翼翼，含辛茹苦，十月怀胎，一朝分娩的时刻终于来到，经过痛苦的挣扎，一个用生命和鲜血给予的小生命诞生了，如何养护这个幼小的生命呢?

明·王大纶在《婴童类萃》一书中提到如何养育婴儿时，这样写道：

一要背暖。经云：其背脊三椎，六节两旁，是肺俞二穴。若风伤于肺俞，使人毫毛卓立，皮肤闭塞而为病。其症或咳、或嗽、或喘、或呕哕、或吐逆，及胸满、憎寒、壮热皆肺俞受寒而得也。故曰背宜暖。

二要肚暖。俗云：肚无热肚，肚者胃也。胃为水谷之海，若冷则物不腐化，肠鸣腹痛，呕吐、泄泻等疾生焉。经云：胃热则消谷善饥，所以能饮食也。故曰肚宜暖。

三要足暖。经云：其足阳明胃经，乃胃经经络之所主也，故云寒从下起此之谓也。故曰足宜暖。

四要头凉。经云：头乃六阳之会，诸阳之所凑也。头脑为髓之海，若热则髓溢汗出，或颅囟肿起，或颅囟开解，或头疮目疾。故云头无凉头。故曰头宜凉。

五要心胸凉。其心属丙火，若外受客热，内接心火，则内外俱热也。其症轻则口干舌燥腮红，重则啼叫惊掣。故心胸宜凉。

《鬻婴提要说》一书则对婴儿养护的讲解更为翔实：夜间乳儿，母起身坐抱儿喂之，勿侧卧乳儿。乳后抱儿使其身直，恐软弱颠倒，致乳溢出也。不尔，皆令儿病(《颅囟经》)。凡乳母生喜，则乳为喜乳，令儿上气癫狂，亦令儿生痰喘急，或生惊（孙兆）。凡乳母动气，则为气乳，令小儿面黄且白(《宝鉴》)。交合之间，不可乳儿。盖气乱未定，必能杀儿也(《千金方》)。凡乳母有病时为病乳，令儿黄瘦骨蒸盗汗、夜哭，及生诸疾(《宝鉴》)。乳母饮酒而醉者为醉乳，令儿热，腹急痛。扁鹊云：醉淫随乱，儿恍惚多惊(《千金翼方》)。凡乳母有怒，则乳为怒乳，令儿生疝气病。扁鹊云：女子则腹胀(《千金翼方》)。月内小儿，不可闻啼即抱，一啼便乳。须令啼哭，则胎中所受热毒从此而散，胎中惊风从此而解，则期月之间，无重舌、木舌、口噤、胎热之疾(《大生要旨》)。小儿以食乳为主，三岁后方可食糕粥，五岁后方可食荤腥，则一生永无脾胃之疾矣(《慈幼外编》)。凡小儿有停滞，于卧后用手顺摩其腹，自胸至脐下，轻轻摩至百数，能顺气消食(《慈幼论》)。乳母须每日三时摸儿项后风池，若壮热者即须熨之，使微汗而愈。谚云：戒养小儿，谨护风池。小儿初生大小便闭，令妇人以温水漱口，吸小儿前后心，手足心并脐下共七处，以红色为度，即通(《集验良方》)。凡小儿有汤火伤者，急以草纸湿尿贴患处，痛立止，迟则起泡(《集验良方》)。小儿为异物所侵，夜睡惊悸，啼哭不止，面色或黑或紫，宜用杂色纸，作一异物形状，令受惊吓者之儿视之，即对儿以火焚化，儿疑释则病愈矣（夏禹铸）。儿如爱惜太过，三两岁犹未饮食，致令脾胃虚弱，一生多病。但儿生半年后，煎陈米稀粥，粥面时时与之，十月后渐与稠粥烂饭，以助中气。但不与乳并，自然无病易养(《保婴易知录》)。惟用新绿豆作枕，与儿枕之，最清凉，去胎毒热毒。（石天基）小儿宜用菊花作枕，则清头目(《按摩经》)。

常言道：万丈高楼平地起。人的一生若要健康少病，生活的有质量，不但要讲究后天的养护，还要从优生优育做起，而胎教则是在胎儿神经系统的发育形成过程中所采取的教育手段，是婴儿早期教育的发端，中医优生优育思想是我们祖先留下的一笔宝贵遗产，在我国源远流长，对人类的健康建立了不朽的功勋。

## 第三节　手法的变化与五行

道家的张伯端真人在《八脉经》中云："八脉者，冲脉在风府穴下，督脉在脐后，任脉在脐前，带脉在腰，阴跷脉在尾闾前、阴囊下，阳跷脉在尾闾后二节，阴维脉在顶前一寸三分，阳维脉在顶后一寸三分。凡人有此八脉，俱属阴神，闭而不开。惟神仙以阳炁冲开，故能得道。八脉者，先天大道之根，一炁之祖，采之惟在阴跷为先。此脉才动，诸脉皆通。次督、任、冲三脉，总为经脉造化之源。而阴跷一脉，散在丹经，其名颇多：曰天根，曰死户，曰复命关，曰酆都鬼户，曰生死根，有神主之，名曰桃康。上通泥丸，下透涌泉，倘能如此，使真炁聚散，皆从此关窍，则天门常开，地户永闭，尻脉周流于一身，贯通上下，和炁自然上朝，阳长阴消，水中火发，雪里花开。所谓天根月窟闲来往，三十六宫都是春。得之者，身体轻健，容衰返壮，昏昏默默，如醉如痴，此其验也。要知西南之乡，乃坤地，尾闾之前，膀胱之后，小肠之下，灵龟之上，此乃天地逐日所生炁根，产铅之地也，医家不知有此。”

《八脉经》中的八脉名称和中医相同，位置、作用区别很大，完全是另外一套体系，而且张伯端讲：“医家不知有此”。明言道家（神仙家）之八脉不同于医家之八脉。

后世道家龙门派的创派祖师，著名的道士丘处机，也就道家的奇经八脉撰写过《论奇经八脉》，内容基本取自张伯端的《八脉经》：“八脉者。……而阴跷一脉，上通泥丸，下通涌泉。倘能知此，使真炁聚散，皆从此关窍，则天门常开，地户永闭，尻脉周流于一身，贯通上下，和炁自然上朝，阳长阴消，所谓‘天根月窟闲来往，三十六宫都是春’。得之者身体轻健，容衰返壮，昏昏默默，如醉如痴，此其验也。”

明朝著名的中医学家李时珍也认为道家的奇经八脉“与医家之说不同”，其撰《频湖脉学·奇经八脉考》：“频湖曰：‘丹书论及阳精河车，皆以任、冲、督脉、命门、三焦为说，未有专指阴跷者。而紫阳《八脉经》所载经脉，稍与医家之说不同，然内景隧道，惟反观者能照察之，其言必不谬也。’”

河南老董在学习的时候说：“来您这里以前，我也学习过脏腑点穴按摩法，但调任脉的时间太长，而且手法固定，需要一气呵成，通过这几天的学习，我发现您做任脉的手法很轻柔、整个调任脉的时间也不长，气通的也很快，而且老师在治疗的时候，手法是变化的。”

我回答说：“《易经》云：‘在天成事，在地成形，变化足矣！’自然世界，人类社会，天地间没有不变的事情，万事万物，时刻在变，变是‘天道’的法则，是事物发展的规律。脏腑点穴按摩法的任脉操作手法，是通过调理人体的气分，达到引气归原、引气归经的目的。北宋张伯端曰，‘万物芸芸各返根，返根复命即长存。’杏林师曰，‘万物皆有死，元神死复生。以神入气穴，丹道自然成。’所以在临床治疗的时候，从患者的实际情况考虑，手法应随之变化。举个例子，如我在治疗多例多年腹胀的患者就用了不同的方法，第一位患者，我为他治疗三次，基本上没有胀的感觉了，第四天他过来时说，跟家里人刚生了点气，腹部又胀了，我用几分钟时间为他调了一下脏腑，然后再调了一下颈椎，腹胀感当时消失；第二位患者，我同样用几分钟调了一下脏腑，然后做了一个疏肝理气的手法，腹胀感当时也消失了；第三位患者，我同样给他调了几分钟脏腑，再调一下背部，腹胀减轻；第四位患者，我为他调了两次脏腑，腹胀感减轻了很多，但后来因为夜里受寒，又感觉腹胀，我还是用几分钟为他调脏腑，然后继调八髎穴，患者排气后，腹胀感基本消失……同样一种病，却用了很多不同的手法，这就需要临床辨证。

中医把人看作是一个九宫图，中间是中土，四肢分别是对应四偶（东北、东南、西南、西北）的位置，人体就是个太极图，这个太极要正常的运转，就要气机正常的流动，人体的气机正常的灌注、运行于四肢百骸，无一处闭塞，自然百病皆消……

其实，世间万物都出于不断的运动、发展、变化之中，什么都不是一成不变的，古人说，有形有意全是假，法到无心方是真。不过要想达到这个境界，就要看个人的努力和用心程度了。手法的变化不但要在临床中把技术玩味到一个很高的层次和境界，而且要明其源头，知其理、法，如果这些都弄不明白，只从主观的思想上认为某个手法好与不好，就放弃不用或改变，就是拿技术在开玩笑了！”

老董笑了笑又说：“王老师，我以前从来没有接触过中医，后来学了脏腑点穴按摩法以后，就急着去找人实践，从来没有想去弄清楚脏腑点按摩法的源头和理法，听您这一讲，我才明白点了。”

我说：“我们研究一种方法，一个技术，如果连出处都弄不清楚，不要说深入研究，就连精通这种技术都不可能，因为你不知道其文化所在，无法查找和获取相关的资料、知识，更不要说对技术进行延伸和发展了。说起脏腑点穴按摩法的源流，先要从中医的分派说起，通过查找现存于世的资料，可以得知中医的传承路线，中医始于岐伯祖师，岐伯授黄帝，黄帝历九师传至伊尹，伊尹传汤液经，过后几百年逐步传至秦越人始成专著，再往后传至华佗祖师，华佗祖师后分脉开支，提出把医术归为神仙、奇门、经方、民间四大派，这在唐宋之前的医书和文献都有记载。《汉书·艺文志》（作者班固，字孟坚，东汉著名史学家）医药类书目分‘医经’‘经方’‘房中’‘神仙’四小类，即是最好的证明。脏腑点穴按摩法从理法上来看，当属于四大派中的神仙派，其法在汉朝以前没有任何文献记载，从元朝开始才陆续显露端倪。我们参考道家一些养生的文献，对脏腑点穴按摩的理、法进行分析，可以看出脏腑点穴按摩法起源于道家这个说法，已经是不容置疑的，如手法上，引气归原；'妄传匪人，徒增罪业'的语句（近代对道家发展贡献极大的陈撄宁先生经考证古代文献发现，道家秘术在传承的时候，必定要发一种誓词。如'不许妄传匪人，若妄传者，必遭灾祸。'等语，此乃最平常之誓词）。这些都是道家常用的术语和说法。脏腑点穴按摩法既然起源于道家，那么不管是手法还是理论，我们都需要去道家的一些经典中去寻找答案。"

鲁迅先生说，中国文化的根柢全在道家。世界上所有的宗教，只有道家提出长生延年、驻颜不衰、轻身耐老这一观点，这是与其他宗教所不同的，脏腑点穴其理论和手法就是遵循道家这一指导理念。不研究出处和源流，只凭我们的主观臆想去猜测，去对理、法进行延伸和发展，最后一定变成了四不像。脏腑点穴按摩法根据道家的理论，把任督两脉看作是重中之重，要注意的是中医讲的奇经八脉与道家所描述的奇经八脉有所不同。明·李时珍撰《频湖脉学·奇经八脉考》中提到，丹书论及阳精河车，皆以任、冲、督脉、命门、三焦为说，未有专指阴跷者。紫阳《八脉经》所载经脉，稍与医家之说不同，然内景隧道，惟反观者能照察之，其言必不谬也。有兴趣的话，可以研究一下，在道家拥有崇高的地位的《悟真篇》的作者张伯端真人的《八脉经》。

奇经八脉的分布不同于十二经，没有表里的配合，奇经八脉中只有任督二脉有专属穴位，其余的六条经脉没有本经所属的穴位。六脉受任督两脉的统领并与十二正经发生联系，奇经八脉为人身元气和"阳神"运行集会的管道和宫室，管道和宫室是比喻的说法，为人体元阳之气（先天真一之气）运行停留的场所，他对人的生死有重要的意义，也可以笼统的理解为奇经八脉为魂和魄的生理构成。但是以阳为主，"奇"可做阳来理解，也就是说奇经八脉对阳气的影响较大。

"除了老师讲的这些以外，我还要怎么做才能把脏腑按摩演绎到一个很高的境界呢?"老董问我说。

"以我个人学习脏腑点穴按摩法二十余年的经验，要把脏腑点穴按摩法的效果提高的一个很高的层面，要掌握一个中心，三个基本点。"我说，"一个中心，就是以太极的变化为中心，明末大医家张介宾曰，'一气先天名太极，太极生生是为易。易中造化分阴阳，分出阴阳运不息。'我们只有明了太极的运行、裂变，才能判断所有疾病的根本起因、发展和结局。三个基本点，第一点是中心五行，就是调神，掌握了这部分内容，我们才算掌握了独孤九剑，迅速找准患者五行偏差的位置，在临床上才能和患者的气场相互融合，达到天人合一、医患合一，这一点是最难掌握的。确切的来说，掌握到什么程度，就看个人的努力程度了。第二点是内五行，就是脏腑五行的变化，简单地说就是以脾胃论治其他脏腑，使五行之气相对平衡，体内气机顺畅，一气周流，阴平阳秘，形成一个圆运动……”

“对一些外在伤害所导致的疾病怎么解释呢?”老董打断我的话说。

我说：“这个问题，我抽时间再和你探讨，记住毛主席说过一句话，‘外因通过内因起作用。外因是变化的条件，内因是变化的根据，外因通过内因而起作用。’防病、治病，身体的疾病是病，外因的出现也是疾病。我认为，防病、治病的范围应该看得远一些，举个例子，把所有的中医书都放在一个屋子里，你在这个屋子里看书，我也在这个房间里，那我知道你是个学医的人；假如我站在屋子外面，我从打开的屋门外面看，你是个看书的人，但不知道你在看什么书；假如我站在远的地方看，你好像在找东西；假如我站在空中，我看不见你了。所以说，我们站得越高，对疾病的思索越深远、越全面……”

“明白了老师，请问第三点指的是什么?”

“外五行，我们常说的是筋、血、肉、皮、骨，由于中心五行、内五行不能一气周流，疾病的种种不适就反映在外五行上面，所以中医认为，‘病存于五脏六腑，症状现于四肢五官’；《冰鉴》曰，‘胸腹手足，实接五行；耳目口鼻，全通四气。’中医的整体学说，我们都知道了，关键是在运用了，譬如在临床上我们治疗腰椎间盘突出症、颈椎病等骨关节疾病的时候，根据患者的实际情况和病情的长短，我们可以采取先调整骨关节，然后再松筋、调脏腑；或采用先松筋、再调整骨关节，然后调脏腑；或只调整骨关节，或只松筋，或只调脏腑，或只调太极，或只调中心五行……总之，以患者的实际情况而定，最好能使患者的五行内外相应和贯通，这样不但能最大限度地提高临床效果，而且远程疗效好，治愈后不易复发……任何一种方法，都有无限的延伸性。在这里，我们只能简单、肤浅的讨论一下脏腑点穴按摩及临床中五行的一些变化和内在联系。这些内容如果展开讲，够写几本书了！五行，包罗万象；五行的变化，更是为我们展现了一个美丽而神秘的的世界，不但神奇莫测，而且极富有魅力。”

## 第四节　心性调节

科学研究发现，我们这个广大无边的大宇宙里，根本数不清有多少星球，我们现在生活的地球是整个宇宙里面一个很小很小的小星球，这就是我们的家园。我们地球是属于太阳系的一个小行星，地球是其中一个。太阳系围绕着银河系转，在银河系又不知道有多少个太阳系，据估计有至少一千亿个以上。其实银河系在整个宇宙里面也是微不足道的一小部分。宇宙这么广袤无边，但它是由什么构成的？微观物理学家就在研究物质最小的微粒是什么？我们知道物质是分子构成的，分子又由原子构成，原子里面又有原子核，原子核外面围绕着电子，这个电子围绕着原子核就像行星围绕着太阳一样，这个小的和大的世界它的基本运动规律是相同。这个原子核又是什么东西构成的？原子核是由质子和中子组成的。质子和中子又是由什么组成的？科学家也发现，是由夸克组成的。目前都知道夸克是物质的一个我们能发现的最小的微粒，这里头到底还有没有东西还是个疑问。夸克和原子核外面围绕的电子，这是属于基本微粒，也就是科学家找到的最小的物质的微粒，再小都不知道还有没有物质。

科学家继续发现，电子能够自转，就像太阳它有自转，地球也有自转一样。我们都知道，自转必定有一个中心轴它才能自转，如果有中心轴，说明这个电子还不是最小的，里头还有结构，它才能够自转。这里面什么结构？科学家们他们现在提出一个叫“弦理论”，琴弦的弦。他说什么？这个电子、夸克里面它有一种像琴弦一样的振动。我们知道要弹琴，像弹吉他，你弹这个是把那个琴弦振动，把它拨动之后，它一动就会发出音符，这就构成一曲美妙的音乐。他发现，这个弦理论英文叫 String Theory，这个理论是在一九七四年美国施瓦茨教授和法国的施克教授两位科学家提出来的，他们说，夸克、电子，这些最小的微粒里面，就是一种像琴弦一样的振动，这种振动不是物质，它就是一种动，它里面不是一种物质构成，因为夸克和电子是我们现在发现最小的物质，再底下没有了，纯粹就是一种动，动态，所以用弦来代表它的动态。

物质其实就是由这种像琴弦一样的振动而产生的，像我们弹琴，弹一声，这琴弦动一下，产生一个音符。现在在微观世界里面，这个弦动一下产生一个粒子，产生一个电子，或者一个夸克，然后电子和夸克之间相互的作用就组成了原子、分子，进而组成物质，进而组成我们一切宇宙中所有的物体，大至星系，小至我们看到的生命，山河大地、地水火风等等。原来整个宇宙最终基本的构成就是振动，现在科学家们已经发现这个真相了。假如没有振动？没有振动就没有物质。所以物质是由动才产生，要绝对静止下来，什么物质都没有，我们的宇宙也就消失了。

科学家现在他只知道物质最微细的构成是振动，弦振动，但还没有办法证实这个动是什么在动。最后有学者提出，这个动出自心，是自己心动了，那个动原来是心念，念头在动，有念头动才会有物质产生，疾病也是由此而来。

根据以上理论，医学临床上除化疗、放疗、食疗、理疗等医疗方法，还延伸出另一种治疗方法，通过聊天来达到治病的效果，由于这种治疗的方法没有固定的形式和标准，可以是一个人说，另一个人只是听，无须回答；也可以是通过两人或多人对话的方式进行。随意性很强，而且大多数聊天的方式是在不知不觉中进行的，不被人注意，所以，还没引起人们对这种疗法的足够重视，很多人对它的理解仅仅停留在类似心理疏导的形式，不过是宣泄和疏导心中的郁结，对聊天能调理一些重大的疾病还抱有怀疑的态度，这只说明人们对疾病的认识还停留在形体上面，没有意识到疾病本是由“心”所生。

清·梁绍壬的《秋雨庵随笔》卷二中，有一篇名为“僧读《中庸》”的故事：木文和尚有戒行，无锡顾伊人孝廉素与善，孝廉妇疾革，诸医束。延木之至，并不携经卷佛像，询之曰：“经理用汝家者。”孝廉曰：“吾家素无经卷。”曰：“圣经足矣，何必佛书。”因与《中庸》，焚香读之，如宣梵呗，三复而去。中夜，妇汗出，顿愈。

这段话的意思是说：木文和尚是一位有道的高僧，无锡有位叫顾伊人的孝廉，他和木文和尚的关系一直很好，有一次，顾伊人的妻子病情危急，很多医生对此束手无策，于是，特意请来了木文和尚（给妻子治疗，木文和尚说只需诵经即可治愈疾病），但他来时并没有带佛经和佛像，顾伊人问他为什么不带，他说：“经卷要用你家的。”顾伊人说：“我家里没有佛教的经卷，只有儒家的著作。”木文和尚说：“有孔子的书就可以了，又何必一定要佛教的书籍呢？”于是，顾伊人就给木文和尚拿来了一本《中庸》，木文和尚焚香诵读《中庸》，如念佛经，诵读三遍之后，他就告辞走了，半夜，顾伊人的妻子出了一身汗，病就好了。

这个故事可以说是很典型的通过一个人说，另一个人只是听，无须回答就能达到快速治愈疾病，本来“孝廉妇疾革，诸医束。”但木文和尚焚香读《中庸》，“如宣梵呗，三复而去。中夜，妇汗出，顿愈。”不能不说这个故事充满了神奇的色彩，甚至令人难以置信。

《易》曰:“天地之大德曰生。为医者,所行乃生人之事。是以医不患病多,而患法少,亦不患法少,而患不能顺从天地好生之德。”聊天调病的方法,不是像我们平常那种对话形式,劝人宽宽心、想开点,或者一味地应和,这样是行不通的。当然,聊天首先要找到与患者对话的切入点,然后才能找准患者的“病结”所在,一击必中,要想达到这个程度,就要掌握多方面的知识,才能与患者很好的沟通。幸运的是,在很早以前,我的一位中医老师就告诉我,要想学好中医,不能因循守旧,要阅读各种经典,在老师的建议下,二十多年来,我先后阅读过《黄帝内经》《金匮要略》《伤寒杂病论》《易经》《孙子兵法》《三国演义》《西游记》《春秋》《左传》《素书》《冰鉴》《鬼谷子》《庄子》《道德经》《金刚经》《坛经》《二程集》《群书治要》《道书十二种》《中国历代名医名术》《黄元御医学全书》及中国历代各名家医学全书等几百部经典著作,开拓了我的视野和知识面。在此基础上,我再结合《五行学说》《气场学说》《运动学说》《人性学说》,经过一段时间的摸索和总结,以患者语言、表情和形体上的表现为切入点,找出患者的“病结”,并以此延伸,最终实现根治疾病的效果。我称之为“心性调节法”,当然,如果能与“脏腑机能调整按摩法”相互配合,更是相得益彰。

常言道:“病由心生,亦由心灭。”这句话的意思从中医的角度来讲,就是说人一旦不能满足自己的要求,或达不到自己的愿望,心中便产生了怨,这是制造疾病的根源和使疾病产生的原动力或者是万病产生的毒根(内因致病)。由怨生恨,继而产生气火,气火内郁而伤大脑,大脑受伤而影响到中枢和自主神经的功能,自主神经受到损伤,调节失调而造成交感神经和副交感神经及迷走神经受到一定的影响,这时即可伤害心脏,心脏受到刺激后即可产生心悸,心慌、心动过速或心动过缓,这必然形成心律不齐、心律紊乱,更严重者造成心脏本身的组织或冠状动脉供血不足而造成心脏病或心脏神经官能症。一旦心脏受伤日久致心阳不足,继而心火衰微,随之而不能生土,脾亏而脾气受伤,心伤而损到脾,脾亏而病生。脾为中土为万物生化之源。五脏六腑均靠脾胃后天水谷的营养,脾胃受损伤运化失司或消化不运即出现纳差、食少之症。一旦脾胃功能不好,造成胃火胃神经官能症出现,这时土气不足,脾气一旦虚弱,土亏而不能生金,致肺气不足,肺气不足即可出现咳嗽气短,气喘之症。肺脾气虚。肺脾气虚日久华源不足,津液营养不能四布,津液凝集成痰使水气竭绝,而造成木气不足,木气不足这时可出现多怒而气不润,病气不泽而肝液肝阴亏,水液失濡日久周身的筋脉失养出现痿症。阴阳二气不能平衡,气血不足营养不能周循全身,即可出现微循环不运，循环不运可出偏枯，偏枯即是半身不遂，半身不遂多见于脑血栓形成脑出血的产生一旦造成大脑血管溢血，轻则造成后遗症，重则造成生命危险……由此可见，“心”是造成疾病的根源。

《养真集·病》也提到“病何由而生也？皆因妄想而生烦恼，烦恼既生，则内伤其心，心伤则不能养脾，故不嗜食。脾虚则肺气必亏，故至发咳，咳作则水气竭绝，故木气不充，发焦筋痿，五脏传遍而死矣。人当妄想萌动之时，即疾病发生之时也。今人不察，必待疼痛著身，才为有病，而不知非一朝一夕之故，其所由来者渐矣。人之一身，外有六淫，风、寒、暑、湿、燥、火是也。内有七情，喜、怒、哀、乐、忧、恐、惊是也。因七情而病者，为内伤而成不足之症。因六淫而病者，为外感而成有余之病。不足宜补，有余宜泻。后天有形之血气受伤而病者，药石针灸可以治之。先天无形之精神内伤而病者，非反观静养不能愈也。十大名医，治人身病；三教圣人，治人心病。亲朋有病皆知去看，自己有病却不知看。若知自看，内看无心，外看无身，心身既无，受病者是谁？不病者是谁？见得分明，自然无事。”老百姓有句话，遇事要把“心”放到肚子里。这句话蕴含着很深的哲理，同时也提醒我们，临床勿忘记调整患者的心性，这是最根本的。

## 第五节　砒（霜）与信

砒，又名砒霜，《水浒传》中，西门庆、潘金莲毒死武大郎所用的药物就是此物。砒霜的毒性很强，进入人体后能破坏某些细胞呼吸酶，使组织细胞不能获得氧气而死亡；还能强烈刺激胃肠黏膜，使黏膜溃烂、出血；亦可破坏血管，发生出血，破坏肝脏，严重的会因呼吸和循环衰竭而死。但事物都有阴阳两个面，在医学上，医生却利用砒霜大毒的这种特性，用来治疗各种疾病。如：《医学折衷》提到，疟丹多用砒霜大毒之药。《医学入门》曰，主恶疮瘰疬，腐肉，和诸药敷之，自然蚀落。又治蛇尿着人手足，肿痛肉烂，指节脱落。为末，以胶清调涂。《纲目》曰：蚀痈疽败肉，枯痔，杀虫。《玉楸药解》曰：治寒痰冷癖，久疟积痢，疗痔漏瘰疬，心疼齁喘，蚀痈疽腐肉，平走马牙疳……清代名医叶天士也曾用砒霜治疗过蛔虫病。有一次，一位病危的患者求治于叶天士，叶天士为其把完脉后，就开了一味药“砒霜”。病人因惧怕砒霜的剧毒，只服用了剂量的一半，结果排出了大量死去的蛔虫，病好转了很多。不久后，病情复发，再次来到叶天士这看病，叶天士给他把脉后说：“你上次吃的不是我给你开的药。”病人说：“确实是吃你给我开的药，不过我只用了一半的剂量。”叶天士摇头道：“完了，我无能为力了。如果你上次能将药全部吃下，腹中的虫子就会全部毒死，你的病就彻底好了。可你只吃了一半，那些残留下来的蛔虫，已经适应砒霜的药性，现在吃什么药都不管用了。”这位患者听了叶天士的一番话后，想既然吃与不吃都是死，为什么不试一试呢？于是，自购砒霜服用，服后，马上就死了。由此可见，即使是剧毒砒霜，用好了，就是治病的良药，用不好，就是致命的毒药。

砒的别名除了砒霜以外，还有另外一个名字，人言。我在医书上初次看到这个解释的时候，就深为古人的智慧倾倒和折服，人言，合在一起，是个信字。孔子曰：“人而无信，不知其可也。大车无輗，小车无軏，其何以行之哉？”这句话的意思是说：“一个人不讲信用，是根本不可以的。就好像大车没有輗、小车没有軏一样，它靠什么行走呢？”人在社会中，人之所以为人，都离不开“信”。无“信”甚至可以把天下都能失去，《史记》记载，周朝末年，周幽王宠爱妃子褒姒与后生子伯服。随后周幽王废掉申后及太子，以褒姒为后，以伯服为太子。太史伯阳预言说：“失信于天下，大祸就要临头了，有什么办法呀！”果然，幽王为了博得褒姒的开心一笑，不惜想尽一切办法，可是褒姒依旧终日不笑。一天，幽王陪着褒姒登城楼观望，忽然想起一个绝妙的高招，让手下大臣用烽火报警。本来有敌入侵，才能举烽火报警，结果各路诸侯带着兵马全都到了。看到被戏弄的诸侯，褒姒大笑了起来。幽王高兴极了，于是隔三岔五就举烽火，导致各路诸侯不信烽火，再也不来了。不久，由于幽王废申后，去太子，激怒了申侯（申后之父），申侯联合缯侯、西夷犬戎来攻幽王。幽王情急之下，让手下大臣再次举烽火报警，可各路诸侯谁也不相信，不发一兵一卒，幽王叫苦不迭。犬戎遂杀幽王于骊山下，掳走了褒姒。而周幽王烽火戏诸侯则成了千古笑柄。这就是中国历史上最荒唐的失信于人而亡国亡身的一个教训，所以我们从工作上来看也好，从疾病来看也好，都要把这个“信”字做好。“人而无信，不知其可”，不要奢谈仁、奢谈义，因为仁和义是付出性的，信未必是付出，信是一个中性的，未必是得，未必是失，但是我们首先要守住信，要有信才行。所以我们每一个人应该把这个担当起来，要有信誉，要有信用，如果没有这些，那就不知其可了。

宋代的三丰道人在《五德篇》中说：“仁属木也，肝也；义属金也，肺也；礼属火也，心也；智属水也，肾也；信属土也，脾也。”这段话，把信与脾胃连在了一起。中医认为：“脾主土，位于人体中焦，心肺居其上，肝肾居其下。所以人体气机升降运动，皆以脾为其枢纽。心肾相交，水火既济，心阳下降，肾阴升腾，也以脾为升降之枢。五脏之精，悉运于脾，脾旺才能清气上升布散。肝气升于左，肺气降于右；肺气通调水道，肾之气化蒸腾，无不以脾为枢纽。故脾胃互相配合，升降协调，则使气血水津布散通利，气机升降得宜，生发之机旺盛。若脾虚气弱，枢机不利，则种种病变莫不由之而生。对此种病变，总以调整脾胃，转动枢机为要。”明末的医家孙文胤在其《丹台玉案·脾胃门》中指出：“脾胃一伤，则五脏皆无生气。”其意是指，五脏必资于谷气，谷入于胃，和调五脏而血生，脾胃运化功能健旺，则气血充盈，营养五脏；脾胃受损，则气血生化之源匮乏，导致五脏失养，气机失调，变生各种疾病。既然信与脾胃紧密相连，那么，若失“信”与人，外则失去朋友，造成灾祸，内则于脾胃无益。

信，是天道之本然，也是人道的根本。信，做好了、做真了，诚信、笃实，行动力强，心里从不计较，肠胃就特别好，脾胃强健了，则在人体中更好的发挥枢纽的作用，使气机左升右降，一气斡旋，身强体健、生活幸福美满；失信，则就变成了夺人性命的人言（砒霜），害人害己，流毒无穷。

## 第六节　脾气与疾病

国外的一份调查数据显示，从胃溃疡、支气管哮喘到老年痴呆症，各种疾病都与脾气、性格特征存在着千丝万缕的联系。所以什么样的脾气、性格就容易得什么样的病，脾气、性格特征的重要性超乎想象，对一个人将来的健康状况起到关键作用。如美国的心脏病专家弗里德曼和罗森曼通过大量的临床和实验，总结出一种“冠心病性格”。其特点是：性情暴躁，争强好胜，心绪波动大，常怀戒心和敌意。这种人醉心于工作，总觉时间紧迫，行动快，效率高，却又缺乏耐心。中国的癌症治疗专家也指出：“癌性格”是人体与生俱来的癌基因从“癌”到“症”的催化剂，不良情绪是癌细胞最有效的培养液。“癌症的发生 80% 与环境因素、个人经历的内心冲突以及性格特征有关，性格癌症有可能引发身体癌症，身体癌症反过来又加重性格癌症。”虽然癌症的产生与多种因素有关，如化学致癌物质、放射线、遗传、病毒感染等，但现代医学发现没有一个致癌因素能单独引发癌症，许多物质性的致癌因素往往要在精神的参与和作用下才能产生破坏力。那么，什么是“癌性格”呢？谢东泽归结为：孤僻、抑郁、多愁善感，好生闷气，自我体验深刻却不愿意表露；沉默寡言，处世冷淡；心胸狭窄，常钻牛角尖，容易记仇；易躁易怒，忍耐力差；看什么都不顺眼，有外人就跟外人闹别扭，没有别的人就跟自己闹别扭。这就是典型的“癌性格”。再具体点说，抑郁好生闷气，并常常带气吃饭或酗酒就易患胃癌；长期处于失望自卑中的女性易患宫颈癌；压抑不得释放、经受克己情绪折磨者易患肺癌；怒气难以自制，又常常压抑愤怒，易患乳腺癌……中医专家在临床也发现了不少与不良脾性有关的疾病：高血压好高骛远，爱冒火，心中常有被压抑的感觉；哮喘过分依赖，幼稚，盼望得到别人的照顾，对别人或对自己在感情上都是模棱两可；偏头痛追求尽善尽美，做事固执死板，好争吵，嫉妒性强；溃疡病依赖性强，对周围有敌意感，感情遭受挫折，雄心勃勃，干事业有魄力；结肠炎羞怯，软弱，较聪明。女性多好哭；关节炎多来自于不太和睦、火药味较浓的家庭，有自卑感，心态孤独；湿疹冷淡，内向，喜怒不形于色，经常克制自己的情感……不良性格是如何引起疾病的呢？当然不是像细菌或病毒那样侵入体内，很快出现症状，而是通过间接途径，经过长时间的作用日积月累而逐渐形成的。

郑某，女，四十多岁，年龄虽然不是很大，却饱受胸闷、气短、便秘、血压高等症状的折磨七八年了，她由丈夫每天陪着过来调理身体，我发现除了她的身体上的各种症状以外，脾气也极为急躁，调理十几天以后，她对我说："经过这段时间的调理，我的血压已经正常，头晕、胸闷、气短的感觉没有了，呼吸很通畅，排便以前四五天一次，现在一天一次，也很轻松，我以前皮肤干燥、脸色很憔悴，脸上的肌肉很明显的下垂，现在皮肤明显觉得滋润了，而且脸上肌肉下垂的现象明显改善了……"

"脸上的变化还是次要的，"这时，她丈夫插话说，"对我来说，变化最大的是她的脾气，以前的时候，简直就像整天吃了火药，因为一两句话，就会跟我吵起来，我都认为她的更年期提前了，没想到经过您调理了这段时间以后，病好了不说，脾气也明显小了。"

我说："当一个人身体上出现疾病或各种不适的时候，我们知道他病了；但一个人的脾气变得很不好的时候，对方只知道生气或与之争执或伤心或责怪，但很少有人想到，这也是身体出现了问题，也需要调理；同理一个人的家庭不和谐、人际关系不好等等情况也是病，也需要调理……"

送走他们以后，随我学习的朋友小杨问我："没想到我们这个方法还能改变人的脾气。"

我说："人的五脏对应五志，即心主喜，肝主怒，脾主思、忧，肺主悲，肾主惊、恐；每个脏腑之气偏胜或不足，在性格或脾气上就会表现出来，人的身体其实就是一气周流，也就是我们说的阴平阳秘，一气周流在我们体内呈现的是一个正圆运动，圆的中心就是一团气，这样呈现出来的就是一个太极图，东、西、南、北、中、四相、五行、八卦都在里面，我们的身体无论哪个器官出现了问题，这个圆，在运动的时候就不圆了、扁了、瘪了，我们称之为太过或不及，我们为患者调身体，调整的就是这团气，把这团气恢复为正圆的运动，人的脏腑之气就平复了，所以说，我们为患者调身体的目的就是，收敛太过之气，帮助不及之气，使邪变为正，这样圆运动正常了，体内的气机自然就顺畅了。气机通畅了，自身的气场就变化了，随之运气也会发生变化，这也就是中医上讲的天人合一……”

## 第七节　调理疾病与气场的关系

最近科学研究表明人的精神、意识、思维可能是一种能量波。世界万物都有自己的能量场，因此会出现能量场重合与碰撞现象。比如当你结识了新的朋友，有的感觉特别亲切，似曾相识；有的感觉很难相处。一方面是心理作用，更多的是你自身的能量场（磁场）与他（她）发生了碰撞。如果能量场相合，较为容易相处，如果不相合，则容易发生碰撞，所以遇到与周围的人或环境不合的能量场的时候，要善于调节自身的能量场，达到及时与周围的人的能量场相合。

在多年的临床中，我发现一个问题，有些患者的症状非常容易调节，但有些患者即使症状较轻，也觉得较难很快达到预期的效果，但在经过一段时间与患者沟通以后，或者换一个技术并不高于自己的人为他调理，反而能达到理想的效果，后来看到针灸名家陆瘦燕先生在书中也提到这个问题，这才慢慢明白，这就是一个气场的问题，如果自身的气场与患者的气场相接，调理起来就能得心应手，如果气场相互排斥，调理起来就缓慢得多。遇到气场相互排斥的时候，就要调节自己气场的状态并多与患者交流，使双方的气场能相互融合，在做调理，必然得心应手。

经常有人问我，脏腑机能调理能不能治疗某种疾病？我只能告诉他：“看谁去做调理？给谁调理？人变了，效果自然不一样。”也有人问我调理哪些症状最有把握，实话实说，几年前要是这样问我，我能从腱鞘积液、腰椎间盘突出说到癌症，毕竟从事这一行业二十多年了，也可以说是阅人无数。可自从想明白气场对调理的影响以后，现在倒不敢说治哪个病最拿手了，哪怕是个常见的关节炎，因为满意 的效果除了医患双方共同的努力以外，还有一个气场的问题。

## 第八节　手法的补和泻

俗话：“耳听为虚，眼见为实。”其实也不尽然。《吕氏春秋・任数》篇记载了这样一个故事：孔子被困在陈、蔡之间，只能吃没有掺米的野菜汤过日子，七天没有吃过米饭，白天也只好睡觉。有一次，颜回去向别人索求米谷，讨到米便烧火做饭，饭快熟了的时候，孔子望见颜回在锅里抓东西吃。一会儿，饭煮熟了，颜回拜见孔子并献上饭食。孔子装作没有看见刚才看到的事。孔子站起来说："刚才我梦见了祖先，把米饭弄干净了然后去祭祀祖先。"颜回回答说："不可以的，祭祀的米饭必须是没有吃过的。这些米饭我吃过了，刚才有烟灰掉到锅里，扔掉沾有灰尘的食物不吉利，所以我就抓出来吃了。"孔子叹了口气说："人们相信自己眼睛看见的东西，但是眼睛还是不可以相信；人们靠的是用心去了解事物，但是心也不可靠。你们要记住了，了解人本来就不容易啊"。看人是这样，作为一位点穴推拿临床的大夫来讲，在临床观摩手法的时候也是如此，完全靠眼睛来判断问题，就太武断了。

小刘第三次找我进修，一次，他在观看我做治疗以后，问我说："王老师，刚才您做治疗的时候，气海穴用的是补法吗?"

"你是怎么看出来的?"我反问他。

"我看您的手法是向右旋转。"

"我的确用的是补法！因为我感到他的气海部位很空虚，但你的判断方法却不是很恰当。我们在运用脏腑机能调整按摩法临床的时候，一般是通过'旋''转''推''按''搬''提''扣''放'等手法，起到'补''泄''调'的效果，达到调理脏腑气分、损其有余、补其不足、平衡阴阳的目的。一般来说，从手法的运动上讲，按顺时针方向旋转为'补'，逆时针方向旋转为'泄'；在穴位上进行循环往复运动为'调'；轻刺激为'补'，重刺激为'泻'。顺着经络的走向进行的为'补'，逆着经络走向的进行的即为'泻'；从血流的方向来说，向心性的运用手法为'补'，离心性的运用手法为'泻'；从次数上来讲，又有补'九'泄'六'之说……我们若不考虑男女的差异、身体左右的不同、经络顺逆的区别、节气变化的影响、患者情绪的变化等等这些复杂的因素，只看到手法右旋转就判断为补法，就有些轻率了。假如在手法右旋的同时进行重刺激，是泄中带补呢？还是补中带泄呢？又怎么划分左右旋转和手法轻重在临床上产生的效果各占多大的比重呢？很难量化，而且针对某些疾病的时候，泄即是补，关于具体的补泻运用原则，我们学习的时候再仔细地讲解和分析。"

"是否虚证就用补发，实证就用泄法呢?"小刘又问道。

"疾病根本没有绝对的虚实。中医认为，人之有生，体内外环境统一，全赖气化，动而不已，生化无穷。常人阴平阳秘，生化之机保持动态平衡，但有偏阴偏阳之人，偏强偏弱之时。病时，邪正相争始终，以致生机紊乱，变化复杂多段。概括言之，‘从病性论，不外寒热；从正邪论，不外虚实’。字仅四个，含义深广。虚补实泻，是证治的不易大法。导致虚证的根源，在于正气被夺；导致实证的原因，在于邪气胜。正气，就是泛指维护健康、防止病邪的内在因素的总称，如精、气、血、津液等。邪气，不正之谓之邪，一切损害健康的体内外因素都属于邪气。从正邪对人体的厉害程度而言，正气无过多过强之理，邪气无过弱过少之论。病损之处必是正气积聚，用来抗拒病邪的地方，或在脏，或在腑，或在经，或在脉，或在气，或在血。可成虚证，可成实证，但绝无纯虚证、纯实证。如果有这种情况，则无正邪可言，就违背了‘精气夺则虚，邪气盛则实’的基本原理；同时，又怎能由虚变实，由实变虚。但是我们并没有否认，临床上确有典型的虚证、实证存在的现象，如《伤寒杂病论》中提到少阴病的四逆汤证，阳明病的大承气汤证。前者回阳救逆，为补阳法，意在扶阳以驱寒邪；后者急下存阳，为泄热法，意在攻逐热邪以救阴津。如果若是纯虚无实，驱寒邪、救阴津就没有意义了。”

外感是这样，杂病更是虚实交错。“日久难愈，邪不去，正亦弱，正越伤邪越留，互成恶性因果关系。贼邪盘踞之处邪胜正弱，实中有虚，‘邪之所凑，其气必虚。’正伤体弱，难以制服邪气，虚中有实，‘精气夺则虚，邪气盛则实’。五脏六腑、经脉气血，相依为用。动中有静，静中有动，升降出入，循环无端。生理是病理的基础，一脏有病，可传他脏。‘见肝之病，知肝传脾’。肝主疏泄，脾司运化，木郁土呆。郁为因为实，呆为果为虚中之实。因脾旺则不受肝之邪，脾虚必然受制于肝。气为血之帅，血为气之母，气生血，血生气。气虚则血虚，气滞则血瘀，相反亦然。可见，病之虚虚实实，彼此错综复杂，难以追本究源。所以说，‘医者，意也，贵在变通。通其理，变其法，活其用。’”

“我明白了老师，还有一件事，有位按摩的老师曾告诉我说，女性在例假期间，尽量不要点关元，是这样吗？老师。”小刘说。

“你永远要记住一句话，中医是一门生命学、哲学，不是生理学，中医治的不但病，而且是‘人’，每个人个体的差异不同，穴位的选用也不同。即使同样一个穴位，运用手法的不同，效果也会完全不一样，就像中药白术，常用量能健脾止泻，大剂量用至三十至六十克，则能益气通便。红花少用可养血，稍多则活血，再多则能破血。在外人眼中，同样是一味药，但量的不同，服用后的效果是完全不一样的。我们在临床的时候，具体使用的方法，是由‘人’综合判断患者症状以后来决定的，把中医做成统一而固定的模式，就已经是远离中医了。在这个世界上没有一成不变的东西，因为世界的本质是运动，运动就会发生变化，这是永远不变的真理。所以说世界上唯一不变的就是变化，譬如，在使用中药的时候，古人把重要的药物配伍禁忌总结为十八反、十九畏，意思是指某些药物在复方中禁止或不宜配合运用。《本经·序列》的‘七情’中就有‘勿用相恶、相反者’的论述，这也是后世配伍禁忌的基本依据。但历代不少医家，对相反相畏药并没有生搬硬套，而是正视病证复杂多变的现实，勇于实践，勇于探索，敢于创新，敢于打破禁律，认为‘十八反’和‘十九畏’并非绝对的配伍禁忌，并据证联用相反相畏药辨治疑难重症，屡获奇效。”

“谢谢老师！以后我会多用心注意观察的。”

“临床是这样，生活、工作中也是如此，人的观察力受所在空间、专业、知识的极大影响和限制，因此，我们要想全面看清一件事的真实的情况，光凭简单的直观，看到一点表面现象就随意的下结论是不对的。正如刘伯温的《郁离子》中说，‘人有耳目，而见闻有所不及，恒思所以聪明之。’这句话的意思是说，虽然人们都有眼睛和耳朵，但是所见所闻，有时还有达不到的地方，因此经常思考能使人聪明。所以，我们在用眼睛观察的同时，还要发挥嘴、耳朵、鼻子，特别是大脑的作用，多问、多听、多做，学会多角度、多方位地看问题，然后由表及里、由此及彼的分析才能得出最终的答案。”

## 第九节　工具与方法

经常接到这样类似的短信：“我学过脏腑点穴、按摩法，和你的方法是否一样？”我真的不知道如何回答，他说的是手法，问我的却是方法，手法和方法根本是一个不同的概念，如何一概而论呢？况且如何知道此手法就是彼手法呢？《孙子兵法》我也看过，但孙膑能用《孙子兵法》战败庞涓，换作是我，却达不到，所以说学会和运用是两码事，道理很简单。

还有朋友发短信来问我说“王老师，偏瘫（或其他的疾病）能不能用咱们的技术治愈？”

这句话也很难回答，如果回答：“这种疾病可以用我们的方法治疗，那世界上所有得这种病的患者，必须是用这个方法百分之百的治愈。如果我说不能治疗，那世界上所有得这种病的人，一个都治不了。其实技术只是工具，如何运用，怎样运用好，起决定作用的是人而不是工具。”

由于使用技术的人的不同，技术发挥出来的效果是完全不一样的，就像同样是在打太极拳，张三丰运用出来的效果和一个刚刚学习太极拳的人，虽然招式差不多，但发挥出来的效果一定是天壤之别，这就是所谓的“法无定法，我心即法”，况且对技术的感悟，时间的锤炼和经验的积累，任何人都不能跨越。中医治的是证，同样一种病，不同的患者，症状可能完全不一样，只提供一个西医的病名，如何判断能不能治疗呢？再如很多的慢性病，是需要医患配合，共同努力来完成的。并非是单纯靠医者一人之力来完成的。

中医的治疗体系，博大精深，推拿、点穴、按摩是中医的治病方式，不是靠单一的一个手法，或者一个技术就能解决问题的。一位随我学习的朋友，在看过我为一位偏瘫在床的患者治疗一次以后，偏瘫患者立即能慢慢站立……事后，他对我说，为瘫患者治病用了几个手法，多长的时间，用了哪几个手法，以后遇到偏瘫患者，他就这样治疗就行了。他这样的思维，只能单方面地看到了我治疗的某一部分，而忽视了其他的部分，换言之，他割裂地理解了我的整体调理思想，只凭自己的主观意识或看到的画面来决定一切，而忽视了手法学中的道、法、术、器的问题。

所谓“道”，是规则、自然法则，可以简单理解成是自然变化的规律，支配着自然界的万事万物。它是不以人的意志为转移的。道，是最终的真理，是囊括这个世界，甚至更广阔时空的自然法则。法，即办法，寻道的手段。术，是法的表现，是建立在道、法之上的表达方式。“器”是指有型的物质或是有形的工具。有句话叫“工欲善其事，必先利其器”，指的就是这个意思。从中意的角度来讲，道、法、术、器这四者的关系是：“道”为本源，利用方“法”，通过“器”（手）和技“术”，来完成和达到养生、保健、治病的目的！

人的一生都在学习，如果不从“道”的层面下功夫，一味追求针对性强的按摩技巧、一用就灵的点穴招式、用之即效的饮食方法等“术”一类的物质、技术，就脱离了世间万事万物发展规律的哲学理念，“术”看得见，摸得着，用得上，固然有它的优点，好比我们开车一样，既要有好的驾驶技术，还要遵守交通规则，同时明了“生命”之道的规律。不然，即使开着豪车，还是会往沟里走，技术越高，结果反而离健康那个方向越远。

## 第十节　行业与境界

“竹密岂妨流水过，山高那阻野云飞。”是唐朝的善静禅师留下的千古名句，这句话的意思是说：“竹林密集，苍翠如海，似乎连风都难以穿行；

然而，你若是潺潺流水，你便可以畅通无阻。山峰巍峨，高耸天际，飞鸟无法到达，走兽难以逾越，但是，片片白云却悠然飘过，峰峦益高，益见其惬意。竹林流水，清泠活泼，流遍原野都是歌；青山白云，灵动飘逸，万里蓝空任挥洒。表达了禅者因解脱而自在、而豁达、而空灵的心境。善静禅师通过这句话告诉人们，不要为一些表面的事物所困扰，要突破外在的、形式上的困扰，善于发现和思考内在的、精神上的内容。”

前几天，我与一位开出租车的朋友在聊天的时候，他对我说：“同样一件事，处理事的方法不同，给人的印象和感觉是截然不同的。一位顾客，乘坐我的车去办事，他可能有急事，不断地催我开快点，但没想到路上堵车了，他就越觉得着急，开始的时候他埋怨车走得太慢，再后来怨自己运气太差，乘出租还堵车。我跟他聊了一会，得知他是和一位重要的客户约好准时在饭店见面。我对他说，‘我们开车的人都知道，上路的时候，首先要遵守交通规则，红灯停，绿灯行，该快的时候要快，该慢的时候要慢，该减挡的时候，要适时地慢下来，该避让的时候，就要让其他的车辆先走，不然就会出现事故。人这一辈子，若能做到像开车一样，遇到障碍的时候，想到也许这就是上天留给我们的深思熟虑的时间，沉静下来，对将要去做的事情再去仔细想想，也许很多不好的事情就能避免……’我和这位乘客在聊天的时候，路上的车渐渐的开动了起来，到了目的地以后，他临下车的时候，对我说，‘师傅，听了你刚才那番话，我感觉挺有道理的，你真不像个开车的人。’听了这话，我笑了笑说，‘不管我像不像开车的？我就是个开车的。’”

这就是技术的境界，如果把一个技术做到一定高度，技术只不过是一个工具而已。《庄子·天道》中有个“轮扁斫轮”故事，是这样讲的，齐桓公在堂上读书，轮扁在堂下斫制车轮。轮扁放下锤子、凿子走上来，问齐桓公说，“冒昧地问一下，您所读的是什么书呢？”齐桓公回答说：“圣人的书。”轮扁又问，“那圣人还活着吗？”齐桓公回答说，“已经死了。”轮扁说，“既然这样，那么您所读的书，不过是古人的糟粕罢了。”齐桓公说，“我读书，一个做车轮的人怎么能妄加议论呢？要是能说出道理来还可以饶恕，要是说不出道理来就处死。”轮扁说，“我用我从事的工作观察出这样的道理。斫制车轮，卯眼斫得宽大就松滑而不牢固，卯眼斫得窄小就涩滞安插不进，不松不紧，从手中做出的活儿，正符合心中摸索出的规律。这种火候嘴里说不出来，但是有个规律存在其中。我不能把这个规律明白地告诉我的儿子，我的儿子也不能从我这里学得到，因此年纪七十了却还要在年老时斫制车轮。古代的人同那些不能传授的东西都一起消失了，既然这样，那么您所读的书，也不过是古人的糟粕罢了。”这个故事通过轮扁讲述自己斫制车轮的体会，说明了三方面的道理，一是不论做什么事都要注重理论和实践相结合，要靠自己从实践中摸索出规律；二是时代不同，不能泥古不化，要懂得变通；三是要心手相应，手中所做要能符合心中所想。故事中的轮扁只不过是一个工匠，但他实现了自由运用“技”的境界，得到了“技”之上的“道”，这就不能不让人刮目相看。就像你把开车的技术熟练以后，慢慢地就会发现人生和开车是一样的，都要遵循一定的原理和规则，不知不觉中你的思维已经上升到“道”的层面，这时候，你在日常生活和工作中的一举一动所表现出来的都是一种做人做事的高度，你自己可能还不觉得，但旁观者看你做任何一件事情都能全方位地体现出你内在所有的信息，就知道你已经达到了一种境界，也许这就是那个乘客说你不像一个司机的原因。就如我从事的按摩行业，我经常提醒自己，如果有患者在找我调理过身体以后，对我的评价是：“你就是一个做按摩的。”那将是我很大的失败。“融通万境而无挂碍，韵出象外而意无穷。”不受外在事物的影响，感悟技术与世间万物的道理，这就是学技术的目的和道理。

## 第十一节　探其究竟，一门深入

刘伯温的《郁离子》有这样一段话，是这样讲的：“多能者鲜精，多虑者鲜决。故志不一则庬，庬则散，散则溃溃然，罔知其所定。是故明生于一，禽鸟之无知，而能知人之所不知者一也。人为物之灵而多欲以昏之，反禽鸟之不如，养其枝而枯其根者也，呜呼！人能一其心，何不如之有哉？”

这段话翻译成白话文的意思就是说：“有多方面才能的人很少能精通一种专长，有诸多考虑的人很难做出一种决断。所以心意不专一就会思绪杂乱，思绪杂乱就会神气散乱，神气散乱就会使人昏昏然，不知道事情该如何确定，所以，明断产生于心意的专一。无知的禽鸟却能知道某些人类所不了解的事物，就是因为心意专一。人作为万物之中最聪明的一类，由于欲望过多，弄得自己昏昏然，这是只注意枝节末梢而忽略了根本的原因啊。哎！人如果能心意专一的话，那还有什么不能做到的呢？”

在一次课间休息的时候，一位学习的朋友对我说：“老师，我发现了一个令人费解的事情，为什么个别前来进修的老学员，反而没有我们刚开始学习的新学员做出的手法效果好呢？”

我说：“技术达到的高度与很多因素都有关系，并不是学的时间久了，就能运用得好，因为这情况不形成因果关系，有个故事是这样讲的，一位大学教授特地来向一位智者问一些人生的哲理，智者的学生接待他时，他态度很傲慢。后来老师傅十分恭敬地亲自接待了他，并为他沏茶，智者将茶水注入教授的杯中，杯满之后他还继续注入，这位教授眼睁睁地看着茶水溢出杯外，终于忍不住对智者说，‘已经满出来了，不要倒了。’‘你的心就像这只装满茶水的杯子一样，里面装满了你自己的主张和看法，你不先把自己的杯子倒空，叫我如何对你说呢?’智者意味深长地说。大学教授听了这话以后，赶紧对自己的无理而致歉。”

智者的一句“把自己的杯子倒空”，是人生的至理名言。心太满，什么东西都进不去，心不满，才能有足够的装填空间。这个故事虽然很多人都听说过，但是又有几个人能做到呢?“满招损，谦受益”这是古人留给我们的宝贵财富。现在我们生活在瞬息万变的社会，随时都需要不断地进行知识的更新，所以，心一定要“空”，所谓“虚怀若谷”，只有让自己的胸怀像山谷那样空阔深广，我们才能吸收无尽的知识，容纳各种有益的意见，从而使自己丰富起来。很多随我学习的朋友，以为能完成这个流程，不经苦练和用心钻研就能达到神奇的效果，这是不现实的；还有一部分认为，我只要能把这个方法做下来，用于临床，只要是有效果，这个方法就是好的，只要是没效果，这个方法就不好，不从自身的努力程度找找原因，只搞一票否决，这种做法太武断；更有一些朋友，还没有弄明白这个方法的原理就自认为精通了，甚至已经超越老师了，无须再用心去研究了。曾有一些多年前学习的朋友，就对我说过这样一句话，现在他只记得脏腑机能调整按摩法任脉这一部分，其余的部分他不用了，听了以后，我只笑而不语。

这样的思维只能说明他根本没有用心去研究过这个方法，更不了解脏腑机能调整按摩法养生、保健和治疗的机理，这样的心态，如果不改变的话，是永远做不好脏腑按摩的。

正因为如此，真正的临床运用起来，面对千变万化的病情，他们处理不了的时候，就开始从这个方法上找理由，说是方法不好，从不考虑自己的问题，他们从不会去问问自己努力钻研和苦练了没有?我结识很多到全国各地学习各种中医技术的朋友，当他们听说推拿效果好，就开始学习推拿，学完后临床运用一段时间，发现效果不是自己想象中的那样；后来又听说整脊、正骨好，很多颈肩腰腿疼几分钟就弄好了，但学习以后又发现，自己达不到那种水平；又听说某种针灸效果神奇，任何疾病，只要扎上一针就可以治疗，于是开始学习针灸，等到临床运用时，发现自己也不能像神仙一样，出手如神；再后来又听说针刀厉害，于是开始学习针刀，最后却又发现也不是自己想要的效果；于是又开始找寻新的方法……自己的生命却在这样的寻找过程中慢慢地老去。其实，不是技术的问题，是我们自己的问题，无论任何技术，每个人运用出来的效果是不同的，要想达到出手如神，是靠苦心钻研、虚心求教、用心领悟、勤学苦练来达到的，只有自己扎扎实实的认真研究和感悟，才能达到精、神的效果。为什么古人要把精和神放在一起作为一个词，为什么把精安排前面，神放在后面，这个问题多少人去考虑过呢？我们学习中医就要明白，中医技术都是治疗疾病的术，真正的中医，看得不是病，而是"人"。一山望着一山高，不去脚踏实地的学习中医理论和研究自己掌握了的技术，到处去寻求学习更为神奇的方法，其结果可想而知。

今年年初，一位朋友过来学习，他已经在好几个地方学过按摩了，而且跟随的都是按摩界几位非常有名的老师，他对我说，在临床时，所学的方法要不就是效果不好，要不就是用不上。有一次，正巧一位前来学习的朋友，身体不好，我就让他用以前学习的方法治疗一下试试，他说，"我学的那些方法治不了这个病。"我说，"那你把治疗这种情况的常规手法做一下试试。"他就按我要求的做了一遍以后说，"就这几个手法，根本没效果。"我说，"是吗?"就从他做的手法中随意选了几个，给那位身体不好的朋友做，几分钟下来，那位朋友说，轻松多了，我反问他，"你不是说没效果吗?"他吃惊地站起来说，"还可以这样用啊?"我说，"有个笑话是这样讲的，有对夫妻要出门几天办点事，临走前对孩子说，你饿了就煮面条吃，孩子说，面条怎么放到嘴里去啊，他们告诉孩子说，用筷子夹起来放到嘴里吃……三天以后，这对夫妻办事回来了，眼前的情景让他们大吃一惊，孩子躺在地上奄奄一息，一碗面条放在桌子上，都已经馊了，他们叫来医生，把孩子叫醒以后，问孩子这是怎么一回事？孩子说，家里没有筷子，吃不到面条…"讲完这个故事在场的人都笑了，我说，"这虽然是个笑话，但我们是不是经常的在犯这个错误，遇到事，我们能不能先不要一味地埋怨客观原因，学学先从自身找找问题，大家观察一下周围成功的人，他们的思维方式是这样吗？我们为什么不成功，是固有的思维方法害了我们，我们认为自己比别人聪明的主要原因是我们低估了别人的智商，我做这个方法二十多年了，每年都能从里面挖掘出一些更深层次的东西，但很多七、八年前随我学习的朋友，他们过来看我的时候，手法一直就停留在以前的水平上。"有几位朋友，从三年以前开始，每年都过来请我亲手为他们做一段时间的调理，他们经常说："感觉每一年，您的手法都有很多细微的变化，临床效果都有提高，看来您真是悟进去了……"

举个例子说，中医里面有十四经络，以前的时候，我只简单地认为这只是任督两脉和十二经络的组合，只为了便于称呼，但有一天我突然想到，古圣思维缜密，怎么可能会随意组合，经过冥思苦想，终于有所感悟，想到这一点以后，又让我悟到了脏腑点穴按摩更为深层次的一些内容，从而使我的技术又提高了数倍……说道这里我问参加过多处学习班的那位朋友，“你有没有想过，以后把各种学习的内容综合起来，合成一种属于自己的新的按摩方法?”他点头说：“是有这个想法。”我说：“那你有没有想过，你组合的只是手法，根本没有中心理论的支持，这样的方法不说能不能经得起推敲，就是对人体有没有效果，你都不敢保证。”《庄子·内篇·人间世》里有这样一段话：“仲尼曰，‘嘻，若殆往而刑耳！夫道不欲杂，杂则多，多则扰，扰则忧，忧而不救。’”这句话的意思就是说，天地间不管做哪一行，做任何一件事都一样，处理人世之间做人的道理，不能乱，要精神专一，有始有终。要一门深入，方法不要学多了。方法学多了，不能融会贯通，一样都无成。懂得多了，而不专一，博而不专，困扰了自己，也困扰了别人；思想复杂了，烦恼多了痛苦太大了，连自己都救不了，还能够救别人吗？所以，你要达到你的理想，首先就要多学习中医理论，要把你学习的每一种方法，大到理论，小到手法完全透彻以后，才可能实现你的理想，不然就是幻想。

## 第十二节　如何把握手法的度

世间的万事万物都是相互关联的，没有哪件事物可以不与其他事物毫无关联地独立存在，整个世界就是一个普遍联系着的统一的整体。具体的讲，每一个事物都处于普遍联系中。这种关系在世界万事万物中都是普遍存在、大量具有的，也体现着普遍性。当然，任何事物都处在普遍联系中，不存在不与周围事物发生联系的事物，这一点是无条件的、绝对的，但某一事物是否与另一事物有联系，则是有条件的、相对的、具体的。

一位以前专职在酒店从事厨师的朋友，后来改行学习按摩在随我学习的时候，问我说：“老师，脏腑机能调整按摩法的整个运用方法，都以气通为标准，您要是能把按摩时的力度、补泄方向、次数细化和量化，这样就更便于学习和掌握了。”

听了他的话，我没有直接回答，而是反问道：“您以前是做厨师这个工作的，中国所有菜谱，在调料的用量方面，都用‘少许’来表示，这是为什么呢?”

他回答说：“每个人的口味不一样，所以调料的用量也不一样。”

是啊！高明的厨师善于通过嗅觉判断菜的咸淡生熟，决定调料的增减取舍。也就是儒家所强调的“中庸之道”，不偏不倚，无过无不及，恰到好处，就是准确地把握一个“度”。做厨师如此，从事其他的技术，包括做人都应如此。常言说：“医者，意也，贵在变通。通其理，变其法，活其用。”

现在很多按摩、点穴的方法，都是根据疾病来决定使用什么手法，针对性很强，我们的手法不过是十几套方法，为什么对内、妇、儿、骨科的疾病都有这么神奇的效果呢？

我说：“我从事这一行二十多年，各门各派的按摩、点穴、推拿、正骨、理筋等方法我接触过很多。我也在这些方法中，取其对脏腑机能调整有益的理论和手法，进行不断完善和补充，以此提高临床功效。同时，这些年来，我收集各类中医书籍五千多本，在闲暇之余就加以学习，不断提高自己的理论知识。举个例子说吧，很多人主观上认为，脏腑点穴不能治疗颈肩腰腿疼，但这只是他‘自认为’罢了，病存于五脏六腑，症状现于四肢五官，比如腰椎间盘突出与脾胃的关系息息相关，筋与肝、脾的关系对颈椎病更是至关重要，我把分筋、正骨与调脏腑的手法相互融合，从而从根本上快速解决这类的骨科疾病，而且一至五分钟可当场见效，效果可以说是立竿见影。再譬如，现在身体肥胖的人越来越多，在调理任脉的时候对初学者来说要困难得多，我只选几个穴位推按，腹部很快就会变软，同时还有快速减肥的效果。记得前段时间一位朋友来找我调理身体，他站直身体眼睛就会被隆起的腹部挡住，看不见双脚，我只给他调理了两次，腹部明显减小……”

“我没见您以前，还以为您只用脏腑按摩的方法呢？”他说。

我笑着回答道：“有这种想法的朋友不在少数，现在你是不是觉得这种想法很可笑，但在笑过之后，你要记住，要想把中医学好，不要用这种常规思维方式去考虑问题，这样会使你对很多的事情做出错误的判断，包括临床，我之所以把现在的方法命名为‘脏腑机能调整’，就是想改变人们主观上认为的，某种方法就是由某些固定手法组成的误区，方法和手法都是为调节脏腑机能服务，无论是脏腑点穴的手法还是其他门派的方法，只要符合中医治本的原理，就可以‘天下万物为我所用’，没有说哪种手法属于脏腑点穴按摩，哪种方法不属于脏腑点穴按摩，只要有了这种分别，就已经被方法困住了。”

“老师，您教的方法并没有单独指出，这个病用这个手法治疗，那种病用那种手法治疗，但我听以前随您学习的朋友说，在临床的时候，根据患者的病情，把您教的手法简单的配伍，对很多疾病就可以达到立竿见影的效果，怎么才能尽快达到这个境界呢？”他又问道。

我反问他说：“你刚才说，这些年一直在学中医，但你却用西医的思维来看中医，中医治人，西医治病；中医针对的是症状，西医针对的是指标；中医顾全整体，西医着眼局部……如果一种疾病用一种方法治疗，岂不是成了像西医那样固定的模式，那还是中医吗？我先问你，一名好的厨师怎样才能烧出一手好菜？”

味道掌握于火候，对优秀的厨师而言，烹制一道美食佳肴，难的不是对菜色的选材和刀工的娴熟程度，而是火候的把握，火大就老了，火小了又不熟，所以说，火候被称之为“菜肴的生命”。

做菜是这样，按摩也是如此，关键是一个“度”的把握。有道是，“不偏于空，不偏于有，非空非有，即空即有，不落两边，圆融无碍，谓之中道。”厨师要做一手好菜，不是执着于按照菜谱放多少油、多少盐，多少菜、多少肉，多少调料等等，主要靠自己在长时间的工作中日积月累的感知能力，来做出判断，用“心”来做菜，如果思维让位于一些技术性的东西，那他就永远也成不了一名好厨师。同样的道理，要想把按摩运用自如，除了要掌握基础理论，把底子打牢，然后多练，多能生熟，熟能生巧，巧能生智以外。对于手法而言，我们不能执着于招式，要用心去体悟内在的精神。可惜很多人被按摩、推拿、正骨、针灸等等技术外在的手法和招式，缚其身心，迷于其中，而不自知。有一首诗是这样写的，“空手把锄头，步行骑水牛，人从桥上过，桥流水不流。”这首诗的意思就是说，由于我们心中对手法、招式以及效果的执着，却忘记技术是死的，人是活的，是“我”借技术来解除患者的疾病，并非技术借助“我”来完成。不然就会造成，遇到以前老师没有讲过或自己没有处理过的情况的时候，不知如何处理，越着急反而越无能为力，可能还埋怨技术没有这个效果。其实，不是外在的原因阻碍了我们，而是自己把自己限制住了。只有随着知识和技术的积累，由量变发生质变，才能达到“道”的层面。

## 第十三节　是技术治病还是人在治病

四川新都宝光寺，留有清朝的何元普撰写的这样一幅联：世外人，法无定法，然后知非法法也；天下事，了犹未了，何妨以不了了之。

上联的意思是说，法是人来定下的，世上本无法，为了能让人互相约束，便产生了法，如果人守法则无法即有法，但如不守法则有法即无法，所以说法无定法，无法即有法，没有固定的法则就是最好的法则！

小常随我学习的那段时间，一门心思在手法上下功夫，但效果总是难以达到预期的效果，他经常为此苦恼，一天他问我说：“王老师，如何能把手法练好呢？”听了这话，我从书架上取下一本《庄子》边递给他边说：“不知道你读过《庄子》这本书没有，如果没有的话，建议你抽空读一下，也许从这里面找到答案。”小常边摇头示意没有读过。

第二天下午，小常一见我就说：“老师，《庄子》我读完了，但书中没有讲到如何练好手法的内容啊？”

“《庄子·内篇·养生主第三》讲了一个庖丁解牛的故事，你还记得吧？”

“记得。”小常边答应，边翻书找到那一篇后，把译文读了出来：“厨师给梁惠王宰牛。手接触的地方，肩膀倚靠的地方，脚踩的地方，膝盖顶的地方，哗哗作响，进刀时霍霍的，没有不合音律的，合乎舞乐的节拍，又合乎乐曲的节奏。梁惠王说，‘嘻，好啊！你解牛的技术怎么竟会高超到这种程度啊？’厨师放下刀回答说，‘我追求的是道，已经超过一般的技术了。起初我宰牛的时候，眼里看到的是一只完整的牛；三年以后，只看见一个虚线的牛，就是只看见怎么样去解。现在，我凭精神和牛接触，而不用眼睛去看，感官停止了而精神在活动。依照牛的生理上的天然结构，砍入牛体筋骨相接的缝隙，顺着骨节间的空处进刀，依照牛体本来的构造，筋脉经络相连的地方和筋骨结合的地方，尚且不曾拿刀碰到过，更何况大骨呢！技术好的厨师每年更换一把刀，是用刀割断筋肉割坏的；技术一般的厨师因为不知道怎么砍，砍到骨头的时候，刀就容易损坏，因此每月就得更换一把刀，是砍断骨头而将刀砍坏的。如今，我的刀用了十九年，所宰的牛有几千头了，但刀刃锋利得就像刚在磨刀石上磨好的一样。那牛的骨节有间隙，而刀刃很薄；用很薄的刀刃插入有空隙的骨节，宽宽绰绰地，那么刀刃的运转必然是有余地的啊！因此，十九年来，刀刃还像刚从磨刀石上磨出来的一样。虽然是这样，每当碰到筋骨交错聚结的地方，我看到那里很难下刀，就小心翼翼地提高警惕，视力集中到一点，动作缓慢下来，动起刀来非常轻，豁啦一声，牛的骨和肉一下子就解开了，就像泥土散落在地上一样。我提着刀站立起来，为此举目四望，为此悠然自得，心满意足，然后把刀擦抹干净，收藏起来。’”

小常读完以后，抬头问我：“老师，这篇文章对我们学习的手法有指导意义吗？”

“呵呵！”听了小常的问话，我笑了笑对他说：“何止是有指导意义，简直可以认为，这篇文章是告诉我们，手法如何达到上乘境界的宝典，我之所以推荐你阅读《庄子》，是因为庄子不但是先秦时期道家的重要代表人物，也是中国最早的技术论学者之一。《庄子》是一部独具特色的技术论文献。

比如，庖丁解牛这个故事就是告诉我们，技术只是‘人’的一个工具，通过反复实践，从中明白事物的客观规律，此时无法胜有法，进入‘道’的境界，自然得心应手、运用自如。就拿《庄子》中的庖丁来说吧，庖丁的过人之处不在于他解牛的熟练，不在于他十几年解牛而刀刃若新发于硎，而在于他从解牛的过程中体会到了‘道’。庖丁通过其所掌握的‘技’超越了对象和自我对他的束缚，实现了自由运用‘技’的境界，得到了‘技’之上的‘道’，庖丁在解牛的过程中由‘技’入‘道’，才达到‘以神遇而不以目视’，而游刃有余的至境。对我们运用手法临床的人来说，是‘人’在做临床，而不是技术，任何技术都是由人来驾驭的，它只是一个工具，是如果我们认为技术超越了‘人’，那就成了一种不愿意承担责任的借口和推诿，技术自然也就很难弄明白了。”

“我明白了，老师，在跟您学习以前，我先后学习过正骨、推拿、针灸等，总觉得这个病适合调筋，那个病适合正骨，但真正临床的时候，发现有些病，以我掌握的技术还是解决不了，就又出来学习，现在我终于明白了，以前我只看到技术这个个体，而忘记了‘我’才是起决定作用的，临床的时候，是‘人’在治病，而不是技术，由于‘人’的不同，技术达到的效果是完全不一样的，甚至是天壤之别，是我把这两件事混淆了。就像过来跟随老师学习一样，是学技术还是跟随老师学习，这两者有根本的不同结果也是完全不一样的，如果只为了学技术，只要把动作和要领掌握了，就算学会了，能否用好，就在于自己的理解和状态；跟老师学习，那就要学习老师对技术的驾驭和领悟，一个是工具，一个是‘人’，这二者自然完全不同。”

“呵呵！这就是我让你读《庄子》的目的，孔子曰，‘君子务本，本立而道生，’道理明白了，技术运用起来就得心应手了。记得电视剧《长征》中有这样一个片段，博古质问毛泽东说，‘你打仗也就靠两本书，一本《孙子兵法》，一本《三国演义》。’毛泽东反问他说，‘书岂能打仗?’博古顿时哑口无言。这就像我们把按摩、推拿、针灸、中药等技术运用于临床一样，不论技术如何好，但技术的本身是不能治病的，技术之所以起作用是通过我们人的来表现出来，不是技术本身来决定的。每当听到有朋友说，用哪种技术对治疗某种疾病效果不好的时候，我都劝他先买一本《辩证法》来认真读一下，如果连‘人’与技术的关系都弄不清楚，怎么能把技术做好呢? 你刚才提到学习的事情，正如你所说，很多朋友找我就是学技术，只认为把手法的动作掌握好就行了，并不是跟‘我’在学，技术只是动作属阴，思维才是关键属阳，轻阳而重阴，本身就违背了中医阴阳平衡的原则，技术怎么可能做得很好!”

# 第十四节　不要让心法成为障碍

心法：①经典以外所传授的佛法。②一切诸法，分为色法和心法二种，色法是指一切有形的物质，心法是指一切无形的精神。③功心法，练武时的口诀，有助于该武功的内功。

障碍：阻挡、阻碍前进的东西。

——百度百科

不久前一位朋友打电话给我说："王老师，脏腑机能调整按摩法的心法是什么？"

"这可是非常机密的，不能讲的，因为一旦透漏出去以后，对方如果参不透，反而心生怨言。"我笑着回答说。

"能告诉我吗？即使我现在参不透，可以慢慢去用心感悟。"他有点着急地说。

"好吧！那我就告诉你，你可要珍惜，脏腑按摩最上乘的心法就是……"说到这里，我顿了一下。

"是什么？"

"脏腑按摩最上乘的心法就是没有心法。"

"老师开玩笑了。"朋友笑着说，从电话中听出，朋友笑了笑，但笑得很不自然。

"我没有跟你开玩笑，常言说，执着于情必被情所困，执着于名必被名所困，你执着于法，所以必被法所困。你这样问我，虽然只有这几句话，但却暴露出了你目前店面生意和技术的状态。"

"您能说一下吗？"

"首先，到你店面上做治疗的患者比以前少了；其次，你对脏腑按摩的治疗机理迷茫了；第三，你的临床效果不如以前了；第四，你认为还有更深层次的技术秘密没有得到……"我回答说。

"您是怎么看出来的呢？"

"我是由你的问话中判断出来的，因为你的'心'中有障碍了，就会外求，所以才会有这样的问题。"

"在临床方面，以前我感觉得心应手，但现在的技术，好像不知道怎么用了？"

"呵呵！正所谓，'学医三年，天下无不治之症；临床三年，天下无可用之方。'其实你现在的状态这是一个很正常提高技术的必经阶段和过渡时期，这个阶段最好的办法就是除了用心去感悟技术，在临床上多下功夫以外，多看中医书，那么你的困惑就会迎刃而解。从古到今，没有任何人因为得到一本书，没有付出心血认真钻研，就成为高手的。须知世间一切技艺、学问无不需要悉心探究、持之以恒、精进不止。《周易》曰：天行健，君子自强不息。效仿天，一定不会错的。”

其实，在学习任何技术的过程中，都存在这种阶段和现象，在心理学中，被称之为“高原现象”，意思是指在学习或技能的形成过程中，出现的暂时停顿或者下降的现象。简单地说就是在成长曲线上表现为保持一定水平而不上升，或者有所下降，但在突破“高原现象”之后，又可以看到曲线继续上升。举个例子来说吧，我们在学校读书的时候，在学习进程中常会出现这样一个阶段，即学习成绩到一定程度时，继续提高的速度减慢，有些同学甚至发生停滞不前或倒退的现象。尤其是在考试总复习的时候，有的人复习效果逐步减退，头脑昏昏沉沉，什么事都不想干，看不进书也记不住内容，性情易急躁烦闷，课堂听课效果差，甚至有的同学几乎失去了进取的信心，这就是典型的“高原现象”。这种现象是极其有害的，主要是由于心理疲劳引起的。处理得不好，会影响自信心，带来不良后果。

“高原现象”是学习过程必须经过的阶段之一，可能由于知识结构有局限，运用能力不够所致。就如学习脏腑机能调整按摩法来说吧，经过十几天的学习，回去后，没有继续按我跟你说的那样，去进一步学习一些相关的中医理论，当临床中遇到的问题，超出了自己的知识面，内心就发生了动摇甚至怀疑，本来以自己的实力治疗某种疾病没有问题，但受自身知识的影响，却因为没有信心而放弃了；其次，个人意志方面，我们练习、运用脏腑机能调整按摩法临床一段时间以后，会有枯燥乏味的感觉，这样，学习和钻研的动力就会下降许多，这时就需要我们努力坚持，遇到困境时，具有攻关精神和百折不挠的勇气，有顽强的意志力，才能克服出现的“高原现象”；第三，也是很重要的一个方面，就是在个人知识方面，知识基础不牢的人很容易遇到“高原现象”，因而克服“高原现象”的一个重要方法是丰富自己的各种知识，打下丰富的知识基础。

“我的自身技术方面和店面的情况的确跟老师分析的一样，前两天一位朋友来电话跟我说，他无意中遇到一位从小就在寺院修行的得道的禅师，那位禅师把脏腑按摩的心法告诉他了，他的技术一下就有了质的飞跃，治病效果比以前提高多了。”

“呵呵，这个事情虽然是真实的，但你描述的情况和事实大有出入。”

“为什么?”

“因为他遇到的是一位得道的禅师，如果说遇到一位老中医师，跟他讲一些经络穴位相关的深层次的知识，他有所领悟，这有可能，但得道的禅师，只能点化他，靠他自己把平时学习的积累，进行提炼、总结，禅讲的是‘顿’悟，它所触及的正是时间的短暂瞬间与世界、宇宙、人生的永恒之间的关系问题，这问题不是逻辑性的而是直觉感受和体验领悟性的。所以禅师不会告诉他什么心法，定然是点化他，靠他自己去悟得自然的变化和技术的真谛。”

前段时间，一位的修行佛法的大姐在这里随我学习，一次聊天的时候，她说，“我随一位法师修行已经很多年了，法师说，等我修到一定层次以后，一定传我一个法，我一直在等这个机会。”听了大姐这话，我笑了笑说，“如果你这样的思维下去，在修行的路上，很难再往上提高了。你已经被没得到的那个法，困住了，跳不出来了。”“本来法师传你法是你的幸运和福德，但你把所有的心思和注意力都放在等法师将要传你的这个法上面，而忘却了水到渠成这个道理，忽视了自己的修行和法师点化你的一片苦心，却是错误的，正所谓，‘道无固道，法无定法；道可道，道非道；法能法，法非法；道法相融，法道合一，道外无道我是道，法外无法我心即法。’”

这时，我看到大姐皱着眉头，若有所思，就接着说道，“大姐，我给你讲个故事你就容易理解了。从前有做小偷的师徒两人，徒弟经常问，做好小偷的秘诀是什么？师傅说，我带你去偷一次东西，你能成功的跑出来以后，我才能告诉你。于是，师傅带着徒弟，同往一个大户人家作案。到了那个地方时，师傅故意把徒弟关在人家衣橱内，随后就大喊捉贼，自个儿却逃走了。徒弟在情急之下，通过伪装老鼠叫声，骗走了那人家的主人，最后得以逃了出来。当他见到师傅的时候，张口就说，‘师父，我回来了，您把做小偷的秘诀告诉我吧？’。但他师傅却说，‘你已经得到了，我通过这样的方法训练你的机智和你的应变能力，这种应变的能力是要靠你自己去领悟的，别人是没有办法帮得上忙的，这就是你问的秘诀。’这只是个故事，不一定是实有其事，但通过这个故事，可以比喻。老师们常常将其弟子逼到思想或意识领域的死角，然后要他们各觅生路。在这种情形之下，如果能够冲破这一关，则呈现眼前的是一片海阔天空，明心见性就在此一举。‘丈夫自有冲天志，不向如来行处行’。不要被别人牵着鼻子走，在修持上独立承担，自我追寻，自我完成，这才是用心领悟的最大特色……”听我说完以后，大姐若有所思的点了一下头说，“我明白了。”

“‘执着于法必被法所困。’我也明白了，老师！”

一个星期后，这位朋友给我来电话说：“王老师，你判断的的确很准确，我仔细地问那位朋友了，他的情况和你说的基本一样，他遇到禅师以后，禅师叫他每天静坐几个小时，连续七天如此，他自己说在这七天的静坐中，对技术的运用有了很多新感悟。”

## 第十五节　学会思考

《黄帝内经》云：“有诸形于内，必形于外。”这句话的意思是，人的身体内部出现了毛病，一定会在形体上显现出来。同样的道理，一个人有什么样的品性，外表就必然会有什么样的言行表现，正所谓：“腹有诗书气自华。”用老百姓的话来说，就是什么样的人，必讲什么样的话、做什么样的事。

一位姓陈的大姐随我学习的时候，曾跟我讲过这样一件事，她说：“我的店面门前有一块空地，有个人找我，说他想利用这块空地摆摊卖菜，我觉得谁也有困难的时候，能帮一把尽量帮一把，就同意了，但我告诉他每天收摊的时候，把卫生打扫干净。结果没有想到，每天他走后，都有一包菜叶子扔在我店面的门前。开始的时候，我都是自己去清理干净，但时间长了，菜叶子越扔越多，我就去找他，开始他就是不承认，最后实在说不过去了，才承认是自己扔的……”

她说到这里的时候，我说：“这个人一定长得偏胖，皮肤颜色较重。”

陈姐冲我竖起大拇指说：“真神，他长得就是那个样子，这点我并没有说，您是咋知道的？”周围随我学习的朋友也面带惊讶的神情。

我说：“这是我根据你在阐述这件事的时候，抓住了你说话的要点，以及你模仿那人说话的语气、神态，进行综合分析与判断，得出的结论。这也就是我在脏腑机能调整生命学中要阐述的内容，中医其实就是研究人与自然的一门学问，人的长相、性格、体貌特征与疾病都有密切的关系，这一点我们可以在临床中仔细地去研究和分析。比如说，把一些身患多种疾病，而且症状相似的患者聚在一起，会发现他们的脾气、性格都有很多相似的地方。通过长时间的观察、归纳，就会发现，什么脾气性格的人，就一定会得什么样的病；同样，什么样的人就会有什么样的生命轨迹。”

“假如我们能运用这种方法，看出某个人有可能得什么病或将遇到什么不好的事情，提前告诉他加以预防，这样该多好啊！”一位朋友说。

“呵呵！”我笑了笑说，“有些人你可以告诉他，有些人你不可以告诉他。”

“这是为什么?”

这是由他的状态来决定的，有的人，你这样告诉他，他会非常感激你，然后请教你如何去避免疾病或危险的发生；有的人，你告诉他以后，他会用戒备的眼光看着你，猜疑你的目的和意图，只有事情真正发生以后，他才会想起你跟他说的话；还有一种人，认为你有别的目的和想法，不但不心存感激，反而恶语相向。我们都读过唐朝著名文学家刘禹锡的《陋室铭》，那是在他长达二十二年的流放生涯中写下的千古奇文。刘禹锡青年时，有一次他骑马去见一位智者，刚一进门，智者就给他道喜，“恭喜你多年的抱负如愿以偿，可以尽情施展你的才能了。”

“奇怪？老师是世外之人，从不过问世俗之事，如何知道我的事情啊?”刘禹锡奇怪地问。

“春风得意马蹄疾，正是踌躇满志时，你来时的马蹄声已经告诉我了。”

在品茶的时候，刘禹锡开始滔滔不绝的讲述他如何施展自己的抱负，他讲的声情并茂，智者似乎听得更为入迷，以至于他给刘禹锡倒水的时候，杯子满了还在倒，刘禹锡赶紧说，“水满了，溢出来了。”智者淡淡的一笑，意味深长地说到，“水满则溢，月满则亏啊!”刘禹锡当然听出这是智者在给他示警，但他当时那种抱负得以施展的欢欣、众人敬重仰慕的舒畅，已经让他迷恋和沉醉了。这时，室外传来一声鸣叫，刘禹锡对外张望，发现房顶上栖息着一只威猛的老鹰，他借题发挥说，“鹰击长空，龙游大海，是何等威风八面，何等的酣畅淋漓!”

智者看看苍鹰，缓缓地说道，“是啊，那天它从空中俯冲下来扑食，眼中只看到肥硕的兔子，没有注意到猎人布下的网，若不是我发现得早，恐怕现在已是别人的盘中餐了。”

智者看了刘禹锡一眼，继续说，“很多人在努力实现自己愿望的时候，眼中只看到成功的美景，其实他已经在不知不觉中落入了别人的网中。”一听这话，刘禹锡身上的汗毛竖起来……

在生活中，我们某些自作聪明地的做法，旁观者很容易就看清我们这样做的结局，但此时我们的眼中只看到成功，而忽视周围存在的危险，这时候，谁要对我们提出善意的忠告，谁就有可能成为我们的敌人。反之那些和我们同样思维的人，却在一旁卖力的鼓动，使我们错误的行为加快，此时这些人反而成了我们的知心朋友，正所谓，“良药苦口，忠言逆耳”。所以，路是自己走的，走好走坏，是由自己的状态来决定的……

## 第十六节　技术的诀窍

中医学不仅是一门应用科学，同时又是一种文化现象。中华文化有八大境界：道、德、术、理、智、思、学、技。中华医道亦有八大境界：医道、医德、医术、医理、医智、医思、医学、医技。中医学植根于悠久的华夏文明，其思维方式和理论体系与传统的东方文化一脉相承，休戚相关，是中国传统文化中的一枝奇葩。所以有“医学是小道，文化是大道，大道通小道易通”之说。纵观历代名医大家如张仲景、孙思邈、朱丹溪、张景岳等，无不亦儒亦医。

小孔是我的一名学生，他问说：“老师，要想做到最大限度地提高临床效果以外，除了您告诉我的，除了多学习、多练习、多临床、多思维以外，还要注意什么？”

我告诉他说：“清朝初年，常州城里出了一位魏神医，不管什么疑难杂症，他都能药到病除；就算是阎王爷看上了的危重病人，他往往也能妙手回春。这就引起了人们的好奇，‘难道他有包治百病的灵丹妙药？’但魏大夫却说，‘这个世界上哪有什么包治百病的灵丹妙药！只不过我对病症诊断的准确，能对症下药罢了。’”

是啊，对于疾病说来，只要药性对症，一把茅草即是妙药；若是不对症，灵芝，人参也是毒药！更难得的是，魏神医对于上门求医的人，不论贫富，一视同仁，都尽心治疗。因此，乡下百姓称他为“活菩萨”。他之所以被称作“活菩萨”，还有一个原因，那就是因为在明末清初的动荡时期，他为了躲避战乱，跑到附近的天宁寺禅院去出家。住持禅师说他世缘未尽，没有给他落发，让他作了一名行者。

俗话说，半路出家也能成佛。他成佛不成佛没人知道，人们知道的是，他在寺院参了几年禅，从一个无名郎中一跃成了常州城最高明的医生。同行们百思不得其解，他在寺院参禅念佛，长期未行医看病，为什么医术不但没有荒废，反而得到了突飞猛进的提高？真是难以置信！莫非，他在寺院里遇到了奇缘？像传说中的那样，得到了世外高人或佛菩萨的点化？

曾经有同行向他请教其中的诀窍。他说，“给人看病，要善于使用药引子。比如，乡下人来城里看病，一定要先给他食用一些点心；而贫穷的病人，不但用施舍医药，还有奉送他一些钱粮，因为……”

不等他说完，同行拂袖而去，边走边说，“有点心，我还孝敬老婆，儿子呢！送给病人钱粮，我还开诊所干什么！你不肯说出秘诀就算了，何必要戏弄人?”

魏大夫听了以后，苦苦地笑了一下，因为，这真的是他之所以成为神医的诀窍。乡下百姓进城来看病，要走很远的路，一定又累又饿，所以血脉十分紊乱。若是此时把脉，怎能准确诊断出病症呢？而给他茶点充饥的同时，让他稍稍休息一会儿，脉象就稳定下来，就能把准病情的细微差别了，从而精确用药，药到病愈。而贫穷人家的病人，体质肯定虚弱不堪，无法发挥药物的作用。所以，在治病的同时，必须同时补充营养。

其实，这些道理，其他郎中未必不懂，只是没有他的那份慈悲心肠，无法做到罢了。一次，他到一位危重病人家诊脉，病人枕头下的十两银子不见了。那银子，是病人的儿子刚刚借来，预备给老人请医买药救命的。病人的儿子听信了其他郎中的谗言，怀疑是魏神医拿了，便捧了一炷香，跪在他家门前。魏先生很奇怪，问他干什么？病人的儿子吭哧了半天，委婉地将疑情说了出来。没想到，魏先生痛痛快快承认了，说，“确有此事。本来我有急事需要用银子，手头不方便，就悄悄拿了你家的银子应急用了。我本想今天去给你父亲诊脉时，再神不知，鬼不觉地放回去，完璧归赵。”说完，魏先生拿出十两银子，交给了他。大街上的围观的人们都说，魏神医道德高尚，不会相信会有如此污浊的行为。然而，等病人的儿子如数拿到了银子，人们简直惊呆了。没想到，魏神医竟然是个假惺惺的伪君子！人们七嘴八舌，议论纷纷，惊叹人心难测。一时间，对魏先生的非议之声传遍大街小巷，然而，他却神态自若，毫不在意，活像什么事也没发生过一样。

半月以后，病人痊愈。在彻底清扫病床时，在褥子底下发现了那十两银子。于是羞愧难当的父子俩双双捧香，跪倒在魏先生大门前。魏先生笑着问，“这次又是为什么呢?”病人磕头如捣蒜，痛哭流涕说，“我们家的银子没有丢失，是我的儿子诬陷了先生，使您蒙受了不白之冤。今天一则送还银子，二则特地向您请罪来了。”魏先生将他们拉了起来，真诚地说，“没关系，没关系，事情都过去了。”病人的儿子十分不解，追问道，“先生，我那天听信谗言诬赖您，您明明没有拿银子，何必甘愿蒙受骂名呢？您究竟为什么宁可名誉被污也不说明呢?”魏先生说，“我去给你父亲看病时，知道你们家境贫寒，那银子是借来看病救命的。你父亲的病情正在紧要关头，若是知道救命的银子丢失了，一定伤心，绝望。邪火上攻，病情会急剧加重，很可能因此而一命呜呼。所以，我甘愿背上污名，说银子是我偷的，使你父亲知道银子失而复得，无望之心得到安慰，病情立刻减轻，自然会好起来。”病人父子两个听完这番话，再次双膝跪倒，磕头不止。

“老师，我明白了，要想把手法做好，不但是要掌握相关的知识，还要开拓思维，注意细节，只有这样才能把一项技术做好。”

“所以有人说，夫医道如气象之事，无定时之理。东汉医圣张仲景的‘勤学古训、博采众方’，至唐孙思邈提出‘大凡大医者，博极医源，精勤不倦；见彼苦恼，若己有之’。都是在告诉我们这个道理啊！”

## 第十七节　把简单的事做好

人间善事，贵在坚持。一位学界前辈说过，一个人要想达到大家境界并不难，只需他耐得住寂寞。坚持到底，哪怕最笨的人，也能在他那个领域成为佼佼者。

湖南的小谢在随我学习的时候，在课堂上问我如何把手法练好，我告诉所有的学员说：“按照学习的安排，我们每天都要学习新的手法，手法的动作虽然很简单，达到熟能生巧还需要时间，所以在业余时间，除了练好新学的手法以外，还要坚持把以前学过的手法勤加练习，并能找出问题。做到温故而知新就可以了。”

临毕业时，我问大家：“有谁坚持把手法每天按照要领练习一遍，并提出其中问题的。”结果，很少几个人能坚持这样做的，练习过程中提出问题的更是少之又少，每天就只等我讲新内容，很少去思索手法的技巧和精髓，大部分人的理由就是，或忙着看书了，或忙着整理笔记了，或累了休息，或没有人陪自己练……殊不知，这全是给自己找的理由和借口，一旦做不出效果的时候，他就把这些理由和借口都忘了。

这时候，我问小谢：“以前我随老师学习的时候，不过两三天时间，老师教的很快，有很多地方需要我自己在实践中去思索和领悟，我曾问老师，如何把手法练好？老师回答说，把简单的事坚持下去就行了。我牢牢地记住了这句话，对手法勤加练习和实践，在临床中自己不断地摸索，很多手法就是这样被我发现的，要是我给自己的理由也这么多，估计现在你也不会跟我学习了！”

“那是您的悟性高，才把技术做得这么好。”他笑着说。

“我自认为自己悟性很差，也没有什么天分，我只相信一分汗水一分收获，简单的手法是枯燥和乏味的，但我坚持下来了。记得当年我在部队新兵连的时候，每天早上，别的战友还在蒙头酣睡，我早起一个小时，在冰天雪地里练习学习的科目，练得满身汗水，然后找出问题，训练时再请教教练员。记得新兵连最后考核的时候，我是所在连队里面某些科目做的最好的一个，我相信‘天道酬勤’，成绩是自己靠勤奋一点一滴积累出来的，不是别人给予我们的，那些把失败推给客观条件，喜欢怨天尤人的人，是很难成功的。现代心理学研究也发现，凡有惊人成就的人，他们所表现出来的意志品质主要有自觉性、果断性、坚持性、自制性，由于完成目标一般需要相当长的时间，所以这其中对我们考验最多的就是坚持性。记得有这样一个故事，有学生问哲学家苏格拉底，怎样才能学到他那博大精深的学问。苏格拉底听了并未直接作答，只是说，‘今天我们只学一件最简单也是最容易的事，每个人尽量把胳膊往前甩，然后再尽量往后甩。’苏格拉底示范了一遍说，‘从今天起，每天做三百下，大家能做到吗？’学生们都笑了，这么简单的事有什么做不到的？过了一个月，苏格拉底问学生们，‘哪些人坚持了？’有九成的学生骄傲地举起了手。一年后，苏格拉底再一次问大家，‘请告诉我最简单的甩手动作还有谁坚持了？’这时，只有一人举起了手。他就是后来的古希腊另一位大哲学家柏拉图！如此简单的动作，折射出了不同的人生态度，成就了迥异的人生归途。这件事告诉我们，成功与失败的区别，往往就在于是否能够坚持不懈、持之以恒地坚持简单。把简单的事做到极致就是不简单。”

## 第十八节　调气与引气归元

昨天，一位以前随我学习的朋友来电话说：“王老师，脏腑调整的任脉常规操作手法，为什么最后以引气归元的手法结束呢？”

我回答说：“脏腑机能调整中的任脉操作手法是在脏腑点穴的基础上延伸过来的，以调气为手段，最终达到益寿延年、百病皆除的目的。脏腑点穴出自道家，引气归元就是道家修炼中的一个术语，引气归元又称凝神入气穴、气息归根、返本归元。意思是，气归到原始本位，当然作为道家传承的脏腑点穴也不例外，我们都知道人体之气分为阴气和阳气，实际上什么叫阴气呢？阴气就是指收敛收藏的气机叫阴气，当它处在生发生长的状态，它就叫阳气。那么什么叫邪气呢，邪气也是正气的变现，邪气就是不在本位的气，要消除邪气，达到长生百岁、祛疾延年的目的，就要引气归元。北宋道教南宗紫阳派的鼻祖张伯端曰，‘万物芸芸各返根，返根复命即长存。’《性命圭旨》云，‘涵养本源，救护命宝。’杏林师曰，‘万物皆有死，元神死复生。以神入气穴，丹道自然成。’从以上道家各门派的法诀来看，都说明了引气归元的重要性，可见反映在整个道家功夫的修炼过程中始终围绕着‘引气归元’这一宗旨来进行操作的，所以‘引气归元’乃是道家修炼的根本大法、重中之重。”

这位朋友又问我说：“气引到哪些部位才算归元呢?”

“我们常说的最关键有三个位置，”我说：“膻中、气海、神阙，所以常规的任脉操作方法就在这三个位置上下功法。但还有秘传的位置，不过手法极难达到，需要患者配合才能做到！如果医患双方达到同步，可以把任脉常规操作的效果再提高至少一倍以上的效果……”

“老师，我明白了，那引气归元的气，就是指的身体内的气吗?”

《黄帝内经·素问·阴阳应象大论》说：“天气通于肺，地气通于嗌，风气通于肝，雷气通于心，谷气通于脾，雨气通于肾。”明·张介宾在《类经图翼·医易》中说：“天之气，即人之气；人之体，即天之体。”从这几段话我们就可以看出，古人不仅把宇宙自然看作一个整体，把人看作一个整体，而且把人与大自然也看作一个统一的有机体，认为天人合一的具体体现是“天人相通”与“天人相类”。所谓天人相通，是指人的生命活动与天地自然是一气相通的。人与天地万物都是元气生化的产物，元气充塞于天地人之中，人之气能通于天之气，天之气亦能影响人之气，所以天之气影响着人的生命活动。自然界季节、气候的变化，对人体的生理、气机的变化有明显的影响，如人在夏天汗多尿少，冬季尿多汗少；人体脉象有春弦、夏钩、秋毛、冬石（又云，冬营）的规律，从而建立了天人合一的理论体系。但在实际生活中，有些表现是非常微妙的。

春节将至，我准备放假，正好这里有位朋友也要回家，于是就借这个机会到一个小饭店小聚了一下，由于断肉食已经很久了，就随便买了点青菜和几个易拉罐啤酒，边吃边聊天，还有一位同事因事要晚些时候过来，我和这位朋友就各自打开一个易拉罐，一边慢慢地吃着聊天，一边等着同事，半个小时左右，同事过来了，进门打个招呼，就坐下了，我把一个易拉罐啤酒递给他，他用手一提易拉罐上的拉环，一股啤酒，从罐中飞溅了出来，喷了他和对面的人一身，大家边笑，边取纸巾擦拭衣服上的啤酒，看到这种情况，我先是愣了一下，所有的易拉罐啤酒是同一时间拿到屋里来的，要说是由于晃动才让易拉罐产生压力的话，那这位朋友没来之前，我们已经打开两个了，为什么我们先打开的易拉罐没有溅出，而他开的这一罐在已经静止了这么久以后，反而产生如此大的压力呢？一转念，明白了，太极动而升阳，气为阳，同事急匆匆地赶来，一进门就坐下，身体虽然能停下了，但气的惯性还存在，啤酒递到他手里的时候，从狭义的天人合一的角度来看，在这个小的气场中他和易拉罐已经形成一体，这种气的能量场就到了他手中的易拉罐上，导致了啤酒飞溅而出的后果。所以张介宾在《类经图翼·医易》中有提到，一念方萌，便达乎气，神随气见，便与天地鬼神相感通。也就是这个意思。在临床的时候，我们在调整患者的气机以后，最后引气归元或引气归经也就是这个道理。我们用心仔细想想，很多的偶然事件，其实就是必然要发生的事情，只是我们对这件事发生之前的预兆，没有用心去观察和思考，所以把必然当成了偶然。

# 附：脏腑机能调整按摩法实证反馈篇

（按姓氏笔画排列）

案例分享1：男，45岁，突然面肿，用搜骨洗髓加任脉手法一星期彻底恢复！这期间每天发烧，用王英华老师教的点穴手法烧也退了下来！

案例分享2：女，43岁，双侧乳腺增生，我用搜骨洗髓加任脉，调胸压，也是一星期内恢复，她以前月经只有3天就干净了，而且量少，现调理以后，月经量多，感谢王英华老师！

——安徽广德县　马辉辉

案例分享1：女，58岁。经常在我工作室附近的按摩店做按摩，有一天，到我工作室咨询，主诉，左肩疼痛，右侧膝关节肿大有积液，之前在医院抽过积液，没几天又恢复原样，走路上楼梯腿痛腿沉。触诊发现患者左侧肩胛内缘有明显筋结，膝关节明显肿大。根据他的情况，我用搜骨洗髓背部手法+腿部分筋为他调理，做完患者感觉肩部疼痛消失了，走路腿特别轻松，关节也不疼了！第二天患者说膝关节没再难受，肩胛内缘有点疼痛，随后几天脏腑手法整体调理，一周后膝关节肿大减轻很多，已经基本不明显，共调理10天结束，所有不适症状消除。感恩王英华老师！愿脏腑调理能帮助更多患者早日获得健康！

案例分享2：女，46岁。自述经常头痛，左侧肩胛内缘疼痛，腹部胀满，没有食欲，眼睛干涩，嘴唇颜色偏白，有哮喘病史，过敏性鼻炎。在很多地方治疗过，都不见好转。请我调理的时候，当时我正忙，就先用十分钟时间给她做了头部+颈部分筋，调完后，她说头部特别轻松，颈肩舒服多了！第二天，她反馈说，头部没再疼痛，只是肩胛内缘有点疼，随用整体套路调理，调完她感觉全身轻松，上腹部空空的有饥饿感。第三天，感觉饭量比以前大了，吃饭不觉得饱，肚子很舒服！睡眠质量比以前好多了。第七天，反馈出现哮喘症状，之前已经提前告知这是瞑眩反应，两天后哮喘症状消失，没再出现。共调理23次结束，她说腹部软了，面色红润了，全身都很舒服！

案例分享3：女，43岁。自述腰疼一年多，腰椎间盘突出，用过多种方法治疗不见好转，常年腹胀，气虚自汗，经常发脾气。触诊：背部僵硬，腹部两侧胆经僵硬，属于气滞血瘀，气机不畅。第一天用搜骨洗髓的背部手法+任脉+疏肝理气部分手法调理，调理结束患者自述腹部舒服多了，后背轻松。在调理过程中给患者讲解生气给她带来的危害。调理完患者身心放松了很多，说以后不能再生气了。第六天下午患者来到店里，喜笑颜开，说"我今天是走着来的，以前走多了累的腰疼，现在跟正常人一样了，腰也不疼了，共调理 10 次结束!"

——山东聊城　王长靖

案例分享：尚某，男 9 岁，抽动二月余，每分钟摇头 40 余次，二月来各大医院治疗效果不显，诊断为抽动症障碍型，后在我处脏腑按摩 24 次痊愈，家人大喜。

——内蒙古准格尔旗　王剑波

我是 2010 年 3 月份开始学习、从事中医推拿的。先后学过足部反射疗法、针灸、正骨、理筋、小儿推拿等多种疗法。学习期间，我自认为还算勤奋，对一般的颈肩腰腿痛，调理效还可以。但对内科病变，我却无从下手。很有幸我参加了恩师王英华先生 2015 年 3 月份的脏腑机能调整手法生命学学习班，至今已近两年时间。在这期间，我曾调理治愈过小到感冒、发烧、咳嗽、颈肩腰腿痛，大到高血压、心脏病、水肿、风湿、强直、抑郁症等近二百三十例患者。

案例分享 1：男，69 岁。自述：2014 年春天，患眼底葡萄膜炎（色素膜炎）住院治疗。住院治疗一年多，视力由 0.6 下降到 0.2，因大量使用激素，出现骨质疏松、右侧股骨头坏死。2015 年 4 月底，打喷嚏导致胸 12、腰 1 骨折，住院手术治疗近两月。2016 年 5 月强制自己停用激素。但出现头痛、失眠（每天凌晨三点以后才能入睡）、颈椎不适、左臂疼痛且活动受限、胃痛、没有食欲、便秘（近二十年）、腰痛、右腿疼痛且沉重等症状。由于症状表现复杂，为安全起见，我用很轻的手法为其做了颈部分筋、任脉手法。第二天过来调理时，反馈昨晚睡觉时间由凌晨三点提到深夜两点。肚子会咕噜作响，吃饭稍能尝出点味来。这样间断调至 13 次时，走路明显比以前轻快、食欲较好，后背、腰腿疼痛大为减轻。调至 29 次时，他高兴地对我说，两年多了，他第一次自己走出小区大门遛弯，现在腰不疼了，可以自主排便，晚上 11 点前后即能入睡，关键是视力明显比以前好了很多!

案例分享 2：男，53 岁。2001 年因肾结石住院治疗，体外碎石后的十五年以来，右下腹一直疼痛不止。近两年出现四肢颤抖，腿沉，蹲不下。尝试过中医、西医的多种疗法，效果甚微。经一位从事四十年推拿师傅介绍，找我调理。看过舌象、询问过症状后，我用疏肝理气、搜骨洗髓的部分手法为其操作。第二天反馈，右小腹疼痛减轻，排气较多，晚上睡得较好。用脏腑相关手法调至第六次时，手脚颤抖消失，走路轻松。调至第十次，患者所有症状消失，精神状态良好，脾气也好了很多。以前的将军肚也变得平坦，体重减了 8 斤。又巩固调理两次结束。

案例分享 3：女，39 岁。十多年来，经常性腹胀。尤其是近两年，晚饭从来不敢吃，还经常半夜腹胀不能入睡。其妹妹是某医院的内科大夫，她说这样的情况除了吃药和加强锻炼，没有别的办法。2016 年 3 月 20 日来请我调理之前已连服 6 个月的中药，虽腹胀不十分严重，但晚饭还是不敢吃。她问我几次能见效，我说多则三次、少则一次。她当事用怀疑的眼神看着我笑了笑，啥话也没说。第一次，我用脏腑整体套路为其调理。第二天，反馈昨天下午调完就饿了，吃了一碗粥和半个馒头。她奇怪的是，昨晚睡得很好，肚子竟没胀。调至第四次时，皮肤也变得较为红润，她却很担心地说，她现在特别能吃、能睡，腹胀是调好了，会不会变成大胖子啊！我给其解释此为脏腑调理冥眩反应。她半信半疑地说，只要肚子不胀，其他的都是小事儿！共调理 7 次结束，除了腹部通畅外，腰围还小了 1 寸！自调完至今身体状况一直很好！

案例分享 4：女，7 岁。孩子奶奶说，孩子一直很内向，不管早晨、中午，睡醒觉必头疼，面部抽动，食欲差，经常胃疼、便秘（一般 3 天排便 1 次），左腿易抽筋。经我调好的过敏性哮喘儿童的家长介绍，来我处调理。我用头部分筋部分手法和任脉，为其调理。三次调完，头痛消失，食欲较好。后改用任脉加捏脊，因孩子较为内向，不爱说话，我便每次调理时给她讲个笑话，并让她也给我讲一个，调至 7 次后，孩子胃口较好，排便正常，性格也变得活泼了很多，面部抽动次数明显减少，腿抽筋消失。调至第十二次，孩子各种症状消失，性格活泼开朗，学习成绩也明显提高！

案例分享 5：男，9 个月。据孩子姥姥讲，孩子自两个月左右就口水不断，一天得换几身衣服，眼老是睁不开，上眼皮总抬不起来。这两天有点感冒、咳嗽，低烧 38 度，孩子喂不进去药，看我能不能给调理。看过孩子的舌苔，确定其是因受寒导致。拿风池、搓热大椎后，再用压肚脐，三穴同调法为其调理。第二天，孩子的姥姥反应，孩子昨天调完就不烧了，流鼻涕、咳嗽也明显减轻。第二次调完，孩子感冒的症状已基本消失。姥姥要求再给孩子做几天保健，调至第七次时，孩子的姥姥惊喜地发现，孩子不但眼睛能睁开，而且流口水的现象没有了。

现在，我调过的大人、小孩，偶尔出现头疼脑热、便秘、拉肚子等症，都会第一时间给我打电话，询问调理方法或是预约时间过来调理。我也是经常从早忙到晚，看到患者们一个个好起来，心理无比满足！在跟恩师学习之前，我也曾对中医推拿怀疑过、迷茫过，但现在，我在运用脏腑调整手法生命学临床上面还属于入门阶段，但至少已经知道了方向，我会努力去做好！

——河北石家庄　白翠平

案例分享1：女，42岁。左手左脚动不了，一碰就痛得受不了。由母亲和妹妹搀扶着来找我，主诉，早起落枕，去做找人做了一次推拿后，第二天就出现这样的情况了。我的工作室在二楼，她上不去，就在一楼帮她调理。臂部分筋刚做了一半，她就说痛的实在受不了，也坐不住了，于是让她躺下来做腿部分筋，她躺下后发现手臂没那么痛了，腿部分筋做完，双腿明显有力量了。接着又为她做任脉调理，调理完毕，她自己能翻身下床，独自也可以走几步。当天晚上打电话来说左手和左腿已经不痛了。第二天，她自己能上楼找我调理，第三天，完全正常了。

案例分享2：男，66岁。两天前落枕了，坐着难受、站着也难受，已经有两个晚上没睡好觉了，有颈椎病史。在我的工作室，坐在那里整个人都在发抖，一脸痛苦的样子。我先给他做了颈部分筋，再用艾条灸了一会。当即就表示舒服多了。接下来做了推背升阳、任脉调理。第二天来了说昨晚睡得很好，头也能动了。早知道效果这么好，第一时间就应该来了，也用不着痛苦了两天。共调理了三次，完全好了。

案例分享3：女，31岁。主诉肚子不舒服，一吃东西就肚子胀，有痛经病史。来做艾灸调理，我说肚子胀做脏腑调理效果比较好。调理过程中发现她后颈部、腰部、下腹都比较冰凉，小腹较胖，于是就用脏腑综合调理。用劲部分筋、臓腑整体套路调理了七次后，颈部、腰部、下腹都没那么冰了，东西吃多一点也不胀了。痛经时间也缩短到了一天。连续调理了二十次，各种症状都已改善。

案例分享4：女，58岁。主诉，几年前因为更年期综合征，阳气虚弱，自汗不停，不管冬夏每天都要换衣服几次，这几年一直在服用中药，可自汗总是反反复复，效果一直不太理想，患者听亲戚介绍来找我调理。表现：面色萎黄，畏热，汗出觉冷，经常感冒，时而眩晕，食后胀满，溏便，腰膝酸软，四肢冰凉，双腿沉重无力，上楼梯都觉得困难。用颈部分筋，推背升阳，任脉加“米”字拨法，做完手法后当时就觉得腹部暖和，气通很好，当天晚上就觉得饿，也没吃胃药，第二天反馈睡眠很好，腹部胀满感消失，四肢开始有温热感，后面连续几次用老师自编的脏腑整体套路调理，连续再调理，五天后所有症状消失，停掉了所有药物，调理期间腹部尺寸也减小几寸，面色红润，现在逢人就称赞脏腑手法的神奇。

——浙江台州玉环　孙海峰

案例分享1：张女士，30岁，每次来月经前痛经3天，胃不舒服，因孩子发烧来推拿，给孩子调理的同时，宝妈说她这儿大胃部疼痛的实在难忍，我连忙给做了一下脏腑整体调理，第一次做完后症状减轻基本不疼了，第二次做完身体舒适不疼了，共做3次完全康复。

案例分享2：男62岁，膝关节疼痛20年，尤其上楼梯疼痛明显，做任脉加腿部分筋，有时做督脉，做完后第二天上楼梯轻松，第五天症状全消，共做7天。

案例分享3：女，29岁，颈椎，头疼痛，肩膀酸疼，第一天做颈部分筋和任脉督脉，做完后轻松，第二天做搜骨洗髓，三四天做脏腑整体套路，调理结束后全身舒适，所有症状消失。

——山东日照　许传伟

案例分享1：女，42岁，胆囊切除，面部大面积色斑，肩颈背部厚重僵硬，腹部肥胖，腹部胀满，便秘。选用搜骨洗髓背部手法，加拨米字，任脉，做完后又用艾灸。做了七次，背部变薄变软，肩颈轻松，腹部瘦了很多，腹胀消失，之前穿不上的衣服现在可以轻松穿上，做第一次和第二次的时候就开始排便增多，并排出黑色大便，现在排便每天一次，黄色成形。整个人现在很轻松，睡眠质量也提高了。之前做胆囊切除的时候，微创伤口形成了一个疤痕疙瘩，调理之前还是很红的，而且容易痛痒。调理六次后，现在疤痕疙瘩已经不像之前那么红了，颜色变淡，而且边缘萎缩。

案例分享2：男，8岁，颈椎不适，到医院检查后都说是颈椎病，8岁的年龄但是颈椎状态像是二十多岁，医院没有给出治疗办法，压迫头疼，恶心不能吃饭。来我这只用的颈部分筋手法调理了八次，不头疼了，颈部也舒服了，没有任何不适。

——安徽萧县　李文竹

案例分享1：男，60岁，2016年2月份因脑出血住院40多天，期间打针输液、针灸、按摩、康复训练，至出院时左臂也没有任何知觉，走路时左腿只能拖着，在家待了三个月到济南来让我给调理，我咨询老师，老师嘱咐我先不要按头部出血的位置，让我先做腿部分筋，再做任脉，做了三天，他说感觉身上比原来累了，第四天不想做了，我当着他的面给老师打电话，老师说这是瞑眩反应，正常现象，又做了一天，第五天再做就说还是累，不让我做了，我说你都来了，要不就做完这一天，做完第五天，他对我说，腿在练习走路的时候，能走的时间长了，但就是不做了！我也就没再坚持，老师10月份在济南讲课，他来听老师的课，听完后，他对我说，你老师讲的真好，不说虚话，讲的都是大实话，而且无论什么人都能听懂，不像有些人光讲官话，啥也听不明白，然后他又不太好意思的说，要不你再帮我做做吧？我在老师讲课的第三天开始给他做，先做的是搜骨洗髓的后背，然后让他躺着灸肚脐，做腿部分筋，再做任脉，五天以后，这次的效果就明显了，又咨询了老师，老师说可以加做头部，和手臂分筋，这样我每天先给他艾灸后背，做头部和手臂分筋，结合搜骨洗髓后背部分手法，穿插腿部分筋和任脉手法，做到22天，可以不用拐杖和他人搀扶走路了，左臂也能抬高到他自己的胸口的位置了，因我出差半月，终止了给他的调理，他说这样就已经很满意了！

案例分享2：男，55岁，工作环境好，常年空调，多年的腰疼，特别是一到阴天下雨的天气里就疼得不行。我咨询老师后，老师让我只给他调任脉即可。连续给他做了三天，正好第四天阴天，他说比之前的确是疼得差了很多，因他的工作性质，不能天天来，后来又问老师，老师说可以给他做完任脉后再给他艾灸或热敷一下，前前后后我给他做了有十次吧，现在已经找不到一点疼痛的感觉了，现在每次见了我，都说："你把我多年的腰疼治好了，我怎么感谢你呢，你快点找我办点事吧！"哈哈！

——山东济南明湖区　齐爱华

案例分享1：女，39岁，医院检查：颈椎韧带钙化、胃炎、乳腺增生、子宫肌瘤、子宫内膜异位。自述，吃饭后胃里就像放了个东西不舒服，右肋下痛，肝胆也不好，大便时右侧腹痛，全身不是这里痛就是那里痛，早便质稀，色偏绿不成形，有时候吃饭都觉得累，例假前乳房胀痛、腰痛、小腹痛。舌胖大，面色暗。做完第一次综合调理后感觉后背舒服，胃脘痛感减轻。此后疏肝理气结合任脉调理手法两三次，后又脏腑手法综合调理，共调理13次，症状全部消失，性格也开朗了，精神状态变的越发好了。更让人惊喜的是，两个月后的某一天她高兴地告诉我，她怀孕了！感恩老师传授教导并赐予我们力量，感谢学友们分享鼓励并无私指导！

案例分享2：女，39岁。2016年6月初来我工作室调理，来时乳房及腋下胀痛，腰酸困，有子宫肌瘤，小腹凉，睡眠质量不好，身乏易困，手脚冰凉，例假三天干净（约有四、五年了），吃过中药效果不理想，面色暗，眼皮及面部大面积黄褐斑，曾在美容院用过产品，但过后又长斑。调理三次后，睡眠变好，腿脚轻松，精神状态好转。调理五次，手脚渐暖。调完第一个疗程，胃口不知何时变好了，之前不出汗，现在爱出汗了，调理期间来例假，没有不适感。肤色润白，斑色变浅，偏瘦的身体胖了四五斤。在家休整一段时间又来时，最明显的是面色好，再没了灰暗的颜色，黄褐斑都淡去了。于是开始第二疗程的间隔性调理，期间例假色正常了，经期小腹不再凉，经量也比之前多了。之后隔三岔五地过来调理，成了我工作室的常客。

案例分享3：女，32岁，办公文职人员。例假近半年不正常，三年前做了阑尾炎手术之后，感觉大便不正常了，少则三天，多则四五天一次。舌质红，舌苔浅黄。因故采用隔天调理的方式。第一次颈部分筋，背部调理，推腹清脏。第二次来时反映说早上五点多被想上厕所的感觉叫醒了，排便通肠。第二次手法是背部和推腹清脏，之后因事中断两天调理，但排便正常了。谢谢老师！

案例分享4：一天下午，在等一位预约的客户间隙，隔壁母婴店老板带着一位瘦瘦的孩妈进店。她自述颈椎一直不好，现刚从烟台开车回来，头痛得厉害，感觉头不能动，一动就痛。她问可以按吗？需要多长时间？有点急。我说可以的，大概几分钟吧。于是帮她调理头部和颈部，做的过程中，她说你这个手法好，可以承受，我笑着说是我们老师教的这个手法确实好。七八分钟做完后，她感觉不痛了，特别舒服。交谈中，她说自己脾胃不好，等得空过来也调理一下。感恩老师传授我们这么好的手法和心法，既能帮助患者解决痛苦，更能深层调理脏腑机能。

案例分享5：女，27岁，重症病房护士。病史：一年前患过胆囊炎，半年前流过产（滑胎）。舌质淡红胖大，舌侧有齿痕，面部有痘痘。经询问，之前有经前综合征，流产后，例假前后不定，来例假时小腹痛，色暗有块，量特多（持续七八天）且拖拉不净（半个月）。身易乏，精神倦怠，手脚常凉，最近开始出现反胃恶心的感觉，因崩漏来调理，来时是例假第三天。

腹诊：胃脘，脐腹实硬，肚脐按痛，阑门穴尤痛，脐下也有不动的硬结。

判断：肝郁气结，脾肾虚寒，胞脉失养，气血虚，因长期熬夜工作，损伤元气。

按整体套路调理完两次，量正常了，调理完第三次开始出现调整反应，每晚发烧，身乏。又调理三次症状逐渐消失。调到第七次，例假结束。共调十次结束。三个月后回访，说例假一直保持正常。脏腑机能调整真是太好了！感恩老师！

——山东海阳　刘永君

案例分享1：男，42岁。脾胃功能差，尤其是湿邪，运化失常和饮食过量，造成腹泻。每日排便五至十次，并有腹痛、肠鸣、全身无力。我用王老师的脏腑机能调理任督二脉手法，着重取穴中脘、水分、天枢、关元、足三里、上巨虚。通过连续二十次调理大便已经成型，他妻子和朋友都说他不但身体好了，脾气也好多了，脸色由灰暗变有光泽了。

案例分享 2：男，49 岁，萎缩性胃炎。做批发水果生意，吃饭不定时，爱生气，吃了十年中药和西药没有效果，朋友介绍来我理疗室，她说母亲和弟弟都是胃癌去世，整天情绪低落。我用王老师的脏腑机能调整手法调理了三个疗程以后。平时一周来巩固一次，现半年没吃药了，再没有犯过，人也乐观了。

案例分享 3：男，28 岁。腰椎间盘突出。自述在医院治疗两年，现在情况反而更为严重，我按王英华老师讲的理论：脾主肉，肝主筋，肾主骨。调理任督二脉，补气血，调理十几天症状消失，至今没有复发。

——广州番禺　刘新强

案例分享 1：女，27 岁。主诉：结婚三年，无避孕史，无分居，一直没有怀孕。有甲亢，卵巢囊肿（巧克力囊肿）病史，一直在服用药物控制。经朋友介绍来工作室找我调理，观察其神色较好，无慢性病容状，触诊皮肤潮湿粘手，舌体胖大有齿痕，月经量多颜色暗，易出汗。因患者皮肤较黑，无法观察其脸色。用调任脉，疏肝理气，推背升阳，加腿部分筋。调理一段时间后，大量排气并排黑色大便量多，食欲增加，唇色出现红润（以前为紫黑色）。连续调理两个月，共四十次。今天因例假推迟来电咨询，建议测早孕，早孕呈阳性。

案例分享 2：女，60 岁。腰椎狭窄诱发坐骨神经痛整腿麻，膝盖痛，一瘸一拐不会下蹲（医院诊断结果）。经医院治疗两个月保守治疗无效，畏惧手术后经人介绍来工作室找我。经检查大腿后侧麻木感，膝关节上沿疼痛，无法完成下蹲动作；休息后减轻；同其聊天发现客户个性较强；腹部硬；诊断其病在脾胃，根在情志。处理：一边调理任脉，重点腹股沟耻骨，八髎两侧，环跳，腿分，一边疏导情志。调理结束后，反馈说浑身轻松症状没了，我让她下蹲试试，她不敢说好几年都不会了，我说你试试，她试着慢慢蹲下去了，扶着床也能起来，叫她不扶再试试，也能起来，很兴奋打电话给她女儿。巩固调理数次，经一年跟踪未复发。

案例分享 3：女，57 岁，主诉：于 2010 年子宫全切除后。近三四年时间出现头昏眼花、不能饮食、少气懒言、面色晦暗、畏寒怕冷、睡眠不好，一直在服中药调养，症状时好时无，无明显效果。经过脏腑调理一个疗程后，自己觉得效果非常好。后来坚持调理了好几个疗程。2016 年经常外出旅游精神状态都非常好！

——广东深圳　刘春霖

案例分享1：女，30岁。公司白领，因为工作繁忙，会经常加班，感觉到自己的身体特别劳累，肠胃也越来越差，精力不够，这次加班到晚上22：00才下班，共上了12个时，还是长时间坐在凳子上办公，导致身体腰背酸痛，全身很沉重，不轻松，第二天早晨起床后，也感觉累，在吃早餐时凳子坐偏，一下跌到地上了，顿时感觉腰部肌肉牵拉疼痛，立马行走困难，很缓慢地来到工作室找我，她腰部肌肤轻轻按一下都感到疼，左侧胯部也有疼痛感，我先放松颈部肌肉，做背部推背升阳法，在腰部手很轻柔地按，再放松臀部，腿部肌肉，用手臂滚法，点按环跳，承山，绝骨，三阴交，太溪，昆仑，照海，申脉，涌泉，这时腰部疼痛减轻许多，腹部先做米字型拨筋，放松大腿前面，然后调任脉，做完后让她下床活动身体，感觉轻松很多，能下蹲站立，然后上床点按建里穴，手心脚心都有发热感，在第二天下午打电话询问，告诉我已能正常活动，只有左胯肌肉有点疼，第三天来到店里，非常开心地告诉我，腰不疼了，已能正常上班，以前有过腰痛，去医院治疗要3、4次才能治好，要花一个星期的时间，她非常开心！

案例分享2：男，45岁。长期肠胃病，面色淡白，饭量低，精神气色差，腰背怕冷，腹胀且硬，以前看过很多中医，吃过很多中药，效果一直不是很好，我选用搜骨洗髓，推背升阳，调任脉，推腑行气的手法给他调理，共做了6次，调理以后他的面色红润，饭量是以前2倍，做完有排气现象，腹部也变软了。整个人感觉精神很好！他说以前做按摩从没有这样专业过，有针对性，效果好！

——湖南长沙岳麓　刘焕潮

大年初二晚上8点半左右，我的老妈旧疾复发，当时的情况是这样的，老妈突然感觉头晕，眼前发暗，心跳加速，老爸赶紧要风油精为老妈擦印堂和两边的太阳穴，然后又吃了三滴风油精，但没什么效果。老爸赶紧喊我，听到老爸的喊声，我连忙跑过来，当时老妈心跳得很厉害，我先给妈妈督脉从上到下按下来大约十来分钟，主要按的痛点，然后再调颅压几分钟，就这样十多分钟过去了，妈妈的心跳逐渐稳定下来，眼睛也慢慢亮了，我又为妈妈开四关，这样简单弄一下，老妈的病症消除了。这次正好处理快，老爸看到及时，不然后果不堪设想，当然如果要身体彻底恢复的话，还需要一段时间的整体调理才行。妈妈今年八十多岁了，像今天这样的情况，几年来反反复复发病，病一复发就是心跳加快，突然晕倒，双眼翻白，口吐口水，全身发抖，有一次我亲眼见过的。也曾经到医院检查，但各种指标却又完全正常。脏腑调理就是这样的神奇，在这里感谢王老师给我传受这样好的手法，今后我要好好地把脏腑调理为自己家人，亲朋好友和故乡的人解除病痛，让脏腑调理在自己的家乡播下种子，让脏腑机能调整手法生命学在故乡的这片热土上生根发芽。

——广西靖西　农振华

案例分享 1：女，54 岁。医院诊断为腰椎骨刺，滑脱，腰椎管狭窄，需做手术，大概 6 万费用。腹部稍用力压，即痛不可忍，腿部诸筋僵硬。脏腑整体调理五天后改为调任脉、腿部分筋，结合搜骨洗髓手法，调理的十天之内，患者腿部及双环跳穴，排寒气多，发凉，十天后转为全身温热舒服，调理至二十天自述腰部有力，早起无痛感，且可坐近三小时无不适感，晨起脚发胀无力症状消失，调理至三十天时结束。

案例分享 2：女，类风湿，怕冷，大热天不能着单衣、吹风扇，胃口差，下蹲困难。治疗时用推背升阳法、调理任脉法、四肢分筋法，结合使用搜骨洗髓法，调理一月结束，患者诸筋柔软，胃口好，身体轻健，怕冷症状消失，2012 年至今未复发。

案例分享 3：女，西医诊断为肺气肿。西医治疗五天，症状表现为不思饮食、胸背腹气胀满、矢气无、呼吸困难，与气结胸症相符。采用通三关，点任脉手法治疗，重点放通背部筋结与腹部诸穴，停用西药。第一次无明显效果，第二次诸穴放通，共治疗七天诸症消失，至今未犯。

——山东邹平　宋淑锋

案例分享 1：女，一岁半。食欲不振，舌淡红，苔薄白，精神还可以，我先给她揉肚脐三分钟，又给她点通腹部穴位，再给她捏一下脊，还没做完孩子就喊着要吃饭，调理完一个半小时左右，孩子就排便了。脏腑推拿真好。

案例分享 2：女，50 岁。在一诊所诊断腰椎间盘突出，腰疼、右腿沉、腰部凉，痰湿体质，腿后侧疼痛。去年，她总感小腹部凉，在我这儿调理过，效果一直都很好。这次我给她用脏腑手法调理两天，她的腰疼痛就减轻了许多，调理第七天时，症状基本没有了，一共调理十七天，腰不疼了，腿不沉了，整个人看上去瘦了一圈，但体重没减多少，脸上皮肤光滑红润，背薄了，肚子小了，腰也细了，我们的脏腑太好了。

案例分享 3：男，一岁八个月。积食，肚子疼，经人介绍到我这里调理，我看孩子有点流鼻涕，小手也很凉，听孩子的奶奶说，孩子昨天下午吐了两口，而且呕吐物有酸腐味。我先点通腹部三穴，点的时候感觉孩子肚子有一硬结，调理完以后，孩子的手温暖多了，而且还有微微有点儿汗，情绪明显好了很多，晚上孩子的奶奶打电话来说，这手法真管用，回到家孩子就饿啦，要吃的，感恩老师传授技术。

案例分享5：女，46岁。在医院工作，由于家里出了一些意外变故，精神受到很大的打击，生活压力也比较大，当时见到她的时候，脸色晦暗无光，两颧骨及面颊全是色斑，睡眠不好，眼圈黑，舌苔厚腻，身体有些肿，乏力，自述上楼梯都很费劲。医院检查结论：桥本甲状腺多发结节，慢性扁桃体炎。第一天我先为她调理任脉和腿部，手法做完以后，她说整个人感觉全是上下非常轻松，精神倍增，心情好了很多。一共调理了十七天，所有症状基本消失。睡眠加深，黑眼圈颜色变淡，脸上有光泽了，全身气力很足，甲状腺炎和扁桃体炎，也得到了很大的改善，脏腑机能调整真的很好，感恩王老师。

案例分享6：女，43岁，身体瘦弱脸色萎黄、苍白，鼻梁两侧有斑，月经黏稠，有血块，血瘀体质，由于在县委工作，年关业务繁忙经常出差时间紧张，年前我只给他做了三天的任脉，做的时候有热流向腿部，久不离去，感觉肚子咕咕叫，睡眠好，想吃饭了，身体感觉很舒服。因事但隔几天他又过来调理，我发现他脸色红润有光泽，看上去有点胖了。当时我还以为只做三天会有效果吗？看来我的担心是多余的。我继续为她调理任脉，气通的很好，还有热流至双腿，很舒服，她姐夫在县医院工作，她姐姐在药店工作，他姐姐的公公是中医，但她还是相信脏腑调整，这也许我经常发脏腑调理文章的缘故吧！感恩王老师教导。

案例分享7：女，72岁，便秘十多年，调理任脉一次，做完后就去排大小便了，睡眠也加深了很多。

案例分享8：女，42岁，经常落枕，脾胃虚寒，手脚冰凉。经常去美容院和按摩店去做调理，但症状没有明显改善。第一天我给整体调理完以后，她说身上有温热的感觉，全身很轻松，脸上也有了光泽，颈椎和肩膀也舒服了。一疗程下来，今天给她调理完以后，身体温暖，脸色红润，皮肤有光泽，颈椎也轻松了。

案例分享9：女，25，脾胃虚寒，咳嗽，长了很多疱疹，昨天调理一次，疱疹明显减轻，全身轻松，睡眠加深，肩膀、胳膊轻松了。

案例分享10：女，45岁，颈椎病，腰痛半年有余，脾胃虚寒。经常去做推拿按摩，效果不佳，又去深圳找中医看，中医也说是脾胃虚寒所致，开了十八付中药，吃了几天，没有明显变化。经人介绍找我调理，我给她先整体调整，操作完以后，她说，的确比吃中药强，现在感觉浑身轻松。当天就把中药停了。第二次调理完，她说腹部不痛了，咳嗽也见轻，脸色明显好转，第三天做完后，腰和颈椎轻松了。脏腑机能调整，真的很好！

——山东泰安　张焕伟

案例分享1：女，四十岁，头疼十多年，曾在市人民医院就诊，被诊断为神经性头疼，原来口服脑宁，后来吃了也不管用了，最近每年都犯病好多次，每次都得三四天左右，每次头疼，都恶心不能动，我给她做脏腑手法时，她说："我这都这么多年了，医院都说没有好办法，按摩就能治好?"结果做头部分筋加任脉两次，好了。感恩老师传授这么好的手法。

案例分享2：最近肠胃病比较多，昨天下午有两个小病号都是上吐下泻，一个三岁，一个四岁，三岁的病重，四岁的病轻，三岁的孩子病到没力气了，躺到床上不动，直接调理任脉，一次见轻，两次痊愈。四岁的用小儿推拿的推手调理，没做任脉，每天见轻但就是不好，四天时哄着也做了任脉，一次好了。

案例分享3：女，45岁。双乳房触痛，有较大硬块，经市人民医院和市立医院确诊为双侧乳腺实性结节，并建议手术，经人介绍来我处，做脏腑调理一个月，所有不适症状完全消失，彩超检查一侧完全正常，另一侧稍有一点小结，患者高兴地说，不但乳腺好了，多年的腹胀也好了，并且快一年了不敢停钙片，一停就会腿抽筋，现在一个月了，从来我这做脏腑按摩后，腿就没再抽过筋，还有多年的膝关节增生疼痛也明显见轻了。如果患者中间不是停顿三次隔开好几天，效果应该还会更好。

案例分享4：男，4岁。咳嗽剧烈四天，晚上也睡不好，我建议给孩子做脏腑调理，妈妈说一天调理两次行不行，孩子咳太厉害了，结果当天脏腑调理一次，第二天一直到晚上才来，妈妈一进门就说，效果太好了，孩子一晚上没咳嗽，今天白天也咳的很轻了，以后有问题还做脏腑。还有一个小病号，三岁多，有鼻炎，脾胃也弱，经常感冒生病，是我店里的常客，做脏腑调理十天，一个半月后妈妈自己来了一趟，专程带了礼物过来，说自从做了脏腑调理后，孩子这段时间一直很好，太感谢了。做了这么长时间脏腑调理发现咱们的手法对提高孩子免疫力效果确实非常好，感恩老师。

案例分享5：手足口病，2016年10月2日，女，8岁，嘴里长了口疮，不愿吃饭，用小儿推拿手部一次，第二天左边脸发红并起了好多红疹，恶心，不吃饭，精神倦怠，第三天，面部红疹片更大了，蔓延至头上耳朵上都有，部分起泡，面肿胀，发烧三十八度，两天水米未进，卧床不敢动，呕吐数次，我赶快给老师打了电话，老师告诉我这就是手足口病，比较重，按老师说的方法做脏腑配合刺血、艾灸。第四天，烧退至37.6不吐了，面部没在发展，也喝水了，并喝了几口面条，继续调理脏腑，第五天，烧退体温正常，脸上明显见轻，红点色浅了，泡泡扁了好多，孩子食欲增加，精神逐渐活泼，继续脏腑调理，第六天，面部更轻了，精神完全恢复，在屋里待不住了，总想出去玩，像吃不饱的，总说饿，脏腑调理继续，第七天，面部结痂了，完全恢复。这次的经历说明脏腑调理不仅对慢性病效果好，对于急症效果也一样很好，这个病来势快也比较重，其实我也比较担心，但每次有心里没底的病例就给老师打电话或微信，老师都会及时耐心地讲解，让我没有后顾之忧，感恩老师，遇见老师是我最大的福气，不仅提高了技术，更多的收获是心性上的，老师的大德，大善，大爱感染着我们每一个脏腑家人，感恩老师。

——山东德州市德城区　张淑英

案例分享：妈妈便秘有 5 -6 年了，我学脏腑回来，手法还不熟练，就用调任脉和推腹清脏的手法给妈妈调理，刚开始妈妈腹部手碰即痛，我只能用很轻的手法调理，一天二天没有感觉，调到第七天，中午妈妈打电话告诉我说，今天排便非常通畅，马桶都堵了……感恩王老师传授这好的手法。

——上海　张自云

案例分享 1：女，29 岁，腰 4、5 椎间盘突出两年，生了宝宝后疼的更严重了，孩子两个月时，躺卧腰痛难忍，需要家人帮忙才可以，抱孩子也很费劲。我用任脉手法给她调理，第三天疼得更厉害，第五天做完明显减轻，自己很轻松就站起来了，一共做了十一次，现在腰腿不疼了，偶尔在躺卧时会感觉瞬间酸的感觉，但站起来就没事了，看上去气色也好多了，她自己说身体感觉比以前有劲，乳汁也多了。

案例分享 2：男，11 岁，两年来几乎每天头晕，吃饭量少挑食，睡觉翻腾，大便不规律，身高偏低，看西医吃药后症状没有改善。我用任脉为他调理，做第三次的时候，孩子告诉我，头晕的次数少了，时间也短了，第五天，孩子的妈妈告诉我说，以前孩子每天放学，坐下来写作业的时候总是擦一大把纸，鼻涕一直流，这两天没了。第八天，孩子说今天在学校没有头晕，孩子妈妈怕反复，我又给他调理了一星期，共做了 15 次，孩子鼻炎和头晕全好。我给孩子做了任脉和面部调理，效果家长很满意。做之前我不知道孩子有鼻炎，后来调理的过程中好了，孩子妈妈告诉我说，鼻炎比头晕好的还快。

案例分享 3：男，六岁。高烧 39.5C，扁桃体化脓，三度肿大，舌苔白厚，口臭，睡觉打呼噜，大便干燥，两三天没拉便便了。我给孩子做了任脉加少商点刺放血，第二天反馈，孩子退烧了，也排便了。我接着给孩子做任脉，让孩子妈妈回家给他拍涌泉，共做了五次，孩子好了，睡觉也不打呼噜，观察扁桃体小多了。之前，孩子妈妈说，孩子经常发烧输液，每次最少输 5 天，这次终于没输液就好了。

——河南安阳　张改珍

案例分享：女，70岁，1米46，140斤。症状：头昏闷、偏头痛、走路小步且不稳。病史：心脏病、脑梗死。调理方案：头部分筋+颈部分筋+搜骨洗髓+任脉。第二天病人复诊，直呼叫好，她感觉自己整体轻松，头昏胸闷好多了，走路的步伐大了、快了！她连续做了一疗程（十天），症状消失大半。我们能为他人解除痛苦，这要感谢老师的辛苦栽培。

首次学习归来至今，总结如下：脏腑调整手法和过去的推拿按摩确实不一样（包括现在的整脊复位）！脏腑调理手法就像打太极，用在患者身上是以柔克刚；传统推拿整脊法是既有柔又有刚，施术者一旦掌握得不好或辨证不对，就容易造成对患者更大的伤害！我很多感慨，文字太多，不方便细说。总之，我觉得脏腑调理是我在学医道路上的又一突破，不对之处望老师家人们指正。

——重庆九龙坡　张锡红

案例分享1：女，70岁。半年前下楼时摔伤，导致右脚背骨裂，打石膏休整两个月，骨伤恢复，但是右腿始终感觉无力，恢复行走后膝盖处疼痛，内侧痛感更强烈。老人体质较弱，肠胃功能不好。任脉加腿部分筋，调理三次后，自述睡眠改善，腿部感觉轻松了。调理十次左右，自述食欲增加，已停用安眠药，腿有劲了，不再疼痛，但是感觉膝盖内侧有一处紧缩。在左手中指八关穴寻到一处紫胀血管，加一次点刺，出血少许。腿部问题彻底痊愈。两月后回访，一切正常。

案例分享2：男，11岁。食欲不振。任脉调理隔天一次。调理三次后食欲恢复，身体再无任何不适。共做十二次，开学后停止调理。新学年体检后，电话告知我好消息，该男孩从幼儿园起每次视力检测均不达标，但也没有佩戴眼镜。这次检查视力，双眼视力都是5.0。在教室坐最后一排都能清楚看到黑板。孩子和家长都认为是意外的惊喜。

案例分享3：男，五岁。体型偏瘦，个头较年龄偏小，易感冒，食欲不佳，孩子晚上睡觉不时抽搐。做了很长时间的小儿推拿，开始有效，但其后作用不大，遂前来尝试脏腑机能调整按摩。背部提振阳气加任脉调理。第一次调理结束后，孩子感觉腹痛，当天下午，晚上和第二天早上共排便三次，拉出很多黑色的羊粪状干便，调理第二天，晚上发烧到38度，但并无任何不舒服。次日做了简单处理即退烧。从第三次调理后，该男孩身上发红疹头顶和头后部疼痛，腿部触感冰凉，但孩子自己不感觉腿冷。跟其母亲解释这些都是调理反应，并要求他们继续坚持调理。调理十次后，所有不适感觉全部消失，孩子自述自己感觉身体都很舒服。调理十五次后，孩子每顿饭能吃很多，开始喜欢吃肉了，以前从不馋肉。其母反映，睡觉很踏实，手脚不再抽动。

——新疆乌鲁木齐市　余蕾

案例分享：男，7岁，主诉，长期肚子疼，纳差。妈妈说孩子天天肚子疼，南京、上海医院查了，各项检查也都做了，医生都说没有事，没有找到原因。孩子脸色暗，没有光泽，躺上床查体，我摸了下肚子，基本还可以，又摸了摸胃，在中脘，建里那摸到小疙瘩。我问孩子，你用手点点你每天疼痛的地方，孩子点的是胃的地方，我又详细询问了妈妈孩子的饮食习惯，孩子平时贪凉，喜欢吃奶油蛋糕，找到疼痛所在。第一次轻揉肚子，给孩子做了脏腑任脉，后背膀胱经拨筋，再给孩子神阙，中脘，建里艾灸，手法做完孩子说肚子暖暖的，很舒服。第二天来，妈妈说，一天都没有喊疼。效不更方，嘱咐妈妈饮食忌口调理。连续做了七天，后因开学中断。十二月底小孩妈妈来找我调理颈椎，告诉我孩子这几个月以来身体都很好。感恩王英华老师教授我脏腑机能调整按摩法。

——江苏宜兴　邹金花

案例分享1：有一个顾客失眠已经半年多了，非常痛苦，一直在用中药调理，奇怪的是，中药吃了以后，马上就能睡觉，但一次不吃就无法入睡，中药是在医院熬好后，真空包装的，她头部两侧大筋和三焦经的地方都很痛，人也很瘦，饮食排便尚可，在给她调理脏腑的时候结合老师说的塞耳法和敷脐法，效果非常好，患者已经完全康复。

案例分享2：还有一位患者，经常感到腹部胀满、打嗝，开始为她调理脏腑的时候，她的肚子里就发出很大的咕噜声，排气也很多，调理五次以后，腹部就没有什么声响了，她连连称赞的这个手法真是非常的厉害，没想到这么多年的不舒服，这几招就搞定了。

——广州白玉区　陈云兰

案例分享1：女，35岁。感冒咳嗽十几天不见好，还有继发性闭经。脏腑调理5天，感冒咳嗽全好，过三天后也来例假。已痊愈。感恩王老师！

案例分享2：男，61脑卒中，请我调理时舌头僵硬，口齿不清，前一天摔了一跤，他说是棉拖鞋质量不好导致的，实际上是脑卒中，脏腑调理4天后，舌头不僵了，说话清楚了，总共调理30天，症状完全消失。

案例分享3：男，48岁。腰椎间盘突出压迫神经致使大腿、小腿疼痛无法干活，吃中药一个月不见好转，其他按摩店做了好久没效果，后来到医院拍片诊断，第四，五腰椎突出压迫神经，来请我调理，我用搜骨洗髓+任脉调理，八次康复！感恩王老师教我这么好的手法，老师是在为天下苍生造福！

——浙江金华　吴剑平

案例分享1：女，62岁，为孙子洗衣服时摔了一跤，她当时也没在意，后来，慢慢觉得腰部疼痛难忍，经医院检查为腰椎滑脱。四处求医，刮痧、拔罐、针刀都试过，也在大医院住院治疗，但效果甚微，偶然机会找到了我，经过我为她调理脏腑一个多月的时间，她心服口服地对我说："在别的地方治疗三个月的效果，赶不上你一个月的功劳，而且不吃药、不打针，还医好了我的失眠、易感冒、胃不好、四肢无力、脚抽筋、大腿肌肉痛，等等很多的症状。"说实话，刚来时，她也说过一夜只睡两三个小时，乏力，连八十平方米的房子拖地，中间也要休息，腿一天要抽好几次筋，等等。想不到这次全好了！而且还说自己如果能像正常人一样该多好，现在她身体完全恢复正常了，谢谢老师！

案例分享2：我嫂子听说喝炮制的某些中药可以可治痔疮，就自己买药泡了一些喝，没想到喝了以后，出现了恶心、呕吐等症状，她难受至极，当时找到我的时候，我心里一点底都没有，就试着用任脉调理了一次，可晚上她还是不舒服。更让我没想到的是，她在我不知道的情况下，她又吃了药。第二天还是非常难受，我又用心再调理了一次，结果奇迹出现了，第二天反馈，昨晚非常饿，身体完全恢复，真是太好了！感谢老师传授我们这么好的手法，辛苦了！

案例分享3：男，48岁，在附近工地工作，看上去特别苍老，他说近两个多月，颈椎特别不舒服，肩上像背了几十斤东西，腰也直不起来，什么法子都用过就是不管用。看他难过的表情，我急忙给他先调理，调理的时候得知他是泥瓦工，这几天胳膊也累的抬不起来，于是就顺便把他的胳膊也调理了一下，操作结束以后，只听他直呼："舒服！舒服！肩上就像几十斤东西没有了，不但胳膊能抬起来了，而且浑身轻松。"第二天，反馈说症状消除了一大半，感恩老师。

案例分享4：我侄女的外公八十多岁了，身体特棒，可就是平时胳膊痛得厉害，穿脱衣服特别困难，当时来找我的时候，由于太忙，就只给他做了臂部分筋，做完后，他当时就只夸这手法真好，连贴膏药都没用，没想到就这样捏巴捏巴就好了，真是太好了！就这样间断的调了三、五次，他自己穿脱衣服已不成问题。感恩老师传授我这么好的技术。

——江苏徐州贾汪区　吴守银

案例分享1：男，47岁，因应酬较多，引起胃胀气，眩晕，用搜骨洗髓加任脉，没有做完就去卫生间了，回来就说，太舒服了，胃不胀了。

案例分享2：女，70岁，因为感冒，头晕眼花，浑身无力，没有食欲，用脏腑手法配合艾灸，两次基本痊愈，胃口也好多了，患者说太神奇了。

案例分享3：男，61岁，每天睡觉右手臂都会因麻木而醒来，我用颈部和臂部分筋的手法，为他调理五次，症状基本消失，而且睡眠也比以前好多了，非常感恩老师神奇的手法。

——江苏扬州　赵发明

案例分享1：女，24岁，从去年生小孩后就怕冷，夏天还盖两床被子，脚上穿着袜子睡觉，四肢畏寒，长期干咳，易感冒，月经来得少且色暗，没精神，以前有颈椎病和背部酸痛，我去年用颈椎病手法和刮痧一次就症状消除，至今未犯，这次又来请来调理，我用背部升阳和任脉法调理手法操作，三次就有明显效果，她非常高兴。效不更方，接着照上述方法调理五次，就改用调任脉和点通督脉法调理三次，后又背部升阳加调任脉两次，共计十次而愈，现可穿短袖短裤外出不怕冷了，也不咳嗽和感冒了，很有精神，且月经量也多色变红了，很感谢我。感谢王老师传授这么好的技术。

案例分享2：女，55岁。在医院断断续续住院近两年，查不出病因，她的症状是，两腿酸软无力，睡眠不好，没有食欲，体虚怕冷没精神。朋友介绍我帮她调理，可她开始不相信，后来朋友多次劝说，她才勉强同意。我先用背部升阳手法调了一次，她吃惊地说现在身体舒服多了，我又给她调了任脉一次，她说现在全身轻松精神多了。第二天反馈说，昨天中午居然能吃两碗饭了，调理前，小半碗饭都吃不下，很高兴。共给她调了12次（其间也用调督脉法与调任脉法结合用），一切恢复正常，吃得香、睡得沉，期间自己也可以持续走40分钟的路，过来找我调理。

案例分享3：女，4o岁，养生馆老板。医院检查结论：脾肿大。主诉，发困没精力，睡眠不好，没有食欲，不知道饿的感觉。因肝胆不好，不敢吃油腻的食物。开始先用背部升阳和调任脉法给她调理一次，她说："全身轻松舒服，这才是传统按摩，我们做的项目手法哪里有这个效果。"刚开始她的左侧脾部很硬，在调任脉的点通章门、左梁门、右石关后，就有所软化了。第二天她说昨晚睡觉香了。共调十次，除了脾肿大没多大软化外，其余症状恢复正常，尤其是有饥饿的感觉了，并且偶尔也能吃点油腻的食物。

——贵州都均　杨文忠

案例分享1：男，28岁，高血压发作有半年的时间。吃药控制，但是不敢停药！主诉：家族性高血压。他是家族中最年轻的发病者，在小时候上学的期间，就有基础血压偏高的这种情况出现，并且平时经常过量饮酒。患者情况属于先天禀赋不足，阳气虚弱。初期调理，以脏腑整体套路调理为主，重点颈部和背部。后期以调任、督脉为主。三次后血压稳定，十次之后血压基本正常。为了巩固效果，叮嘱他又做了十次，停止服药，注意不饮酒，生活有规律。一年时间过去后随访没有复发。并且发现，他的基础血压比他以前还要好一些。非常感谢老师传授技艺。

案例分享 2：女，70 岁，右腿膝部疼痛，主诉，三年前的时候扭伤过脚踝。触诊，足踝压痛，臀部紧张。初步分析是几年前老人脚踝扭伤后未完全康复，右腿又长期紧张，导致气血不畅，营养不了肌肉和筋骨。脾胃是气血生化之源，营养身体的肌肉脏腑。老人普遍存在脾胃功能弱，气机输布功能下降，肾亏虚这些情况。造成局部症状的显现出来。如果只做腿部按摩当然效果不理想！根据这个情况：我主要用调任脉恢复肝，脾功能。肝主筋，脾主肌肉。然后，又给她做了腿部分筋和背部升阳。一次之后，症状轻微减轻，三次之后明显减轻，十次做完之后基本上没有症状，随后进行跟踪随访，阿姨出去两个月旅游没有出现过腿痛症状，而且精神状态和食欲都非常好。

案例分享 3：一六年六月份，一位孩子妈妈，前来做调理，主诉：冷水洗头之后造成，好几个月停经的症状，通过两次任脉调理，月经来了。

案例分享 4：一个小孩儿反复咳嗽。在两个月之前，这个孩子咳嗽的时候，通过吃药、打针效果较为理想，后来又去做推拿保健，也是效果不错。但是，这次到了十二月份之后，推拿和吃药效果都不是很好了。这个孩子的咳嗽，我主要以为他是正气不足、气机紊乱所致。所以突然想起王英华老师当时讲的，在做脏腑推拿的时，遇到一些气机紊乱的时候可以先从四肢远端去做，通过四肢对应点来进行调理气机。然后再脏腑调理，调理脾胃和肺的时候，效果显著。用这个思路给孩子调理一、两次效果就出来了，咳嗽明显减轻。

案例分享 4：一位女士，她的主要问题是腹胀，失眠，情绪不佳，易怒经常和孩子，老公，父母吵架。脸色是发暗的，肚子是比较胀。主要是肝气不疏。脾胃胀满。第一次给她做疏肝理气调理手法之后，排气很多。调理三次之后肚子明显的减小，而且失眠症状明显改善。进一步用任脉调理和背部升阳法。她的情绪也得到了很好的改善，吵架生气的情况减少。后期主要做了一些巩固调理，心理疏导让她多穿一些鲜艳的衣服，和家人一起出游，有了很大的改善，很少和别人争吵。在单位和同事相处也较好，和家庭关系也较为和谐，自身的精神面貌有了很大的改善，面色年轻有光泽。所以非常感谢！，王英华老师给我们讲授脏腑推拿的调理，以及心性调整与疾病的关系，其意义深远。

——河南洛阳市洛龙区　洪涛

案例分享 1：女，20 岁。肩颈酸痛、痛经，每次来例假都要卧床休息，吃止痛药。我选用颈部分筋、搜骨洗髓、任脉的部分手法给她调理一次。几天后她很高兴地反馈说，这次来月经没有痛。

案例分享 2：男，67 岁。两手麻，右手痛，右臂不能上举和后背，去做针刀，但症状没有缓解，反而手臂后背的过程，疼痛更为厉害。我选用颈部分筋、臂部分筋、搜骨洗髓、任脉的部分手法，断断续续调理了六次，手不麻了，右手上举、后背，疼痛基本消失，只有做针刀的部位还有点疼！

案例分享 3：女，68 岁。三年前右脚踝骨折，导致小腿一直浮肿，走路疼痛，下楼梯不利索。选用搜骨洗髓、任脉、腿部分筋等手法。第二天她就说下楼轻松了，再看小腿浮肿减轻了很多，几乎看不出来。

——浙江杭州富阳区　徐红云

案例分享：女，27 岁。乏力，经常性腹痛，第一人民医院，第二人民院，中医院，妇幼保健院检查得出结果：子宫内膜异位，宫底膜增厚。而且医生明确告诉她想怀孩子的概率很低！经过脏腑调理五次后，脸色白皙通透，调理前说话声音沙哑，感觉发不出音，调理两个疗程后声音明显清晰，气色红润！腹痛消失，身体轻松舒适，半年后怀孕，很开心地告诉我：她去产检时中医院主任热切地祝福她，说她能怀上孩子真不容易！脏腑手法让我看到了希望，2017 我更有信心把脏腑做得更好！

——江苏常州钟楼区　徐婉英

案例分享 1：女，43 岁。颈椎左右不能转动，头重如裹，虚胖，腹部游泳圈大，选用颈部分筋部分手法、任脉、推背升阳的部分手法调理，操作结束后，她说感觉非常轻松和舒适，第二天反馈，睡眠加深，肌肉紧绷感消失。继续选用颈部，任脉，督脉手法部分手法调理。第三天反馈排便稀，而且热得烫肛门，一天排便三次。而且自己感觉腹部的赘肉有了紧绷的感觉，睡眠加深，朋友很开心，趴在床上连声说：这个手法很神奇，效果怎么这么好？不但能祛除疾病，还能减肥。她曾因为颈椎痛在中医推拿馆连续拔罐、按摩、艾灸 15 天效果一般，感谢王老师教我们脏腑机能调整手法。

案例分享 2：女，41 岁。便秘，身体乏力、酸痛。为她选用任脉调理和背部的手法操作，第二天晚上睡眠很深，一觉醒来浑身轻松，排便了。后来断断续续又做了几次脏腑调理手法，下半年一次来店里做调理时说，近几年夏天因为肠痉挛，每年都要去医院吊瓶，今年夏天没有吊瓶。脏腑机能调整手法是真的很神奇。

案例分享 3：女，42 岁，头晕眼花，低热。我用头部分筋手法为她调理，第二天反馈昨天回家后浑身出汗，今天早上醒来整个人轻松多了，她很奇怪地说，按摩时她没有多少感觉，怎么就好了呢？脏腑手法的神奇就是谁做谁知道。

——江苏南通如东县　奚新梅

案例分享1：女，40岁，血压48/75，自我感觉几乎说话的力气都没有。经县级医院治疗无效后，医生建议到上海大医院检查脑垂体是否有问题？我抱着试试看的心态给她做脏腑调理，加服补中益气丸，调至十天时，血压已升至60/100，身体也恢复正常，当时正好一起学习脏腑的山东张淑英同学分享调理月经周期短的案例，与她交流以后，手法继续调理脏腑至来月经，她很高兴地告诉我：这次是30天才来的例假。感谢王老师传授给了这么好方法。

案例分享2：男，45岁，腰椎间盘突出，走路需要他人搀扶，在中医院针灸牵引十次，症状改变不大。经人介绍至我处，诊断为寒湿瘀堵引起，用推背升阳和疏通任脉手法疏通任督二脉，半小时结束调理；第二天来时症状减轻三分之一，效不更方，继续用前一天手法，6次后症状全部消失，再次见证了脏腑按摩的奇特效果。感恩老师！

——江苏省海安县　陶贵祥

案例分享1：两周半小女孩，因肠套叠住院挂水一天，因家长实在不忍心让孩子继续打针，打电话咨询我能否推拿解决，当我答应家长的时候，突然有点惶惑，毕竟是第一次接诊此病例，心里没底，寻求老师支持："没问题，不用打针，可以试试任脉。"顿时信心倍增……下午小女孩来时，面黄，唇红，舌质红，几乎无苔，腹胀，妈妈告知已两天未大便，果不其然，我用任脉手法做完，没出几分钟，小女孩吵着要大便，妈妈连说太神奇了："刚做完就大便……"感恩老师的信心支持和手法之神奇。

案例分享2：女，7岁。感冒、发烧肚子疼输液两天无效。体温是40.6度，面色淡黄，下眼袋青，鼻翼两侧青，舌质红，地图舌，已两天未大便，探其腹部，肚脐周围疼，做完任脉后，在少商、商阳、关冲点刺放血，第二天调理前，妈妈述说回家后就睡而且出汗多，下午来时测量体温38.6，有点恶心，第三天，烧退有点头晕，舌苔已不是地图舌，妈妈欣喜地说，从来就没看过这么好的舌苔，以前都是花里胡哨的，这个脏腑真神奇，第三天下午妈妈高兴的打来电话说，孩子已正常排便。

案例分享3：两岁小女孩发低烧两天前来推拿，脸色偏黄白无光泽，下眼袋和鼻翼两侧青，右眼分泌物多且眼白稍微有点发红，舌质红，稍微有点剥苔，化验单是白细胞21.6，淋巴和单核都高，腹胀，医院给开的是消炎和抗病毒的药，因为宝宝吃药就吐所以前来推拿，我对家长说只能推推看，如果推2天烧不退，最好还是配点消炎药，因为白细胞太高，正常推拿我们是白细胞超过15，我们就建议吃点消炎药……第一天做的任脉，第二天就几乎不烧了，第二天仍是任脉手法，第三天来时烧已退且眼睛分泌物已几乎没有，调理时，因为孩子实在躺不住，观其脸色虽然白但已有光泽，舌质和嘴唇也没刚来时那么红了，而且比刚来时已明显有力气，我就用脏腑小孩推拿三穴齐点的手法，手部又加了几个手法，没想到下午去验血时白细胞已降到10.16，淋巴和单核也基本正常，这是我没有想到的。

案例分享4：昨天给母女俩分别作了脏腑调理，女孩10岁，呕吐，厌食，不爱动弹，女孩做的过程中排气很多，问她感觉如何，她连说太舒服了，简直就是一种享受，做完就想吃东西，而且感觉精神大增……宝妈做完任脉调理也反应很舒服，尤其做完一个胳膊分筋，说两个胳膊感觉就是不一样，我笑着又给她做另一侧的胳膊，并告诉她此手法可调理的多种疾病，宝妈高兴地说改天让老公也来调理。

案例分享5：孩子两周半，两腮微红无光泽，舌淡红苔白厚腻，唇深红干燥，肚子微胀，流涕干咳，两天未排便，做完常规手推，本来想让孩子躺在床上给做脏腑小儿三穴起点即可，看孩子特配合，就顺便把任脉做完了，妈妈觉得惊奇，正好也不舒服，要求给她也调理一下，她气通的特别好，肚子咕噜咕噜的，我顺势与她沟通，让她凡事想开点，不要老生闷气，身体健康最重要，高兴一天，不高兴也是一天，不到30岁，身体这么虚，还出现了一个小插曲，宝妈调理的过程中，宝宝排便了，妈妈连说太神奇了，等妈妈做完，哈欠连天想回家睡觉了。

案例分享6：孩子9岁，面色黄而无华，舌质正常，舌苔黄润，其母述说怀孕前自己便秘，怀孕后自己便秘好了，但是孩子却是从小就便秘，一般两天一便，排便困难、干硬，有时带血，孩子一到排便时就如热锅上的蚂蚁，我给做的任脉，第一天孩子做的过程中睡着了，第二天孩子妈妈高兴地说回去排便了，舌苔有点白厚，而且做的过程中我每调理一个穴位，孩子都说有一股热流到脚跟，难道这就是老师所说的“小儿脏腑轻灵，随拨随动”？第三天来推拿时虽然没排便但是事出有因，因为清明节回老家（其生活习惯变了），只会蹲马桶回家找不着感觉，调理的过程中，孩子说有便意，回家就想大便，同时操作的过程中孩子又会告诉我热流到脚跟了……第四天来推拿，宝妈说昨天下午，孩子破天荒的拉肚子了（从小没腹泻过），第七天的时候宝妈说便便已经是一半是黄色大便了，不像以前那么黑硬了，此小男孩一共做了12次，大便已基本正常，天生就便秘的孩子会恢复的这么快？这在以前连想都不敢想的。

案例分享7：七岁小男孩感冒咳嗽发烧来推拿，面黄无光泽，下眼袋青，唇红，舌质红粗糙，舌苔白厚，任脉调理，3 天烧退咳嗽减轻，一共调理了 7 天，有意思的是来推拿时两颗大门牙晃悠，第二天来时两颗大门牙正好掉了，我告诉小男孩及父母，门牙掉的真是时候，做着脏腑，门牙肯定长得特别快，果不其然，调理结束时门牙已是“小荷才露尖尖角”……家长连说神奇，没想到还可以促进长牙，这次推拿真是超值了

——感冒好了，健康了，牙又发出来了，一举三得。

——山东日照东港区　高小茜

案例分享 1：薛某，男，是我小学和初中的同学，一天，他向我询问夜尿频多能否好调？我说可以试试。于是就给他调理了一下任脉，一周后又连续做了四次，开始我也以为可能没什么效果，哪知他告诉我，以前一晚起夜三四次，现在已经不用起夜了，让我颇感意外；春节回家又为他连续调了三次，他说身体变得很温暖，没以前那么怕冷了，精神很饱满。

案例分享 2：男，50 多岁，左手扭转困难，我用臂部分筋法为他调理了一次，他试着转了转说已有好转，但还是痛，我让他按我说的方法活动了手臂，找到病根后又做了一分多钟，再让他试试，试过后说已经完全不痛。

——广东深圳　週阿勇

案例分享：女，8 岁，从小吃饭胃口不是很好，吃肉类食物易难消化。做脏腑调理五次，做第一次时感觉肚子特别硬，我先给她摩腹几分钟，在调到建里与中脘穴时特别疼，稍微一疼就拒绝。第二天我请教了一下王老师，老师让我调理前先在孩子的手臂处进行按揉，但是她感觉手臂也是特别疼，我稍按了一会。然后再做脏腑调理，当再次调到建里时，疼痛消失了。第三天调理时，出现气通的感觉。饭量也跟着有所增加。时膈两个月，孩子竟然长了 5 ~6 厘米。感恩王老师传授的神奇的脏腑调理，助孩子长高领先一步。

——河北邯郸　崔芸萍

案例分享 1：女，41 岁，肝炎，目前已有肝硬化的倾向。乳腺增生，子宫肌瘤，痛经，易上火。身体瘦弱，脸色青中带黄，我帮她先做艾灸，灸神阙，三阴交，涌泉。灸完做搜骨洗髓背部 + 拨米字 + 任脉，做到了五次，肚子胀气即减轻很多，做了六次来月经没痛。做了十次，脸色开始变白皙，乳腺增生疼痛感减轻。肚子摸上去也没那么硬了。因为她工作压力大，时间不定。所以来调理的时间不规律。有时候要隔好几天才来一次。目前还在调理中，她说对脏腑调理有信心，会坚持下去。

案例分享 2：女，10 岁，胃口差，感冒引发气管炎，喉咙口发出很大的气喘声音。根据孩子的情况我选用任脉 + 搜骨洗髓的部分手法，艾灸肺腧、风门、合谷、神阙、涌泉，当天做完就好了很多，回去后胃口很好。第二天

来发现有点上火，在少商刺血，刺完按照第一天的方法又做了一遍。后来因为忙着期末考试，就没再来。过了几天打电话给她妈妈，基本好了。

——江苏常州　黄叶华

案例分享 1：女，22 岁，针灸医生。从小喝凉茶、吃冷饮伤了胃气，从小时有记忆以来，就没有饥饿感，体瘦气弱食少，用任脉调理三次，推腹行气一次后，开始出现久违的饥饿感，食量增加，人也精神了很多，继续调理三次后，整个人容光焕发。

案例分享 2：女，36 岁，儿科医生。腿部酸痛好几天，晚上找我调理，因太晚打算只为其做腿部分筋，她反映有一次也是腿部不舒服，只做了任脉即大见效。帮她做完任脉后，果然好了一大半。

案例分享 3：病人平素有忧郁症，病发颠顶痛甚，为其针灸肝经穴位及艾灸腹部，略微改善但不明显，试着为其做任脉调理，刚做了开地门后病人即觉头部轻松了，做完任脉后，他感觉身体轻松了一大半，仅余少量不适，收效之迅速出乎意料。感恩老师。

——广州番禺市桥　曹浩生

案例分享 1：女，42 岁。失眠十几年，难入睡，睡后稍有动静即醒，多方求医疗效不佳。近日因生气头痛难忍来找我调理，我选用头部分筋、颈部分筋、任脉的手法给他调理一次，次日面带笑容而来，说近几年没睡过这么好的觉了，头也不疼了。后间断性做了 20 多次，睡眠质量很好。

案例分享 2：男，76 岁。扭腰岔气，腰痛三天。现屈腰而行，转侧痛剧，腰背因拔罐灼伤。做腿部分筋任脉重点做通腹部与腰痛对应点。一次即愈。

——内蒙古鄂尔多斯　梁万龙

案例分享：男，48 岁。高血压史，药吃了十多年，血压还是 110/180，晨起头晕。去医院检查，医生建议让他换药，我在给他岳母调甲减时，他看到效果神奇，也让我给他调理一下，我先就脏腑整体套路给他操作，调理第五天时，他说早晨起来头不晕了，我让他把药减半，效不更方，调理至第十天时停药，血压是 95/145，交流中他说还有静脉曲张，我让看一下双腿，他挽起裤腿惊讶地说，静脉曲张竟然没了。继续巩固调理十天，至今过去有一个多月了，他过来反馈说，血压一直稳定，精神头十足。感谢王老师让不可能变成了可能，让我们共同努力把脏腑做得更好！

——山西高平　焦海燕

案例分享 1：男，30 多岁，肩臂痛半月，手不能举筷进食，臂部分筋一次，既能举筷进食。

案例分享 2：50 多岁。膝疼不能回弯，腿部分筋一次，行走自如。

案例分享 3：女，50 多岁，颈部痛多年，疼时晚上倚在墙角不能睡，十分遭罪。经过颈部分筋三次，症状消失。

脏腑班诠释了生命的意义。我真的很幸运，有幸聆听脏腑机能调整手法生命学的课程，有多少人到头来还活的稀里糊涂，不明白人活着的意义和存在的价值。作为一名脏腑人，我们真的要静下心来，认真思考如何解决患者身体的病痛？如何解决患者精神层面产生病痛的根源？管住口，守住心，找到根（脏腑机能调整生命学的九字宗旨）！治病是标，救人为本！做好我们该做的事。愿脏腑人抱元守一，在先生的引导下，共同传播脏腑文化，让更多人受益！共同完成先生的愿望，完成我辈的愿望！甚兴！感恩先生大德，大义！！！抱定初心终不悔，一蓑烟雨任平生。

——吉林长春　温丹峰

# 附：脏腑机能调整手法生命学培训内容

## 第一部分：脏腑机能调整手法生命学的相关理论

### 一、《道德经》与脏腑机能调整手法生命学

《道德经》说："天下万物生于有，有生于无"，"道生一，一生二，二生三，三生万物。"《周易》"易有太极，是生两仪，两仪生四象，四象生八卦。"这几句话的意思是说，宇宙生于无，无中生有，有即一，一生二，为阴阳两仪，阴阳衍生为三阴三阳六气（太阳寒水、少阳相火、阳明燥金，太阴湿土、少阴君火、厥阴风木），在天为六气，在人体为六经，在地为五行（金、木、水、火、土）。两仪生四象：太阴为冬，少阴为秋，太阳为夏，少阳为春。四相生八卦，八卦类万物。物以类聚，人以群分。存诸内必形于外，脏腑机能调整就是靠其外在的表现来揣摩其内在的病变。

### 二、《庄子》与脏腑机能调整手法生命学

庄子提倡"天地与我并生，万物与我为一"教会我们透过现象看本质，直指生命的本源，《庄子》就是告诉我们在面对疾病的时候，要学会从一个疾病的范围以外看问题，比如，一位腰椎间盘突出症的患者，我们把注意力都放在间盘突出的位置，就会影响我们整体的判断，忽视导致椎间盘突出的原因及脏腑的问题。

### 三、《周易》与脏腑机能调整手法生命学

中国的历代著名医家都非常重视对于易学的研究工作。药王孙思邈说："不知易。便不足以言知医。"张景岳曰："医易相通，理无二致"。"天地之道，以阴阳二气而长养百骸。易者，易也，具阴阳动静之妙；医者，意也，合阴阳消长之机。虽阴阳已备于内经，而变化莫大乎周易。故曰天人一理者，一些阴阳也；医易同源乾，因此变化也。岂非医学学者，靡不精通易理。而凡精通易理者，于中医学说则多有发挥。医易相通，相得易彰，岂非偶然。"《医门棒喝》则说："是以《易》之书，一言一字皆藏医学之指

南。”唐朝著名医学家王冰，在《黄帝内经素问注》之中，就运用易理来注解医经。这充分说明了《周易》对中医学的重要影响。我从九十年代学习《周易》，在脏腑机能调整临床中，遵循《周易》的指导，对提高疗效有极大的意义。



### 四、春夏秋冬四季变化与脏腑机能调整手法生命学

春夏秋冬是四季的变化，但所含深意，与人的身体、运气、疾病，息息相关，这个理论不完全同于中医的运气学说，是我在长期的临床中，总结和完善出来的，此法不但能找出疾病的根源，而且能把握疾病的走向，尤其是对待重大疾病，更是起到事半功倍的效果。

### 五、全息疗法与脏腑机能调整手法生命学

《庄子·天下篇》曰："一尺之捶，日取其半，万世不竭。"这句话的意思是说，"一尺之捶"，今天取其一半，明天取其一半的一半，后天再取其一半的一半的一半，如是"日取其半"，总有一半留下，所以"万世不竭"。一尺之捶是一有限的物体，但它却可以无限地分割下去。这个辩论讲的是有限和无限的统一，有限之中有无限。二千多年前我国哲学家庄子的这句名言，早已含有中医的"全息"理论。中医认为，人体的任何一特定部分，都在不同程度上包含有整体的信息，也就是局部等于或近等于整体，局部就是整体的缩影，如：察寸口脉搏的变化，测全身脏腑气血的盛衰虚实；观舌及苔的变化，验全身脏腑气血的表里寒热。针刺井荥输经合，调节十二经；按摩皮肉筋脉骨，调理精气神。如果某些脏腑器官等有病理变化，就会通过相应的体表反映出来，根据这种反映在人体特定的穴位、压痛点或反射区输入相应的信息，就能调节和改善相对应的组织器官，乃至整体的生理功能，从而达到诊断和治疗疾病的目的。20 世纪 80 年代初我国著名生物学家张颖清教授提出：在物质世界、自然界和人类社会文化方面以及在这三者之间，在整体与局部之间、局部与局部之间或整体与整体之间，广泛存在着结构、功能、过程和周期等形式的全息相关关系。

# 第二部分 脏腑机能调整手法生命学的相关内容

## 一、推腹行气法

经常有长期从事脏腑点穴临床的朋友，给我打电话问这样的问题：“有些患者，经过一段时间的任脉调理以后，病情在好转到一定程度以后，再向好转的方向发展，缓慢了一些，甚至很长时间停留在一个状态上，变化较慢，让人觉得非常棘手，如何处理这个问题呢?”在解答这个问题以前，首先要弄明白人体经脉气血运行的根源在哪里呢?《黄帝内经》云：“手之三阴，从脏走手；手之三阳，从手走头；足之三阳，从头走足；足之三阴，从足走腹。”根据十二经脉这种分布规律，不难发现人体有一个天大的奥秘，阴经与阳经在手足交接。阳经与阳经交接在头部；而阴经与阴经交接在腹部。冲任督均起于小腹之内胞宫之下，形成“一源三岐”的人体生命点。

任脉有统化全身各阴经，主管五脏的作用。

督脉有总督全身各阳经，主管六腑的作用。

冲脉有总领全身气血的作用，在任督的共同调节下，通过经络营养全身五脏六腑。痰湿瘀毒、寒凝积聚于腹部，堵塞经脉，造成经脉不通，气机升降不畅，严重影响了经脉正常运行，而成为万病的根源。所以，在遇到经过一段时间的任脉调理以后，病情在好转到一定程度以后，再向好转的方向发展，缓慢了一些，甚至很长时间停留在一个状态上，变化较慢的患者。可以运用“推腹行气法”，效果令人满意。

1. 聚气敛神

神阙穴为任脉经腧穴，居于任脉，任脉为阴脉之海，与督脉相表里，二者皆经过脐。脐又为冲脉循行之所，冲脉为十二经脉之海，故冲、任、督三脉“一源而三歧”，皆交汇于脐，故脐为经络之总枢，经气之汇海。加之奇经八脉纵横上下，沟通内外，所以脐与百脉相通，内联五脏六腑，外达四肢百骸。神阙穴位于脐之中央，具有“上至泥丸，下至涌泉”之效力，又为先天之本源，后天之根蒂。神阙为任脉上的阴穴，命门为督脉上的阳穴，二穴前后相连，阴阳和合，得天独厚，是人体生命能源的所在地，故能调和阴阳、扶正祛邪、温补脾肾，所以，古代修炼者把二穴称为水火之官。

2. 运化中气

由张伯端真人《八脉经》可知，中宫的位置，是重中之重，道书有时称中宫为中黄，中在五行配土，土为黄色。“中宫”，按阴阳八卦的理念，它是金、木、水、火、土五行的“土府”。所谓“四象五行皆籍土，九宫八卦不离壬”。不能简单地理解为肉体的某个部位、胃脘，或者是“胃”部。这些都是片面的，近代还有人将解剖中看到的肠系膜理解为中宫，实际上中宫是针对魂和魄的生命层次讲的。中宫在肉体的投影大约就在阑门穴中脘穴一带，中医补土派李杲以专治中宫的胃气为主。中宫对于一个人的健康长寿和养生修道，实在是太重要了。

在运用脏腑机能调整手法时，有时中宫气机发动表现在生理上为肠胃有气泡在滚动，乃至听到肠鸣音，内在有如气泡声音等感觉的时候，这便是脏腑机能调整初步的征效。也很可能在同一时期，有打呃、嗳气、矢气、食欲增加、排便通畅等等现象的出现，以便肠胃真正清理净尽，感到头脑清新、呼吸通畅、神清气爽，各种疾病得到改善。

待胃气上行，任脉调通后胸间“膻中”部位，自然有豁然开朗之感。甚至还可感受到心脏气血的运行，似乎有种种声音发出的声音，此时自觉如有物下沉、元气充盈、呼吸通畅、神清气爽的自然反应发生。

当任脉的下行气将通丹田气海的时候，小腹和耻骨以上的神经，都自然而然会有刺痛的感受。等到这种刺痛感觉完全过去，气机直达“海底”贯到生殖器（女性仅到子宫部位），小腹甚至出现温热的反应。

3. 太极运转

治病切记关门打贼，腹部为百病之源，起手按摩，唯恐瘀滞无循行之路，易招痛苦，故对于闭塞一类疾患，必在一些可影响人体整体机能的部位，首先开而导之，以期气血通畅，开启闭塞之门户而愈诸疾。不开门，疾病也不能从根本上治疗。本法运用得当可起到疏通气血、通经活络，增强人体的免疫能力和抗病能力，营卫气血，平衡阴阳，扶正祛邪，动员机体的潜在能量，调动人体气血的正常运转。对防病治病，增强体质，益寿延年，清理隐藏在身体内部的阴浊，净化气血，具有可靠的功能。

4. 调运玄牝

《道德经》云：“谷神不死，是谓玄牝。玄牝之门，是为天地根”。谷神指虚灵之神，指元神。《黄帝内经·灵枢经》：“天谷元神，守之自真。”人体有三处要穴：一为天谷泥丸，为藏神之所；二为应谷降宫，藏气之所；三为灵谷关元，藏精之所。“玄牝之门，是为天地根”。即是阴阳交合的门户或交合的场所，也就是交合的部位。老子虽未说明这个部位在何处，但玄为天在上，牝为地在下。玄天在人为泥丸宫居上，藏神之所，中有应谷降宫，藏气之所，则其下必为灵谷关元，是谓藏精之所。因精能化气，故关元穴才是修身体道的门户所在，才可以称为狭义的“牝”，为心与身的根本所在。

## 二、搜骨洗髓法

搜骨洗髓法的施术位置都集中在奇经八脉的范围之内，奇经八脉中，只有任、督两脉有专属的穴位，并统领其余六脉，奇经八脉为人身元气和“阳神”运行集会的管道和宫室，管道和宫室是比喻的说法，为人体元阳之气（先天真一之气）运行停留的场所，他对人的生死有重要的意义，也可以笼统的理解为奇经八脉为魂和魄的生理构成。但是以阳为主，奇可做阳来理解，也就是说奇经八脉对阳气的影响较大。奇经八脉影响着阳气所走之路，这个系统，并不是十二经脉的系统，但奇经八脉却辅助支配了十二经脉。督脉主司气的作用，影响支配着全部脊髓神经系统。任脉主司血的作用。带脉在中间，对于女性最为重要，凡妇科的毛病，每与带脉有关。特别要说明的是，任督两脉的路线与中医中记载的有些差别，明·李时珍撰《频湖脉学·奇经八脉考》中提到：“丹书论及阳精河车，皆往往以任、冲、督脉、命门、三焦为说，未有专指阴跻者。而紫阳《八脉经》所载经脉，稍与医家之说不同……”

1. 通三关

人体有三百六十五个穴位分布全身，恰与天体三百六十五度相吻合，因此认为人体本身也是一个周天。如果真气沿着上半身的任督二脉循行一周，就是转了一个小周天，如果真气沿着全身十二正经，奇经八脉都转到了，也就是在全身三百六十五个穴位转了一周，那就是转了一个大周天。这就是周天的来历了。小周天须通三关，三关是指督脉上三处内气不易通过的地方，这三处地方分别是尾闾关，夹脊关和玉枕关，

尾闾关：为下关，在人体尾骶骨之末节，或指长强穴之所在，为任脉向督脉过渡之处，亦为任脉之阴与督脉之阳交会之所，也是一个孕育精气和封藏先天元气的地方，也是“元气、肾气”所居之地。《金丹大成集》：“水火之际曰尾闾关。”亦叫虚危穴、尾闾穴，或称为天人合发之机，子母分胎之路，精气聚散常在此处，水火发端也在此处，阴阳变化也在此处。道家认为此穴“系人生死岸头”，仙家称为生死窟，可见其多么重要，也是修炼通关最难处。

夹脊关：道家认为：“夹脊关一堵，神仙也无路。夹脊一通，百病不生”。从这句话中，夹脊关在道家手传珍本《东海游踪密旨》中特别指出，夹脊关的双关之称有另一层特别含义，夹脊关曰辘护关，因脊柱节节似辘护；又称为内关。故言：“辘护个个迭得齐，夹脊关内藏玄机，此关在内也在外，长寿须得问夹脊。”脏腑机能调整按摩法，以手法刺激夹脊关，对各

种疾病的康复有积极的作用！

玉枕关：又名玉京关，为上关，即玉枕，位在枕骨粗隆上缘。《金丹大成集》："脑后曰玉枕关"。由此上行则可会于泥丸宫，完成任督二脉通，达到任督二脉循环周流，当然也至关重要。

2. 理三焦

脏腑机能调整以调气为宗旨，《难经》三十一难说："三焦者，水谷之道路，气之所终始也。"三十八难说："所以腑有六者，谓三焦也，有原气之别使，主持诸气。"六十六难说："三焦者，原气之别使也，主通行三气，经历五脏六腑。"原文明确地说明三焦是人体元气（原气）升降出入的道路，人体元气是通过三焦而到达五脏六腑和全身各处的。

元气，为人体最根本的气，是生命活动的原动力。元气根于肾，通过三焦别入十二经脉而达于五脏六腑，故称三焦为元气之别使。气化之终始，始于三焦之何处，终于三焦之何处？焦，膲，膲三字通用(《难经注疏》)。凡骨肉脏腑空隙之会，总称为"膲"。《黄帝内经·灵枢·背腧》："肺腧在三膲之间，心腧在五膲之间"。凡膲内空间必有膜、筋、络、孙络、血络等细微结构。凡膲膜所组合的屏障结构必有膲之原的空隙通透性管道。三焦既有名，必有其象，有象必有形，有形必有其结构，凡结构必有屏障系统与空隙管道、中空的腔腑、空窍系统。《中藏经》认为三焦"总领五脏六腑、营卫经络，内外左右上下之气也；三焦通，则内外左右上下皆通也，其于周身灌体，和内调外，荣左养右，导上宣下，莫大于此也。"把有形脏腑，行气经络，与无形原气揉合于一体，仍处于一个巨大的混沌状态，隐态地折射出"周身灌体"的三焦膲膜之体的有形腔腑屏障结构，与三焦膲膜之"原"的空隙，孔窍、腔囊，管道的通透性无形原气、气化空间通道。

《中藏经·论三焦虚实寒热生死逆顺脉证之法》对三焦通行元气的生理作用作了更为具体地描述："三焦者，人之三元之气也，号曰中清之府，总领五脏六腑、营卫、经络、内外、左右、上下之气也。三焦通，则内外左右上下皆通也，其于周身灌体，和内调外，营左养右，导上宣下，莫大于此也。"因为三焦通行元气于全身，是人体之气升降出入的通道，亦是气化的场所，故称三焦有主持诸气，总司全身气机和气化的功能。如果元气虚弱，三焦通道运行不畅或衰退，就会导致全身或某些部位的气虚现象。

3. 调三压

颅压：颅内压增高，颅腔内容物的体积增加导致颅内压持续在 2. 0KPa 以上，从而引起的相应综合征，如头痛、高血压、脑溢血、脑血栓、面瘫、美尼尔氏综合征。主要调节部位：桥弓、斜方肌、半棘肌、项韧带。本手法重在疏通阻塞、消除黏滞，通畅气血，使头部清醒舒适。

胸压：胸压升高，胸腔内空间变小，心脏受到压抑，心搏血能力下降，每搏输出量减少，动脉压下降，因此引起心脏病的发生。胸压升高，胸廓被固定，胸腔容量减小，胸膜腔内压加大，肺活量，肺通气量减小，使肺泡在长期压抑的条件下不能正常进行气体交换，使病人改变了呼吸方式，表现耸肩，胸廓上提等症状。如冠心病、心肌梗死、心肌炎、肺气肿、肺不张、哮喘。

腹压：腹压是腹部的压力的简称。腹压可由肌肉收缩时产生，主要是由腹壁肌及膈肌收缩使腹内压增高，主要影响因素有心脏和气血等。腹压升高使胃内的血运受阻。胃消化液分泌减小，蠕动功能随之逐渐减慢，因此消化能力减弱，胃体的平滑肌运动机能减退和退行性变化，腹压升高，肠的蠕动减弱，尤其手术后的渗出液进入肠间隙，使肠黏合在一起，更加改变了肠的运动功能和肠的吸收功能，而导致临床上的各种胃肠疾病，如胃溃疡、胃痉挛、慢性胃炎、萎缩性胃炎、肠易激综合征、浅表性胃炎、胃下垂、便秘、肠梗阻、胆囊炎、胆石症。

### 三、调任督两脉

任督两脉原属于奇经八脉，因具有明确穴位，医家将其与十二正经脉合称十四正经脉。任脉主血，为阴脉之海；督脉主气，为阳脉之海。也就是说，任督两脉分别对十二正经脉中的手足六阴经与六阳经脉起着主导作用，当十二正经脉气血充盈，就会流溢于任督两脉；相反的，若任督两脉气机旺盛，同样也会循环作用于十二正经脉，故曰："任督通则百脉皆通"。

以人体正下方双腿间的会阴穴为起点，从身体正面沿着正中央往上到唇下承浆穴，这条经脉就是任脉；督脉则是由会阴穴（也有人说是长强穴）向后沿着脊椎往上走，到达头顶再往前穿过两眼之间，到达口腔上颚的龈交穴。任脉主血，督脉主气，为人体经络主脉。任督二脉若通，则八脉通；八脉通，则百脉通，进而能改善体质，强筋健骨，促进循环。

民间常有"打通任督二脉"之说，这一点可从中医与道家导引养生的角度分别探讨。《黄帝内经·灵枢·营气篇》在提到经脉的流注顺序时讲到，经络从肺经开始，依次循环到肝经；再由肝经入胸，上行经前额到头顶，再沿督脉下行至尾闾，经阴器而通任脉上行，然后再回流注入肺经。《营气篇》说："此营气之所行，逆顺之常也。"这是医经所述，任督之气在人体运行的自然规律。由此可以理解，就正常人而言，任督两脉本来就是通的，何须打通任督二脉？以道家导引养生的观点，所谓"通任督"也就是行"周天"运转之意。道书《太平经》认为，人的寿命极限为上寿一百二十岁，只要以导引内丹的训练，从“逆”的方向上夺天地之造化，凝练精、气、神，提高生命品质，就可挑战年寿极限。

1. 调整任脉法（包括点穴扶阳法）

任脉是奇经八脉之一，与督、冲二脉皆起于胞中，同出“会阴”，称为“一源三岐”。任脉的“任”字，有担任，任养之意。任脉循行于腹部正中，腹为阴，说明任脉对全身阴经脉气有总揽。总任的作用。故有“总任诸阴”和“阴脉之海”的说法。其脉气与手足各阴经相交会。而足三阴与任脉交会于中极、关元、阴维与任脉交会于天突，廉泉，又冲脉与任脉交会于阴交。足三阴经脉上交于手三阴经脉，因此，任脉联系了所有阴经，故有“总任诸阴”之说。同时，任脉起于胞中，具有调节月经，促进女子生殖功能的作用，故有“任主胞胎”之说。

任脉贯穿人体的上、中、下三焦，三焦通行元气于全身，是人体之气升降出入的通道，亦是气化的场所，故称三焦有主持诸气，总司全身气机和气化的功能。《黄帝内经·素问》云“百病生于气”，三焦主持诸气，是气、血、水的通道，气行则血行、水行。所以说任脉通，则三焦通畅、气机条达、百脉皆通，随之百病皆除！

2. 点通督脉法（包括推背升阳法）

督脉循身之背，背为阳，对全身阳经脉气有统率、督促的作用，故有“总督诸阳”和“阳脉之海”的说法。因为督脉循行于背部正中线，它的脉气多与手足三阳经相交会，大椎是其集中点。另外，带脉出于第二腰椎，阳维交会于风府、哑门。所以督脉之脉气与各阳经都有联系。又因督脉循行于脊里入络于脑，与脑和脊髓有密切的联系。《本草纲目》称“脑为元神之府”，经脉的神气活动与脑有密切关系。体腔内的脏腑通过足太阳膀胱经背部的俞穴受督脉经气的支配，因此，脏腑的功能活动均与督脉有关。督脉“为阳脉之都纲”即是此意。督脉的生理功能是统督背部之阳及诸阳经，为阳脉及全身经脉之海，主阳，调节阴阳，为十二经之纲领及动力，肾气肾水之通路，主生肾气，交通心肾，充养髓海，益脑，主生殖功能等。通过手法作用与督脉，调动人体自身之免疫力，尽可能不吃药，不打针，靠打通任、督二脉调理全身之气血，促进全身气血循环，以保证身体的阴阳平衡。

3. 子午流注与灵龟八法。配合时间取穴，效果更佳。

## 四、分筋法

1. 头部分筋

对高血压、头痛、头晕、偏头痛、脚发热、头皮积水等疾患，疗效显著。

2. 颈部分筋

根据脏腑机能调整的平衡理论、参考欲治其弓、先调其弦的理论，结合肌肉起止点学说、足太阳膀胱经主筋所生病的理论整理出来的颈部分筋法不用旋转、斜扳等方法，操作下来，颈椎轻松舒适，对各种颈椎病立竿见影的效果。

3. 背部分筋

背部分筋的主要手法作用于足太阳膀胱经，足太阳膀胱经循行于督脉的两旁，若足太阳膀胱经出现阻碍，则运输气血的功能就会受到影响，它所联系的脏腑和肢体的功能则发生障碍，甚至发生病变。足太阳膀胱经是纵贯人体背部的大经脉，五脏六腑的俞穴顺行排列其经，脏腑的精气都通过其俞穴内外输转，这些俞穴的分布与所属脏腑的位置接近。俞者、腧也，五脏六腑的内部精气在背腰部聚集之处谓之俞，也叫背俞穴。“治脏者，治其俞”。背俞穴是防治脏腑相应疾病的要穴。循着背部膀胱经的走向，施术于五脏六腑的俞穴。能激发足太阳膀胱经气，调理脏腑气血，平衡脏腑阴阳，增强脏腑功能

4. 臂部分筋

疏通臂部经络、气血，主要用于肩、肘等各种关节障碍疾病。

5. 腿部分筋

疏通腿部经络、气血，主要用于腰、膝、踝等关节障碍疾病。

6. 面部分筋

引气血达于面部，濡养五官、皮肤，使面色更健康，可以提升面部肌肉，延缓衰老，操作下来面部红润、眼睛清亮、呼吸通畅、两耳温热。对改善面部皮肤、粉刺、鼻炎、视物昏花、头痛、面瘫效果显著。

## 五、诊断法

1. 望诊

“望而知之谓之神”望诊是中医临床诊断的重要依据。运用视觉，通过对病人全身和局部的神、色、形、态的观察，来诊断疾病。

2. 闻诊

《黄帝内经·灵枢·邪气藏府病形篇》说：“十二经脉，三百六十五络，其血气皆上于面而走空窍。”因此，头面耳目口舌鼻的神色形态，是以反映脏腑经络的常变。

3. 问诊

明代医家张景岳认为问诊“乃诊治之要领，临证之首务。”《黄帝内

经·素问·三部九候论》：“必审问其所始病，与今之所方病，而后各切循其脉。”

4. 切诊

切胸诊、腹诊。胸腹者，五脏六腑之官城，阴阳气血之发源地若欲知其脏腑如何，则莫如诊胸腹。

## 六、传承脏腑点穴法

脏腑推按流派，秉承中医经络脏腑学说，显示了中医学的整体观念和辨证论治的思想，重视任督两脉、腹部及三焦部位的调整，具有严谨系统的手法操作程序。包括特殊穴位运用的注意事项。

1. 根据经络穴位和脏腑部位，用点穴方法，从脏腑治疗着手，调理脏腑气分，恢复脏腑机能。既治疗五脏六腑的疾病；也治疗一些四肢和头面部的内科和外科方面的疾病；对妇科和小儿科，也有它的适应证。它的特点是：既无药饵疗法之偏胜，也无外科手术之痛苦，并能与药物疗法相结合。在临床实践方面，不仅对许多疾病有显著疗效，更有其他疗法所不能及的治疗效果。

2. 任、督两脉与时间、节气点穴法：天地大周天，人体小周天，根据四季的交替和节气的变化，配合相应的穴位和手法，体现天人合一。

3. 疾病的病因、症状及在为患者治疗时的遇到问题的特殊处理方法

如：一位学员朋友在准备为一位精神病患者治疗的时候，患者打嗝不止，无法操作，来电话，我告诉他再增加一个手法即可，三天后他来电话反馈，治愈！

一位学员朋友在为一位腹胀的病人治疗以后，患者打嗝、排气不止，腹胀减轻很多，但还感到腹中胀气无法全部排除，来电话，我告诉他一个调部位，二十分钟以后，他来短信说，给患者做完以后，患者去厕所，排泄一番，舒适无比，但在所有医术上均未发现这个位置可以治疗腹胀，我告诉他这是我的经验穴，把这个穴位用周易只是为他诠释以后，他说，效果确实很不一般。

一位学员来电话问我，他平时睡得很好，但只要出差住旅馆就失眠，问我有没有办法处理，我告诉他方法以后，经他验证后，效果很好！

4. 多种疾病的快速无药治疗方法：

（1）肩周炎：1 至 3 分钟左右可愈；

（2）颈肩背酸痛：3 至 5 分钟立感轻松；

（3）急性胃痛：3 至 5 分钟消除症状；

（4）脚踝扭伤：对新伤复位不超过 2 秒钟；
（5）手腕扭伤：复位不超过 5 秒钟；
（6）坐骨神经痛：10 次左右痊愈；
（7）呃逆：病情较轻的，病程较短的，1 至 5 分钟消除症状；
（8）呕吐：一般 1 次消除症状；
（9）急性腰扭伤：3 分钟左右可愈；
（10）腰椎间盘突出症 < 久病 >：1 至 3 分钟立感轻松；
（11）癫狂发作：狂呼叫骂、打人毁物 3 至 5 分钟可恢复正常；
（12）落枕：不用斜扳，3 至 5 分钟消除症状；
（13）腹泻：1 至 3 分钟左右可愈；
（14）高血压：1 至 3 分钟左右可使血压下降；
（15）牙痛：3 至 5 分钟消除症状；
（16）急性咽喉痛：3 至 5 分钟消除症状；
（17）胸口岔气：3 至 5 分钟左右可愈。

**七、五脏六腑整体调整法**

1. 安神定志术

孙思邈在其《医论》中指出："凡大医治病，必当安神定志。"其术重在调和元神之府。

2. 强心安神法

心居胸中，有心包卫护于外，心是脏中最重要的器官，生命活动的中心。心的主要功能有主神明、主血脉、主津液、开窍于舌等。最适合用于心脏病发作的急救。

3. 清肺宽胸法

肺居于胸中，在脏腑中所处的位置高，故又称为肺为华盖。肺上连气管、喉咙，开窍于鼻。其主要功能为主一身之气，司呼吸，宣发肃降，通调水道，外合皮毛等。

4. 疏肝理气法

肝位于右胁下，胆附于其上，二者经脉互相络属而成表里关系，肝脏的主要功能是进行糖的分解、贮存糖原；参与蛋白质、脂肪、维生素、激素的代谢、解毒、分泌胆汁、吞噬、防御机能、制造凝血因子、调节血容量及水电解质平衡、产生热量等。在胚胎时期肝脏还有造血功能。此法对两胁胀满、胸闷、生气引起的腹胀等症状，用之立效！

5. 清胃健脾法

脾胃同居于中焦，主管饮食的消化、吸收和转输，以供人体生命活动的需要。脾胃为后天之本，胃主受纳、腐熟水谷；脾主运化、主统血、主肌肉、调节水液，其华在唇，开窍于口。此法对腹胀、胸满、消化不良等症状立竿见影。

6. 调补肾阳法

肾居于下焦，主管生长发育、生殖、水液代谢、纳气、濡养温煦脏腑五个方面，由于肾中具有精、气、阴、阳，如《医原》所说："肾为阴阳互根之地，精气之本原。"因为肾中精气阴阳来源于先天，禀受于父母，故称"肾为先天之本"。

7. 推腑清脏法（包括古传的仙人推腹）

大小肠、膀胱是腹部的主要器官。脾胃主中州，小肠受盛化物，泌别清浊；大肠传导和排泄糟粕；膀胱贮存并排泄尿液。此法对便秘、腹胀、腰痛、胸闷等症效果极佳。

8. 开门法（包括开六淫门、开七情门）

……

## **八、脏腑机能调整小儿推拿法**（详见拙著《臓腑机能调整手法生命学之小儿按摩法》）

手法简单，摆脱手法繁杂、配伍复杂、补泄难以掌握的弊端，易学、速效。

1. 小儿性情调节法

五行学说是中医的基础，五行保持相生相克的动态平衡，才能使事物正常的发生与发展。一个人的五行出现偏差，身体就会出现相应的疾病，甚至以后的生活和工作中，出现相应的问题，所以说性格决定命运，一个人的性格是从小养成的，可以通过外在的方法，确定小儿的五行，施以相应的方法，使五行制化有序，脏腑气机一气周流，从根本上消除疾病，开发智力，小儿得以健康、聪明的生长。

2. 小儿保健增高

作者多年临床经验，经数百人实践，对小儿增高智力开发，效果出人意料。

3. 脏腑机能调整小儿推拿法

对感冒，发热，支气管肺炎，反复性呼吸道感染，哮喘，厌食，呕吐，疳积，腹痛，腹泻，腹胀，痢疾，肠梗阻，脱肛，咽炎，小儿麻痹，佝偻病，流涎，夜啼，小儿多动症，生长痛，五迟，五软，遗尿，尿潴留，尿频，吐奶和溢奶等问题，立竿见影。

## 九、脏腑机能调整手法生命学的意义

所有从事临床的朋友都会发现，患者心理情绪的变化，直接影响治疗的效果。“调心”是一套非常严密的学术体系，运用得当，对各种疾病，同样起到立竿见影的效果。一位朋友问我疾病的范围有哪些？我回答说：“除了身体上的疾病以外，工作不顺利、人际关系差、事业不成功……这些都属于疾病的范围，都需要调整。”我们将依次解开和证悟医学中调“心”的奥秘，使我们的临床效果产生质的飞跃。

1. 脏腑机能调整与生命哲学。

2. 肾阳指的是什么？如何从根源上“补”肾阳？

3. 三焦通百脉，三焦通百脉皆通。

4. 脏腑调整的两种层次：广义的调整和狭义的调整。

5. 疾病的分类及相应的治疗法则。

6. 感悟阳有余而阴不足，阳不足而阴有余。

7. 性格与临床，为什么不同性格的人，治疗效果会有差异？

8. 揭秘五行的密码，探索五行与疾病的关系。

9. 更深层次地认识疾病，找出疾病的根源。

10. 内环境与疾病，为什么处在同样一个环境里面，同样的体质，有的人容易生病，有的人却很健康？

11. 打开“七情”之锁的终极密码。

12. 命与运的关系，探索运气与疾病的关系。

13. 学会和疾病对话。

14. 生命与形体的关系。

15. 医学的秘诀在医外而不在医内。

16. 洞悉时代病的本质，创造有效的调理机制。

17. 从五行的角度去分析癌症的起因和治疗机理。

18. 学习庄子的思维，从不同的角度去思考调理疾病的方法。

19. 从爱因斯坦的相对论及宇宙中的四种力，探讨疾病的根源。

20. 从细胞、分子、原子、原子核、质子、电子、夸克、弦等理论思考疾病的产生。人、地球、太阳系、银河系、宇宙探讨自然与人的关系。

21. 十二经络与任督两脉并称十四经络，十二经络主管人的形体，任督两脉统领其余六脉主管人的生命。

22. 治病首重调心：上兵伐谋，其次伐交，其次伐兵，其下攻城。

23. 疾病从何而来？为什么生活方式完全相同的两个人，得病完全不同。

24. 性格与疾病的关系及其临床应用：什么样的疾病一定有什么样的性格与之对应。

25. 从《道德经》和《庄子》寻找调理抑郁症、自闭症的方法。

26. 因果定律、曲线运动法则与中医临床和人性的关系。

27. 先天疾病是如何导致的？怎样避免先天疾病的出现。

28. 生命与形体的关系，临床上怎样调节患者的生命系统？

29. 重大疾病要明白，为什么受惩罚的是自己：同事、朋友或夫妻之间，在工作、生活中，明明错在对方，受惩罚的也应该是对方，而我们自己却重病缠身。

30. 揭示快速根除各种疾病的奥妙，最大限度地提高临床效果：如：抑郁症、糖尿病、甲状腺功能亢进、心脏病、高血压病、眩晕、气管—支气管炎（肺咳）、支气管哮喘、各种胃病溃疡性结肠炎、乙肝炎、肝硬化腹水、胆结石、肾病综合征、肾炎、贫血、失眠、癫痫、脑血栓、偏瘫、重症肌无力、类风湿关节炎、风湿性关节炎、腰椎间盘突出症、骨质增生、膝关节痛、髋关节痛、坐骨神经痛、三叉神经痛、颈僵硬、肩周炎、腱鞘炎、慢性腰痛、腰酸、背痛、肘痛、肩痛、挫伤、膝关节积液、前列腺增生、前列腺炎、闭经、不孕症、鼻炎……

## 主要参考书目


1. 谢华，编著．《黄帝内经》．中医古籍出版社
2. 杨继洲，著．《针灸大成》．人民卫生出版社
3. 陈宇清，著．《新推拿法》．河南人民出版社
4. 上海中医学院，《中医推拿学》．上海人民出版社
5. 刘强，著．《中医诊断十四法》．金盾出版社
6. 王雅儒口述，王振国笔记，濮卿和整理．《脏腑图点穴法》．河北人民出版社
7. 董好魁，李恩复，著．《脏腑经络按摩》．河北科学技术出版社
8. 刘力红，著．《思考中医》．广西师范大学出版社
9. 明·龚廷贤，编著．倪泰一，李彤等译．《寿世保元—白话全译》．重庆大学出版社
10. 齐学进，著．《中医推拿学全书》．人民军医出版社
11. 元·丘处机，著．季羽译，著．《养生经》．终归纺织出版社
12. 王文举，陈祖瑞，主编．《中华腹部推拿书》．天津科技翻译出版公司
13. 曹锡珍，著．《中医按摩疗法》．人民体育出版社